国家出版基金项目

李达全集

汪信砚 主编

第十四卷

人民出版社

国家社会科学基金重大招标项目
"李达全集整理与研究"（批准号：10ZD&062）最终成果

国家出版基金项目
"《李达全集》（1—20卷）的整理、编纂与出版"最终成果

目　　录

社会进化史[*]

（1935）

　　[*] 《社会进化史》于 1935 年由国立北平大学法商学院作为教材印行，因抗日战争爆发，当时未能公开出版。该书第四编第七章第二节曾以"西欧的封建社会"为题被收入人民出版社 1980 年 7 月出版的《李达文集》第一卷。原书第一至五编各章统一排序，第五至七编各章分别排序，现改为全书各章统一排序。——编者注

第 一 编

原始社会与氏族社会

第一章　原始社会

人类社会的发生,到现在已历长久的年月。据许多学者研究,人类社会发生的时代,远在 30 万乃至 40 万年之前。现代人之推测远祖的情形,只能表示出极一般的形态。但是,即令用我们所有关于人类存在的最初期的散乱而缺乏明了的知识,来设定人类社会的物质文明及经济发达的基本方向,而抛弃所谓世界与人类是在"六日中"造成的宗教的神话,以及所谓私有财产永久存在等布尔乔亚的荒唐无稽之谈,这也不是不可能的。

本章的研究,是要解决如下的诸问题。

(一)原始时代中,有过怎样的经济形态?

(二)最初的人类社会是怎样组织的?

一、研究原始时代之根据

区别人类与其他动物界的基本标识,是人类制造劳动工具的一件事。在包含类人猿科(长臂猿、大猩猩、猩猩、黑猩猩)的动物之中,虽然那些动物为取得食物也使用石子或棍棒,但能够独立制造或改良这些工具的,却是一个也没有。因此,18 世纪的美国学者兼政治家的福兰克林,把人类规定为"制造工具的动物"。我们明白知道的最初的劳动工具,是由石子制成的工具。那类工具,是随着当时人类之遗骨及其生活与活动的痕迹(为人类食物的动物之化石的骨片堆积、工艺品),同在古代地层中被发现的。学者首先根据原始人的劳动工具和原始人的物质文明加以研究,使我们想象出原始人的生活情形。

关于依据劳动工具的遗物而再现出灭亡了的人类社会生活一件事,《资本论》中有这样一句话:"要认识已经灭亡的动物种属的身体组织,重要的事情,是知道那遗骨的构造;同样,知道劳动工具的遗物一件事,在判断过去的经

5

济的＝社会的构造上,是重要的关键。"

从事搜集并研究远古人类活动之物质的遗物这种工作的,是研究有史以前的考古学——关于古代物质的遗物的科学。考古学者把那些从各种古代地层中发现的器具及其他遗物的材料、形态、与加工方法列成依次交替的一定顺序,使其再现。

从事决定地壳各层的年代或性质这种工作的,是地质学——关于地球的构成及其发展的科学。但如单只得到地质学的材料,我们在决定发现物的年代时,往往发生错误。因为在地中,感受各种原因的影响,地层也发生变化。在这种情形,帮助这些学者的还有另一种科学——古生物学。古生物学研究"化石"——死灭的动物和植物的遗物。同种类的化石之发现,不仅能推定种种发现物有同一的年龄,并能再现出环绕人类的自然环境,即一定时代的植物界(植物总体)与动物界(动物总体)。

由于考古学的发掘,人们发现人类活动之物质的遗物,并发现人类的骨骼、头盖骨和散乱的骨片。为要推定人类的祖先,阐明人类的进化,重要的事情是把散乱的骨片作基础,完全现出原始人的容貌。完成这种任务的,是关于人类自身的科学——人类学。人类学阐明接近于人类的动物,阐明我们所发掘的祖先与现代人的肉体特征之类似与差别。

上述诸科学,虽能再现出人类物质的文化、人类肉体的容貌及环绕人类的自然,但对于原始人的经济活动、社会生活及思唯,却不曾说起。至于供给我们这类知识的,是民俗学。民俗学是研究种种民族的生活的。拿原始人的技术以及与我们同时代的其他各民族,例如布休曼人(生活于南非洲)、澳洲土人、菲哥人等的技术之多少完全的一致,作为基础,就能够推想到原始人与现代落后诸民族经济的及社会的生活之间,是有某种共通点的。民俗学对于前阶级社会的较高阶段——氏族共同体——之理解,供给更多的材料。在地球上,直到现在还保存着氏族的秩序或遗制的许多成分的民族,还有相当的数目。

为要再现出原始人特别是在氏族社会中生活过的原始人的思维,科学要利用各氏族的传说的材料。这些传说中,有寓言、神话、传说、传记、歌谣、谜语、谚语等。

在现代诸民族的言语中,特别是在所谓死语即现今已不使用的言语中,有许多言语能使学者再现出生活于古代的种族的言语。把各民族言语作比较研究的科学,叫作言语学。

由上述种种科学所得到的材料之总体,使我们能推定劳动工具的发达及其变迁中的一定顺序、生活手段获得方法的变化中的一定顺序,以及(以此为基础的)原始人社会生活的发展中的一定顺序。

设定人类社会发展之顺次的阶段,阐明其发展的原因,这是历史科学的任务。

二、旧石器时代之物质的文化

人类之与动物界相分离,是以人类使用自然界所供给的劳动手段去采取生活资料一件事为基础才发生的。人为要从树上打下果实,或捕捉小动物,就使用偶然拾起的石块或木片,因此人对于其他动物,取得非常优越的地位。由于使用劳动工具的若干年的实践,人类的手就特别专门化了。于是手便停止在行动时用以支撑的工作,而主要的成为人的劳动及防卫的机关,能做特别的任务了。因受前肢的两种任务所影响,就能直立地步行,人的骨骼就成为垂直的了。后来因为工具的使用及制造上的实践,劳动之社会的性质,直立的步行及肉食,等等,便引起人类全肉体的容貌的变化,完全变动"人类"(Homo Sapiens)了。人类从动物界分离的过程,继续了几十万年。在这个过程中,具有决定的基本作用的东西,是劳动工具的使用和制造。劳动的过程,不只创造了人类的文化。用恩格斯的话来说:"劳动创造了人类本身。"

原始人的劳动活动之物质的遗物,是从地质学所称为第四纪①时代的地层中发现的。这时期,欧洲遭逢了四次冰河。在冰河时代,冰河的袭来,由北到南,由高地到平原,范围极广。庞大的地域,都被冰河覆盖。

斯干底那维亚半岛的全部,大不列颠诸岛的大部分,波罗的海及北海南岸的全部,苏联的欧洲部分的三分之二,都完全被冰河所覆盖。波罗的海和北

---

① 地质学者,依据有机的生活(属于动物界或植物界)之各种发展阶段,把地球的历史割分为四大时代:即始生代(Proterozoic)、古生代(Palaozoic)、中生代(Mezozoic)、新生代(Cainozoic);新生代又分为第三纪、第四纪及现代。

海,彻底冻结了。到了冰河时代,欧洲中部的气候变冷,冬长夏短。现今在极地所见的植物或栖息于极地的动物,在当时是很多的。在间冰河时代(冰河时代的中间),因为冰河退向北方及山顶,气候发生了新变化。欧洲中部,也出现了栖息着温带动物的茂林和广大的草地。各四个冰河时代之间,距离有几万年的年月。气候的变化,非常迟缓。冰河时代的温度,比较间冰河时代平均低摄氏六度。温度徐徐降低,使得许多动物或人类适应于变化的气候状态,或迁移到比较温暖的南方。但有许多的动物种属和人种,不能不死灭。

荷兰医生杜波伊(E.Dubois)在19世纪的90年代,在爪哇岛的特利尼尔村附近,在相当于欧洲第一冰河时代的地层中,发现了一块大腿骨、两个臼齿和头盖骨的上部。这些遗骨,就是所谓直立猿人(Pithecanthropus)即人类之祖先。

杜波伊记录他自己的发掘物时,这样说:"我们不能不达到这样的结论:猿人的大腿骨和人类的大腿骨,做了同样的力学的工作。两个关节及大腿骨之力学的轴,与人类方面的特征很相像;从所谓骨片的形态与其所做的工作间有紧密的相互关系的法则出发,我们不能不设想这发掘了的存在,保持如人类般的直立姿势,而用两脚步行的。……由此必然得到的结论,即是:这存在是自由使用那两个在前进运动上失其必要而已经很完成了的前肢;又这种完成化,终于产生了当作工具及触觉机关看的人类的手。……由于大腿骨及头盖骨的研究,显示这发掘的存在,当然不能是猿。无论在头盖骨方面,或在大腿骨方面,猿人与人的区别,比他与人猿的区别较少。"

和猿人骨片在一处的劳动工具,一件也未曾发现。但是,接近于猿人形态的人类,曾使用自然所给予的木片或石子那样的工具,这是不难想象的。因为如不使用工具,人类就不能造出固有的肉体的特征。类似猿人的人类,曾经把石块实行部分的加工,这也是不难想象的。例如在欧洲第三纪末及第四纪初的地层中学者发现过若干加工形迹的石片。这种加工,大概是为了容易握在手中的缘故。学者把人类的这些最初的工具叫作曙石器,把物质的文化的全部初期时代叫作曙石器(Eolith)时代。

学者依照制作工具的方法,把使用石器的全时期分为两大时期:旧石器(Palaeolith)时代和新石器(Neolith)时代。物质的文化这两个阶段,在原始人的经济社会组织及精神生活上,造成与各时代相适应的差异。旧石器时代的文化,是原始社会的物质基础;新石器时代的文化,是氏族社会的基础。

旧石器时代的石器,以前和现在都多量地被发现出来。考古学者推定这种工具的基本形态是顺次递遭的。根据在法国最初发现的许多东西看来,这些工具的形态及其被制造的时代,可给予如下的名称:齐尔安期(Chellean),亚齐尔安期(Aeheulesn),摩斯特利安期(Mousterian),奥里内西安期(Aurigna-cian),苏流特安期(Solutrean),玛达列利安期(Magdalenian),亚几利安期(A-zilian)。但工具的形态不显示技术发达的明晰情形,所以学者依照这些工具的各种加工方法,把它们联结于各个时代。这样就得到渐次进步下去的旧石器时代的以下各时代:削劈(Chiping)时代,掷剖(Pitching)时代,压削(Pressing)时代,研磨(Polishing)时代。

削劈技术的时代,是第二间冰河期,离现代约30万年。这时代的工具(齐尔安期)之特征的形式,是扁桃式的手揢,其一端尖,他端圆。削劈技术时代的加工技术简单,是用凹凸的石块敲打燧石等石片而成的。这时代的较后一期(亚齐尔安期),削劈的方法渐渐精致,第二种工具就出现了。

在发现工具的场所,不曾发现人类的遗骨。但在海得堡(德国)附近同样属于第二间冰河期的地层,却发现了人类的下颚骨。因它被发现的地名,命名为"海得堡人"(Homo Heidelbergensis)。在这下颚骨出现的处所,又发现了曾在温暖的间冰河期的茂林和广大草原上栖息过的大动物,即长尾犀、古代象、狮及野马等的遗骨。

温暖的间冰河期,和第三大冰河时代的严寒环境相交代了。欧洲方面,在极地,发现了固有的动物,原始巨象(Mammoth)、西伯利亚犀、大灰色熊、麝、牛、极地的鼠,以及最初的很稀有的驯鹿群。这时代出现了新的人类型式。因为他的头盖骨是杜塞尔多夫(Dusseldorf)及埃北菲尔(Elberfeld)(德国)之间的内安得塔尔(Neanderthal)(德语"塔尔"为流域)发现的,所以称为"内安得塔尔人"(Homo Neanderthalensis)。内安得塔尔人之骨骼或头骨,同样在法国(多而多尼河流域的列姆斯采洞窟)、比利时(斯皮洞窟)、直布罗陀(西班牙)以至于苏联,都被发现。在苏联皮亚奇哥尔斯克的波德库姆卡河流域所发现的,称为波德库姆卡人。此外在其他各国,也曾发现过。内安得塔尔人的容

9

貌,可以照下面那样描写。前额向后倾斜,头骨狭而长,突出于眉毛之上。张开的下颚骨,有可以认识的颐。脊柱还不能完全垂直,在短的膝部之下有弯曲的脚。依据地质学上的发现,可以知道内安得塔尔人种曾扩大到全欧洲,非洲北部和亚洲。

这时期制造石器的技术更加改良了。制造工具是由削而改成劈了。大块的燧石被剖为不同大小两部分,大的部分更被加工。这些石片更被剖成和以前的平面成直角,变为大小形状不同的种种石片。这样的技术形式,可以说是为要采取骨髓才剖裂人类或野兽的骨头的结果所发现的。掷=剖技术时代的基本模型(摩斯特利安期),是用手握的尖头器和削器。这用手握的尖头器,是头端尖而比手搥轻小的三角形器具。削器一头平滑,另一头成尖形。削器大概是用以制毛皮的。掷=剖时代,为第三次冰河时代与第三次间冰河时代。距今约 10 万年至 15 万年。

其次压削技术时代,是原始技术的伟大变革期。这时代从最后的冰河期开始,距今约四五万年。压削时代技术,较之掷剖时代技术,更为改良。照从前那样,把燧石块剖开,取出断截面,把它压削为平面,却不用敲打式。或是用骨或石磨成平面,或用那块石头来敲打这块骨片或石头,因而得到长薄的石板。这时代的特征,就是石器的种类和样式复杂。与从前所看到的形式的石器并行,新石器出现了。这些新石器,就是像弯曲的鸟嘴一样的尖头器,小刀似的石片,桂树叶形似的尖头器,各种削器,钻、凿等。这些器具的特征是有柄。此外,骨器也是在这时代出现的,如针、大针、木制标枪枪头、捕鱼用的钩等。

人的相貌,在这时期也完全变化了。在地层中和这些器具一同发现了类似现代人的遗骨。这种人的骨骼,是在 Grimaldi(意大利)的洞窟、Brunei(摩拉维亚)的某地点、Cro-magnon(法国)的洞窟及其他地方发现的。在各地所发现的骨骼之间,有许多差异之处,所以人类学者把他们分成如下的各种族,即 Gromagnion,Brunnei,Grimaldi 等。而这些差异很小,大多数学者,把他们合并为一个型式,总称为"发掘了的智人"(Homo Sapiens)。现在这种型式的人,已不存在。他是在某发展阶段上死灭了。人类的现在的型式,在冰河期后的后半期出现了。

在旧石器时代的末叶,已经发生了器具之部分的研磨(亚几利安期)。

研磨的器具时代的技术,与我们所知道的现在澳洲土人的技术相类似。有同样的石器、骨器、木制器具、研磨了的石斧、石制小刀、有用树胶粘牢的石枪头的木制标枪。技术上的一致,许可我们在澳洲土人和我们发掘的祖先的经济生活和社会生活之间,划一平行线。

三、当作防卫及经济手段的火

火的出现,使原始人的生活起了大变化。用火的最初遗迹,是在克拉比那(南斯拉夫)附近发现的。在这里,和柴薪的堆积一同发现的,有投掷剖技术时代的工具,和犀、麋、海狸、野牛及马等的遗骨。由于这些动物群的发现,可以推定火是在第二冰河期末或第三冰河期,即大约在 17 万年以前出现的。

人类观察了山火、野火、火山的喷火等以及这些现象所引起的结果,发现了火的有用性。半烧的肉片或果实,比生吃味美而柔软。经过无数次的那样的观察,就克服了对于火的最初的恐怖。人类从火灾场取出着火的木片,或搬取着火的余烬用以烹煮食物,温暖身体。移火一事,在原始人需要非常的技术。大概他们和现在落后民族——澳洲土人——一样,把看火的余烬放入凿有深穴的木片中,由这里搬到那里。原始人学习保护火使不致遭风雨等自然的消灭,经过了长久的年月。他们或者像澳洲土人那样,为着使火不受风雨,制造了特别掩覆的东西。人类大概由于这件事,到后来才造出住宅。

火的暂时的利用,渐渐变为经常的利用了。火的利用,造出了原始人从动物界区别出来的新境界。依靠火的助力,人类才开始烹调食物,并能食用新种类的食物——如鱼类、球根类、果实等物了。原始猎人,知道用火改良劳动工具。他们用火把木制的标枪弄坚固。火同时也是保护比较无力的人类避免野兽袭击的手段。最后,火保护原始人不致因摄取生食物及受风寒潮湿而生疾病。并且,火也影响于人类相貌的变化。食用焚煮过的食物,能使头盖骨的颜面部和齿部发生变化。

火在人类生活上的意义很大,不但在原始人是如此,并且说明了比较文化进步的民族所以拜火的原因。大多数民族中都有盗火的传说(神话)(例如古代希腊人有普罗美修士的神话。普罗美修士从天上的神那里盗取了火,致受刑罚被缚于高加索的悬崖上，身体被鹫所啄食）。许多民族中，火神是主要神，而且是神中最古的神。同样，又发生了对于炉的崇拜，发生了护火神的观念。

原始人虽知用火，却还难达到人工制火的思想。火之人工的利用，是在比较稍后的时代，到压削技术时代之终才出现的。他们在加工于木材之时，特别是在木器上凿孔之时，开始注意到因摩擦而起的自然发火。这就是人工取火的开始。澳洲土人中，有这样的木制发火器。澳洲土人把火蓄藏在芦茎之中。人工发火的更进步的形态，是用两块燧石或黄铁矿与燧石，在燃料上敲出火花，借以取火。燃烧材料，是使用特别种类的菌、干燥的朽木或棉制的细绳等。

四、旧石器时代的经济

原始人的原始技术，规定了适应于取得生活手段的方法的形态。

旧石器时代初期（削劈技术时代和掷剖技术时代）的一切基本方法，就是搜集。原始人从一个地方继续漂泊到另一地方，凡是可吃的东西，如球根类、果实、茸、小动物、昆虫、毛虫等，一切都是从地上搜集得来的。原始人无论什么东西都吃。现在的澳洲土人、菲哥人及其他落后诸民族，也还是这样找寻食物。他们捕食大动物，是很少有的现象。狩猎带有偶然的非组织的性质。人常捕捉带病的动物，落到自然的陷阱中的动物，以及离了群的动物等。他们搜集了食物，或被杀害了的动物，或发现了死动物，就当地食掉。倘若到了肉类和植物性食物缺乏之时，便人食人肉——吃老人、病人与小孩。加斯比那（南斯拉夫）原始人的居住地上，发现着为采取骨髓而剖开了的管状的人骨。食人的风习，也曾普及于澳洲。

在压削技术时代，可以看到：由于狩猎工具种类增多，狩猎在这时期带有经常的性质。钩与钓针，表示已经实行捕鱼。搜集也复杂化了。用以掘土的特别工具——用石与木制成的掘土器也出现了。于是取得食物的基本方法变为狩猎。搜集只成为女子和儿童的工作了。在一个经济中的这两种工作的分化，便成了男女间最初的分业。生产物之量的增加，容许一切原始集团采集那些生产物来消费。但在实行这样的消费方法之时，吃得最多而且最好的，还是男子，即狩猎者。

这时,人类渐次知道穿衣了,这是因为避免冰河时代的寒冷而起的。经常的狩猎,得到了许多的毛皮。在这时期人类的居住地上,有从毛皮剥去肉所用的石制剥皮器,和缝皮所用的大小针之存在,这就是用毛皮做衣服的证据。

原始人都居住在洞窟、悬崖的裂口,以及地上自然生成的便于居住的洞穴之中。考古学者所发现的工具和柴木的堆积,大都存在于洞窟和悬崖深处的家屋中。到了严寒的冰河期,洞窟成了人类的经常的住所。洞窟固然潮湿而有臭味,却能使人温暖,并且可以防御猛兽。人们借火的助力,赶出这些洞窟中的野兽,使他们不再回来。到了间冰河时代的温暖期,原始人的住处,就都在大地之上了。他们焚火以御夜寒,并借以防避野兽的袭击。至于用灌木的小枝编成的小屋,以及更完善的住居等之造成,那是后来的事情。

旧石器时代的经济,还不曾巩固,人还不知道贮藏物品。人的存在,主要的受自然的富源所左右。狩猎如有所得,使举行飨宴,大嚼一顿;食物缺乏时,就彷徨于"饿死线上",这在现代落后诸民族中,也可看到。又如澳洲土人及其他许多民族一样,人们把老病幼弱的人杀死,人工地限制人口。原始人的经济,可以称为采集经济。人们还不曾想到用完成的形式,去取得自然所给予的东西,以再造他们消费的福祉。

五、社会组织

如古代希腊哲学家亚里士多德所说,人是"社会的动物"。人类只有在社会中才能脱离其他的动物界。因为无论是劳动工具的发明还是改良,都不是个人的事业,而是集团的事业。生物学者证明许多种类的动物,都不是孤独生活的,而是成群生活的。动物界中成为人类最近的分支的猿,也是那样结群而生活着的。原始人也大约是这样结成极原始的群而生活着的吧。使原始人结成集团而生活的原因,也和动物的结群一样。一方是当猛兽的袭击时,感到有团结防御以保安全的必要;另一方是集团的本能。更因为有供给植物性和动物性食物的广大地域的存在,助长了那样集团的团结,他们成群地由一地方移到别地方。集团的狩猎对于猎取大动物的有利,使人类的集团更加巩固了。

随着技术和经济的发展,人类共同生活的形态也变得复杂了。比较巩固的结合,代替了以前的完全散乱零碎而很小的集团。这些团体在取得食物时,为要得到较大的机会,分成了小的集团。小集团结合的人数,也不过百人,各小组是由 10 人到 20 人组成的。现今存在的澳洲土人、波特克德人和波洛洛人(巴西)的漂泊集团,是由 60 到 100 上下的人组成的。这集团内较小的各组,虽采取个别的行动,而相互间却有联络,有时好像聚集在一处。

原始集团的基本区分,是性的区分。一群是男子,以狩猎为主;另一群是女子或儿童(到成人为止),他们的工作是搜集。衰老后而不能独立取得生活手段的老人,在集团里全然看不到。在必须和自然斗争的困苦环境中的人,或者一到衰老就不能生存,纵令还在活着,也要因前述的原因,为亲近者所杀害。

家族绝不能当作最初的经济单位。家族在经济发展到颇久的后期才出现。在社会第一阶段上,我们能够推想到的,是无秩序的乱交之存在。稍后才出现一种限制,禁止母子间的乱交,略略正确地说,即禁止有为母的可能性的女子和有为子的可能性的男子间乱交。那时,孩子们还不能明白知道生身的母亲。孩子到了三四岁,一离开母亲的怀抱,便和自己同年的人们混在一块,如同在现代落后诸民族中所看到的一样,一切成人对于这些小孩们的关系,大家都是一样。性交上最初的限制,据达尔文的意见,可以拿各种世代的男女相互间的嫉妒去说明。基于这些性交上的限制,社会中便依照年龄分为成人、儿童与老人。各集团间年龄上的差异,是 20 岁至 25 岁。这样的区别,在澳洲土人中也可看到。澳洲土人中,男女的孩子和少年,到性的成熟为止,组成少年集团,这是由没有孩子的成年男女组成的。第三种集团,是"老人"的集团。虽说是"老人",但肉体上都很壮健,只是指父亲的父亲、母亲的母亲说的。

生活上具有许多经验的"老人",比较集团中其他的人员权威较大。他们在实行不十分复杂的集团政策之时,也许是尽了指导的任务的。但在澳洲土人中,照例就是老人的决定,如不得集团大多数的同意,却没有强制力使一切人都服从。

在人类存在的远古,不能想象到社会生活之巩固的组织。这种巩固的组织,是在技术经济的复杂化的过程中成就的。

旧石器时代文化的繁荣期,是压削技术时代。这时期,在原始的狩猎者和搜集者之间,有在洞窟的壁和工具上留下惊人艺术的美术家,有用原始魔术增加生产品数量或欲从暴力①以保护集团的魔术师,以及制造生产工具及其他物品的手工业者等,露出了头角。这还不是完全的分业,而只是分业的端绪。无论是魔术师、艺术家,或制造工具的手工业者,都同时是狩猎者,又是采集者。这些人的个人的能力,也没有使他们从一般大众隔离,只给予了使原始集团发达和丰富的可能性。

原始经济之消费的性质及剩余生产物之缺乏,在原始的漂泊群中,不曾造出什么所有上的差别。一切人都一样能制造原始的简单工具,能使用不十分复杂的搜集及狩猎方法。狩猎的集团的性质,在消费狩猎得来的东西时,也是共同的。②

演习题目

一、研究原始时代,何以不能仅以本文中所举诸科学中之一的材料为基础?

二、发掘的人类型是怎样的东西?并且受了什么原因的影响,而发生了猿人之向现代"人类"(Homosapiens)的转化。

三、原始时代石器的制造方法是以如何顺序递迁的?

四、原始经济带着如何的性质?

五、在原始人看来,火的意义何在?

六、原始时代男子与女子间,取得食物的方法有怎样的不同?

七、原始集团的构造如何?

八、推测原始人非一个人独处或夫妇同居,而是过着集团的生活,有何根据?

---

① 见第三章前阶级的社会的意识形态。

② 澳洲土人种族及其他诸民族,给了许多实例,不但在集团狩猎及狩猎参加者之间,并且漂泊群的人员,也得参加生产物之集团的分配。这样性质的经济,称为原始共产主义。

欧洲地质学上的时代递遭人类及技术发达之比较表

代	纪	时代	动物界	人类的种	技术	重要现象	年数
新生代	第四纪	第一冰河时代	极地的动物群	猿人	曙石		500000
		第一间冰河时代	温暖时代动物群(阿非利加—亚细亚模型)的南地象,马犀,河马剑齿虎				475000
		第二冰河时代	极地的动物群				400000
		第二间冰河时代	温暖的动物群(阿非利加—亚细亚模型)的古代象,马犀,河马,原始象	海得尔堡人	削劈技术(齐尔安期及亚齐尔安期)	手槌	375000
		第三冰河时代	严寒时代 Zendra 动物群,象,长毛犀,灰色熊,驯鹿之出现	内安得塔尔人	掷—剖技术(摩斯特利安型)	火,埋葬	175000
		第三间冰河时代	温暖时代的动物群(阿非利加—亚细亚模型)古代象,马犀,原始象,马及其他	发掘了的智人,克洛马龙,格里马底,布留涅人种	压—削技术(奥里内克安期,苏流特利安期,马达列利安期)	洞窟的艺术	150000
		第四冰河时代	严寒时代的动物群,象,长毛犀,驯鹿,熊				50000
	现代	冰河时代以后	混合的动物群象,驯鹿,野牛,鹿,猛熊,原始之牛	现代人	研磨技术(亚几利安期)	最初的斧	25000

第二章　氏族社会

在第一章,我们已经检讨了人类社会发达的第一阶段。当研究技术经济及社会生活显示了非常飞跃的人类社会发达的第二阶段时,要知道新的(氏族的)社会的一切要素是从第一章中所述的社会成长而来的。停止在人类发达的第一阶段上的民族,现今已不存在,然而全体地或部分地保存着氏族社会的经济形态和社会秩序的民族,却是很多。现在已进到社会主义时期的苏联中,也有保存着氏族生活的许多遗制的民族。例如住在冈察加半岛的哥里克、冈查塔,住在东北西伯利亚的杜克地、压库特,在西部西伯利亚及中亚细亚继续游牧生活的吉尔基斯和加尔姆伊克,以及在高加索的若干种族,即普夏夫、达格斯坦的山民等都是。苏维埃政府的任务,是要使这些民族跳过社会主义以前的阶段的经济形态诸阶段,而上进到社会主义的经济形态。

本章要指出人类的基本生产的出现,同时以说明私有财产、阶级及国家之起源为主要任务。

本章的研究过程中应注意的基本问题,是如下的问题:

(一)氏族社会有怎样的经济形态?

(二)财产上的不平等是怎样发生的? 又阶级及国家是怎样发生的?

一、从采集经济到生产经济之推移

从现成自然物的采集到物质的生产之转变,这在原始人,经历了几十万年的岁月。到了生产经济时代,农业和牧畜出现,人类就和供自己食用的动植物同栖了。共栖的生产经济给予了食料的经常资源,而造出手工业发生的可能性的经常剩余生产物就出现了。社会生活的全部秩序发生变化,新的习惯和制度出现了。

在采集经济和生产经济之间，存有一个过渡期。由旧经济形态向新经济形态推移，与漂泊集团的定居有密切关系。这定居只在有多量生活资料存在的处所才得发生。最初的人类集团，大都住在河畔、湖畔、海岸，或野禽丰富的地方。随着渔业方法的改善即小舟及渔网之出现，以及狩猎工具的改善，人类劳动的生产力就增高，人类也能备办住在一个处所的必要的家具了。

对于从采集经济到生产经济之推移，能给予明了的例证的，是澳洲土人。他们知道较为发达的渔业技术，使用以芦叶织成的手网，用有毒植物的果实，投到池沼或河川中，麻醉鱼类来捕捉，后来又知道设置原始的渔业用的水堰。澳洲土人的妇女，知道用种种方法改变有毒植物以供食用。她们并且知道用熏制或烧制的方法保存肉类。不过澳洲土人还不知道农业牲畜和陶业。

生产经济出现于新石器时代。

在丹麦西兰岛的泥炭地马格列莫瑟（大沼）上，实行考古学的发掘时，发现新石器时代初期人类的居住地。这居住地是在有松柏科的茂林围绕的湖岸上。那无数野骨片和多种渔具及其他用具，证明了马格列莫瑟人是处在从事狩猎和渔业的时代。在这泥炭地，首先发现了家畜的犬骨。犬的驯化，大概是偶然的事情。人们定住了之后，犬也住在人们居住的附近，吃人们所弃的食品的残余。人们狩猎有了所得，自己吃饱后，把食品的残余喂犬。这样犬便和人结成密切的关系了。犬就因为偶然地和人们共栖而变为人们的友人和助手，成为最初的家畜了。

在经济发达的次一阶段，可以根据考古学者在丹麦波罗的海海岸发现的所谓"贝塚"（Kitchen.middens）之结果来推定。这贝塚是纪元前8000年栖息于该地的人类食品之残渣。这些残渣，充分地、完全地显现原始时代渔业者的经济。贝类和鱼类已是他们主要的食物。这些残渣间，有鳕、鲱及腽肭脐的骨存在，由此知道当时已发生了海岸上的渔业，因而也可以推知有渔业所必需的小舟、木筏存在过。在贝塚中，又发现出黏土制的食器的破片，可知当时已经有了陶业。最初，原始人为存水和煮水，好像是使用自然物，如大胡桃类的壳、蛋壳、龟壳和挖去了瓜实的瓜壳等。但在好久以前，就已经使用了用树皮制成的特别器具或笼类。为要坚固这些笼类，更把内部涂上了黏土。落到火里去的时候，笼子被烧，而黏土经火烧之后反而能单独当作容器使用了。

在实行考古学的发掘时,法兰西康比尼(下塞纳州),也出现了黏土制食器上附有大麦粒的痕迹和砂岩的缺片。学者推测这砂岩是原始人当作臼使用过的。这些发现,表示着所谓康比尼文化时代的人们已经知道农业。农业的出现和黏土制食器的出现,同样是妇女的功绩。为原始的搜集者的女性,不仅发现了有用的草本类,而且发现了栽培草本类的秘密。定住的生活形式,能发生谷物类之经常的栽培。这种栽培,在最初当然是不很显著的事实。

二、新石器时代之技术

使原始人的经济上能发生显著进步的东西,一方面是气候变化的结果,另一方面是制造工具的技术改善的结果。最后第四次冰河期过去以后,欧洲的气候比较温暖起来了。冰河过去以后的土地,布满了躯干颇高的植物,繁殖了动物或野禽;海洋河川中鱼类也繁殖起来了。人类于是得到了取得生活手段的更广泛的活动范围。

新石器时代制造石器的基本技术方式,与以前相同。由于压削的工作,制造了各种大小和形态的石板,更由石板造出种种的工具。但到后来,新方式出现了。人们开始磨制器具了,因此知道使用海岸的砂和骨片。研磨的器具,增大了切断东西的力量,使木料的加工有可能。就其形态和使用上的性质来说,新石器时代的工具,都和旧石器时代的工具相对应。同样有小刀、斧、削刀、锥、凿、锯;但新形态的东西却出现了。如石制切物器具=斧,石锄=石斧等物,是由考古学者在马格列莫瑟泥炭地上发现的。

石制切物器具=斧,是正三角形或不等四边形的燧石片,其长的一边有锋口,想是用以采伐木材的。石锄=斧是细长的石片,是把不用的部分粗略地敲去而制成的,附有圆形的尖端。这东西想是用以掘土的。

新石器时代的技术的又一特征,就是为要坚牢地加上一柄,而在那上面凿孔。新石器时代的人们做器具的材料,不仅用燧石,也用其他更坚固性质的石头(砂岩、闪绿岩、花岗岩、斑岩、黑耀石)。为要采掘这些石器材料,还造出有木柱支持的矿山。像这样的切石场所的遗迹,是在欧洲各地发现的。

随着石器的发达,骨器和木器也非常发达了。骨器主要的是用鹿角。用骨制造的东西,有大针、小针、短刀、枪头、钓针、骨梳等;用木制造的,有柄杓、棍棒、木梳、弓箭等。由于弓箭的发明,就能捕杀远处的动物,因而狩猎也变得容易了。

由于工具的改良,木材的加工就有可能。其结果,小舟和木筏出现了,这不仅对渔业造出较好的条件,就是交通也增加了能率。

居住也有了新形式了。洞窟和草舍,变成了像是两相结合的小土屋。为建筑草屋,在地面凿成不十分深的穴,这小屋的壁,用棒棍支撑,这棒棍是用小枝之类组合而成的。小枝上常常涂有黏土。上面用圆锥形的屋顶覆盖。小土屋内的地下安放炉灶,屋顶上造有通烟的地方,兼做窗户。小土屋很潮湿,昆虫群集,但人类可以躲避寒冷和炎热。

新石器时代的人在湖畔河岸或海岸上建筑起来的筏上房屋,显示了建筑技术之更进的发达。这些房屋的建筑技术,是非常复杂的。先将木椿打进河川或湖水底下,铺以木板,在木板上面建筑小屋,这就是筏上房屋。这样的小屋和陆上的交通,是靠小舟通往来。筏上房屋,在新石器时代的欧洲各处(特别是在瑞士)都被发现,而且在许多落后民族间,直到现在还使用。建筑在木椿上的村落,使其居民都抱有安全的自信,以为可以避除陆上猛兽的攻击。

新石器时代的文化,普及于全欧。新石器时代的工具,在苏联领土中,从乌克兰到波罗的海,从白海到黑海和里海,全国到处都为学者所发现。现在如中央巴西之巴卡里-印第安种族,还处在新石器时代的文化阶段。

三、从石器到金属器具的推移

原始人的发明和改良,是用几万年或几十万年的岁月来互相区划的。可是随着接近现代,这些期间却显著地减少了。新石器时代的开始,属于纪元前12000年。铜器的出现,在纪元前8000年,青铜器的出现,在纪元前5000年。

人类是怎样使用了金属的呢?他们大概把一片铜矿当作是石片的吧。但等到他们知道不能用旧方法去制造时,或许就拿来投到炉附近或灶中的吧。于是他们渐渐注意到这"石片"熔解而变化其形态的事情了。由于这样的发现,人们就达到了用这新材料制造器具的思想了。人类就渐次从使用不便的石器转而使用金属的器具了。铜矿存在的处所,是在欧洲亚洲及美洲各地。

但最初发现铜矿的地方是亚洲(美索布达米亚及古代亚美尼亚),想是由此传到埃及或欧罗巴的。不过在长时期中,人类是兼用铜器和石器的。在金属制的新工具上,其模型仍是石器。各种基本的形态是仍然存在着,如斧、锤、锯、锥、钻之类。其后的过程,就是改良它们,并用更好的材料制造。人在柴木堆上把铜融化,再放在黏土制的锅(大的柄杓)中去熔解,于是再注入于当中剖成两块的黏土或石制的模型之中。这样造成工具,再用锤打制,使成平滑。

经过若干时代,铜就交代于青铜(铜与锡的合金)了。这最重要的发现,出在什么地方,现在还不知道。我们断定产锡最多的地方是中国或印度支那(锡是很少普及于地球的),于是我们推想青铜最先出现的地方,也是中国与印度支那。小亚细亚也被推想着有过产出多量的锡的时代。总之,古代青铜中心地,我们认为是在亚细亚大陆好了。由青铜工业到铁工业之移行,在各国发生于各种时代。铁工业之最古的中心地,是在小亚细亚及埃及。在长久的期间,铁器与青铜器及铜器是一同被使用着。石器虽也是用金属制器具制造,而石器却仍与金属器具竞争过。又,要认定一切民族都是挨次从铜到青铜,并由青铜到铁,这还是疑问。

于是某一地方的天然的资源,决定了器具制造上所用的材料。

四、农业与牧畜之发达

农业和牧畜出现的时期,因地而异。关于人类这两种基本生产事业之发生,能说明其紧密的顺次的关联与否,还是疑问。由是原始的手力而经营的农业,是在湖畔的森林地带或河川的流域实行的。牧畜是在草地上发达的。

当男性仍旧从事渔猎时,女性就先用木制的掘土器,后用(木棒附有石制尖头的)鹤嘴,耕种在自己小土屋或草舍附近的土地,栽种了大麦、黍及其他草木或球根类。这样的农业是非常原始的。因为不能刈除野地的杂草,收获是很贫弱的。但就是这样贫弱的收获,多少也能巩固原始的经济。农业最初发生于康比尼文化(因为在法国下塞纳州康比尼丘发现故名)时代。而农业之更进的广泛的发达,是在筏上家屋的居民之下,当发掘筏上家宅屋时,考古学者发现了各种分类。

往后,男性也参加了农业上的工作。最初男子砍伐并烧毁森林或灌木开垦耕地,后来自己就从事耕种土地了。在需要烧毁森林拔除树根的土地上经营的农业,叫作伐栽农业。这种农业,直到最近,还在落后诸民族——如中央巴西之巴凯利人、纽基纳的巴普亚人中残留着。最初在农业上尽基本任务的是妇女,随着专门的农具——锄、犁、耙——出现,家畜被当作劳动力使用之后,农业上的主要任务就移到男子身上了。

小规模的牧畜,想是由于为了娱乐而驯养动物一事而起,大概在定居以后开始。狩猎者对于野兽或野禽——鹅、鸡、鸠——之子不加杀害,携回家里做小孩的玩具。现在的一些落后民族中,还保存着这样驯化小动物的性质。某研究家,记载巴凯利=印第安的生活时,这样写着:一切的住宅,都像鸟店门口的样子,屋檐下停有割去了半翅的鹦鹉,房屋的周围有栗鼠和兔之类运动着。后来,人们才从这小动物身上发现了经济的利益。

大规模的牧畜是在草原上发达的。草原上住着丰富的大群的反刍动物。在这里,狩猎带有组织的性质。狩猎者包围兽群,制造木栅,把动物驱逐进去。渐渐地人们就不一次把一切动物全部宰杀,只杀掉充食料的必要部分,尽量把小动物留着。这样,就得到贮藏和经常的食粮的资源了。当带着动物一同找求植物食料时,是须要加以保存的。这样性质的原始的牧畜,在现代落后诸民族中也可看见。苏联的阿尔泰及萨阳地方,活擒有高贵价值的角的西伯利亚产的一种鹿,喂养在广大的栅或牧场中。在印度的锡兰岛或印度支那,也那样把象赶进广大而坚固的栅内来捕捉。驯服动物是困难且复杂的工作,从最初就是男子的特权。

牧畜和农业的发达,激剧地变化了人类的经济生活和社会生活。随着经常的剩余产物产生,人类就惯于贮藏物品,经济本身就巩固了。人类能享受生产的利益,而劳动的生产性也增大了。男子和女性的相互关系发生变化,男性在发达了的农业和牧畜经济上占得了指导的地位。于是,在农业上曾尽过重大任务的女性的地位,就降低到成为男性的隶属者和无力的辅助者了。

农业经济与牧畜经济之差异,引起了牧畜生活者与农业生活者的生活形态之差异。牧畜生活者为着家畜常要寻找饲料,在广阔的草原上过游牧生活。他们之中,留下了不少的古时狩猎的习惯。由于形成大群,并且从肉类经济转到乳类经济,财富就形成了。最初是集体的——集团的或氏族的财产,往后就变成了个人的——私人的财产。农业的经济形势和定居相结合着。定居一事，最初因为部分地移住于新土地，本是暂时的，往后却成为经常的了。人们继承牧畜生活，利用家畜耕种土地，劳动的生产性就显著地增高起来，多余的劳动力就用在其他经济部门的活动上去了。由于狩猎牧畜及耕作的土地受了限制，而对于土地的所有就出现了。最初，是部落的氏族的私有，这在多数民族中长久地被保存着。往后那种私有，就成为个人的所有了。

五、分工与专门化

在原始社会中，只有性别及年龄别的分业存在过。随着时间的进行，劳动工具的制造渐复杂，在狩猎者及渔业者之间分出了专事制造生产工具的人们。其次，金属制器具的制造，更需要进步的专门化。随着土地的差异，又发生了成为基本的经济形态的牧畜与农业的专门化。放畜在草原地方发达，农业在森林及河流地方发达了。独立的手工业、陶器业和纺织业也发生了。最初，黏土制的食器之制造是很原始的，所以一切的人们都能做。因为陶器业者阶层的发生，所以大众都能制造食品。往后，食器上描画复杂，就需要比较发达的技术的熟练，因而就有预备练习的必要。在富有黏土与颜料的地方，就分出了制造食器的熟练的手工业者。

纺织业的最初的痕迹，是在筏上家屋中看到的。那是属于纪元前约7000年前的事。考古学者发现着扭丝用的木质的原始的纺锭。机械的最初的遗物，是吊在丝上的粘土制的锭子。在什么时代存在过的筏上家屋的某湖水底下，曾经发现锭子的破片。筏上家屋的住民，已经使毛皮代替麻制织品了。进到定居的生活形态的农业时代，更助长了纺织业的发达。纺织业之成为独立的生产而独立，是在陶器业之后，而纺织业主要地在农业民族中看到，永久是妇女的特权。

生产经济上的专门化之发生，引起了交换的开始。最初的交换，带有偶然的性质。譬如一地方存有多量的贝壳，他地方藏有良好的石头，这就造出了交换的可能性。这样的交换，是带有友谊的赠与形态。直到现在，当作交换的一形态看的赠物，还在许多落后民族中保存着。这可由澳洲土人、波里奈西亚土人及其他民族中所见到的所谓"哑市"之存在而证实。想交换某种物品的人，把物品拿到一定场所,放在那里就走,于是别种族的代表者检查其以交换为目的而搬来的物品,如果和自己的物品相当时,就把它搂住。在这样沉默的交换之后,常常举行共同的宴会。但由于专门化的成长与手工业的出现,开始造成了各个氏族集团及种族间发生经常交换的可能性。

六、图腾(Totem)的集团

原始社会集团的巩固,与其居住地带有无多量动物存在一事,有密切的关系。器具的技术改良与部落的成长,必然引起动物的消灭。集团又分成小集团,游牧到别的地方。经济采集的性质,不能造成巩固的人类的结合。这种结合之完成,是在推移到生产经济之后。在现代许多落后民族中,对于那地方最多的动物种类,由于限制剿灭那些动物的目的,制定了答布(Tabu,波里奈西亚土人语,意指在一年的一定期间"禁止"狩猎)。这禁制到后来,就生出了一定动物种类是一定人类部落的共同祖先的思想。由这样思想的发生,答布更形巩固。像这样种类的答布,在澳洲土人间非常普及。在澳洲土人中,这种观念也很普及,都以为他们是从动物植物或自然现象的共同的祖先生出来的,如所谓蜥蜴人、袋鼠人、梅树人或雨人等。现代美洲印第安人中,共通的祖先名为图腾。所以,人类最初的巩固的结合,叫作图腾的集团。

图腾的集团,已经是有组织的经济单位,附带着狩猎之集团的或组织的性质。例如澳洲土人实行围猎,又借火力实行有组织的捕鱼。各图腾集团间因狩猎或采集而区划领土,这种领土常达到一百平方公里。

社会关系在图腾的集团上,比较原始的集团显著地复杂。

由于生产经济的发展,残杀老人的事不独废止,老人反被看作有丰富的经验并保存旧习惯和传统的人而大受尊敬。图腾集团一切社会的、经济的事业,都由老人会合决定。集团的其他成年人虽能出席这些集会,但必须保守沉默,不妨碍老人们的谈话。老人中所选出的年事最长的人,负有监督实行禁制或仪式的义务(澳洲土人称之为"比那,比那尔","大人之最大者")。澳洲土人中的"比那,比那尔",就是图腾集团中的第一人。但是,一件事情不是单独解决,而是和其他老人们共同解决。在图腾集团中,长老以外,还有魔术师或妖术师。又在战争或大猎、远征时,还有首领或指导者。这首领或指导者,以有力、敏捷和智慧为特征。

老人在经济上的任务很大，所以在从一个年龄的集团移到另一年龄集团时，要举行很复杂的仪式。在澳洲土人中，从一年龄升进到另一年龄时，须举行几次肉体上的试练（如折齿火攻等）。这种叙任，普遍还举行几天的祝宴。

图腾集团中的结婚关系，是集团的结婚关系，男性集团和女性集团结婚。这种性质的结婚，在今日许多落后民族中也可看到，特别是在澳洲土人中可以看到。最初，结婚是在一定的图腾集团的成员间举行的。往后，随着和近邻的图腾集团有经济上的往来，就禁止内部结婚，而只许和邻近集团的成员结婚。这就是氏族形成的端绪。

七、氏族制度

探寻新石器时代器具及其他物质文化遗物的考古学上之发掘，有同样阐明这样的新石器时代人类社会组织的特性。这种特性，叫作氏族关系。住在苏联的雅库特人、吉尔基斯人、达格斯坦的山民等以及现代落后诸民族的研究，阐明他们之中存有不少的氏族秩序的遗制。

在氏族制的基础上，农业或牧畜是生产经济的基本形态。含有制造工具的各种生产，在氏族内部已分为特殊的专门，补足了这些基本形态。狩猎与搜集虽照旧实行，却已经没有像从前那样的基本的意义了。氏族制度的特征，主要的就是有血统联系的各氏族所实行的经济的组织性。

氏族的生产方法的基础，是生产手段属于氏族全体；人口稠密地方的土地当然归氏族所有。

自从统一的经济形成以后，比较强有力的男性取得了指导的意义。但男性的这种意义，在最初还不是支配的。往后男子在农业及牧畜上的指导任务逐渐增大，男性在经济上占居支配地位，氏族的传统就由母系转到父系了。于是出现了父家长氏族的社会组织。

经济的新形态之出现，引起集团结婚的破坏。在父家长经济之下，妇女的任务降低到单是劳动力的地位，以致引起多妻制出现。多妻制在今日落后的民族中特别是牧畜民族，如加尔姆伊克人、吉尔基斯人等中，还是存留着。随着氏族的崩坏，一夫一妇制也开始发生了。

氏族的根本意义，在于它是具有游牧或耕种的共通领土的独立的经济单位。氏族人员的血缘联系，在创造统一的经济上，具有首要的意义。但在氏族的集团中，氏族以外的人也可以参加。例如许多民族中，还有把别氏族的孩子作为养子的事情。所以，氏族是社会的、经济的组织。最巩固的氏族联络，存在于牧畜民族中。因为牧畜民依其经济生活的诸条件，必须常常和自己的远族在一处。在农业民族方面，到了人口增加而土地不足时，氏族的一部分就移居他处；他们的经济的锁闭性，引起氏族联系的分裂。氏族集团人员间的紧密的经济联系，使得他们要共同拥护他们自己的利益。这在现时高加索中亚细亚及欧洲若干地方所遗留的血缘复仇的习惯中，很容易看到。氏族的一分子受了侮辱，全氏族起而复仇。氏族的一分子被族外人杀害，就认为全氏族的衰颓。因为一切人对于氏族，都是经济的价值，所以不能不以死报死，以侮辱还侮辱。这样的事情，就是血缘复仇习惯的真实基础。这种氏族的复仇，也往往使两个对抗的氏族人员完全死灭。

氏族的崩溃，到处都与经济上的生产力之成长相关联。从用锄的农业（Hoe Culture）进到用犁的农业（Plow Culture）之后，农业人民的经济日趋巩固，而在一定的土地上耕种了。于是，当作统一的经济组织看的氏族失其必要，就分裂为更紧密的家族的、血族的集团了。这样的集团，得到"大家族"的名称。在各种民族中，各有其特有的名称。例如南斯拉夫人，叫作"查德尔加"，波兰叫作"德伏尔里西采"，俄罗斯北部叫作"拍第西采"。大家族的经济是集团的。家族的首领是长老，在查德尔加称为"德玛丁"，在普夏福人（高加索）称为"玛玛卡第"。大家族的结合，形成氏族共同体。

八、当作氏族的统一看的种族

各氏族互相保持着联系。这联系一方面有婚姻上的性质，他方面是经济上或军事上的联系。这些联系，就是父家长氏族结成种族的同盟（种族）的基础。在属于一种族的各氏族之间，有血缘的联系，他们是从共通的种族的祖先延引其系统的。他们有共通的言语，有一定的游牧或农业的共通领土。战争之时，种族就成为统一的全体而活动。为着指导氏族的生活，解决种族间的纷争，便设立氏族长老会议。种族的首脑中，有一个指导者，或者往往有几个指导者。但这些指导者没有单独解决问题的权力,只是实行长老会议的决议。

种族的社会组织,存在于一切氏族之中,一直到很后的时代还遗留着。例如在斯拉夫人之间,直到 9 世纪至 10 世纪还继续存在过。种族的崩坏,与战争及其结果的国家及封建结合之形成,有密切的联系。

九、私有财产的出现与阶级之发生

恩格斯说:"氏族制度的大特征及其界限,是在于不存有支配和隶属的余地一事实之中表现的。"这事的原因,就由于生产诸力太不发达。一切氏族集团的经济,都是自然经济。氏族人员所取得的一切,都由氏族人员消费。各氏族间的交换,是不显著的分业的结果,并带有偶然的性质。但在这样的社会组织的范围内,生产力也显示了广泛的发达,氏族人员共同的努力,随着技术的向上,也增加了能取得的生产物的分量。

一地方的农业的发生与别地方的牧畜的发生,借恩格斯的话说,就引起了"最初的大分业"。于是社会出现了剩余生产物,即造出了超过消费以上的剩余生产物。这时交换就成为必然的事实了。

属于氏族的财产如家具、土地及家畜等,最初是归全氏族所有的。往后,由于氏族中人口的增加,就从氏族分出了"大家族"——具有血缘联系的更狭小的集团,随着发生了氏族财产的分割。

一切家族都有自己的家畜群,使用自己的土地。土地还归公有,到重新再分配为止,是委诸各家族使用的。因为家族长是年事最高的男子,有处分财产的最大的势力。家族的财产就是这最年长者的财产,而他在氏族的共同体内不仅能代表家族,并且对其他的家族也常把自己认为是一般家族的财产之所有者。

各家族之间,已经不能有平等了。由于各种的原因——丰收或荒年,家畜的繁殖或瘟死——便发生了财富的差等。无产者不能不走到有产者那里请求援助,借取谷物、家畜或工具。但援助不是无代价的。对借贷要取利息,或者替贷予者作经济的劳役。

这样,财富的存在,变成了剥削及往后更进一层的蓄积的手段。

这样,私有财产就出现了。私有财产的出现,不单是与经济的发达及社会中剩余产物的造成相关联,并且主要的是与财产上不平等之存在,以及一个人要借他人所余的剩余产物的需要之发生相关联。

财产上的不平等引起了两个阶级,即所有者和非所有者、剥削者和被剥削者的出现。

牧畜农业和手工业之发达,不单使人们的劳动变为更生产的,而且还要求大量的劳动力的使用。

供给了这补充劳动力的,是战争。在以前,战败者或被死戮,否则便得到与氏族人员平等的权利,加入于氏族之内。现在,败北者就被俘虏而充当奴隶了。

这时候,奴隶就没有像氏族一切人员所应有的那样的特权了。奴隶为要满足其最少的要求,同时,就不能不做更多的工作。

于是氏族内部出现了新的社会集团,引起氏族的破坏与阶级社会之形成。这新的社会集团,是由对于生产手段的各种关系(有财产和无财产)、生产上的各种地位(指导或隶属)以及得到收入的各种方法(由个人自己的劳动去取得,或利用蓄积手段的财富去取得)等事而互相区别的。

十、国家的形成

财产上的不平等之出现与阶级之形成,是由氏族社会中产生诸力的发达及分业而起的。如果最初的大分业是与农业及牧畜分为特殊化的经济部门一事相关联,那就第二次的大分业,同样借恩格斯的话说,是与手工业从农业分离一事相关联。这个过程是与石器被青铜器及铁器所驱逐一事同时发生的。

手工业的个别化,在各种族之间便发生了商业,发生了海上贸易。

这时,战争的性质也变化了。从前,战争是为着扩大领土,或氏族复仇才实行的。现在,战争的目的是财富的掠取和蓄积。战争变成了经常谋生事业。因为种族内部的人口日趋稠密,分业也发达起来,并且共同防御敌人攻击一事也成为必要,所以形成了种族的联合,使各种族的领土融合为一个共同的民族的领土了。

成为结合各氏族的必要前提的各氏族领土之共通,由于分业与奴隶出现的结果而被破坏了。氏族的领土中,有族外的人——奴隶即外族人居住了。

这些新人们,是不参加氏族行政的。他们在氏族组织上是异族人,于是氏族行政上也发生了变化。指导者和军事指挥官,以前是自由选举的,现在要从有财产的人们中选举了。

各部落——奴隶和奴隶所有者,富人和贫民,农民和手工业者,特权所有者和无权利者——之间的利害差别,愈益增大。不利害的差别为基础的那些斗争就发生了。为要使这斗争不致破坏全社会,而能够缓和冲突的强制力就成为必要。"从这社会出发,而又超出其上,从此渐次分离的强制力,就是国家"(恩格斯)。

国家是因为要努力压制社会内部的阶级利害的矛盾,努力要把这些矛盾抑制到有利于一定支配阶级的利益而发生的。这样,国家是巩固一阶级对于他一阶级的榨取及由支配阶级方面统制被支配阶级的武器。

国家是当作氏族社会中发展了的阶级冲突的结果而形成的。国家形成之古典的例证,是古代希腊的雅典国家之形成。在其他各国,国家之形成过程,采取若干不同的路径。因为国内的经济的原因,氏族和种族的内部起了阶级的分解。当选举指导者之时,因为财富比个人的勇气或智慧的作用还大,所以长老的权力同成就成了财富的权力。渐渐的,指导者之替换,就成了少数富有家族的特权。因为不断的战争的结果,造出了专门的军队。对于战败者的掠夺,使得指导者及全军队的财富激剧增大,使得他们与种族的其他大众分离了。在大战争的过程中,由于相互的利害及祖先的共同关系发生了密切的种族的结合。长期的军事行动,显示着指导者及其军队的长期支配。在一定的阶段上,这种支配变成了经常的支配,造成了以军人及其指导者为首领的国家。

重要事件年表(年代均为纪元前)

约 11000 年　　现代人之出现,新石器时代之开始,马格列莫瑟之文化,犬之驯化。

约 8000 年　　"贝塚"之文化,黏土制土器之出现,小亚细亚器时代之开始,畜牧之出现。

约 7000 年　　康比尼文化,农业之出现,筏上家屋之文化,纺织业之出现,农业与畜牧之结合。

约5000年　　小亚细亚青铜时代开始。

1800—1500年　铁出现。

演习题目

一、陶业是怎样发生的?

二、犬怎样为人所驯化?

三、新石器时代技术之特性何在?

四、从石器到金属器具之推移是怎样发生的?

五、氏族社会的经济以什么为特征?

六、原始的交换有怎样的特征?

七、氏族之形成是由怎样的原因发生的?

八、农业与畜牧之发达给氏族制度以怎样的影响?

九、父家长血族是否只是血缘者的结合?

十、氏族社会中存有怎样的习惯?

十一、种族制度中有怎样的特殊性?

十二、私有财产是怎样出现的?

十三、最初的阶级是怎样的东西,并且是怎样出现的?

十四、国家何以形成,又如何发生?

十五、氏族社会何以崩坏?

第三章　前阶级社会之意识形态

在前章已就原始人生活之物质的社会的诸条件述说过了。原始的技术、不完全的经济生活方法，造出了和现代思考的倾向显然不同的有史以前的人类间的特殊思考的体系。基本的意识诸形态，是在原始时代发生的。这些意识形态的每一种，是渐渐发生，并与经济及社会的发达相平行。不过，这些意识形态如果结合起来，就成为一个体系。而其各个部分又自成体系，互相联系。所以，我们可以就原始的意识形态即反映经济与社会的发达的一定水准的人类思想所表现的一体系，来加以说明。到了后来，随着经济与社会的发展，意识形态就发生变化。即在现时，我们的日常生活中，也还存有原始意识形态的遗物。

本章的研究，要说明以下的事实。

（一）各种意识形态的经济基础是什么？

（二）各种意识形态，对原始人有怎样的意义？

一、当作劳动行为的结果看的，当作交际手段看的言语①

在统一人类为紧密结合的集团一事上，强有力的手段，就是言语。言语不仅是意识形态的交换手段，并且调节劳动过程，组成人类经济行为上必要的连锁。言语是表示人类社会状态的基本的东西之一，同时，他本身也是社会的产物，首先是人类劳动行为的产物。

言语发生的过程，与我们所发掘的祖先之从类人猿的动物转变为人类的

---

① 从关于言语起源的若干现存理论中，我们采用学士会员 N.Y.马尔之"雅伯特"的名称，这是马尔采用旧约圣经中诺亚第三子"雅伯特"的名称。因为在其他言语群（塞姆语言及哈姆语言）的背后，也是与诺亚的儿子，塞姆与哈姆之名相结合的。

过程,有密切的联系。发音的能力,是由人类咽喉上特殊的构造发生的。咽喉是因为不借前肢的助力,而单用后肢步行,以及人类骨骼整直的结果,才发达起来的。这样,由于声音而来的会话,就能在劳动工具的使用与制造的长时期之后发生了。在人类言语发达的最初阶段上,言语绝不是由声音发出的,这可以想象得到。原始人最初使用了手势和姿势代替言语。在这种谈话上,人类的手有了基本的意义,即人类用手表现了自己的感情和希望。这样的谈话,称为手式会话,手式会话只当作人类彼此间经常交际的结果,才能发达起来。它绝不是集团创造的产物以外的东西。就是在有音节的会话出现之后,手式会话也不会废止。手式会话,继续了很久,成为声音会话的补足物。直到现在,还有许多民族,例如南美洲的印第安、澳洲土人等,应用着手式或模仿的言语。

有音节的会话,发生于压削技术时代。往后,"发掘了的智人",代内安得塔尔人而出现了。最初的言语,是由极少数的话,或更正确地说,是由声音的要素而成立的;其所以不称为话而称为声音要素的,是因为原始时代的话,如同现代落后诸民族所显示的例子一样,互相间不会有明晰的区别。

这些要素,渐渐整理起来,补充了手式的言语。原始的话,由姿势、模仿、抑扬以及各种的力点、音色所补足,而形成了原始人的言语的基础。言语只在其发达的结果上,才变为人类彼此间的交际手段。最初的人类言语之社会的任务,据学士会员马尔所推测,是魔术的东西,即是为要达到享受经济的福利的目的,而有作用于自然的任务的。

在言语之中,反映着种族或民族之经济的社会的生活之一切变革,反映着新的劳动工具,反映新的社会集团,反映社会经济生活上各种现象的出现。例如"普列卜斯"(古代罗马的一种身份)。即平民之意一语,和"佩拉斯格"(希腊古住民的名称)是同一事情的意思。它表示"佩拉斯格"种族的人们转化为穷人的事实。"坐罗托"(俄语,金的意思)一语,在其最初的表现上是"毛皮""柔毛的野兽"及"家畜群"的意思。

有音节的言语,并不是只在某一地方发生的——它是在人类散居的多数地点一时出现的。而且最初,言语也不只是一种,言语的种数与种族的种数相当。也有共通的一种语言,是适应于种族的差异而表现种种概念的。民族的言语之形成,是一种族与他种族的语言相配合的结果。即是在这种配合之时,意义不同的两种话就被统一而成为一种话。

有史以前的人类的言语,学士会员马尔称为雅伯特言语(Japhetic)。那些言语,由配合而发达,变成了现代语。

现代的历史的文字,是数千年长期发达的结果所显现的。各氏族、各种族以至各民族之统一,使得最初的简单的人类的会话,复杂起来,发达起来,并且由于可惊的多种音乐的结合,由于多数的概念,使它丰富化了。由此,造出了科学文学艺术的发达的机会,造出了人类相互间更加密切的交际的机会。

在关于言语起源的理论中,最普及的学说是印度=欧罗巴说。依据这理论,成为现代大多数欧罗巴语及古代印度语的基础的,是最初就相共通的印度=欧罗巴语。用这种言语说话的民族,渐次移住于四方。于是共通的言语便崩坏而成为方言,它便构成了各民族的独立的言语之端绪。在这类各自独立的言语中,还遗留着有共通语源的若干语言。例如:在古代阿里安①语,意指"碾碎"的语源"马尔德",在欧罗巴语中转成了如下的各语。在俄罗斯语——摩洛奇(粉碎)、梅利尼查(制粉所)、摩洛托(锤)、摩列(海)莫尔达(口部)、莫尔(疫病)。在德意志语——缪列(制粉所)、马尔兹(麦芽)、修美尔曾(荡漾)、马连(用墨写)、梅尔(海)。在拉丁语——莫利斯(柔软)、莫尔波斯(病)、莫尔狄欧(咬)等。

印度=欧罗巴说,并没有说到言语一般的起源,它只规定现代欧罗巴语的起源。其他的国家或民族的言语又成系统,成长为自己的言语,所以有土耳其语族、蒙古语族、塞姆语族及其他言语系统存在着。

印度=欧罗巴说的谬误与弊害,就在于其固执各语族间的人种差别一点。但在雅伯特说一方面,却把印度=欧罗巴语的出现,当作社会的、经济的诸条件变化的结果上的雅伯特诸语之发展来说明的。

关于言语起源的有兴趣的理论,有德意志学者鲁拔列的学说。依据这学说,人类的言语,是集团劳动之结果所发生的。在原始人的集团劳动中,伴有各种共通的声音,那些声音就与劳动的本身化为同一,于是造成了基本动词的语源。由说明人类行为的这些动词的语源,就产生其他的语言,创造了各种民

---

① 亚细的若干民族——伊兰人及印度人自称为阿里安("阿里"——高贵之意义)。

族的语言。例如：德语的"格拉便"是"掘"的意思。由这话又产生了以下的话："格鲁贝"——穴，"格拉便"——壕沟，"格拉布"——坟墓，"格尔福特"——洞窟。鲁拨列学说，在其出发点上，与学士会员马尔的雅伯特说非常接近。

二、原始的思维

人类与动物的区别，是由于人的神经系统异常复杂，而且头脑很大。神经系统的复杂与头盖部容积的增大，是由于使用劳动器具在自然界活动的结果。人类从动物界区别出来的第二原因，是社会的发达，即经济活动及精神生活领域中人类的经常相互作用之发达。但在人类发达的最初阶段上，思维是否存在，是可疑的。思维是在人类的会话，尤其是在有声音的会话过程中显现的。因为思维只有依靠概念才有可能，如没有语言，概念是不能形成的。在削劈技术、投剖技术、压削技术时代的原始人，比较动物更复杂的变现了自己的感情，可是他们还不能思维。

在压削技术时代，与有音节的会话形态相并行，发生了艺术与思维的端绪。这时代人类的表象，与现代人的表象显然不同。

原始人把周围自然与自然现象，看作与自己同样生动的存在。环绕着自己的一切东西，不是动物，就是草木、石、自然力，在其表象中，都经营着和人类同样的生活。据原始人的表象，石头之从山上滚下，某动物之猎取他动物，以及有弹力的小树枝之直伸，都是生动的存在物之有责任的行动。民俗学者丹氏（波哥拉斯），曾描写抽克底人行使魔法的故事："一切东西都有生活。灯走路。墙壁有声音。就是小便壶也有自己的国度和天幕，有妻有子。为出卖而装入袋中的皮毛等，夜里也说话。砌在死人墓上的鹿角，排成行列，回旋于墓的周围，到天亮时，再回到原处。"在我们的现代语中，这样的表象，也当作表现上的遗物而保留着。例如："河流"、"太阳起落"、"雨下"等。原始人不从周围自然区别出自己，而完全是和自然相融合。

原始思维的第二特性，是关于一个对象转化为另一对象的表象，以及关于动物本性传达于人的表象。例如：抽客底人的故事中，说行使魔法者化鹿为毛。据澳洲土人的想法，说小木板或石（澳洲土语为屈林格）是神秘的生命力的容器,放到女子身体内,就变成孩子。波罗岛的居民,当会食时,禁止青年吃野禽,因为害怕青年变为胆小或身体虚弱。又说,吃了鹿的脚会跑路,喝了动物的血就得到那动物的力。

原始人用这类表象做基础,生出了一种确信:以为由于魔术这种神秘行为,就能给外界或人类以影响。

原始魔术,分为模仿的或类似的魔术,与计划的或部分的魔术。

模仿的魔术,依据于所谓"以类似物代替类似物"的公式。例如描画用枪刺入腹部的野牛,就是说在狩猎时必定杀死它的意思。描画鹿群于绘画,就是说狩猎者把活的鹿群诱引到他们宿营旁边去的意思。计划的魔术,依据于所谓"部分能补充全体"的另一公式。他们以为要用魔术把鹿引到自己的地方,只在图上画出鹿角就够了。又如,取出不合意的人的头发或一片指爪,施行魔术,就以为这能影响于那人。

原始魔术等全部特征,是由于人类的能动性,即由于人类为着实际目的而能作用于自然的那种确信所贯穿的。这种魔术,在原始人看来,为着得到较多的生活手段的目的,在其对于自然的斗争上,是演着补足的工具的任务。

原始社会中魔术的支配,由于原始人的魔术之研究,或同样的由于现代落后诸民族的风俗之观察,这是我们所能推论得到的。原始表象的若干特殊性,当作物品看,在符号迷信故事习俗的形态上,有时在魔术行为的自身形态上,都被保存于文化诸民族的日常生活之中。

三、为思维的体系的物活论

原始人只理解唯一的死的形态——即只是狩猎上的死。受伤的动物,因出血而死,其生命力与其血一同消灭。但是,所谓自然死一事,原始人还不明白知道。因为探求食物而不断移动,对于自然死没有观察理解的可能性。在原始人眼目中,自然死是极稀少的现象,他们以为由自然死而死的人,只是睡眠了,当然在什么时候再会起来,继续以前的生活。活着的人替死人留给器具和食物。原始的埋葬,明白描画了关于死的这种观念。根据关于投剖技术时代及压削技术时代的考古的发掘,发现了有器具与食物始残余的睡眠姿势的骸骨。

随着劳动器具的完成,原始人就永久住在一个地方,更转到土著的生活方法了。自然死更加明白了。在同一人的眼中,知道了多数人是由自然死而死的事情。关于那些"睡眠了的人"——因为死的概念还不十分明白——的生活的观念,仍和以前的一样。然而死后呼吸的停止与肉体的腐败,又引起了人用别的形态继续生存的思想。于是发生了一种确信,以为呼吸停止之时,人的灵魂便脱出死体,仍旧继续以前同样的生活,即继续饮食狩猎,不过那些事不在白天去做,到了夜间,再回到死人身体上。精神与肉体分离存在的这种思想,更因做梦的事实而加强。和这种关于"睡眠了的人"的生活的新思想相关联,埋葬形式也变化了。从死人的骸骨削去肌肉,涂以黄土。表面上,原始人推想着死人的灵魂会要很愉快地附着于他原来的身体。在其骸骨的周围,放些器具或食物。魔术的发达,即依靠神秘的方法能随人们的希望而作用于远方动物与人类的思想,和关于精神的概念之出现,采取了不同的方向。于是许多事情都由死人灵魂的邪恶意志来说明。并且人们的死,也由敌视的魔术来说明了。死人的灵魂,都被分为恶的灵魂与善的灵魂。对于前者,需要警戒威吓、祈祷、恳求;对于后者,就做好事以酬其希望。关于灵魂这种新思想,也反映于埋葬的形式。据新石器时代的考古学的发现所显示,那种在死后将危害于活人的可怖的死人的骸骨,或被缚着而成为紧缩的姿势,或被烧弃,或被粉碎。关于灵魂的概念,也被移用于睡眠中的活人,往后更被移用于周围自然物了。一切世界,都被认为充满了灵魂。有灵魂的东西,不只是人类和动物,并且植物矿物及其他物象,也都被认为有灵魂存在了。而灵魂是具有物质的外貌,与活人一样有饮食的能力。但是那些灵魂做好事和坏事的能力大大地超过活人;人的肉眼虽不能看见他们,而它们却能转化为种种物体与现象。这样的信仰,被给予着所谓物活论(Animism)的学名。物活论已是人类思维发展上的较高阶段。以前,原始人是把自身与外界自然混合考察的,现在却分离考察了。人类在其经济关系上,使自身与自然对立起来了。他们采用了土著的生活方法,出现了剩余生产物。技术的改良,增大了人对自然的支配。对于自然的观察,与想要理解种种现象的因果关系的努力,使得原始人到达了认为人类事物及其现象都存有灵魂的思想。在这种物活论的表象中,存有人类认识自然的端绪,存有想规定诸现象的因果关系的最初尝试。在现代落后诸民族中,也可看到多数物活论的表象。又,那类表象在欧洲一切民族中,也还以咒符迷信故事等形式残存着。

四、宗教信仰之发生

人类对于自然的无力,与为自身目的而作用于自然工作的欲望,就引起了宗教的出现。蒲列哈诺夫说:任何宗教都要有以下三个要素。(一)关于站在人类之上的超自然力"神"之表象。这些表象反映于宗教传说"神话"之中。(二)表现于宗教感情之中的,对于超自然力的盲目信仰,以及(三)对于超自然力的崇拜——宗教的祈祷。在这三要素存在的地方,我们看到特殊的世界知觉之体系,即人类的特殊的意识形态——宗教。

宗教信仰的最初形态,是崇拜灵魂。人们用礼拜、恳求或威吓等,对待善恶的灵魂。人们虽相信那些灵魂的力量,同时又感觉到自己也有对付那些灵魂的力量。例如:抽克底人采行如次的驱魔的礼拜。"到了夜里,我在住所两旁放置两匹熊。于是对它们说,你们大而且强。你们住在我的周围时,什么事也不会发生。若是凯列特(邪恶的灵魂)走进来,它们必会飞扑过去,它们容易发怒。而且,这里还有拿铁鞭的小老妈。它晚间在我所住的周围,挥起鞭子吓逐恶的灵魂。还有铁爪和翼的两个枭鸟,看守我的住所。恶灵魂要进到我的住所时,它们就飞扑过去,突刺它的眼睛。恶灵魂的血会远远地滴到荒地,吃惊地逃走"。在这种情形,人还用积极的作用进行。但是不久人在宗教中的作用,却变得很消极了。

宗教信仰的第二阶段,是崇拜祖先。

在氏族社会中,祖先的灵魂之承认与崇拜,有实用的性质。由于祖先灵魂的存在,能引出系谱;由同一祖先发源的事,能使氏族全体人员结合,给他们同一名称,其结果就造出习惯和图腾。通常祖先的灵魂,是保护某一氏族的团体的灵魂,是抵制敌人的灵魂或恶的灵魂而保护他们自己的灵魂。随着氏族分化为家族,就出现了保护家族及家族经济的灵魂——"家族灵魂"。随着种族的形成,就发生了种族神。氏族社会的神政政体,也反映于神的神政政体中。种族神变成主要神。各个家族庇护者的神隶属于氏族神,这时就隶属于种族神了。

随着农耕与牧畜的发达,宗教的表象就趋于复杂。因为农业经济依靠自然现象或自然力——太阳、雨、丰沃土地等,所以祖先的神,就转化为各个自然现象的神了。于是各种农业民族中出现了太阳神、雷、雨、河、海等神。在各种神之中,不久又分出一个主要神,被认为宇宙万物的创造者。这主要神中一切基本属性,就是负有自然的卓越的威吓力,即雷、电、暴风雨等。它有增加或夺取人们的财富的力量。许多民族,认为主要神是许多家畜群及其他财产的所有者。随着神的数目的增加,随着它们中的主要神的显现,宗教的信仰之体系,最后被固定了。

为要给神以一些物质的力,使自己与神相接近,人们就造出了神像。木制的偶像,或用其他种种材料造出的神的雕像,就出现了。神被物化了。由人手制造的神的偶像,渐渐地在人的眼中映出了有神变不可思议的力的东西,以为那些偶像具有和人类自身做同一工作的能力。学者把这种物质的神格化,叫作拜物教。

宗教的表象之发达,是与宗教礼拜的形态之发达相并行的。原始时代执掌魔术祈祷的人们,在发生了对灵魂的信仰以后,为要呼唤灵魂,恐吓它们,并对它们施善,便应用自己的魔术的"知识"。这些人专做这种工作,应用自己所得的实际智识治病,增强了自己的势力。于是他们在社会中就分离为所谓僧侣的特殊社会的集团,利用周围的人们的宗教感情,从事榨取,靠信徒分给他们的剩余生产物来生活。

五、艺术之起源

在属于投剖技术时代的原始人的住所中,发现了使用染料的最初遗迹。这大概是原始人用红土黄土黑矿物——锰——涂饰了自己的身体。在现代一切落后诸民族中,涂饰或刺青身体的风俗,也被显示着。这种涂饰,常常达到高度的完成。例如北美印第安人,行着复杂而美丽的装饰。涂饰的目的有种种,如对于动物、人类、灵魂的威吓要显示人们的性别,战争性,武勇,打仗的勋功的努力之类。大概原始人因为要达到这种目的,尤其是最初的两个目的,才要涂饰身体的。

在属于压削技术时代初期的居住地中,发现了原始人的最初的我们所能辨别的装饰品。这种装饰品,就是穿孔的贝壳、动物的齿和骨。这也许是用那种东西构成颈饰或腕环的。在现代的落后民族之间,甚至在文明民族的大部分之间,如同澳洲土人和黑奴所做的一样,还保存着这种风俗,为着把装饰钓在自己的身体上,就在鼻孔、唇、耳或鼻梁上穿孔,改变自己的颜面上的自然的相貌。这种装饰的出现,与涂饰出现的原因是一样的。

染料的使用,不久就发生了绘画,更因压削技术时代的诸种矿石及骨器的出现,有发生雕刻和写实法(由轮廓或阴影的方法表示物的形状的艺术)。

根据考古学的发掘时的发现,压削技术时代的原始人的绘画,显示着非常的巧妙。那些画描写在洞窟的天井或墙壁,又描写在矿石、骨和角的板面上。那些画的大部分,主要是由红黑两种染料画成的。那些话的题材,多是从动物界采取的。其中,描写着鹿、野牛、古巨象、野猪、熊、洞熊的姿态。小动物的像完全没有,鱼类和植物也极少。人类的像,很少看见。原始人的绘画,用可惊的自然主义感动人们。因此知道我们所发掘的祖先,美妙的研究动物,能在艺术上再现自己的印象。那时代雕刻的作品,大部分是使用鹿骨或角造成的石锯、骨针、大针、小刀等器具。雕刻品大部分也是动物像,人类的像很少,而且人类的姿态,也描写得非常拙劣。

这些像的起源及其特征,怎样说明呢? 关于原始艺术起源的问题,我们不能把它归之于完的审美目的。因为原始时代的狩猎家,没有因满足自己的审美欲望而从事艺术的余暇和可能性。当时的艺术,只是从实际的要求成长起来的。使艺术出现的东西,是增加生产物的数量以及要更容易取得产物的欲求,是以为可用魔术作用于外界自然的思想。"以类呼类"——这正是原始人所以依从那样的自然主义而描画动物的原因。原始时代绘画中动物之占居多数,及其自然主义的描写,只有原始时代的魔术真正说明出来。到了所谓"以类呼类"的最初思维形态,由所谓"以部分表现全体"的后来的思维形态所代替时,绘画的特征也变化了。于是艺术从自然主义变迁到图式主义或象征主义了。于是不描写动物全体而描写其部分,即描写头和角,或者只描写动物的轮廓了。澳洲土人的艺术,就在这种发展阶段上。

歌谣,在人类发达的最初阶段上,已经出现。就是在单只发达到动物程度的时代,人类也已能发出种种的声音。用韵律代替音声的歌谣之出现,与人类的劳动过程有密切联系。我们可以推想：最初我们的祖先，是曾经合唱过由两三个协音组成的某种原始韵律的。适应于人们的种种行动，这歌也表示了种种特征。在狩猎的时候，歌带有战斗和威吓的性质；在协力劳动的时候，歌就变成适应于劳动的速度合拍的东西了。现代文化落后诸民族的歌，常带有原始的声音。

要决定在什么时候，真正出现了最初的乐器，这是很困难的。最初的乐器——急响器、大鼓、竹杖（用以击周围的木），是祛除灵魂的工具；同时也是歌谣时伴奏的工具。乐器的出现，使歌谣复杂起来，再给以其他的特征，就更促进人们的结合了。

舞蹈不能说比歌谣更新。运动、静止、一进一退的种种拍子交替的舞蹈，是基于发泄身体中所蓄积的能力的欲求而发生的。舞蹈的最初形态，是多数人组成轮形的舞蹈，往后，就采取圆舞的形式。男子群与女子群各个分别的运动，这是与两性的集团在生产上处于不同的地位一事相关联的。即女子从事搜集，男子参加狩猎，所以原始社会中曾有两种住所存在过。通常舞蹈是伴着歌谣和音乐，因而成就了那样的发达。舞蹈之中，反映着种种事情，例如常常反映狩猎、收获、战争等。在许多情形，这种舞蹈，与绘画一样，带有魔术的特征。在洞窟的壁上，我们发现了戴有野兽假面而舞蹈着的人们的画像。以类呼类——描写宰杀动物的动作，暗示能够捕获动物。

照这样，原始人的艺术，是在艺术上描写自然环境的。这种艺术，从人类实际的欲望发生，或是发挥其生理的本性即性的感情、动物的本能、蓄积着的能力的欲望之结果。原始艺术一经发生之后，就在后来人类的文化中保存其内容，并且还改变其形式，使它复杂化。

演习题目

一、人类言语的发达，是怎样起来的？

二、原始人的思维的基本特征是怎样的？

三、原始人为什么把魔术看得非常重要？

四、物活论为什么是原始人的思维的高级阶段？

五、什么东西使得人类到达于精神和肉体分离存在的概念？

六、宗教之本质在哪里？

七、宗教出现的原因是什么？

八、宗教的发达与社会制度诸形态的发达间之联系，在什么地方表现出来？

九、何谓拜物教？它为什么发生的？

十、原始艺术带有怎样的性质，它由什么原因发生的？

第 二 编

古代亚细亚社会

第四章　古代东方诸国

　　无阶级的氏族社会,转变为在农业与牧畜的基础上发生的新社会形态了。最初的社会的大分业(农业与牧畜之分离)引起劳动生产性的增大,因而引起财富的增大,以致把单一的氏族社会的人员分裂为相敌对的集团、阶级了。

　　新社会的经济的构成开始发生了。古代东方的支配阶级,以被剥削大众为牺牲,创造了丰富的文化,在各种经济部门中得到了大的进步。当时文化的若干断片,在现代文化概念中,还成为它的构成部分,直到我们的时代还遗存着。所以要理解我们的时代,就要知道东方最古时代的国家的生活。

　　研究本章时,应阐明以下各点:

　　(一)为什么"亚细亚的"生产方法,不会创造特殊的而且独立的社会经济的构造?

　　(二)由于怎样的地理的及经济的条件,才发生出最初的古代东方的共同体?

　　(三)最初东方各国的社会组织,有过怎样的类似点和差异点?

　　(四)这些国家中各阶级的相互关系和这些国家间的相互关系如何?

一、古代东方诸国具有的特征的诸条件

　　亚细亚各国历史的发达带有独特的性质。我们不能无条件地、机械地、照原样地把这些国家的历史过程的独立性,拿来和欧洲的封建制度同样看待。所谓亚细亚的生产方法,从其构造上看来,毫无疑义地是封建的 = 农奴制的构成之一变种。

　　封建诸关系的主要特殊性,是对于直接生产者纳地租给地主的农民的土地之分配。吸收剩余劳动的这种方法,这种剥削形态,无论在亚洲或在欧洲都

是相同的。只在以下各点上,可以看出独特的处所。在亚洲,土地与辅助的生产手段(家畜及其他)是由封建组织的国家分配于农民的。但在欧洲,这种分配是由地主——个人土地所有者实行的。东方的土地所有,采取了集中的形态。"在这里,主权是在国民的规模上集中化了的土地所有。"(马克思)

封建领主之榨取直接生产者即农民的剩余劳动——"土地所有者,不论是个人或国家,这事都是同一的"(马克思)——是封建的生产方法之特征。

> 土地所有者的收入,无论怎样把它命名,或称为被榨取的生产物,或称为剩余生产物,但在这里,它是经常的支配的形态;在这种形态之下,一切无报酬的剩余劳动,都直接地被榨取着。土地所有,在这里,形成剥削的基础。(马克思)

在决定封建制度的独特性的许多原因之中,也有考虑到东方各国的地理特殊性的必要。由沙和石构成的长沙漠地带,从太平洋到大西洋,绵延于两个大陆之间。在这沙漠地带各地方,有狭小的河流穿插,有河川流域纵横蔓延,草原广布,丰饶的沃地到处都是。

亚细亚各国的支配阶级,是土地所有者=农奴所有者。他们依靠超经济的强制方法,使国家成为具备一切机构的支配阶级独裁的国家,假借这种国家的力量,榨取奴隶与农奴大众。

马克思说,气候与土地的诸条件、地理的构造,"把依靠运河及其他灌溉工程而行的人工灌溉,作为东方农业的基础"。扬子江、恒河、笛格里斯、幼发拉底斯河及尼罗河流域,都是到达这地方的游牧民族所定居的地方。这些河川的定期泛滥,这些从上游流来多量植物性的残泽(在埃及和巴比伦是泥土,在中国是黄土)的河川的洪水,大大影响了经济组织。居民合目的地疏导泛滥,尽量地利于其结果。为着与旱魃斗争,就造出运河与广大的贮水池,设置堰堤,预防水的自然力的破坏作用,又借助于人工设备,调节水量;为着使沼泽地化为陆地,或使化为疟病巢穴的繁殖的芦草绝灭,就引起了土地改良事业。

> 无论在埃及和印度,或在米索卜达米亚、波斯及其他各国,洪水都被

利用来丰饶土地。高的水面,被利用为充作灌溉用的运河。注意地并且经济地使用水量这件事的绝对必要,在西欧例如在法兰西和意大利,强制着人们合意的结合个人的企业,但在东方,——在那里,文明水准太低,领土太广,所以不能发生合意的结合——却要求了政府的集中的权力之干涉。(马克思)

恩格斯同样的在《反杜林论》中这样说着:"从波斯到印度,从埃及到中国——的一切国家中,都有'无水无农耕'的俗谚。次第繁荣而又没落的波斯及印度的多数东方诸国,其自身首先是河川流域的灌溉事业上的民众的代表,这是人们所知道的。那种地方,如没有灌溉事业,农业是不能想象的。"

在这样的东方诸国,不能不承认自然的诸条件的这种特别影响。即,为与旱魃和洪水奋斗,需要各种设备,为着经济上的目的,必须统治自然力。这种工作,是由封建的榨取及抑压农民的各种方法实现的。

随着人工灌溉及其他各种方法的实行,农民就开始紧缚于土地(农奴化——译注)了。领主在占有土地之后,渐渐应用超经济的强制,用暴力使农民负苦痛劳动的义务。以后,这些土地的利用,就是农民被束缚于领土,隶属于领主的意思,官吏变为领主了。国家就把所占取的土地与被束缚于土地的农民大众,一同交给他们了。

官吏统治一定地方,成为中央权力的代表,执行裁判与刑罚,并从一地方巡行到另一地方。官吏在长时间成就自己的义务以后,就把土地联系于自己或子孙,而成为土地所有的领主了。成为一定阶级关系的担负者的国家的这种先锋,是在自己权力之下的领土内的生产诸条件的所有者。农民的隶属化以及他们的人格的束缚,因为土地日趋狭小而农民无处逃避之故,就更容易实现了。

农民是成为共同体而生活的。各家族所得到的东西,不是一定的土地,而是对于一切田地草地及菜园之一定分配的权利。共同体或者共同耕种土地(耕地),或者把土地割分为许多小块,分配于各家族之间。山林与草地,是共同使用的。

适应于封建领主所巩固的共同体的程度,农民就越发激剧地为封建国家所驱使,而从事于土木水利事业的劳动了。这即是酷烈的独特的赋役制度。

47

恩格斯说:"在政治的支配的根底中,有公共职务的施行。而政治的支配,只有在这些公共机能被施行的场合,才能很好地、长久地维持下去。"在亚洲方面,农奴依从封建官吏的命令,从事于土地改良、人工灌溉等苦痛的劳役;在欧洲方面,农民实行修缮桥梁、开设道路,开拓池沼,并为地主邸宅采伐木材;这两者是带着同样的性质。无论在哪一种场合,农民的经济状态都是相同的。

在封建领主和农奴的关系上,所有者无论他只是土地的主权者,或者他同时又是水、人工设备、运河堤闸及其他的所有者,这并没有什么不同之点。

如果以为东方国家因为实行公共机能才收得剩余生产物,这完全是错误的。又如把这种国家认为是超阶级的组织了的上层建筑,认为是农民经济供给劳动于它的中央机构,这也完全是错误的。这样的主张,是支配的榨取者诸阶级的理想化,是封建的阶级的否定,是阶级矛盾及阶级斗争的否定,是把专制国家看成顾计人民必要的组织。我们应当记忆,在东方的专制国家中,成为问题的,是所谓依靠农奴基于农奴隶属的劳动而实行的国家生产的那种生产。

东方的政治史及宗教史的独特性,社会诸关系的某种停滞性,在自然经济的基础上发生。农民的家族,因为不依存于市场生产的变化及全历史运动的结果,差不多得到了自给自足的性质。农民的家族,离开存在于外部的社会诸部分而孤离。农民是具有自身的生产手段,具有"实现自己的劳动及生产自己的生活手段所必要的物质条件"的直接生产者。由于农民劳役的这种独立条件,名义上的土地所有者,就需要凭借超经济的强制为自己而榨取农民的剩余劳动,把农民当作土地的附属品而束缚于土地了。

自然经济的基础,就是伴有副业的家庭生产的小农业。这种副业是纺织;在埃及和巴比伦,是金属的铸造。共同体有它自己的职员。这些职员中,有实行裁判官机能的长老、有秩序的监事者、租税的征收者、贮水池的监视人、水的分配者、僧侣和专门从事收获或计算农民财产状态等的会计。"旧的共同体,在其存续的地方,数千年之间,构成了东方专制制度的最粗暴的国家形态的支柱。"(恩格斯)

最初的国家组织,在埃及创设于纪元前4000年;在笛格里斯、幼发拉底斯地方,创设于纪元前约3000年;在中国及印度,创设于纪元前约2000乃至1500年。

二、埃及

尼罗河流域的下游,是两个细而长的高地之中一个狭小地带。这块地域,广约12至25基罗米突,长约1000基罗米突。尼罗河的泛滥,在夏季开始。全部流域除高地外,都为洪水所掩蔽。到了11月,河水始再回到原来的岸边,土地就变成丰饶的泥土而更加肥沃。从很古的时代起,在这最丰饶的领域,有邻国的里比亚、阿拉伯、鲁比亚的游牧民聚集过。居民开始从事于农业,得到了很大的收获。但为要造出许多适宜于农业的状态,农民要耗费很长的时间和很多的劳力。居民为要在水退之后赶快跑到田地上去,趁着在两三个月后天旱之时以前完结栽种事宜,其间不能不做一切必要的工作。卑低的土地上,长时间有水停滞着,变为妨害在适当时期栽种的有害沼地,沼泽使许多土地变为无用。能供栽种之用的,只有余留着的介在池沼之间的少许高地。

一面要使土地干燥,一面又要存水以备灌溉。随着时间的经过,到了纪元前4000年,尼罗河流域,已布满了无数的运河网,这运河网是从国内的僻远边境地方向着尼罗河成直角形。这些横断的运河,两边筑有高而且固的提防,当尼罗河泛滥时,便把水引入,用以灌溉那些离河很远的田地。在田地的一定地点,建筑大储水池,用运河的水注入。当水减退时,就把这些贮水池关起来;当威胁栽种的旱魃袭来之时,就把这些贮水池开放,水就通过运河,平均地分配于各处田地。

促使全部流域的居民去参加的这些工作的实行,往往是把居民结合在一个统一国家之下的重要原因。因为要实行这些工作,监视这类设备的保存,引诱农民大众去做这些工作,就要把居民结合为处理一切必要手段的组织。因为这种目的,就把它们结合于利用超经济的强制方策所必要的充分强力的组织了。

据拍皮尔(Papyrus paper)(古代埃及人所用的纸)的证明,在拍多利迈阿斯(Ptolemaios)时代,埃及农民因为建筑运河和水闸,是在赋役制度之下劳动的。

在纪元前5000年,埃及人是组成氏族的共同体而生活的。氏族的权力,指导了池沼地方的开拓及其他的一切方策。由于土地的意义重大,所以土地在当时已开始集中在贵族、氏族的长老、军事指导者及其亲近者的手中。共同体已经分散了。一切的土地,由于僭取和出让,都归大地主所有了。共同体的居民大众,失掉人格的独立,农民变成了大地主的农奴。农民从大地主借用种子和农具,却不能在一定期限内偿还自己的债务。这些农民,便住在自己主人的土地上,替领主劳动,每年缴纳年贡和赋役给领主。在这些领主的墓碑上,还可以看到那描画着农民背负着满盛农业生产品的笼子走向主人住宅的绘画。他们牵着小羊走。领主的仆役用棍棒武装起来,随从于监视正确地履行义务的村中长老。司账人检查所聚集着的年贡。

领主住在自己的城中,对于自己的领地(这样的领地无虑数十处)享有支配者——君主的无限权力。这些权力,又是依存于军事的势力、封建的官僚,又往往依存于有莫大土地的僧侣。

在领主的权力之下,还有村落式的都会存在。如中世纪欧洲一样,在埃及的都市里,集中了有独特闭锁性的组织的手工业公会。这时候,一切手工业已聚集在一个区域了。都市的手工业者,也经营农业。

领主间常常发生战争。战争的结果是较弱的地主就变为较强的地主的臣仆。不断战争的结果,埃及形成了两个封建国家。一个是北埃及国(Upper Egypt),一个是南埃及国(Lower Egypt)。南埃及国的封建领主,得到了关心于公共的事业之统一的统治的许多家臣的支持,使得北部也服从于自己了。这样统一的封建国家,是在纪元前约3300年形成的,起初建都于麦菲司,后来建都于德比斯。庞大的财富,借着复杂的官僚机关即权力的中央和地方的代表者之助,集中于统治全国的埃及王(法老 Phrao“高贵之家”的意思)之手。法老把国内割分为许多州(Nome),归州长官统治,州长又由法老任命、罢免或调任。同时,州长官在其较小的地方或共同体内,有所属的官吏。在法老的宫廷里,僧侣尽着显著的任务,这些僧侣在人民大众之间,增强法老的权力。因此,僧侣们享有特种权和特典。他们的住宅周围,有庞大的领地,这些领地与世俗的门阀家的领地即法老的亲近者的领地完全相同。和州长官同样,僧侣可以从农民取得那当作是供神用的谷物、果物、器具、布匹、家禽、私有自己的家畜、奴隶及农民、仆舍、商店、仓库等。

僧侣占有莫大的寺院财产、田地、谷物仓、家畜、农奴和奴隶,甚至占有整个都市。在僧侣权力之下,有用棕榈叶编成的小规模的工场,在工场中工作的工人,有织工、染色技师、石匠、靴匠和冶铁店等。为要管理这样的财产,僧侣有用大批管理人的必要。寺院中的使用人、有财宝看守人、仓库管理人、田地和家畜、器物的看守人。

法老是"地上的神"。僧侣常教说法老是上帝的儿子,死则为神。对于法老所表示的一切尊敬,就是当他出现,即伏地跪拜。此外在画像和雕像上,把他描写为大于普通人四倍的姿态,还有法老的奢侈的行列。这一切就深刻地影响于愚昧的劳动大众的心理,使他们在服从和温顺状态中,觉悟自己的命苦,在这样的妥协状态中去教育他们,这是特别的目的。

由于同样的目的,即给法老以荣誉,因而鼓吹现存制度不变动的目的,法老在生前使民众为他自己造出伟大的坟墓——金字塔(Pyramid)。这金字塔是累积无数的庞大切石块所造成,这些切石块间的合缝处,砌得极为紧密,连刀锋都不能插入。有一个法老邰卜斯(Cheops)(纪元前2800年)的金字塔的建筑,曾使用了10万人每年做3个月,一共做了30年之久。据希腊史家赫洛多德说:单只建筑那搬运石块到建设场的道路,也费了10年的时间。那些石块,是由工人在尼罗河对岸开采出来,再用绳子托曳经过那特设的道路。像这样伟大的,高达138米突占地约50英亩,由250万石块筑成的大建筑物,终于造成,这在古时著称为世界上7个不可思议的东西之一。

法老的权力在纪元前约2000年,被从小亚细亚侵入的塞姆族游牧民"西克索"(Hyksos)族所打倒,数世纪之间,埃及屈服于西克索族权力之下。往后德比斯的权力者,驱逐了这些游牧民,重新统一了国土。新法老占领叙利亚的沿岸。到了托斯麦斯(Thutmose三世)及拉美斯(Ramses二世)(纪元前1300年)的治世,埃及更征服了小亚细亚、鲁比亚(Nuba)和叙利亚(Syria)。

埃及的军人与西达(Khitu)族,卒至发生了冲突。西达王国,当时支配着小亚细亚、叙利亚、西里西亚。埃及和西达族的斗争,大大地摇动了法老的权力。由于外部的打击,埃及的政治上的没落就开始。于是,里比亚人、爱吉阿比人、亚叙利亚人,接踵而起地支配了埃及。经过若干隆盛时代与对外的成功,以及与腓尼基人、基布罗斯及克利达经营了有利的贸易以后,埃及在纪元前525年终为波斯所征服了。

因为常以获得劳动力（奴隶）为目的而对临近种族实行远征性质的法老军事策略，因为受收税官吏苛敛诛求的种种义务和租税负担，引起了农民大众的破产。州的统治者——州长老——对于中央权力者法老的战争，也使农民大受损失。这些战争在许多情形的结局是形成了许多小独立国。于是农民自发地起来反抗政府了。劳苦群众的暴动也频繁发生，并带有革命运动的性质。在这种革命运动的时候，富豪被打倒了，金银财宝都用来挂在女奴隶的头上，这运动震撼了支配阶级。

关于农民胜利的革命之一，农民阶级的敌人这样写着："掠夺者简直充满了。掠夺者支配了我们。尊贵的人充满了悲哀，卑贱的人充满了喜气。一切的都市都这样叫啸着：'从我们中间把强者驱逐出去吧！'"

三、古代东方诸国的贸易

纪元前 3000 年，米索布达美亚、小亚细亚、叙利亚和埃及之间都已经通商互市。商船和商队，或由水路，或由陆路，互相往来。同时，从一国运商品到他国。队商所通过的陆路和水路，使得便利的港湾都变为商业中心地和人口稠密的地点。因此，地中海的东岸有腓尼基的吉尔（Tryna）和西顿（Sidon）都市，幼发拉底河畔有巴比伦的都市乌尔，低海（现在的波斯湾）岸有巴比伦的爱里斯都市、埃及的德比斯和麦斐斯都市，并有成为古代东方诸国的一大中心地的幼发拉底河畔的巴比伦。——这些都是从地中海和小亚细亚及阿拉伯和伊兰来的中心点。凡属从事贸易的人们，只是唯一支配阶级的阶层。商品都只是贡给指导者、僧侣和武人们所消费的奢侈品。贸易几乎都是经过商会组织的商人所经营的。商业关系渐渐发达起来了，流行的物品都只是商人所必要的商品，和容易交换并且非常容易卖出的商品。在小亚细亚的市场中，非常需要的商品，就是珍贵的木材、织物、饮食用具、宝石、金属、牛酪、奴隶、马等类。商人都喜欢买卖不易损坏而便于搬运的商品，喜欢买卖制造品的原料，而不喜欢已成品。一切商人都熟知某市场所容易卖出的商品。

国际的支付手段，都以巴比伦的计算单位（家畜、谷物）计算。不过这并不像贵金属那样的普及。各国家相互间的关系，都带有贸易的性质。国王们需要赠品时，预先通知，互相交换。凡属成为高利借贷的企业与成为蓄积财富的中心的一切寺院,都设有制造种种物品的工场,在商业上演着重要作用。随着贸易关系的发达,对于商人的信用贷金而取其重利的事业的需要越来越多。在巴比伦地方,以银行家,债务证券——汇票——做担保而融通金融的营业者,已经出现了。当商业交易之时,是用银清算的。银在当场称量轻重,并决定其价值。商品常常是从远地各国输入的。例如商人从埃及到叙利亚买杉木,到鲁比亚买象牙,到米索卜达米亚买宝玉和香水。游牧民为要获得五谷和器具,就从草原地携带家畜、绢、皮革来巴比伦交易。从南阿拉伯的各国输入金或各国未经琢磨的宝石。又从印度用船舶由海道运入大批象牙和香料。

照这样,在自然经济形态的诸条件之下,商业资本也已存在了。"货币流通及商业流通——马克思说——从其内部的构造来说,也在以使用价值的生产为主要目的的很多种组织的生产范围中服务。"

> 在古代亚细亚的和古代的这些生产方法之下,生产物之转化为商品,因而商品生产者们的生活,具有从属的意义。但这种任务,随着共同体的生活秩序的没落而愈益显著⋯⋯
>
> 那些(古代的社会生产诸机构)的存在条件,是劳动的生产诸力发展的低级阶段,是在造出人类的物质生活的范围内的人类诸关系适应的关联性。(马克思)

四、巴比伦

纪元前 16 世纪,侵入小亚细亚腹地的埃及人,和巴比伦在贸易上的霸权起了冲突。巴比伦(又名瑟拉尔)位于笛格里斯和幼发拉底斯河的下流。这些河流的泛滥,与埃及同样,国土受着泽润,堆积了最丰饶的泥土质。为要改变这些沼泽和沙漠为肥沃的田地和田园,就需要有庞大的设备和疏水灌溉工事。最古的移住民,在纪元前数千年以前,用运河网和湖水把国土贯穿起来,用提闸来隔断河川,在运河的两侧就筑起堤防,种植枣椰等树木。农民和奴隶劳动者,就把笛格里斯和幼发拉底斯河做成了亚细亚的谷仓。

巴比伦和埃及不同,其国土不是由自然的障壁所保护的。因为四方都是平原,所以常常受游牧民族破坏的袭击,但同时却能与邻国及远隔的地方发生活泼的贸易关系。

巴比伦最古的居民,是被想作在纪元前4世纪从土耳其斯坦移来的游牧民苏美连人(Sumerians)。根据在乌尔的街上的发掘物,证明苏美连人具有高度的物质文化。他们实行了大规模的灌溉工事和土地改良事业。依据发掘时所发现的物品,可看出在金属石骨上加工的高度技术。苏美连人发明了楔形文字和象形文字。国土由国王(拔抽西、鲁加尔)所统治,国王以在一切共同体中有其代理人和收税吏的封建的官僚层为基础。土地认为是拔抽西的所有物。农民使用土地,对于拔抽西及其部下要缴纳酒、五谷、牛酪和绒毛等物,作为定额的年贡。

苏美连人后来被塞姆族的亚加特所征服(纪元前4000年),被征服者被夺去了一切的建筑物,耕地也被人占领了。征服者却降伏于自己所征服的居民的较高文化之下,而与被征服者同化,形成了新的民族。国土筑有城郭,围以城壁,接着这些城壁就是有工人、农民、商人的村落的地方,这就是最初拔抽西居住的都市。巴比伦是从这中间兴隆起来的。后来,从邻近的山地下来的新游牧民族爱拉米特(Alamicer),在纪元前3世纪中叶。亚加脱王国就被毁灭,多数都市归于荒废了。只有距离较远的地方的巴比伦,没有遇着灾害。于是,新势力在这里开始集中起来,这势力在哈谟拉比王的治世时代,全巴比伦就成为统一的强国——君主国(纪元前2000年)。

适宜的各种自然的条件,促使巴比伦商业的发达有显著的成绩。手工业即陶器、布匹、丝织品、各种奢侈品和烛台等东西,推销到东方诸国。工人分为集团,由各的闭锁的专门技能而分别组织的。土地是由农民或一部的奴隶去耕种。哈谟拉比把带有建筑物的许多小地面作为采地,分配于自己的兵士。兵士本事即是农民,借此可以自己养活自己,服从国王的要求,负有出征的义务。附有农民的广大土地隶属于无数寺院。国家的秩序,是以官吏和贵族为基础的绝对君主制。哈谟拉比,为要建设广大的灌溉设备,做了庞大的工事。关于这些事业,哈谟拉比曾这样说过:我"想要造出便于使谷物满仓的耕作那样的国土……把散在苏美连、亚加特地方的居民集聚起来,给以饮食。把这些人民移住在那丰饶和满足的地方"。哈谟拉比造了一部法典。那法典主要的是站在拥护所有住民阶级的权利的立场,是一种习惯的记录。这法典对于隐藏他人奴隶于自己家中的人，要处以严罚（死刑），特别值得注意。这很明显地证明奴隶比较少，而且价值是很高的。哈谟拉比的法律拥护富有者和贵族阶级的所有权，对于不能租田耕种的小佃户却是严厉压迫。租田人若不耕田，他们必须以邻人所收获的准则缴纳同量的谷物给主人。至于遇着洪水，收获完全没有的时候，这种损失不属于地主，还归诸租这土地的农民。

五、亚述——巴比伦

纪元前 15 世纪，巴比伦和在巴比伦北方的笛格里斯河畔的亚叙①国家，开始了斗争。纪元前 13 世纪，这斗争以巴比伦独立的绝灭而告终。

从新形成的以尼尼微为首都的新巴比伦（Chaldea）国，在奈布加纳王（Nabopolassar）的治世，具有大势力。亚述因常常战争，降服了前亚细亚的全部，降服埃及，凡一切的隶属国和隶属民族，莫不畏服。

亚述从巴比伦继承了手工业技术、楔形文字、历法、商业方法和宗教，把从被征服诸民族夺来的财富集聚于尼尼微。亚述对于铁器的之制造显示了大的发展，由于军事上的必要，推广了铁的运用。首都设有铁栈，把铁搜集起来，作为锻炼武器之材料。纪元前 606 年，亚述亡于巴比伦和麦哲亚人的同盟军，到纪元前 537 年，更隶属于波斯权力之下。

　　亚述帝国及巴比伦帝国——恩格斯在 1853 年写给马克思的信中说——与后世巴格达多的回教主所建的国，在同一场所，是伯顿种族所建设的。巴比伦帝国的建设者加德亚人，在所谓伯尼加列多同一名称之下，还在同一地方存在着。尼尼微和巴比伦那样大都会的迅速建设，与以前三百年和这相类似的大都市亚古拉、德里、拉荷尔、姆坦等，由于阿富汗和鞑靼人的侵掠而在东印度所创造的，完全相同。

六、腓尼基

一切塞姆民族中，最会经商的是腓尼基人。腓尼基位于地中海东岸，成一

---

① "亚叙"疑为"亚述"。——编者注

狭长的带状。腓尼基和邻近的叙利亚、埃及、亚述＝巴比伦,有路相通。腓尼基人若走海路,可以远达于欧罗巴和阿非利加的地中海沿岸。西顿和吉尔——腓尼基的港口——变为顺次等着装进船舶的商品的仓库。航海之时,这些碇泊地方,多半变为殖民地商品贩卖市场和商品购买市场。腓尼基的殖民地,在商业路所交错的地方到处扩张。即是基布罗斯(此地可以得铜)达脱斯、西西里、沙尔吉尼,直布罗陀附近的加其尔、加逖斯和北阿非利加的迦太基等。在西西里对面的北阿非利加的海岸市场,腓尼基人可以购贸象牙、香料和贵金属等。银和锡从西方各国输入,紫蜗牛从爱琴海输入,黄金从达脱岛输入。对于殖民地,是输出陶器、染色布匹、酒、牛酪和列鸟恩龙山所开伐的木料。腓尼基人是最初周航阿非利加而开拓由阿拉伯海经过直布罗陀而归的航路的民族。他称自己的土地为"亚斯"(上升),区别新发现的土地,称为"埃列蒲"(下降)。亚细亚和欧罗巴的名称的起源,由此开始。腓尼基人在地中海和希腊冲突,海上的霸权便不得不让渡于希腊人。

七、印度

如像埃及和小亚细亚各地方一样,印度也是具有印度河、恒河和稚鲁藏布江诸大河的丰饶流域约农业国。印度最古的居民,依据在潘加卜最近的发掘所说明,在纪元前 4000 年,已经与笛格里斯和幼发拉底斯地方发生紧密的文化联系。往后,印度被从波斯方面出现的亚利亚人所征服了。居民之由牧畜业彻底转换为农业,正是在这个时代。如马克思所阐明,这里有两件事情,"从远古时代以来,造出了特别的社会制度,所谓农村共同体"。第一件事情,印度人和其他东方诸民族一样,凡属成为农商业基础的许多事业,都委诸中央政府计划。在印度,也还是利用洪水,使土地化为丰饶的,所以开凿运河,吸引高度水平线上之水,以资灌溉。第二件事情,全印度各地的农业和商业,都以农业和手工业劳动之家内的联系为基础结集于小的中心地点。印度的共同体,和其他各国的一样,由履行种种义务的官僚集团所统治。这些村落虽常受外敌的侵略,常因战争、传染病和常常发生的饥饿所破坏,而村落的境界却少发生变更。共同体组织的基础依然不变。各个村落都不关心于中央权力的变化,中央权力之或被罢免,或起分裂,或被驱逐于国境,都不甚关心。就各个村落说来,无论处于什么权力之下都可以的。村落的孤立性——马克思说——是印度道路缺乏的条件,而道路的缺乏,又增强村落的孤立性。因此,共同体随时都保持一种不变的低度生活水准,相互间几乎完全没有联络,又没有社会的进化所不可缺的希望和活动性。

因此,共同体的狭隘性使得人们忽视自己领域以外的一切事件,把他们的经济的利害局限于自己领域的境界之中。在另一方面,这种事情,使得共同体没有力量,致使共同体为"一切外来者"所掠夺。

在这种基础之上,形成了种种的社会集团——加斯特(种姓)。这加斯特是离开一切残余的社会独立而生活于一定地域的东西,具有自己的"神圣的保护者",自己的特别祭祀、生活和习惯。

印度的种姓,是依照职业的区别来结合人们的。这便产生了这些人们的出身的共通的思想。印度人神话的族长玛奴所手定的印度僧侣法典中,设定了四个加斯特的制度,即僧侣、武士、农工商业者及奴隶等是。加斯特包含了许多的人们。这种制度,只是婆罗们立法者的理想,他们宣传统治者是神的子孙,举出超自然的理由,说明使人们捧献供物于他们自己的行为。根据玛奴的法典,合法的所得方法有承继、赠与、交换及购买等,这些方法是一切加斯特所共有的。其次分受胜利品的权利,只许武士享受。银钱借贷业、农业及商业,是农工商业者的收入的方法。至于贵人的施舍,却只有婆罗们僧侣才有特权领受。

在印度,形成了许多敌对的封建国家、公国。这些国家,是以武士及僧侣为基础的马哈拉萨、拉萨为领袖。

农民被课征实物地租和年贡等。村落共同体把收入的四分之一又半分给予各支配阶级和国家。

印度的中央集权化的国家之建设,商业和手工业的发达,开始于马其顿王亚历山大征服了印度的几个国家的那个时代(纪元前 327 年)。又在纪元前 4 世纪之末,摩利亚帝国创立了。这帝国的统治者之一的亚育加玉(纪元前 3 世纪),是不顾虑加斯特的区别的佛教保护者,他实行积极的对外政策,使邻近各国和国土隶属于自己帝国之下。这国家的登场的主角,是世袭的地主和佃户。官吏的职务和领主的地位,有很多类似之点。官吏=领主,在封建制度所固有的形态上,夺取了农民的剩余生产物。这时代印度小手工业和封建时代的手工业没有什么不同。系统地给予数百万职工以工作的手织机和纺锭,是这种社会的构造的基础。在摩利亚帝国时代的文献遗物中,可以发现世袭的土地所有,关于封建主义的早期过程的痕迹。印度的皇帝,对于自己的廷臣,颁给了封建的领地。封建的体制,利用农奴大众的劳动,从事灌溉事业,促进了农业的发达。往后,新的游牧民巴尔吉人、莎库人、匈奴等的侵袭,特别是从7世纪起阿拉伯人频繁袭击的结果,使得印度破灭了。

八、中国

中国在纪元前14世纪到17世纪,分散为许多互相敌对的公国。这些公国,遭受了满州和蒙古方面各种族的压迫。中国发展的独特性,就在于有若干"中央集权的""官僚"的封建主义的特征。纪元前3世纪的周朝时代,建立了和前亚细亚各国的制度相像的国家制度。和前亚细亚一样,中国也成立了具有封建官僚常备军和地方官吏机关的中央集权的君主制。远古时代中国的一切文献,描写着追忆封建关系的社会关系发达的情形。这文献叙述关于公有土地私有土地的夺取的情形,叙述对于农民所制定的各种义务。到了秦朝时代(纪元前249—前206年)秦始皇很巧妙地打破了这分立的封建势力的抵抗,形成了统一的国家。

中国的封建主义之官僚的组织,反映于下述各种事实之中,如对于国境的防御,建设了万里长城,以防游牧民族的来寇,开凿运河,建设灌溉设备;以及中央政府计划与地中海方面各种通商等事。秦朝统一列国,使土地归入豪强之手。以致富者田连阡陌,贫者土无立锥。以皇帝为其首领的封建官僚,助成了支配的各阶级之基本的意识形态,即助长儒教之物质的势力及其影响。我们如认定中国的官僚是在灌溉制度上所生长的超阶级的机关,那是错误的。中国的国家,也是实现于农奴和被压迫者的封建集团的政策之支配的各阶级的机关。中国国家的独特性,是在于下述一点:她直接通过复杂多歧的官僚机关而显现为有组织的强制力,实现了国土的灌溉、沼池的开拓和大湖沿岸的修补等政策。土地之集中于官僚的手中,形成了国内阶级斗争的尖锐化的原因,变为直至农民指导者获得指导权为止时的无数农民暴动的原因。叛乱通例是在夺取地主的土地,或以采用所有土地的分配的妥协条件而告终。可是农村的新的阶级分化,不可避免地又使土地归并富豪手中,所以直至秦亡,又惹起新成长的阶级斗争之新的暴动。

到纪元前3世纪,取得了政权的汉朝,因这反对封建的榨取的强化所起的巨大农民运动的结果,就试行农业的改良,要把属于地主的土地收归国有。这政策未及实行,农民和地主间又燃起了斗争的火焰。地主努力使这种改良办法不致实现,致酿成激烈的内乱形式的斗争,继续延至数十年之久。根据许多史料的判断,这斗争吸引了全居民的80%。所以汉朝,是封建主义发达的时代,并且同业公所式的小工业也发达起来了。

中国的统一,助成了她与印度、小亚细亚和罗马,以及东方和中亚细亚各民族的联系的建立。在汉朝时代,商业发达起来,在自然诸条件之下的商品=货币经济的中心的都市,也成长起来了。都市就变为一切租税流入的中心点。古代中国商业之发达,由于与游牧民通商的强化以及小农业之与家庭手工业相结合。手工业的生产,也和商业一同成长起来了,因为她是和商业相关联的。

中国又受了其他国家的影响。在纪元前1世纪,佛教从印度传入了。[1]和平的交际是从与敌对的游牧种族(匈奴、蒙古人等)战争所得来的。这件事,使得农民的榨取的恶化形态更深一层了。农民大众的痛苦状况,引起了"黄巾贼"的大叛乱,引起了中央集权的君主制的没落,引起了再度的封建化(纪元后2世纪)。新的统一时代,起于唐朝(8—10世纪)。这个王朝时代,中国是当时世界上最大国家之一。在这个时代,中国和日本、吐蕃及欧罗巴,结成了商业的并文化的关系。中国为要获得中亚细亚的商业路,曾与阿拉伯斗争过。

重要事件年表(年代都在纪元前)

(1)埃及

3000 年	古代王国的时代。
3000 年之终及 2000 年之初	中古王国的时代。

---

[1]　参考第六章"古代东方各国及古代社会之意识形态"。

2000 年	社会变革时代。
18—16 世纪	游牧民族海克萨统治埃及。
17—16 世纪	新时代的王国时代。
6 世纪	波斯人征服埃及。
4 世纪	马其顿王亚历山大征服埃及。
（2）小亚细亚	
4000 年之末	在美索卜达米亚形成最初的国家。
约 20 世纪	巴比伦王哈谟拉比的法律,巴比伦中心地笛格里斯和幼发拉底斯河地方的统一。
15—12 世纪	小亚细亚的犹太王国。
14 世纪	亚述独立王国之形成。
10 世纪（终）	希伯来王国的建立。
10 世纪（终）	犹太和希伯来王国分裂。
10 世纪（终）	美哲亚人占领亚述首都尼尼微,及亚述的灭亡。
6 世纪（中叶）	波斯王国成立。
（3）印度及中国	
约 2000—1500 年	亚利亚族开始征服印度。
11—3 世纪	中国内乱（封建的）时代。
4 世纪（终）	单一的印度国之形成。
3 世纪	亚肯加王的治平时代——中国各地方统一于一个权力之下（秦始皇时代）。
1 世纪	亚利亚族完全占领恒河印度河,北印度之崩溃。

演习题目

一、古代东方各国封建的诸关系的特殊性如何?

二、埃及、亚述、巴比伦、印度及中国之社会经济制度,是由何种具体特征而表现特性的?

第 三 编

古代社会

第五章 古代世界之地中海沿岸诸国

本章是叙述纪元前约 1000 年,在欧罗巴地中海沿岸形成了的奴隶所有者社会的简略的历史。移居此处的诸种族,虽然从东方各民族承继了许多东西,但和东方各国比较起来,却具有不同的社会组织形态。最初在这些种族之中,都市＝国家(古代希腊以"波利斯"一语称之)广泛地普及着。往后,有几个都市＝国家发达起来,变为大国。这样的国家之一的罗马,其领土便挟有一切地中海沿岸一切地方和曾经加入古代东方各专制国的构成中的各地方的一部分。罗马的权力,专事利用武力,苛敛诛求,致使隶属地方的经济日趋枯竭,结果引起罗马社会内部经济的及社会的崩溃,终因日耳曼诸种族的侵入而没落了。

本章的研究,是解明下述各基本问题。

(一)希腊(Hellas)(古代希腊)及意大利诸国之社会制度之特征究竟怎样?

(二)若干都市共同体如何发展而成为大国?

(三)罗马国家之经济的及社会的政治的制度如何?

(四)罗马帝国因何种原因而灭亡?

第一节 希 腊

一、希腊种族的居住地及爱琴文化,或克里地米克列文化

纪元前 13—12 世纪,埃及曾经几次受许多异种民族所侵略,这些异种民族,都是从西北方渡海而来的。这些民族中,有希腊种族(他们自称为希腊人)在内。他们在纪元前约 1500 年,占有了巴尔干半岛的南部和爱琴海的无

数岛屿。往后,纪元前 10—9 世纪,希腊人就发展到小亚细亚海岸、南意大利、西西里岛及其他地中海岸地方。占领了欧罗巴南部的希腊人,曾经侵入了东方各国——叙利亚、埃及,——可是被击退了。这种的侵略,是北方诸种族侵袭希腊人的结果。后来,希腊人和东方各国(埃及,腓尼基)之间成立了密切的经济的及文化的联系。希腊人就从埃及和腓尼基人得到了关于手工业、建筑术、文字等知识。

侵入埃及的“海上诸族”(埃及碑文这样称呼他们)在由欧罗巴到埃及的中途,破坏了以克里地岛为中心而包含爱琴海各岛和希腊东方海岸(米克列、吉尔斯及其他都市)的一个海上的大强国。在地中海地方先行于希腊人的社会文化的遗迹,是在爱琴文化或克里地＝米克列文化的名义下而传闻于世的。

这些遗迹,就是在克里地发现的库诺梭及费斯达的大宫殿的废墟,在希腊海岸的吉尔斯、米克列、雅典及其他地方的城郭和城壁,其他的圆顶坟墓、壁画、大雕像、许多家庭必要品以及现在还不能解读的克里地文字等。克里地海上强国的社会秩序,就是根据这些遗迹去考察,也还不能详细明白。这社会无疑地带有阶级性质,支配的社会层牺牲农业者和手工业者的劳动,过着奢侈生活。克里地,在外观上很明显地有如君主国那样的强大的中央权力。城池和附带的克里地的宫殿遗迹,从那规模广大和装饰奢华说来,已经足够使观者惊异。从其社会不平等说来,阶级之诸关系似已非常尖锐化。虽然有许多材料证明那个时代的经济是自然的性质,但在克里地所发现的各种遗迹,却证明在纪元前 2000 年之初,克里地已经和埃及通商了。克里地的文化和埃及文化有密切的联系,并且和巴比伦的文化也有相当联系,不过比较稍逊一点。

中部欧罗巴及东部欧罗巴平原(关于后者,由多涅波中流的所谓多里波里文化所证明)的新石器时代及青铜文化,想来与爱琴的世界也有联系。

后来,希腊人忘掉了先于自己的居住者,而以为他们自己从古就住在那里的。但是,希腊文化以及通过希腊文化而来的欧罗巴文化,都加入了爱琴文化的诸要素。所以,爱琴的世界是古典的希腊之先驱。

二、最古代希腊人的社会

爱琴海沿岸希腊人最古的生活,反映于无数神话和两大史诗——伊利亚

(Iliad)和奥德赛(Odyssey)之中。这些诗的作者,希腊人认为是传说的诗人荷马(Homer)。在歌颂欧洲的希腊人的和小亚细亚的希腊都市之特洛战争的一切诗之中,详细地叙述着纪元前约1200—1000年时代的希腊社会生活。当时的经济制度是自然经济,居民的主要生产是农业和牧畜,手工业和商业不大发展。这时的商业还在外国人腓尼基人的手中。在希腊人之间,还没有货币,各人的财富,用家畜的多少和土地的广狭来估量。这时代的社会秩序,是从氏族秩序到封建秩序的过渡。家族带有父家长的性质。希腊人结成大氏族集团而生活。这些集团由长老统治。有些氏族握有较好的土地和许多的家畜。酋长以氏族人员中的青年为基础,而指导其他的住民。王(Basileus)是和平时候的裁判官,是战争时候的军事酋长。具有人格上的自由的民众——德谟斯(Demos)——对于这些王者,处在经济从属的状态,对于所使用的土地,要缴纳地租,并履行一定的义务。但王及其亲近的经济,是由奴隶——俘虏或因债务丧失了自由的人们——来实行。全希腊被分裂为小都市共同体,这些都市共同体,是互相反目的。

希腊最古的社会的政治制度是封建制度。古代希腊人的制度,还不曾知道农业者对土地所有者的完全隶属状态,不曾知道较小土地所有者对较大土地所有者之相互的隶属(后日西欧封建主义之特征)。这虽然是事实,但对封建制度固有的诸特征也不是不存在的。经济是自然的,农业的。构成它的基础的,是小农民的农业。经济及法律的支配权,操在大土地所有者军人之手。就上述的条件说来,可说纪元前7—6世纪的希腊,已有封建制度存在了。

三、希腊人的殖民

随着时代的推移,这制度也变化了。交换的发达和都市居民(手工业者和商人)的出现,摇动了土地所有者的支配权。散在地中海及黑海沿岸的希腊人的殖民地,给商业的发达以不少助力。希腊人移居于爱琴海群岛、小亚细亚的地中海沿岸、意大利南部沿岸及西西里岛。希腊人的殖民地,还扩张到西班牙和高卢(现在的法兰西)。在这里建筑了马西利亚(即今之马赛)。在黑海沿岸,希腊人的殖民地更是特别多,例如爱尔沙斯(塞温斯波附近)、在克里米半岛的旁其卡倍(现在的凯尔吉)岛等、在地尼厄卜尔河口附近的阿里乌及达曼半岛的法纳果利、在顿河口附近的太拿斯等。移居于殖民地的人,都是居民中很穷的人。他们是为了土地的狭小和政治上的无权利,才去找求新的故乡而移往的。在各殖民地与希腊本国之间,有紧密的经济的文化的联系。殖民地的居民,需要希腊出产的各种物品。同时,他们又从附近诸国特别从东方诸国传承了许多制造方法(各种金属的采掘和加工,玻璃器的制造,玻璃等)。在纪元前 7 世纪之末和 6 世纪,希腊与各殖民地之间,盛行着活泼的贸易。希腊输出农业和手工业上的生产物,如橄榄油、酒、什器、布匹、皮革及金属器具、武器等。但在希腊本国,又从意大利及叙里亚(西西里)输入谷物,从托拉基输入木材及金属,从黑海沿岸输入谷物、咸鱼、矿石,及最后的活的商品即奴隶。这些奴隶,是从黑海沿岸草原地方的居民、斯卡基的游牧民而来的。

四、奴隶所有者的都市共同体——斯巴达及雅典

在发生了贸易的海岸和各岛屿的希腊人共同体中,货币经济已代自然经济而出现。因此便发生了土地所有者和新兴手工业——商业居民层之间的斗争。手工业和商业居民层,以领主所压迫的农民为基础,经过激烈斗争之后,获得了政权。小亚细亚的都市爱夫沙斯和米力托,在欧洲的希腊之最大商业中心的雅典,都发生了这类的事态。但在离开贸易路线的共同体,在长时间中还保存着自然经济和土地所有者的贵族的支配权。

纪元前 7—6 世纪希腊的都市,有民主的都市国家和贵族的都市国家之分。前者实行民主的政治(小所有者、手工业者及商人的支配权);在后者方面,权力是在占有土地的旧来的门阀者层的手中。在都市国家的这两个集团之间,当纪元前 6—5 世纪之间,曾发生过激烈的斗争。各共同体便各适应其国家制度所带有的性质如何,或援助贵族,或援助民众,而参加邻国的斗争。民主主义诸国家的大多数都依附雅典,贵族的国家则都归附斯巴达。

拉可尼(希腊南部,在伯罗奔尼撒半岛)的都市国家斯巴达,国家的统治者是土地所有者即农奴所有者(他们使这地方的土著隶属于他们),国家的政治制度都适合于他们的利益。被征服者变为国家的农奴,叫作 Helotes。Helotes 为他的主人,用自己的农具耕种属于其征服者公民(Spartiatai)的土地。这由 Helotes 的劳动来维持生活的公民,因为害怕农奴再三的叛乱和近邻

诸国的来寇,造出了一种军事的组织。凡是公民即军人,都要离开家庭去兵营过活。公民的教育,以完成肉体强健的军人为任务。儿童们从幼年时代就在军事学校受教育。居国家首要地位的,是从两个王家所出的两个国王。他们是最大土地所有者,又是在战时的军事指挥官。在平时,国王之下,有元老会议和顾问官(Ephors)的集会。国王不得他们的同意,没有做任何事情的权利。30 岁以上的公民所参加的民会,只是批准元老会和顾问官的决议。纪元前 5世纪末,斯巴达出现了手工业者。这种人民层,在人格上虽是自由的,却没有市民权。在公元前 8—7 世纪,斯巴达征服了邻近地方的麦塞尼亚,把这地方的居民都充作奴隶。伯罗奔尼撒半岛的其他地方,也都不得不承认斯巴达的政治支配权。伯罗奔尼撒半岛的一切国家,都加入伯罗奔尼撒同盟。这同盟以拥护贵族的主权、对抗民主主义的共同体为任务。

纪元前 5 世纪中叶,斯巴达及其同盟者与以雅典为中心的民主主义国家同盟间开始战争。在雅典——希腊中部的亚替喀地方的主要都市——交换经济很早就发达了的。在纪元前 7 世纪,雅典从自然经济转化为货币经济的结果,引起了激烈的经济的政治的危机。小农大众,对于那利用权力使小农完全农奴化的贵族,已陷于债务的隶属状态。因此,雅典共同体内部发生了许多的阶级的冲突。纪元前 6 世纪,贵族梭伦(Solon)为绝灭内部的纷扰,依据双方同意,废除旧来的债务,实行制定各种居民的市民权及市民义务的立法。但在梭伦法律制定之后,斗争仍是继续着。破产的农民拥着无数的指挥者。其中的一人比西斯特拉(Pisistratus),便成了雅典的暴主(Tyrant),在雅典实行独裁。以小所有者为基础的比西斯特拉,实行了为小所有者谋利益的统治。他的目的,在救济破产的小农。但他所行的政策,尤其是废除旧债,是与商人为敌的。因此这些商人们,便都投到贵族方面去。比西斯特拉死后,彼的儿子们严厉地压迫(死刑、追放)反对者。但这种政策只是增强了市民的不满。后来,市民们得到斯巴达的援助,就把暴主推翻了。

暴主没落以后,小所有者、手工业者和商业居民层的同盟,实行了许多的改革。因此,雅典便成了民主主义的共同体(Kleisthenes 的法律)。在纪元前5 世纪中叶,雅典共和国最高的国家权力是民会。这种民会,凡一切成年的公民,都可以参加。这种民会得布告宣战、缔结和约及选举一切公职员;其次,每年对于有想做暴主的嫌疑的人们,有将他逐出雅典的权力(这种放逐方法,是由所谓 Ostrakismos 的选举方法来执行的)。执行权力,是由五百人会议和十个军事指挥官(Strategi)所成立的集会。但是,这种"民主主义"的制度,并不包括一切居民在内,而是为少数自由市民谋利益的机关。自由市民,在雅典全体 20 万居民中(纪元前 5 世纪之中叶),大约只有 2 万人。在这 20 万人中,有 10 万人是奴隶,约有 3 万人是住在雅典的其他都市的市民,都没有政治权利。其余便都是妇女和小孩。所以享有政治上的完全权利的市民,只是少数。所以雅典也和斯巴达一样,是奴隶所有者的共同体。两者的差异是:在雅典掌握政权的人的范围较广;除去大土地所有者和小土地所有者以外,商人和手工业者也都能参加。

五、纪元前 5 世纪雅典国家商业的和政治的富强

纪元前 5 世纪初,希腊各共同体受着波斯人的侵袭。到纪元前 6 世纪末,波斯降服了美索卜达米亚、叙利亚和小亚细亚,同时又降服了小亚细亚爱琴海沿岸所有的希腊人殖民地。但在纪元前 6 世纪和 5 世纪的过渡期间,小亚细亚的希腊共同体对于波斯的压迫,曾有过反抗的叛乱。欧洲的希腊人,也曾加以援助,波斯把小亚细亚共同体的叛乱平定之后,又想镇服希腊。纪元前 490 年,波斯军在亚替喀上陆。但是,雅典军在马拉敦(Marathon)附近和它交战,把波斯打败了。前 480 年,波斯王瑟西斯(Xerxes)对希腊作第二次远征。希腊方面的一部分虽投降于波斯,而雅典和伯罗奔尼撒同盟却对波斯开战。当企图在德摩比列地峡(即 Thermopylae,是由希腊北部到中部的唯一道路)阻挡波斯军前进的斯巴达军终于失败之后,雅典人却在萨拉密斯湾(The Bay of Salamis)把波斯舰队打败;同时雅典斯巴达联军又在波阿奇(中部希腊)的布拉特附近把波斯军(前 479 年)打败。往后,战争便移到了小亚细亚的沿岸。希腊舰队把小亚细亚的希腊共同体从波斯的羁绊中解放了出来。

雅典组织了它所指导的一个同盟。加入这个同盟的,有许多岛及小亚细亚的诸国家=都市。因此,雅典就成为希腊的最强大国家之一。纪元前 5 世纪中叶,这同盟便完全落到雅典支配之下。这同盟的国库和会议,最初在德罗岛,所以这同盟也得到德罗的名称。雅典人利用同盟中的诸共同体自己没有

舰队的弱点,就把同盟的国库移到了雅典。雅典人把同盟诸国看作自己的臣属,用强力使他们服从于自己。为维持同盟的军队和舰队而在同盟诸国所收的金品,雅典不单用在这一指定的目的之上,并且用在对自己都市的必要和建筑之上。雅典因为有这强大的舰队,所以能够发展其海上贸易。雅典于是成了希腊经济的中心地。

曾为手工业商业上的中心地的雅典,现在变为大众的商品生产国家了。农民由谷物的栽培转移于养蜂业、橄榄和葡萄的栽培,因而把酒和橄榄油拿到别地方贩卖了。至于谷物,却是从其他诸国,如埃及、西西里、脱里亚(克里米)等地方输入的。全希腊都爱雅典的花瓶、武器、革具和织物。属于个人所有的,使用奴隶劳动的大工作场,代替了小手工业的生产,越发得到更大的意义。为对外贸易而制造商品的这些工作场,役使奴隶的劳动去经营,所使用的奴隶人数,达到30人至50人,有时竟达到120人。雅典的港毕列斯因此繁盛起来了。数百的只船,从地中海和黑海方面装运谷物、鱼、紫色蜗牛(制造染料的原料)入港,又把雅典的商品装运出港。在从事于手工作场和海港工作之外,有数千人的奴隶在拉捕利恩山开采银矿。商人们把金钱贷给贫乏的市民,收取利息。因而靠这种事业积累大宗财产的高利贷就出现了。这等人过着趣味丰富的生活。他们保护艺术和科学,来装饰自己生身之地。他们希望获得权力,因此就为那些和工业货币的门阀者相反的过着极端贫困生活的邻人们,举行展览会或集会。从事于手工业的许多雅典人,因为和那种驱逐自由人劳动的奴隶劳动相竞争的结果,就失掉工作,变为饿饭的浮浪的无产者。他们只有期待着偶然得到的工作,或者去乞取那些为他们所痛恨的门阀家的施舍物而生活。雅典的民众,虽有政治的权利,却完全隶属于富豪。手工业者们就是在找到职业的时候,也不能养活自身和家庭。雅典的劳动者或手工业者的工钱,每日约为4阿波尔(约16戈比)与1脱拉复马(约24戈比)之间。并且他们已不能不做剧烈的劳动。喜剧作者亚里斯托芬曾这样说过:"听见鸡声,工人和劳动者就从床上跑下,急忙把脚穿进鞋子里,直到夜深还在做着辛苦的工作。"

具有发达的商业及大众的手工业生产的,纪元前5世纪的中叶的雅典经济制度,往往被人误认为商业资本制度。马克思论及奴隶所有者共同体的商业时,曾说过如次的话:"最初独立的而且堂堂发展的商业都市及商业民族的商业,在纯粹媒介的商业意味上,它们是依据于努力互相媒介的生产诸民族的野蛮状态的东西。……在古代世界中,商业的作用……当归结为奴隶经济。但有时却由于出发点的关系,只把那以直接生活资料的生产为目的的家长制奴隶制度,转化为以剩余价值的生产为目的的家长制奴隶制度。……然而在科林特及其他欧罗巴和小亚细亚的一些都市中,商业的发达,伴随着工业的显著的发达。"商品生产的存在,并不曾变化奴隶所有者的经济之一般的构造。

雅典的一切权力,都在大产业家和商人的手中。他们使用大小的赠物去诱惑极贫穷的居民做自己的爪牙。雅典市民中这一阶层,主张和那在商业及航海上与雅典竞争的其他希腊人的诸都市(爱基拉、科林特、麦加拉及其他)相斗争。因此,纪元前 5 世纪中叶,雅典就和属于其他希腊人的许多共同体发生了冲突。这时雅典的政治指导者贝里克(Pericles),是大商业和贵族门阀的代表者,他们的目的是想把滨海的希腊一切商业都市都放在雅典势力之下。他主张为要使雅典人获得谷物,并确保工业品的贩卖市场起见,就应当用兵远征埃及和叙里亚。由于实行侵略政策,强制改造隶属于雅典的同盟诸共同体的国家制度(德谟克拉西之施行),并对同盟诸国征收高率的税课,以及以建设库列尔亚(征服地中海的雅典的殖民地)为目的的一部分土地之没收等,引起了其他希腊都市方面对雅典的激烈的不满,因而发生了雅典与伯罗奔尼撒同盟的冲突。

六、希腊的内乱

伯罗奔尼撒同盟和雅典人最初的冲突,结果互有胜败。纪元前 431 年战争再发了。这次战争,叫做伯罗奔尼撒战争。当战争之初,阿替喀遭受斯巴达的蹂躏,自别库列司为始,瘟疫流行,多数市民相继病死,但雅典终能够强制斯巴达缔结和约。数年之后,战争又起。雅典干涉了叙里亚的希腊共同体的阶级斗争。雅典遣兵远征叙里亚的都市西拉库沙,但西拉库沙人得到斯巴达的援助,打败了雅典的陆军和海军。因为这次的战败,和雅典对其同盟者征收重税之故,雅典方面的同盟诸国就背离雅典,而加入到斯巴达方面的同盟。斯巴达从波斯得到财政上的援助,创设舰队,粉碎了雅典的海军,断绝了雅典的粮道,终了使雅典请和(纪元前440年)。由于这次的媾和,雅典解散其自身的同盟,变更国家制度,破弃舰队,并放弃一切海上领土。雅典政治的富强,便从此崩坏。

伯罗奔尼撒战争,不但在斯巴达和雅典,并且在全部希腊,都引起了经济的大变化。因为这次战争,需要大量的军费,所以许多都市被破坏,许多地方归于荒废。战争在伯罗奔尼撒及中部希腊那样经济上较落后的地方,也引起了自然经济的解体。纪元前5世纪末和4世纪初,全希腊地方,交换都很发达,奴隶大众出现了。这奴隶劳动,驱逐了自由的小所有者的劳动,使他们不得不去当雇佣的兵士,或变为仰给于个人或国家的施惠而过活的流氓无产者。关于奴隶,固不消说,纪元前4世纪的希腊都市,已有了两种人民层,那就是货币及土地贵族和都市流氓无产大众。这些流氓无产者,用憎恶的眼光睨着富豪,梦想分割他们的财产。于是各都市中发生了反对富豪的人民暴动。而富豪方面,却想改革国家制度使适合于自己的利益。因此,希腊人的共同体中,就发生了剧烈的阶级斗争。当战争期中(纪元前411年),在雅典地方,由库利吉亚斯所指导的土地所有者=贵族集团及富裕的工业家们,曾经企图过要变革国家制度废除市民平等,而由财产去限制。但这种企图,终归失败了。雅典和斯巴达媾和(纪元前404年)之后,库利吉亚斯所领导的雅典贵族,又掌了政权。与虐杀和没收相伴随的这个统治,只继续了一年,雅典又宣布了民主政治。纪元前4世纪的前半,在希腊许多都市(特伯、亚尔哥斯、麦加尔),中小贫穷的人民层起来反抗地主和商业贵族。公民人数,在4世纪之末,在斯巴达的不过1200—1500人,可是他们组织了以土地的再分配为目的的结社。阶级斗争,在所有者阶级间,已掀起了恐怖。于是所有者阶级的代表们,越发压迫下层阶级,感到有一种能保证所有者阶级的财产的君主制度的必要了。抱这种见解的人物,在雅典有作家而兼为军人的芝诺芬尼(Xenophanes),在4世纪时,有希腊大哲学家柏拉图及其门徒亚理士多德。

由战争的结果得来的斯巴达的政治霸权,并没有延存多久。在纪元前4世纪的80年代,雅典和岛屿的及商业的诸共同体缔结同盟,又和斯巴达开战了。经过若干年月之后,经济上及政治上落后的中部希腊地方波阿吉,又以特伯为领导,退出伯罗奔尼撒同盟,对斯巴达开战,并把斯巴达打败了。因此,麦西尼得到解放,斯巴达就降为第二流的都市国家的地位了。同世纪的中叶,各都市国家的内部发生阶级冲突,因而希腊在经济上政治上更呈衰弱。因此,希腊便为北希腊人的封建国家之马其顿所合并了(纪元前338年)。马其顿王腓力(Philippos)以希腊的贵族为基础,把希腊全数国家都隶属于自己的权力下。由于马其顿的援助,希腊一切都市中贵族的支配又都复活起来,民众运动也都被镇压了。

七、马其顿王亚历山大之世界帝国——希腊诸国的形成

在纪元前5世纪开始的希腊人与波斯人的斗争,还不曾告终。波斯人在纪元前4世纪中叶又吞并了小亚细亚的希腊都市。于是腓力之子马其顿王亚历山大(Alexandros),就反抗进而侵入于亚细亚。不过数年,他已把广泛的各地方收在自己的权力之下,粉碎了波斯军队,又平定了为希腊商业上的竞争者腓尼基的都市吉尔和西顿。他更通过小亚细亚全土、叙利亚、美索卜达米亚、埃及、波斯而到达于印度。亚历山大就变成了一个从多瑙河,直到西尔河恒河为止的庞大国家的发号司令者。东方专制诸国家的国王们所蓄积的莫大财富,都化为亚历山大及其兵士的战利品,无数的奴隶都落到支配东方各国的希腊人的手中。亚历山大从远征印度(他想以巴比伦作首都)归来,便想把在他权力之下的一切国土和民族造成一个经济上及政治上统一的国家。他把好些都市命名为他自己的名字亚历山大,开设新的道路,施行统一的政治。

亚历山大死于纪元前323年。他的庞大的国家便四分五裂,被他属下的将军们所割据。如埃及(属于托勒密Ptolemy国王)、波斯及合并美索卜达米亚的叙利亚(属于塞流卡斯Seleucus I.国王),及希腊和马其顿(属于安提峨那Antigonos国王)。小亚细亚又分为若干小国,如巴尔干、俾吉里和波脱斯(黑海沿岸)。在这些国家中占支配地位的,是希腊人和马其顿人。土著的居民或者化为农奴,或者完全隶属于征服者。地方的门阀者阶层,很快就学会了希腊话,沾染希腊的风俗习惯,与外来者同化了。在这样情形下,地中海沿岸的全东方部分,希腊语成了支配阶级的上等语言,形成东方各国和希腊的混合社会(希腊化的社会)。于是,希腊语其习惯和技术,以及东方诸国的知识和技术上的成果都被保存,并且普及了。就是政治制度,也变为东方=希腊制度的

混同性质的制度。所以在这些国家中,都市的富豪居民的自治和那纯粹东方的国王的专制权力相融合了。

因为希腊生活和东方生活的诸要素互相混合,所以称为希腊国家的一切国家间,都有紧密的经济及政治的联系。所以,从印度直到地中海西岸,都保有经常的贸易关系。参加于这贸易的人,就是握有奴隶的支配者群。在贸易交叉点的都市,便急激地变为工业上及文化上的中心地。像这样的都市,得列举如次:埃及的新首府亚历山大——这是当时最大的工业中心地,并且是港口——是运输上的大港;在爱琴海的高利贷业的中心地,是该岛上的洛脱斯、叙利亚的安吉阿格、小亚细亚的巴尔干孟及尼科麦其。在旧日政治的中心地的都市之中,到纪元前3世纪及2世纪,还没有失去经济的意义的,只有雅典。希腊的其他大多数都市,因人民向东方各国移往,就激剧地减少了。新的都市便成为奴隶所有者、小手工业或地主的支配阶级之庞大的国际殖民地,工作场造出各种的商品,运到远地出卖。技术上的分业,达到非常发展的程度。依靠奴隶的劳动,造出了华丽的建筑物,开辟了道路开设了运河。当时的都市,都设有水道和运河,道路也铺设得十分美丽。土地所有者、大商人、产业家都过着非常奢侈的生活。数千的奴隶,充当门阀家和王族宫廷的使用人。但是,希腊诸国的壮丽是由于牺牲大众的榨取而来的,这些大众,都是由于担负重税与掠夺战争而破产了的人们。因此,希腊诸国从纪元前3世纪末到2世纪,发生了无数次的农民、市民和奴隶反抗榨取者的民族的及阶级的叛乱。希腊各国间的斗争的结果,这等国家就被那在地中海沿岸崛起的新国家所并吞了。这个国家就是罗马。

第二节　罗　马

一、罗马之征服意大利

罗马国家建设在意大利。罗马政治中心地是在中部意大利的罗马市,距离那唯一可航行的台伯河(Tiber)河口不远。中部意大利的居民,是集合许多种族(爱脱尔斯克、渥比里亚、砂比奴及其他)而成的。这些种族之一的拉吉奈人,即是在纪年前8世纪的罗马的创设者。

最初,罗马是小都市＝国家,即是和许多其他希腊及意大利共同体相似的一个共同体,罗马和拉抽姆诸州的人民,都从事于农业和牧畜。在这个时代,人民分为几个集团。那就是较古的贵族——巴特里寇斯,与在人格上隶属于巴特里寇斯的有库里恩特斯,最后是没有政治权利的蒲列布斯(大概是属地的居民,或隶属的土著民的子孙)。父家长制的巴特里寇斯的家庭,保存着氏族制度。国家的土地,属于巴特里寇斯的全共同体。各家族长,都从这共同的土地领受必要的土地。世袭的土地,只限于小块的园圃。库里恩特斯是从他们的主人——巴特里寇斯领受土地,其代价是对主人履行一定的义务。这种义务,也有采取货币性质的。巴特里寇斯对于库里恩特斯有给予法律的保护的义务。蒲列布斯是土地所有者,各家分别经营农业。

纪元前 5—纪元前 4 世纪,罗马及其各地方的经济都起了变化。由于希腊人和腓尼基的商人的侵入,在台伯河口得到自己的港湾以后,手工业和商业便发达起来,便转变到货币经济了。特别是出现了专营商业的居民阶层即骑士。他们和农业贵族相冲突。蒲列布斯也开始要求政权,经过坚决的斗争之后,对于巴特里寇斯得到了政治的平等。这时,国家＝共和国(这是拉丁语所说"共同事业"之意)的最高权力,就是民会即所谓科米西亚(Comitia)。民会的任务,是选举一切公务职员,批准塞那斯(主要是由巴特里寇斯所成的集会)的决议。从纪元前 5 世纪以来,蒲列布斯也选出了所谓护民官的若干代表;这种护民官,对于门阀家庭拥护蒲列布斯(人民)的利益。凡有政治权利的一切罗马市民和土地所有者,都要携带各种武器到军队中服务。

纪元前 6—纪元前 4 世纪,罗马和周围的各种族相斗争,都把他们降服了。罗马人把被征服的共同体人民卖为奴隶,宣言土地归罗马国家所有,而分配于财产较少的市民。这些共同体,往往变成了同盟共同体。同盟共同体虽得实行内部的自治,但对于罗马却要用货币来支付租税,并且要给以军事援助。

纪元前 4 世纪之初(前 390 年),罗马被北来的高卢(Gaul)人所破坏了。但在高卢人离开不久,罗马的共同体又照旧恢复了。于是,罗马人又渐次征服了中部意大利,以及希腊殖民地较多的南部意大利。同时,又进展到北方的波川(Po)流域。纪元前 3 世纪之末,罗马又征服了亚伯林半岛全部。这种成功,可由下述两件事实来说明,即:第一,意大利诸种族分化,并且互相冲突;第二,中部意大利的主要的商业上及手工业上的中心地的罗马,成就了较高的文化。但是,罗马的商业,又引起了北非洲海岸(现在之吉尼斯)的强大商业国——迦太基(Carthage)——与罗马的冲突。

二、商业诸强国的竞争和罗马殖民地的扩大

罗马征服了邻近诸地方之后,在意大利诸都市经营贸易的腓尼基商人(迦太基为腓尼基的殖民地),就遇到了障碍。到了罗马以及由罗马所支持的希腊商人企图侵入迦太基保护下的西西里岛时,两个强国间的战争就爆发了。罗马人称迦太基人为布尼克人,所以这次战争就叫做布尼克战争(Punic War)(纪元前 263—241 年)。这次战争,罗马得了胜利,取得了谷产丰富的两岛——西西里和撒地尼亚(Sardinia)。迦太基商人对于这些地方的丧失,以及罗马势力在地中海之进一层的扩大,感受难堪。所以迦太基把西班牙的海岸占领之后,就再和罗马开战了(第二次布尼克战争)。迦太基将军汉尼拔(Hannibal)进军西班牙,又超过阿尔卑斯山而侵入意大利,几次把罗马军队击败了。纪元前 216 年,在坎泥一役,汉尼拔把罗马全军覆灭(8 万人中有 7 万战死)。罗马的同盟国大多数随着反叛,被征服种族,也起而叛乱。罗马费尽异常的努力,才把汉尼拔逐出意大利,把战场移转到阿非利加,使迦太基请和(前 201 年)。迦太基于是放弃了一切的领地。因此科西哥,西班牙及高卢(现在的法兰西)的地中海沿岸,又移归罗马掌握。

第二次布尼克战争结束之后,在纪元前 2 世纪,罗马又经过几次战争,遂一跃而成为地中海各国的盟主。前 168 年,马其顿失其独立;前 146 年,希腊失其独立;并且第三次布尼克战争的结果,迦太基也崩溃了。前 133 年,罗马又占领了小亚细亚的大部分。被征服诸国,受制于罗马权力,成为罗马的州郡,而受其残酷的掠夺。于是当时世界所有地方的庞大的财富,都汇合于罗马了。金、银及其他贵重品随同被俘虏的大众而一同输入。俘虏变成了奴隶。一切的财富,都归到罗马门阀家的手中。这些门阀家,利用其赫赫的势力去繁殖他们的财产。于是罗马便急速变成了握有数千奴隶和庞大土地的富豪都市。

引起货币经济发达的奴隶的大量输入和贵金属的流入,使小土地所有者

的经济受到破灭的影响。从西西里、埃及和阿非利加输入谷物的结果,引起了意大利本土地谷物价格的激急的下落。因此,谷物的耕作就转向葡萄、橄榄及果实的栽培,造成了小农业不能继续存在的农业条件。在另一方面,战争使小所有者荒废生产事业,因而陷于破产的境地。都市的生活,因为那些将军、战胜者们为贫穷市民而举行不断的祭日,变成了诱惑农民的魔力。因此,意大利的农民都抛弃自己的土地,或卖给邻近的富人而去到都市了。但在城市,大众因为奴隶劳动的竞争也不能找着工作。所以,从前的农民便变为有闲的流氓无产阶级,而依靠他们自身的罗马市民的权利而谋生了。"面包和娱乐场"——他们只要求这些。罗马贵族利用大众在经济上的无力,就给以相当恩惠,因而得到了新民会的决议,继续对外作战以期达到他们所希望的对于邻近地方的更进一步的掠夺。塞那脱骑士争取了可以得到庞大财产的地方的统治者(蒲罗康塞)的地位。罗马的门阀家,都争着把自己的资本,投放于由包揽租税而榨取殖民地及开矿等工业的企业。富豪们用贿赂取得了包揽租税的权力。这些包揽人支出一定的金额,取得了在各地方利用军队力量去强征租税的权力。因此,就发生了对于地方人民的非法的屠杀,因屠杀便发生了暴动;暴动之后,更引出进一步的残酷的屠杀。在各州郡发生的屠杀,只是为着农业及货币门阀者层的财富而实行的,对于民众却没有利益。因此服军务的市民之数就减少了。无财产的流氓无产阶级,又已免去军队的服务。于是罗马门阀家中的商人层便要求改革,于是唤起了阶级斗争的尖锐化。

三、罗马的内乱和罗马帝国的形成

农民大众的土地丧失,减少了军事上服务的人数。在纪元前 2 世纪的后半,护民官提庇留·格拉古(Tiberius Gracchus)(纪元前 162—前 133 年)向民会提议:要再审议所谓公有地——由国家来分配的被征服地——的分配;限制所分配的公有地以 500 尤格拉(约 250 英亩)为限;禁止在共有牧场上放牧1000 头以上的家畜;没收门阀家土地的一部分,分割为小块,作为对于贫困者之世袭贷借地。提庇留·格拉古不顾大地主的反对,坚决实行了土地法。但后来他竟被愤怒的元老院议官所杀害了。数年之后,提庇留之弟揆雅斯·格拉古(Gaius Gracchus)被选为护民官,提议对市民制定谷物廉卖法,并主张对于各同盟国给以完全的市民权。揆雅斯·格拉古的活动,又遭了元老院的反对。揆雅斯·格拉古和他的党羽叛乱之后,就死去了(纪元前121年)。于是贵族们把所有公有地分割,扩大了自己的领地。大众丧失土地的过程,仍旧继续着,直到纪元前1世纪末叶,意大利便再看不见小土地所有者存在了。一切土地都移入握有庞大领地的少数大所有者之手。这些大所有者,用奴隶来耕作这些土地。在各都市中,出现了工作场,在工作场中劳动的都是奴隶。自由的劳动,大都完全为奴隶劳动所驱逐了。

纪元前1世纪之初,在罗马,由于财产的再分割和被征服地的分割,贵族各种集团之间爆发了斗争。这互相反目的各集团,各集结于两个将军美立阿斯(Marius)及萨拉(Sulla)的周围。小农民出身的美立阿斯,是货币和商业贵族的党羽;萨拉是大地主,是土地所有者的党羽。两个将军所统率的军队的成分,不是有产市民,而是一些流氓无产阶级。他们是以战争和抢劫为目的的,所以随着指挥者的意思而行动。美立阿斯和萨拉公然开始战争了(纪元前88—前80年)。萨拉的军队占领了罗马,消灭民会,把权力移归元老院掌握。数年之后,萨拉为指挥在小亚细亚的战争而离开罗马时,美立阿斯便乘隙进占了罗马,把被萨拉所废弃的民主政治复活起来。但后来萨拉从远征地归来,又虐杀反对者,没收反对者所有的土地,并肆行掠夺。萨拉和他的党羽夺取了政敌的土地和奴隶,巩固了贵族的权力。他为着收买民心,又解放了奴隶的一部分,给他们以市民权。

内乱使罗马衰弱了。

数年后,罗马又遭遇了以脱拉克人斯巴达他卡斯(Spartakus)为指导者的奴隶叛乱。奴隶的叛乱,本来在纪元前2世纪的全时代便发生了的。特别大的叛乱为纪元前135—前134年的叛乱。这时西西里的许多都市,都陷落在奴隶的手中,罗马军队几乎不能镇压它。然而奴隶的叛乱,在广大的罗马领土内,仍旧时而在此地爆发,时而在彼地爆发。美立阿斯和萨拉的斗争,再使奴隶们抱着其企图的成功的希望。纪元前75年,包括意大利的大部分都陷于叛乱。除斗士(Cladiator)(在教习剑术的罗马演技场,以流血为光荣而出席的奴隶)而外,在大领地上劳动的奴隶也参加了。他们组成军队,致使训练有素的罗马军队,也遭过多次的战败。后来革拉苏(Grassus)所统率的罗马军队,以最大的决心与奋勇才艰苦地把斯巴达他卡斯的军队击破。在最后镇压这些叛乱的人,还有一个庞培(Pompeius)将军(纪元前73年)。罗马为严厉的镇压叛徒,曾经磔杀了两万人的奴隶。

在这次战争的数年之后,罗马国内又发生了动摇。纪元前62年,零落的贵族卡特林拉(Catilina)组织社团,企图没收并分配门阀家的财产。他想收买流氓无产阶级,以为其获取权力的基础。可是他终归失败了。此后,权力便移到两个将军——镇压奴隶叛乱的庞培和恺撒(Caius Julius Caesar)的手中。恺撒以骑士为基础,把自己和庞培做各个州郡的统治者。后来恺撒得到高卢总督的地位,受了委托去征服高卢。在恺撒受委托为全权的期间经过以后,元老院将要免他的职的时候,他就统率军队回到意大利,拒绝对于元老院的服从。他占领罗马,后又粉碎了在元老院的寡头政治方面的庞培,实行了数年的独裁政治。他以自己权力去创设小农民。凡是有功劳的兵士,即追随恺撒远征的兵士,都分给土地,并颁布保护小土地所有者使不受贵族掠夺其土地的法律。这个专心要增强骑士的政治势力的恺撒,又把许多骑士任命为元老院议官,或州郡的重要职务。于是门阀家庭对于他这种政策,对于他想公然宣布自己为皇帝的这种企图,便组织了对抗他的结社。纪元前44年,恺撒被杀害,罗马便再成了内乱的舞台。

斗争的新胜利者,是恺撒的义子屋大维(Octavian)(亦称奥古斯都Augustus)。纪元前31年,他率领以Imperator(赏与将军的称号)自命的军队,强制元老院及罗马的住民承认他为统治者——布林克蒲斯(第一人者的意义)。

罗马从此时起,废除了共和的制度,变为君主主义制度的国家。君主制的树立,可由如次的事实去说明,即中小地主的绝灭和那只要能得到掠夺物和恩赐就对于任何人也都拥护的流氓无产阶级的存在。将军统率由流氓无产者所组成的军队,而掌握了权力。在另一方面,自由的居民及奴隶的广泛阶层的不断的动摇,使得那些害怕社会的爆裂而失去支配权的大奴隶所有者不得不拥护军事指导者的独裁。

四、1至3世纪罗马帝国的社会经济制度

在内乱停止之后,罗马得到一两个世纪的相对的和平时期,也就是罗马最

强大的时期。这时候,西班牙、达到莱因的高卢、南德意志及多瑙以南的诸小国,全巴尔干半岛、小亚细亚、阿尔美尼亚到达幼发拉底斯河及西拉山的叙利亚,以及从埃及起一直到吉布那陀海峡为止的北阿非利加的海岸,——这一些地方,都变成了罗马帝国的版图。

由统一的立法结合了经济的政治的统一物被造成了,罗马帝国全国家的金库也被创设了。

这一切政策以及在地中海沿岸造出的和平,助长了东方诸国及西方诸州郡的经济的繁荣。各地方都统一于一个帝国之下,这种统一助长了各地方间交换的发达。叙利亚的麻织物,吉尔的紫色染料,亚历山大的布,哥拉斯、高卢各地的罗纱,都变为全罗马帝国的珍贵品。罗马商人,甚至和印度及中国结有买卖关系,从中国输入生丝、铁及其他商品。

但是,在 2 世纪之初达到绝顶的商业和工业上的活跃情况,并没有长时的继续,就转变到经济的恐慌了。在共和时代开始的财产上的尤其是土地所有上的竞争过程,便以很急速的速度发展了。2 世纪之末,在意大利,所有的土地和财富几乎完全集中于土地所有者和奴隶所有者的手中;另一方面,自由的居民的大部分,都被夺去生产手段,他们便集中到许多大都市之中,主要靠政府所给予的恩惠而过活了。这寄生的流氓无产大众,不仅无法减少,而且日益增多,因此,社会上充满了这些流落的地方居民、解放了的奴隶以及退伍的兵士们。但是,随着无业可作的都市居民大众的形成,他方面在经济活动的一切领域中,反感到劳动力的不足了。征服的战争以及与它相并行的奴隶的输入之停止,无论在都市中或在农村中,都发生了劳动力不足的呼声。在 2 世纪末及 3 世纪初,一切罗马作家都一致地指责了;急剧的榨取的结果,引起奴隶的劳力之莫大的消耗,甚至发生劳动力不足的现象。生产的材料不仅耗费于罗马所耸立的庞大建筑物(寺院、演技场——例如有名的 Colosseum,Thertnes——浴场等),而且消耗于流血的比武场(斗士的斗争)的建筑。1 世纪之时,参加于演技场的斗技者的数目,一次每达五千乃至一万组。

3 世纪之初,在皇帝及门阀家所属的领地内,特别地感到所需要的劳动力的缺乏。领地的所有者,开始把土地贷给从属于他的小佃户科劳士(clonus)。科劳士是由各色人民构成的。其一部分,是对其邻近富豪陷于隶属关系的小所有者,一部分是受土地所有者委托经营的奴隶,他们为要得到自己的利益,劳动更为紧张。最后,在边境地方有为耕种土地而移殖的日耳曼人的俘虏。3世纪中叶,租佃制扩大到广泛的范围。几乎各处的领地,都推行由奴隶耕种土地的租佃制度。从 3 世纪到 4 世纪初,为要抑制科劳士规避纳税,历代的皇帝都禁止科劳士迁移,或放弃其自己耕作的土地,因而使他们变成国家的农奴。

往后,历代的皇帝想增加租税收入,又把手工业者也束缚于一定的土地上,后来甚至把一切居民都束缚着。到了 3—4 世纪,都市和农村的一切居民都必须受正确的登记,对国家履行一定的义务。这一切居民的农奴化,就引起了财产集中于一人的手中的过程和多数居民的完全的贫穷化。但是农村劳动人口虽是减少(这是许多地方归于荒废的原因),而都会中尤其是罗马的人口却继续增加。罗马是门阀家的集中地。破落的地方居民、失去土地的农民和逃亡的奴隶,都群集于罗马。这些都市居民大众,都靠国家买进谷物来生活。这是一笔莫大的支出。国家的特别负担,就是由一群一贫如洗的流氓无产者集成的并且常起叛乱的军队的给养问题。因为军队是用以抵抗国境的蛮族——罗马人对于日耳曼人的称呼。由于保卫国家的必要,所以不断地增加军队。为要用物品或金钱支付军队的薪俸,就需要更多的金额,但因地方人口的减少,国家征集这笔款项更感困难了。

3 世纪中叶以后,工业和商业的繁荣,渐次便转入剧烈的恐慌。这种状况,一方面是劳动力不足的结果,同时另一方面,又是不堪中央的苛敛诛求的地方枯竭的结果。

为增高居民纳付租税能力而实行的各种政策,把一切市民束缚于一定的职业之上,并课征租税,致使罗马帝国(在 3 世纪对于居住各州郡的自由民,均给以罗马的市民权)的一切市民在人格上都失掉了自由,而变为被束缚于一定职业和土地的人们。租税的重负激起了各地方的不满,常常惹起叛乱。

这样,罗马帝国居民的大多数,便实际地感受着日益增大的经济的政治的压迫。这种压迫,使得人民对于罗马帝国的社会制度和国家制度的一切,都抱着敌视的态度。

除开大奴隶所有者以外,社会的各种阶层都抱着牺牲精神,想破坏社会的、政治的构造,以期从这种状态下解脱出来。另一方面,经济状态的变化,在罗马的社会中,对于帝政的存在怀着好意的唯一的阶级即大奴隶所有者,都注意于地方的利害,而忽视国家的利害了。所以罗马帝国没落的过程被规定为"相斗争的阶级之共同崩溃"。这些互相反目的各阶级,对于侵入罗马帝国领土内的蛮族,想抵抗也无法抵抗了。

五、罗马帝国经济的和政治的秩序的崩溃——野蛮化

在 3 世纪之时,经济的政治的危机有加无已,因此引起了罗马帝国经济的及社会的政治的制度的完全变化。奴隶数目的减少,引起了用奴隶劳动的工业的清算。另一方面,在农业上,由奴隶劳动向租佃制度的转化,又引起了大规模的土地的分散。这些小块土地,虽属于大地主所有,却是独立的经济。经济形态的这种细分化,使得交换衰退,发生了强化的自然经济。

到 4 世纪后半期,发给军队的给养都用自然物了。军队之次,便是官吏了。政府因无法养活这大宗官吏层,便把税收、裁判以及许多行政机能,委托于大土地所有者,增加他们从国有地分出的领地作为报酬。土地所有者,除行政权以外,对蛮族袭来之时,保护附近的农奴。因此领主不得不设置军队以保护人民。这样,有土地的门阀家和官僚便融合起来,在地方上获得政治的意义,因此造出了中央政府权力失堕的原因。这个过程,因国内各地方间的商业和交换的衰退而加强。

经济生活的变化,引起国家制度的变化。缓慢而又继续不断地趋向于没落的庞大罗马帝国统治权,早已不能集中于一个中心了。4 世纪之初,狄奥克列亚帝(Diocietianus)为适应新的经济的及政治的状态,实行了行政组织的改革。国家分为几个独立的部分,各部分的主要的独立统治者,只在名义上隶属于恺撒而已。这种行政上的分割,到了 4 世纪末叶,使得罗马帝国分为两个独立国,即东罗马帝国和西罗马帝国。一切人民的农奴化的过程,于是实现了。都会的人、手工业者、农民及农奴等,在国家的机构上,更被课予一定的义务。为这繁重的租税的负担,引起了许多州郡的联合,并引起了农奴和手工业的被压迫大众的反乱(西班牙、高卢、阿非利加)。

从 2 世纪起,日耳曼及东方诸民族便开始侵入了罗马的版图。

六、罗马帝国的灭亡

在罗马帝国的北部,在莱因河及多瑙河对岸住着日耳曼种族。罗马和日耳曼最初的冲突,开始于纪元前1世纪。在这时,坎布尔及条顿两种族就想侵入意大利,但被美立阿斯击退了。奥古斯都(Angustus)帝统治时代,罗马想征服日耳曼,但这个企图以罗马军的败灭而告终了。在1世纪及2世纪,罗马皇帝曾一再与日耳曼人开过战端。但在3世纪,罗马帝国对于日耳曼种族的侵袭,仅仅以保护国境而止。为了这种防御,罗马人曾在从莱因到多瑙之间,建筑了许多堡垒。到3世纪之时,由于人口的减少,辖境之内感到人员的缺乏,于是把蛮族编入军队,并用他们服务于行政方面,这件事带着一点大众的性质。因之,许多日耳曼种族及其酋长们都在罗马军队中服务,他们被移戍于莱因及多瑙河一带的国境。当时取得元帅名义的军事指导者之中,有许多都是出身于蛮族的。4世纪末叶,军队中大多数高级的地位,都已转到日耳曼人的手中了。5世纪之初,罗马帝国事实上的统治者,是一个日耳曼人的酋长斯吉里科。日耳曼人的势力,在意大利本国人口的构成上也反映了出来。经济落后的日耳曼人诸种族,挟其习惯和制度闯入罗马帝国以后,罗马帝国的原有文化水准也因之降低了。到4世纪,日耳曼人对罗马帝国的袭击,更加激烈了。当土耳其=蒙古种族之一的匈奴,从亚细亚超过东欧罗巴(现在的乌克兰)南部草原而侵入西欧罗巴之时,日耳曼种族的哥德种族(Goth)、佛兰克族(Franks)、凡达尔族(Vandals)就移到罗马领土之内了。哥德族更越过多瑙河内侵,蹂躏了巴尔干半岛。

395年,庞大的罗马帝国被分裂为两个国家,即西罗马帝国和东罗马帝国了。两帝国各拥立一个皇帝。从4世纪末到5世纪初,日耳曼各族竟占领了高卢、西班牙、意大利。410年,西哥德族的酋长阿拉列(Alaric),得到叛乱的奴隶和农奴的助力,曾经暂时占领了罗马。476年,日耳曼人服务于罗马军队的一个指导者鄂多瓦卡(Odoacer),把皇帝推翻,自立为意大利王。于是西罗马帝国及所属的各州郡从此没落,都被日耳曼种族所占领了。

这时,只有罗马帝国的东部还存在。东罗马帝国,在面着波斯湾海峡即以前希腊都市皮赞庭所在地,由君士坦丁(Constantinus)帝设置了君士坦丁堡首府(时在 4 世纪)。居民大多数是希腊人。东罗马帝国急速地丧失其罗马的性质了。历史上在皮赞庭时代之名称下闻名于世的皮赞庭地方,其经济的及社会的制度,已经不是奴隶所有者的制度了。

5 世纪之末,欧罗巴最后的奴隶所有者的社会的国家组织、曾自夸强大的罗马帝国,由崩溃而渐趋于灭亡了。在其废墟之上,有新的封建社会产生,新的欧罗巴及亚细亚的国家发生了。

重要事件年表

(1)希腊

纪元前 3000—1400 年	爱琴(克利地=米格列)文化。
纪元前约 1500 年	希腊人移居于巴尔干半岛南部及爱琴诸岛。
纪元前 11 世纪—前 7 世纪	希腊的封建主义时代。
纪元前 8 世纪—前 6 世纪	斯巴达征服邻近诸地,形成伯罗奔尼撒同盟。
纪元前 6 世纪(约前 550 年)	雅典梭伦的改革——雅典的暴主。
纪元前 490—前 470 年	希腊与波斯战争。
纪元前 431—前 404 年	伯罗奔尼撒战争。
纪元前 338 年	马其顿王亚历山大。
纪元前 3—前 1 世纪	希腊的时代终结。

(2)罗马

纪元前 8 世纪	拉吉利人创设罗马市。
纪元前 4 世纪	罗马人征服意大利。
纪元前 3 世纪	第一次及第二次普尼战争。
纪元前 2 世纪	罗马征服马其顿、希腊、迦太基及小亚细亚之一部分。
纪元前 133 年	提庇留·格拉古的农业法。
纪元前 2 世纪后半	西西里的奴隶叛乱。
纪元前 121 年	罗马贵族元老派和民主派的冲突——杀害揆雅斯·格拉古。
纪元前 88—前 80 年	罗马内乱时代(美立阿斯和萨拉的斗争)。

纪元前 75—前 73 年	奴隶＝斗技士以斯巴达卡斯为指导者的叛乱。
纪元前 49—前 44 年	恺撒独裁。
纪元前 30 年	帝政之确立(屋大维,奥古斯都)。
3 世纪	罗马帝国经济的及政治的恐慌。
4 世纪(末)	日耳曼广大的侵入罗马帝国("民族大移殖"的开始)。
395 年	罗马帝国分裂为东罗马帝国与西罗马帝国。
476 年	西罗马帝国灭亡。

习题

一、纪元前 12—前 7 世纪的希腊社会的经济的制度如何?

二、纪元前 7—前 6 世纪希腊各国的阶级斗争,从什么原因发生的呢?

三、纪元前 5 世纪雅典对于其他希腊各都市的侵越,由何说明?

四、纪元前 8 世纪—前 5 世纪罗马社会的及经济的和国家的制度如何?

五、罗马在货币经济发达下,阶级斗争采取怎样的形态?

六、罗马由共和主义的统治形态转到君主的形态,是由什么原因发生的?

七、商业的发达及新经济关系的树立,在 1—2 世纪的罗马社会的及政治的制度上是如何反映的?

八、罗马帝国灭亡的原因是什么?

九、由奴隶制社会到封建社会的转变如何?

第六章　古代东方及古代社会之意识形态

本章研究东方各大河流域(亚述、巴比伦、埃及、印度、中国)最古代的文化及地中海各国文化。这些社会的意识形态不是一样的。特别是古代希腊的意识形态与古代东方各国的意识形态,显然不同。这是由于这些国家的经济制度的差异发生的。

研究本章时,应当阐明以下各基本问题。

(一)为什么古代东方社会的宗教,把其他一切意识形态隶属于其下?

(二)怎样的经济的社会的政治的诸条件,成为基督教出现的准备?

(三)最古代的科学及哲学之经济的技术的基础是什么?

(四)奴隶所有者社会的阶级斗争,怎样反映于文学及艺术之上?

(五)奴隶所有者社会之文化的成果,对于新的欧洲社会生活上,反映到何种程度?

一、东方诸国及古代世界意识形态的一般性质

古代东方社会的意识形态,带有神政的性质。它建筑在魔术、奇迹、种种教义之上,并以宗教的恐吓手段为基础。僧侣和国王都利用宗教的恐怖手段使一般人民服从他。东方各国的经济生活是落后的,是比较固定的,所以东方各国的意识形态的体制与欧洲的比较起来,便较为巩固。在东方神政国家如发生社会的变革时,旧意识形态或随着已经破坏的旧社会制度而消灭,或适应于新的现实条件而供利用。到了商业繁荣时代,印度的旧宗教——婆罗门教,就让渡于佛教(发生于纪元前 6 世纪的传说人物=佛陀的宗教的哲学说)。中国的意识形态——儒教(纪元前 6 世纪的哲学家——孔子的学说)随着时代的推移,受了莫大的变化。埃及的法老,亚米洛夫斯四世所实行的要推倒宗教

权力的专横的政治行动,大大地动摇了宗教世界观的基础。

但是古代东方各国,并不如通常所想象的那样,单是宗教文化的国家。在印度和中国,与宗教相并行的合理主义(从理性中求一切现象的说明)、哲学和唯物论学说,也发达了。不过这些学说,到纪元前6—前4世纪的希腊,才真正繁盛过。古典的希腊,除了伟大的唯物论哲学之外,并发展了高度的艺术和丰富的文化。纪元前3世纪—前1世纪,以Hellenes时代著名的希腊文化的衰退之时,亚历山大又刺激了实学的理论的知识之发达。但在希腊史的同一时期,宗教的意识形态又强化了。于是产生了把古代一切大宗教都反映于其中的基督教。

希腊和罗马,又是政治思想的发源地,这是后来的欧洲社会史上所公认的。尤其是以私有财产为原则而构成的罗马法,还供现代欧洲各国的立法所利用。欧洲法典的草案的大部分几乎完全再生着罗马法的规范。欧洲资本主义各国,又是古代东方文化的婴儿。

二、农业的宗教

在东方最古代社会的意识形态上,占第一位的,便是宗教。执行宗教礼拜的僧侣,同时又是"学者"、"医师"、"圣人"。东方专制各国的艺术,显然地依存于宗教。

在农业上有计算尼罗河泛滥期之必要的埃及,在天文学领域中,富有经验的种姓即僧侣,对于农业尽过重大的任务。在印度和埃及,因农业生活上的要求而引起的最初的天文学的观察,也同样是由僧侣发明的。在种姓社会——如古代东方诸国之君主专制社会——中的一切政治权力,都集中在僧侣的掌握。但神权政治所以能够存在,是因为当时江河流域的农业是锁闭的,手工业不曾有广泛的发达,还没有和地中海各国发生商业关系。至于商业已得到显著地位的6世纪的希腊,僧侣便失其最高的权力,而与宗教相并行的哲学,就演着很大的任务了。在罗马也发生了宗教被摒斥的过程。

奴隶所有者的社会中,农业是主要的经济部门,这种社会的宗教,只是农业的宗教。这种宗教,是要说明农夫所关心的气候现象,并理解自然现象对于人类社会的关系。收获与日光作用之关系,使人们去观察天体现象,探求这些现象的原因,因而人们终于把自然力神格化了。奴隶所有者的社会之神,主要的就是神格化了的自然力。

农业宗教,便是把自然界所发生的一般过程化为神,把直接影响于农业状态的活动的神作为主神。对于这些神的礼拜,特别广泛地普及。

在埃及,由于尊崇尼罗河的缘故,经过相当时间,遂发生奥西里斯(Osiris)神的礼拜。这奥西里斯神,还具有太阳神和地狱神——对于死人灵魂的裁判官——的性质。奥西里斯是死过几次而又复活的神。对于奥西里斯的这种观念,完全是尼罗河每年泛滥的事实的反映。奥西里斯的妻,被尊崇为伊西斯(Isis)——土地支配者。在神圣的动物中,特别为埃及人所神化的,有牡牛——亚比斯,为牠设置神殿和许多神官。亚比斯的尊崇,与埃及的农业,有极密切的关系。在埃及,最古代埃及的绘画所显示的,牡牛是被用作役畜的。

在亚述,巴比伦的许多神中,同样有根据于农业生活的神。例如伊尔塔(丰作的女神)、尼尼布(太阳神,保护农业者)、纳尔加(炎热神,剿灭一切生物者)等即是。住在亚细亚诸大河流域的其他农业诸民族的宗教中,也可看出同样的特征。最古代印度的最初的神,是亚斯尔诸神,这也是农业和自然力的神。在这些神之中,有委娜(水神)、布里达威(地神)、米特拉(太阳神)等。

后来,印度农民创造了对抗克西特利亚(武士身份)神的自己阶级的神——普西娜(牧群及家畜神)及鲁德尔(森林神,保护家畜者)。以农民为基础的僧侣,与克西特利亚斗争,以农民的神普西娜与最高的神相对立。中国人崇拜神话的人物"神农氏",说他曾教他们稼穑,并崇拜养蚕的创始言的女神。在他们的神中,特别的有黍、谷物、土地等神。

在希腊及罗马,宗教的农业的性质显示激剧的变化。这个原因,在于经济上的变化。尤其在这两个地中海的国家,例如德米特(希腊的土地及耕种的女神)、采列拉(罗马的收获神)、狄奥尼索又名巴加斯(葡萄及酿造神),以及其他许多,如防卫收获、果实、谷物等灾害的罗马的耕作神等的农业诸神,占着显著的地位。

但同时又有新经济时代的神,为威尔干(罗马的火神兼冶铁神,希腊的法斯特)、海尔米斯(希腊商业及交通神)、马寇利(罗马商业及利润神)、普尔特斯(希腊财神)等。

三、一神教为上层阶级的宗教

最初东方一切的宗教,大都是一种多神教。但是,经过相当时间,东方各处就由多神教而转变为一神教。埃及的宗教把各种主神都隶属于太阳神(RA)之下,因而统一起来。这神一时也称为阿姆或奥西里斯(Osiris)。在巴比伦王国统一于哈诺拉比的权力之下以后,巴比伦宗教便以主神马德加为诸神及人类的命令者。印度宗教波罗门教,把波罗门(梵天)尊崇为万物的精神和创造者。

多神教向一神教转化的过程,在古代东方诸国反映了经济上政治上的统一,而这种统一,是产生以专制的地主国王为首领的中央集权的君主制的东西。比拟于这种专制君主,天上也同样出现了狰狞而且强有力的单一神。

直到纪元前 5 世纪,东方专制诸国让路于雅典那样商业共和国之时,希腊的宗教便将共和主义的统治形态送入奥林比亚(Olympia)山了。①

在奴隶所有者的社会中,神与其尊崇者的关系,恰似主人和奴隶的关系。种姓社会的构造,也同样反映于宗教体制之中。这事特别表现得明白的,是波罗门教支配时代的印度。就波罗门教的教义说,人类是从波罗门的口、手、臀部及足部产生出来的。人是从波罗门身体的哪一部分生出来的,他就得到种姓的区别。波罗门即从神的口中所生出来僧侣,被尊崇为最高等的人,其他的种姓,都处于波罗门之下。

当社会发展的初期,在物质的生产上演着显著任务的僧侣,经过相当时间,渐渐从变动的经济活动的分野被驱逐出来。奴隶所有者的社会的宗教,渐次变成对于勤劳大众的精神的麻醉品和无情的榨取工具了。

四、基督教的起源

在奴隶所有者社会的农业制度中,商业已伏下了根基。当着以新经济为基础而欲扩张其国境于全"世界"(即文明诸国的世界)的"世界帝国"开始形成之时,希腊、罗马的多神教便随着让位于一神教了。但这种一神教与埃及或

---

① 为北希腊之山,据希腊人的信仰,希腊诸神都住在这山中。

巴比伦的一神教不同。在这时期所表现的东西和地上的帝国同样，是统治了许多国土的超民族的神的观念。

基督教的出现，反映了奴隶制社会发展中所发生的经济的政治的进步。这种反映，比较社会的变革稍迟。基督教不是在罗马的繁荣时期产生的，而是在其崩坏的时期产生的，即是在支配阶级的没落及堕落时期产生的。

曾经演过进步作用的奴隶制度，往后变为罗马经济发展的桎梏了。同时，需要高等技术的许多社会的机能，都移到奴隶手中了。奴隶也支配着经济，而从事于艺术、哲学、科学及子女的教育。随着庞大的财富之集中于少数门阀的手中，以及与奴隶的贫穷而一同发生的农民与手工业的凋零，引起了阶级斗争的尖锐化，更加助长了传统的生产形态之崩坏。经济没落的过程，引起了观念和信仰世界中同样的过程，引起了精神及道德的不安，引起了一般的惶惑。这种情形，为新的见解准备了胜利的地盘。

罗马帝国的矛盾，在民族关系的领域中也成长起来了。罗马对于征服地作有系统的掠夺，并对于并合在罗马帝国下的诸民族实行政治的压迫，于是引起了这些被征服民族方面的反抗。民族的反对派的中心地是在东方，特别是犹太。犹太在很长的时期期中，保存着政治的自治的残余。但是，这里的一切政治的社会的生活，结局也被压倒了。虽然如此，罗马并不能消灭民众的不满与愤怒，也不能妨碍犹太商业资本代表者的出现。在巴力斯坦，便由失业者、破落的农民及手工业者等形成了一个叛乱的集团。由这些分散的集团之中，渐次养成了革命家、暴动者的有组织的部队。于是，这些集团，开始对于罗马人与耶路撒冷居民作个别的掠夺和袭击，后来就形成了反抗征服者的统治权的大众的民族运动。

在革命的民族主义的地盘上，犹太的所谓救世主（Messiah）的宗教就成熟了。这就是关于救世主将要来临的信仰，而这救世主就是将来使犹太从罗马的支配下解放出来的峻严的指导者。对于救世主的信仰，把犹太人的各种阶层结合起来，不过这些阶层各自有其一定的观念和内容。犹太社会的上层部分及商业阶级的代表者们，对于救世主是期望着民族的解放；贫民却期望救世主给予较好的生活、给予新的宗教；农民和手工业者期望脱离犹太商业资本的剥削。

犹太的贫民，为要从苦痛的经济状态中去追求出路，于是离开耶路撒冷奔走各地，到处形成了农业的或手工业的共同体。这些经济的共同体形成宗派。在这些宗派中，产生了基督教。在犹太各宗派之中，最值得注目的有两派。一个是希洛特派（犹太语为"嫉妒派"之意），另一派是爱西亚派。两派都是由零落的手工业者和农民组成的。希洛特派，若从其社会的形态来说，与现代的流氓无产阶级相近似；而爱西亚派，却还没有失掉农民的心理。这两个宗派，在对于罗马的政治斗争中所用的战术的态度，是各不相同的。希洛特派是较活泼的要素，他们曾参加了 66 年之久的犹太人的叛变。爱西亚派却是和平的友谊的共同体，主张"保护肉体的和精神的纯洁"，因而主张节欲。从表面上来看，爱西亚派为基督教的最近的先导者。圣经中所载的他们习惯的特征，还能想见。

基督教是最初的被压迫者的社会运动。这不仅在犹太，就在其他各地，也都出现为被剥削的、被掠夺的无权利的人们的宗教，是奴隶、斗技士、兵士以及已解放的奴隶的宗教。从爱西亚派的共同体发生的基督教，是和爱西亚派同样否定奴隶劳动的。经过相当时期，它便超出了狭小的犹太的一个宗派的界限，而扩大到本国以外了。主张奴隶和贫民的解放的基督教，得到各方面所加入的许多信徒。秘密存在的基督教，在罗马帝国常被认为否定旧社会形态的教义，而受着迫害与驱逐。基督教徒，或遭受火刑，甚至被投到演技场，作为野兽的食饵，以供参观。但是，基督教虽受了种种迫害，却仍是继续发展了。

对于基督教给了很大的助力的，是基督教后来的二重性质。基督教一面排击奴隶制，同时又不忘掉主人，教奴隶顺从主人。因此，基督教在富人中也能得到信仰。

基督教的创立者耶稣，是否是历史上的实在人物，还是问题。这个问题，在现在的历史科学上是作否定的答复的。现在德国资产阶级基督教研究家德列夫斯，全然否定历史的基督的存在。据他的意见，基督是在宗教思想发展过程中被创造的神话人物。俄国资产阶级历史家威伯尔，也同意于德列夫斯的意见。马克思主义者＝研究家的一致的意见，认为基督教的发生并不是由于什么个人。基督教的普及，是受了社会、经济的及政治的诸条件的影响；在这社会经济及政治的诸条件之中，才发生了新的教义。

基督教的神话,在某种程度上,是以外国神话为基础而成长起来的。它搜取东方各国和希腊的神话,又加上埃及、巴比伦、印度的许多宗教思想及信条而造成的。其中有许多和农业的文化有关系,这一点,在基督教的某部分上,也如奴隶所有者社会的一切宗教相同,是农业的宗教。对于基督教的形成有着重大作用的犹太教,那是犹太民族的宗教,并且是一神教。

处女诞子的神话和基督复活的神话,并不是基督教思想的独立的创作。有同样内容的神话,远在基督教出现以前便已存在。玛丽亚由于圣灵而怀胎,在印度、希腊的神话中,也可看到类似的事情(例如由于变为黄金之雨而降下来的希腊的神 Zeus 而受胎的泰娜等是)。这传说的起源,想来是很古的。经过几许时代,在农业关系的诸现象上,如关于耕作的田园因受雨的灌溉而丰饶等事,就影响于这种传说之上。所谓基督复活的神话,不过是把关于苦痛、死而复活的神的古代亚细亚的神话重复一遍。例如伊兰地方的米特尔神、腓尼基的米尔加神和亚德尼斯神、埃及的奥西里神和其他等即是。这是在农业上具有意义的一年季节更迭的事实中发生的。复活节在基督教中,也是自然现象的苏生期的春天。

另一方面,在基督教的意识形态中,可看出商业、货币经济的影响。基督教是从宗教精神去理解交换经济的发展法则的一神教。因此,有些学者称基督教为商业的一神教。基督教之商业的性质,在所谓《新约圣经》中看到的初期基督教会的指导权,是属于有财富且有资本的人们的团体的事实可以证明。此外还可以找出许多事例。

考茨基说原始基督教的共同体是"共产主义的"组织。但那时基督教的共产主义,与科学的共产主义是根本不同的。在基督教发展的初期,"共同体"的人们营共同的饮食和共同的居住。但基督教并未达到共产主义的生产。这是因为奴隶所有者的社会没有达到那种的社会的、经济的诸前提。初期基督教的共同体,往后变为使人回想到的互助金库及商业基尔特的组织。在 2、3 世纪,基督教徒=拉撒列派,便是为自己的资本而避免罗马的没收和诛求而结成的财产所有者的们的大组织。

往后,基督教便停止了对于奴隶制的反抗。基督教抛弃了所谓天堂快要到来的期望,而后事于商业及高利贷的富人,也都自由加入教会了。这种温和主义,促使基督教变为现代国家制度的支柱。于是罗马皇帝君士坦丁(Constantinus)在4世纪之初,便准予基督教徒以传教的自由了。在国家权力保护之下的基督教,从守势而转为攻势,实行对异教作猛烈的斗争。在君士坦丁之甥朱理亚(Julianus)(4世纪)时代的若干期间,曾看到异教的复活。但是,朱理亚死后,基督教又完全把反对者压服了。到4世纪末,基督教就由罗马狄奥多西(Theodosius)帝的敕令承认为国教。凡基督教以外的宗教均被禁止,希腊及东方各国的寺院都变为基督教的教堂。基督教会的职员从国家受取特权,构成高等的身份。6世纪的基督教的寺院,就变为最大的土地所有者,蓄积大量的货币财产,而成为支配及榨取的强力的一个机构了。

五、哲学的发达

在东方各国及古代奴隶所有者的社会中,哲学已经勃兴而且发达起来了。哲学的发生是与古代所有河川流域的文化相联系的。在印度,佛教是反映印度被压迫大众反抗"种姓"制度及婆罗门的支配的抗议之宗教的、哲学的意识形态。往后佛教成为世界宗教,教人勿抵抗罪恶,想把互相敌视的社会层的阶级利害联合起来。在佛教的哲学中,可以看出合理论的痕迹来。

如果印度及中国的哲学者——观念论者——的地方的意义,是非常重大的话,那么,希腊哲学从其普遍的意义说,可称为第一位。希腊古代哲学中最伟大的人物德谟克利图(Demokritos),创立唯物论的完全的哲学体系①。这唯物论在其后两千年被铸造为辩证法唯物论的形态,由马克思、恩格斯及列宁的天才锻炼成无产阶级的哲学了。

古代希腊哲学的故乡,是在小亚细亚希腊殖民地米勒。米勒与伊奥尼亚的商业都市一样位于小亚细亚,埃及与欧罗巴相结合的海洋交通的焦点。米勒是由奴隶劳动造成的希腊的商业、手工业及家庭工业的一大中心地。随着经济生活的发达,科学的知识也在这里形成起来,由于实践的要求,唤起了由科学说明自然界的一切新企图。在这个基础上成长起来的伊奥尼亚学派的哲

①　与佛教同时存在的印度唯物论,不是体系完全的学说。这种唯物论,叫作顺世派(Lokayata)(出自古代印度语"Loka"世界),这是与僧侣宗教的教义相异的世俗的哲学。

学,主要的是自然哲学,即是建筑于自然科学基础上的哲学。纪元前 6 世纪,
这一学派的所有著名的代表者们都是哲学家,同时又是自然科学家。他们认
定一切存在物的基础,就是物质。但在说到把什么作为第一次的要素这一点,
他们的意见是不一致的。退利斯(Thales)说一切物质的基础都是水。亚诺芝
曼尼(Anaximenes)在空气中探求万物的基础。亚诺芝曼德(Anaximandros)以
为万物之基础是一些不可捉摸的原素(Apeiron——无限的意思)。

黑拉克利图斯(Heraklitos)(纪元前 6—前 5 世纪)认为火是根源,主张了
万物变化不居的命题(承认在古代已有他的学说基础)。黑拉克利图斯宣称
"万物流动不居"。据黑拉克利图斯的见解,即今在运动中存在而仍然是一样
的那个物质,不是万物的根源,而万物的根源乃是产生全部物质的运动本身。
黑拉克利图斯,由于他所主张的这个见解,被认为辩证法的鼻祖。

自然哲学者们虽然提起了宇宙起源的问题,但这也只是展开了唯物论世
界观的端绪。古代希腊唯物论的体系,到百年以后,纪元前 5 世纪才出现,其
创立者为德谟克利图(Demoklitos)(纪元前约 460—前 350 年)。他是哲学家
雷基博(Leukippos)的弟子。德谟克利图的天才的哲学思想的全内容,没有流
传到我们时代。这是因为反对派的哲学家,特别是有名的反动哲学家观念论
者柏拉图(Plato)尽力把德谟克利图的原稿毁灭的缘故。德谟克利图的唯物
论哲学,反映了奴隶所有者社会的商业的利益。德谟克利图宣称在自然界中,
什么东西都不是从无而生的,而且一切存在的东西也绝不会绝灭。一切的变
化,都是部分的结合,或是到部分的崩坏。据他的意见,世界中没有一个变化
是偶然发生的,一切都有其必然的原因。德谟克利图认为世界是由配置于空
虚的空间的原子所构成的。原子一面造成物的各种形态,同时又在不断的运
动中。人类的精神,也同样由原子构成。它浸透于全身,引起生命现象。德谟
克利图原子论的观念,为希腊哲学者伊璧鸠鲁(Epikur)(纪元前 4—前 5 世
纪)所摄取。在 1 世纪的伊璧鸠鲁派中,有古代罗马的天才诗人哲学者鲁克
雷抽斯加尔斯(Lucretius Carus)。他把伊璧鸠鲁派的学说,其中,"De Rerum
Natura"(论物的性质)的诗中解说出来,特别注重于原子论的理论。后来,原
子存在的问题变成了哲学上的研究对象与科学上的研究对象。

希腊哲学,在阶级斗争的过程中,当反动的观念论的诸倾向未占胜利之

时,是唯物论占着胜利。往后,随着观念论的诸倾向的胜利,哲学便离开对于自然的研究,而集中其注意于人类的内在的经验的分析了。于是希腊哲学离开自然哲学的方面,放弃关于自然界的规律性的研究而到达于观念论了。自然科学就独立地前进了。纪元前5世纪的雅典,诡辩学派非常受人欢迎。诡辩派是漫游各国的学者、雄辩术的教师等一流人。他们在各方面,即在伦理学、论理学、文法及政治生活中,都不作积极的论断,而以隐蔽矛盾为任务。和诡辩学派相对抗的,出现了保守的哲学家观念论者苏格拉底(Socrates)(纪元前469—前399年),他极力排除诡辩学派的恣意的论理的法则。

苏格拉底的弟子、观念论的始祖柏拉图(Plato)(纪元前430—前347年①),对于自然科学几乎全不关心。关于伊尼亚哲学家的诸见解,好像连一点风闻都不曾听到。据柏拉图的见解,我们的肉眼所看到的世界,不过是取型于我们的肉眼所看不见的观念世界而造成的。他认为客观的存在,只是物的观念;至于物的本身,他认为是物的观念的苍白的阴影。凡是肉眼所见到的存在物,都是由世界创造者(demiurgos)所创造。柏拉图的哲学和德谟克利图的原子论及大地发生论比较,是显示着退后了一步了。

两个哲学思潮——德谟克利图的唯物论与柏拉图的观念论——常在极激烈的斗争中。这事反映了希腊两个经济制度的斗争,即在商业、货币的基础上成长起来的新制度和种姓的、农业的制度的斗争。德谟克利图为进步的资产阶级的代表者,柏拉图却站在有反动气质的贵族的立场。

古代社会,还有在唯物论和观念论之间的占在动摇位置上的一个大哲学家。这是柏拉图的弟子亚理士多德(Aristoteles)(纪元前384—前322年)。他开拓了论理学、自然科学、伦理学、诗学、政治学之系统的研究的基础,往后,曾为阿拉伯人及中世纪欧洲哲学家所热心研究。

希腊哲学对于近世欧洲哲学的发达影响很大。恩格斯说:"我们在哲学上,也和在其他许多领域上一样,不能不继续地回到一个小民族的伟业之前。这民族之普遍的贡献和活动,对于这个民族,在人类发达史上成就了其他民族

---

① 应为纪元前427—纪元前347年。——编者注

所不能企及的地位。"

六、政治学说

古代希腊,又是政治思想的摇篮。政治的意识形态之最初的不充分的表现,首先在农民之间发生,这就是关于构成社会纲领的"黄金时代"的传说。后来,关于黄金时代的传说,又移植到都市的贫民中。希腊的被压迫阶级是最近社会主义学说之原始的先驱者,孕育了社会主义见解的萌芽。

建立保守的政治的意识形态之基础的人,在希腊是苏格拉底。他是雅典民主主义的敌人,提倡阶级的妥协及主人与"人类牧群"和年共栖的必要。据他所见,合法是由一般的协调而来的。若是贵族或国家"根据法律"实行统治,他们便懂得真正的国家的大道。他赞成贵族或君主的国家形态。苏格拉底这种反动的观念,又由他的弟子色诺芬尼(Xenophanes)所发展了。

在"喀勒伯吉"(关于波斯王基尔的教育的著述)上,色诺芬尼把波斯的专制制度及无限制的独裁政治形态,看作理想的东西。至于反动阵营中最大的政治思想家,却是柏拉图。他在其一切理论的著作中,几完全是保守主义的思想家。柏拉图在其对话体裁的《政治论》和《法律论》中,解说了政治学说。直到老年,他所写的最后著作才承认了政治与经济之间所存在的关联。但他只是粗率地考察了这种关联。他对于民众的政治活动的能力,却大大地加以否定。他说:"真正的多数也不能具有什么艺术。"他一面解说所谓国家形态的基础,同时又达到拥护所谓阶级的国家的见地。柏拉图的哲学及政治学说到现在能引人注意的,只是他的《理想国》——这是站在社会改造观念及依靠奴隶劳动的贵族的、共产主义社会的乌托邦。

亚理士多德是中产思想家(他说:"稳健而中庸的人物是最好的")。他主张平和的政治的见解。马克思主义的研究家说亚理士多德是古代社会自由主义的代表。在亚理士多德关于正义的学说中,可看到后来的资产阶级法律的萌芽。他在所著的《政治学》之中,说国家是社会的发展的产物,"人类从其天性来说,是政治的动物"。他从这点出发,确信国家的永远性,确信国家在一切社会中都存在的必然性。他认为在各种国家形态中,最好的国家形态是实现民主主义的平和的共和国。

至于罗马,只是利用希腊人的政治思想的成果。和希腊比较起来,罗马政治的文献的内容却较为贫弱。罗马研究政治学说的政治思想家之中,最有名的人是西塞洛(Cicero)(纪元前 1 世纪)。他受了柏拉图的《政治论》及《法律论》的许多影响,写了许多著作。古代最精密的法律体系的罗马法,是唯一拥护罗马的富豪政治的利益的法律。

七、科学的发达

在奴隶所有者的社会中,科学的出现全靠奴隶劳动供给着剩余的生产物。

古代的科学知识,是从经济上的要求即农业和商业上的要求而发生的。在农业经济上,有决定一年间的季节和一日中的时间的必要,有正确计算时间的必要。由于这些必要,便引起了天文学的发展。天文学在埃及、印度、中国,尤其在巴比伦,在科学的体系中占居显著的地位。在美索卜达米亚,开始把一年分为 365 日,一昼夜分为 24 个小时,一小时分为 60 分。亚述的星象家,集合了关于天体的丰富的观察,能够正确地预言月蚀的到来。农业上的要求,在古代埃及使得数学上的知识发达到相当高度。例如几何学(古代希腊语"格阿"意指土地,"米突勒"意指测量)就是这样发达的。随着都市的成长,为造船技术的必要基础的力学(希腊语意指着"关于机械学")也开始发达了。稍后,化学和物理学也出现了。商业、航海的发达,马其顿王亚历山大的远征,以及罗马帝国的扩大,使得地理学也发达起来。古代世界地理学发达的中心地是亚历山大里亚,地理学的泰斗是希腊人多利买(Ptolemaeus)(2 世纪)。他又是天文学者,曾建立了地球中心说。这在 16 世纪哥白尼建立太阳中心说以前,是一般所公认的学说。

在东方诸国,科学是包括在宗教世界观体系中的成分。在希腊和罗马,科学变为脱离宗教的独立的意识形态的要素。科学思维的发达,后来移到小亚细亚的伊奥尼亚海岸的希腊都市商业贵族之手了。数学在希腊,由退利斯和毕达哥拉斯(Pythagoras)(两人都是纪元前 6 世纪人)及欧几里德(Euclid,纪元前 3 世纪),做过深刻的研究。欧几里德开始建立几何学的体系。这些伟大的姓名,在现代科学上还具有其意义。希腊数学者阿基米得(Archimeds)(纪元前 3 世纪),在物理学的领域中有很多的大发现。亚理士多德更使自然科学前进了。他是古代伟大的思想家之一，又是百科全书的学者，把以前所蓄积的一切科学的观察建成了体系。印度及尼罗河、笛格里斯、幼发拉底斯河海岸所产生的医学，也为希腊的医生所补充，而把其体系化了。其中希波革拉第（Hippocrates）（纪元前 5—前 4 世纪），被公认为现代临床医学的创始者。

在东方各国及古代世界，占星术都非常普及。这是依据星辰的配置状态去预言民族和个人命运的"科学"（实际虽然不是那样）。对占星术的发达演过很大作用的事情，就是僧侣利用民众的迷信而为自己收得的利益。他们根据自己已经知道而为民众所未了解的知识，去预言天体的各种现象，这是很明白的。占星术在巴比伦和亚述格外发达。

在科学知识的发达上，印度和中国也有很多贡献。古代印度人已经知道天文学、代数及三角法的初步。中国人除了数学之外，还知道制造玻璃、染业及制瓷器等技术，因而在化学领域中，具有若干的生产知识。在古代中国，还知道使用火药及雕刻木板的印刷术。但是这两种伟大的发明，因中国工业生活发展微弱的结果，未能广泛地利用。

八、文学

古代东方各国的文学，是建筑在宗教的礼拜之上的。因此，为要正确地去鉴别它，可以把它叫作宗教文艺。

在印度，宗教文艺的遗物，是在吠陀经典的名称下而著名的。吠陀经是在纪元前 6000 年到纪元前 2000 年间所创造的圣歌集。当亚利安种族侵入恒河流域，而占领印度的其他地方的时代，会有两首叙事诗（这是在纪元前 4 世纪与纪元后 4 世纪之间写成的），即"科哈朴哈拉达"与"拉马耶娜"（纪元前 6 世纪出现）把这个时代反映了出来。在印度文学中最可注意的著作，是"吠陀的生活"。这是伟大的佛教诗人亚兹华科西亚（1 世纪末）所写的。

在埃及文学的各作品中，也有许多宗教的圣歌、故事、民谣以及颂赞法老（王）的埃及社会上层阶级间所创作的诗流传到我们的时代。在亚述、巴比伦的文学中，有世界的创造和讴歌女神伊丝达降生于死人国的宗教诗，此外还有关于 Gilgamesh（古代巴比伦王国）的高级的艺术的诗。其基本的主题，就是死与不死的问题。季尔加麦的诗,在古代曾传播于各处。这是圣经(犹太民族之宗教的艺术的遗物,其中杂有犹太神话与犹太历史的成分)的编辑者们也都知道的。

除了圣经(经过几千年的岁月做成的,至少是在纪元前 2 世纪才完成)之外,东方各君主国的宗教、艺术的文献,在欧洲的文学中,没有多大的意义。反之,在欧洲文化的发展上,希腊与罗马的文学却演着很大的任务。僧侣及军事的种姓的宫廷文学,在东方各国占居支配地位;反之,而在希腊却留下了农民及手工业者的文学的典型。

希腊文学最初的大著作,是《伊利亚特》(Iliad)与《奥德赛》(Odysse),这是颂扬国王及大地主的军事功绩的英雄叙事诗。依据传说,这诗是盲目诗人荷马(Homeros)的作品。但经过研究的结果,这诗是若干无名唱歌者们的协同的创作。《伊利亚特》是歌颂包围大亚细亚西岸的都市的特洛的希腊人。《奥德赛》是歌颂在特洛战争中的一个英雄、富有奸智的伊达克岛王荣归奥德赛的故乡。这两篇作品中,都反映了氏族的、家长的生活。不过它们只描写了军事的贵族的生活,却不曾描写希腊社会的劳动各阶级的生活。黑西阿(Hesiod)的诗,却反映了小农业者的感情与思想。黑西阿和贵族诗人不同,自己称为"农民"。黑西阿的主要巨著《劳动与每日》,是表同情于农民的。这诗人说到关于主人时,他说主人无论在何时都是"赠物的贪求者"——怠惰者。

在民主主义布尔乔亚政党掌握权力的雅典经济的及政治的繁荣期,希腊文学也达到最大的繁荣,特别是戏剧的发达。最初,希腊的演剧是在宗教的祝祭时举行的。参加于祝祭的人们,分成许多合唱队,合唱赞颂狄奥尼索斯(巴卡斯)的圣歌。后来,在圣歌的 Strophe(解)中,加入了解说巴卡斯生涯中每一瞬间的插话的故事。从此以后,便产生了希腊的悲剧。这些悲剧的表演,已失掉原来宗教的性质。演剧是在露天之下,在特别的建筑物——剧场——中举行。剧场的构造,有半圆形的客席,半圆形的音乐台(供合唱队之用),以及有屋顶的舞台。悲剧的排场,是以演员二人或数人的对话形式进行的。这些演员的上戏辞,由同样的演员的合唱队来"中断"。

在希腊悲剧作者中,在雅典有同时(纪元前 5 世纪)继起的爱士奇(Aeschylus)、索福克(Sophocles)、幼里披底(Euripides)等。① 他们是各种阶层的代表,在戏目的整理及表演方法上各不相同。爱士奇把合唱队与演剧,紧密地衔接起来,不使它和舞台场面隔离。爱士奇的悲剧的构成,反映着以土地贵族为首领的荷马的希腊之沉滞与教职制度。新商业贵族的个人主义的心理,反映于福索克的戏剧中。在福索克一方面,合唱队只是默想和下判定,并不参加于舞台。最后,民主的各阶级(工场主、奴隶所有者及手工业者)的个人主义,对于以描写人类的内部斗争为主题的幼里披底的戏曲,开拓了心理的地盘。因此,幼里披底把合唱队原来的意义废弃,把演员和歌手放在前面。希腊悲剧,是与都市社会生活的全过程紧密联系着。幼里披底的若干悲剧,很明显地是用作政治的宣传或政治的暴露事业的。

　　与悲剧并行的希腊喜剧,也发达起来了。这喜剧的最大的代表,是雅典的亚理斯多芬(Aristophanes)(纪元前5—前4世纪)②。亚理斯多芬的喜剧,非难民主派的指导者,用滑稽的表演援助反抗反动的民主主义的反对派。亚理斯多芬是与保守的土地贵族相结合的。

九、工艺美术

　　工艺美术,特别是建筑发展的基础,建筑在奴隶的劳动之上。因为利用奴隶劳动,所以在技术上远不及现代,但埃及的金字塔(法老墓)、亚述及巴比伦的宫殿、希腊的寺院与佛教的庙宇,以及罗马的水道等建筑物,到现在还是伟

---

　　① 爱士奇的特别有名的著作是《锁缚着的普罗米修士》及《奥列斯都》。索福多克的悲剧,最佳者有"Oidipous Tyrannos"、"Antigone"、"Elektra"等。幼里披底的悲剧,有《特洛人》、《达威里特的爱夫格尼亚》、《伊波利特》等。
　　② 亚理斯多芬的喜剧中,最有兴味的是《骑士与黄锋》,这是攻击雅典民主政治的指导者的。又有反对哲学家苏格拉底的《云》。罗马的文学,与希腊比较起来是落后的。但在罗马作家中,也并不是没有大诗人存在。例如前述鲁克雷雕斯·卡尔(纪元前99—前51年)、委吉尔(Virgil)(纪元前70—前19年),荷拉斯(Horace)(纪元前65—8年),奥维德(Ovid)(纪元前43—18年)及卜罗搭斯(Plautus)(纪元前254—前184年)等,都是强有力的讽刺剧作家。卜罗搭斯是把罗马生活上的诸现象变为滑稽的喜剧作家。罗马文学,反映着奴隶制社会在其发展过程中经济已趋崩坏而贵族代表却过着有闲生活的这个阶段。荷拉斯不曾把握大的主题,他只颂扬农村生活的安静。委吉尔在其叙事诗《爱娜达》中,模仿荷马。奥维德为罗马所驱逐,所以在其诗中感慨自己的命运(忧愁)。荷拉斯与委吉尔(《爱娜达》),都是称颂奥古斯,称扬罗马内乱后所有的新制度。奥维德在《变形记》(Metamorphoses)中,把奥古斯祖先的恺撒,看成赫赫之大人物。

大的东西。希腊历史家黑脱斯(纪5前五世纪)说:埃及为造一个金字塔,单单开筑一条从打石场到尼罗河首的道路,说是费了十万人的十年工夫;并且费了三个足月,才把石块搬运到建筑场;往后需要时二十年之久,这庞大的墓场才告成功。雅典亚克洛波里斯城壁和神殿的建筑,也大半消费了同样的劳动。

在亚细亚君主制之下的美术,当着以人类身体为对象时,是与实际不完全相似的,而是采用宗教的、佛教的样式而创作的。希腊、罗马的艺术却和这相反,而进行探讨接近现实的艺术形态的道路,所以创造了现实主义的作风。因而,亚细亚各国的艺术是有条件的、静止的、保守的艺术;而希腊、罗马的艺术,却是探讨的、变动的、进步的艺术。这无论从其题旨或形式上说,都是这样。在亚细亚作风上演着决定作用的,是土地贵族的审美趣味;在古代希腊、罗马的作风上演着同样决定作用的,是那些社会的商工业阶级的要求。

埃及的建筑,以寺院和墓碑为创作的中心。这种建筑的表现的特征,就是金字塔和寺院塔门的向内侧倾斜的石壁。建筑物的这种形式,大概是由于防御尼罗河的泛滥。斜面比较能够抵抗水流,这是很明白的事。埃及的雕刻主要的是描写法老,都是从正面作均势的描写。这类雕刻,多是在坚石之上(花岗石、麻石)雕成的大石像。至于臣属的雕像,比君主小数倍。在绘画上描写人物时,由于所描写的人的社会地位而采取不同的方法,对于普通人作自然的描写,对于高贵人就依从一个习惯的礼节去描写。埃及工业技术非常发达,在杜丹卡门王(Tutankhamun)墓所发现的(1922年)物品上,能充分表现出来。

与埃及不同的亚述、巴比伦的建筑,城塞和宫殿的建筑占居首要的位置。因为笛格里斯和幼发拉底斯河流域都是黏土,所以这些建筑物的主要建筑材料都用烧砖。亚述工匠的技术,即在浮雕方面,也特别进步。他们描写了战争、狩猎和宫廷生活。

纪元前3世纪以来,广布于印度及中国的佛教的艺术,都是在祭祀上被应用的。建筑术占最重要地位,雕刻和绘画只是附属品。在雕刻中最可注目的,是刻在岩壁上(中国)的大佛像。

马克思把奴隶社会的工艺发达,与小孩的发达相比较。"小孩虽没有受教育,却有老人似的智慧。"据马克思的意见,属于这些小孩的范畴的,古代东方各民族(埃及、亚述、巴比伦、印度)却占居其多数。"但也有普通的小孩",

这种小孩就是希腊人。马克思认为希腊艺术的魔力，从所有各点说来，都是健康的小儿的天真美，能使我们高兴。

希腊人创造了深刻的工艺文化。这文化的强烈影响，后来在文艺复兴期的欧洲工艺上，在 17、18 世纪的贵族工艺上，甚至在法国大革命的工艺（美术家 Davi）上，都反映了出来。希腊人在雕刻术上，成就了特别的发展。

在希腊的建筑术方面，占着第一位的是寺院建筑。古代希腊寺院，是有圆柱的矩形建筑物，并且有 Front（窗上三角形之小破风）。柱廊成为一切建筑物的本质的部分。圆柱有三种模型，即德利亚式、伊奥尼亚式及科林特式。德意志艺术研究家霍詹斯坦，把这些模型与希腊各种经济制度联系起来。德利亚式圆柱的简素和严肃，据他的意见，是适应于农业制度。伊奥尼亚式圆柱的纤细和调和，是适应于商业、货币经济。科林特式的华美，适应于古代大资产阶级经济。

希腊雕刻家和埃及雕刻家不同，后者能用硬石雕刻，前者能用大理石雕刻。

弗地亚、波里克勒特、米伦、卜拉克西特、斯可巴、里西波斯等人，都是希腊大雕刻家。他们生活于纪元前 5—前 4 世纪，借法马科夫斯基教授的话来说，他们创造了"民主主义雅典艺术的理想"。描写神灵、政治家、哲学家、力士、勇士们的雕像，以及这些雕像的记述，在欧美各大博物馆中都可看到。希腊的大理石像，表示着艺术家们都深知人体的形成及其解剖。

罗马继承希腊艺术的传统。但当时建筑的注重点，已从寺院的领域移到普通建筑物了。除寺院以外，罗马还有宫殿、浴堂、大演技场、剧场、廊堂（裁判及商业的公会堂）、凯旋门、桥梁、水道等建设。这些建筑物，有许多还遗留到现代。罗马建筑家，创出了许多建筑的新样式（圆天井、拱桥门）及装饰方法。罗马的建筑物，不仅普遍于意大利，罗马的遗物在罗马帝国的东方诸州固然很多，就是在法兰西、德意志、西班牙等地，也可以看到。

十、古代和现代

古代文化（希腊及罗马），在我们现代的生活中还占据显著地位。古代科学（欧几里德的几何学、毕达哥拉斯、阿基米得及其他定律）在现代知识的体系中,也具有其真理性。许多艺术上的流派,现在还把希腊、罗马的建筑术、雕刻及绘画作为理想。古代唯物论哲学,到现在也还是最丰富的思想的泉源。

罗马法,直到现在,还成为许多资产阶级民法的基础。

欧洲历,溯源于罗马及东方各国的历(月名)。

同样,现代的言语也受了古代的强烈的影响。现今名辞中,有许多是从古代希腊语及拉丁语所假借的名辞。例如"Dictatorship of Proletariat"(无产阶级专政),"Culture Revolution"(文化革命),"Utopia"(理想国,乌托邦),"Socialism"(社会主义),"Capitalism"(资本主义),"Reconstruction"(改造,再建)等皆是。还有整句话从古代言辞构成的也不少,例如"Resolutions of the Plenum Committee of Communist Party about the Tempo of Industrialization"(关于工业化速度的党中央委员会全体会议之决议)。并且发源于希腊神话的用话,也常常使用的,例如"亚基力斯之踵"、"亚夫喀亚斯之马厩"、"奥林比亚之伟大"、"不和之苹果"、"荷马之哄笑"及其他等。

拉丁文字,有被认为现代国际文字之势。住在苏联的弱小民族的文字,也渐渐改为这种文字。土耳其从1928年以来,也采用了拉丁文字。

重要事件年表

(一)哲学与科学

纪元前6世纪,希腊,伊奥尼亚学派的哲学者,退利斯、亚洛芝曼德、亚洛芝曼尼、黑拉克利图斯、数学家毕达哥拉斯。

纪元前5—前4世纪,哲学者雷基博、德谟克利图(约纪元前460—前350年)、苏格拉底(纪元前469—前399年)、柏拉图(纪元前430—前348年)。医师希波克拉第。

纪元前4世纪,希腊,哲学者亚理士多德(纪元前384—前322年)。

纪元前4世纪,希腊,哲学者伊壁鸠鲁。

纪元前3世纪,希腊,物理学者阿基米得,及数学者欧几里德。

纪元前2世纪,希腊地理学者多利买。

(二)文学和美术

纪元前4000—前2000年,印度,吠陀教典形成。

纪元前 10—前 8 世纪,希腊,叙事诗《伊利亚特》、《奥德赛》

纪元前 9 世纪—纪元 3 世纪,巴力斯坦,《圣经》形成期。

纪元前 8 世纪——希腊,黑西阿

纪元前 6 世纪——印度,科哈朴哈拉达及拉马耶娜两诗出现。

纪元前 5 世纪,希腊,爱士奇(约纪元前 525—约前 457 年)索福克(约纪元前 495—约前 405 年)及幼里披底(纪元前 480—前 406 年)等的悲剧。雕刻家弗地亚、波里克勒特、米伦。

纪元前 5—前 4 世纪,希腊喜剧代表者亚里斯多芬。

纪元前 4 世纪,雕刻家布拉克西特、斯可巴、里西波斯。

纪元前 3—前 2 世纪,罗马,剧作家卜罗搭斯。

纪元前 1 世纪,印度,亚兹华科西亚。罗首,罗首文学的"黄金时代",鲁克雷雕斯·卡尔(纪元前 99—前 51 年①),委吉尔(纪元前 70—前 19 年②),荷拉斯(纪元前 65—纪元 8 年),奥维德(纪元前 43—纪元 18 年)

(三)基督教

纪元 2—前 3 三世纪,基督教共同体转化为大所有者的团体。

纪元 4 世纪,罗马君士坦丁帝颁布关于基督教宣教自由的敕令(318 年)——基督教由狄奥多西帝的敕令而成为国教(394 年)。

演习题目

一、奴隶所有者社会的宗教之农业的基础是什么?

二、怎样的社会过程被反映于多神教与一神教的递遭之上?

三、基督教的一神教之发生,适应于何种社会的、政治的过程?

四、基督教如何成为支配阶级的宗教?

五、何种经济的要求引起数学及天文学智识之出现?

六、土地所有者和商业资本代表者之间的阶级斗争,是如何反映于希腊文学及哲学?

---

① 应为"纪元前 99—前 51 年"。——编者注
② 应为"纪元前 70—前 19 年"。——编者注

七、希腊美术和古代东方君主国的美术,在形式上有什么差异?

八、古代哲学之时代的背景如何?

九、古代政治学说与当时社会状况之关系如何?

第 四 编

封建社会

第七章　西欧的封建社会

罗马帝国时代末期,日耳曼各族所占领的州郡之中,在社会的＝经济的及政治的生活领域上,形成了新制度＝封建制度的基本要素,这些要素是:自然经济诸关系的优势,农业的支配,具有领地经济组织及隶属人民的大土地所有,各领地的独立及政治权力的分散等。封建制度的诸要素,在日耳曼人农村中也已经成熟了。农业变成了经济的基础,所有权的不平等发展了,领地制度发生了,种族及武士团的指导者在社会生活中得到很大的意义了。这些日耳曼和罗马的世界原理融合起来,就发展为欧洲的封建主义的形态。

本章的任务,在于说明封建制度的本质,及封建王义诸特征在欧洲各国如何成熟(在具体的历史环境中,封建主义的发展上带有如何的特殊性)的问题。

当研究法兰西封建主义的发展时,应注意封建主义最大典型的特征是在法兰克人的国家中形成的。

当研究本章第三节"法兰西的封建主义"时,其基本问题如下:

(一)自然经济及在法兰西的领地和公社中所构成的经济的相互关系,带有如何的性质?

(二)法兰西的封建国家之性质如何?

当研究第四节"意大利及德意志的封建主义"时,应阐明以下两点:

(一)寺院封建化之归趋如何?

(二)在意大利及德意志的政治史上,教皇尽了什么作用?

英吉利的封建主义,在其发展过程中,具有与欧洲大陆封建主义不同的独特的特征。直到英吉利被诺耳曼人所征服的 6 世纪之时,封建制度的基本要素已经产生了,并且向前发展了。征服者诺尔曼人,更把当时在大陆上形成了的封建关系转移到英吉利诸岛。因此,英吉利的封建主义,获得了极大的完整性。

当研究第五节"英吉利的封建主义"时,应阐明以下两点:

(一)诺尔曼征服的结果,英吉利的封建主义在土地所有及国家权力的巩固的领域中,得到怎样的特征?

(二)国王及领主之间的斗争,在英吉利带有怎样的性质? 又,战争的结果,在国内怎样形成身份制的王国?

第一节　欧洲种族国家的形成

一、日耳曼人的经济及社会制度

纪元前数世纪,日耳曼诸种族已经定居于欧洲北部和中部。他们住在莱因河以东、多瑙河以北(现在的德国地方),及瑞士、奥大利、斯堪底那维亚半岛。纪元前 2 世纪末,日耳曼人同罗马帝国发生了冲突。他们移居各地,侵入了罗马帝国的版图。罗马国境的坚固的城塞暂时阻止了他们的前进。日耳曼人的居住地是欧洲森林地带,他们通常都聚集在河川附近,尤其是河川的合流点。日耳曼人是定居的农业民族,他们早已知道耕种谷物,在田野里栽培谷物。他们不但知道栽种裸麦、燕麦、黍、大麦,还知道栽种小麦。他们的农业非常粗笨,还没有超出轮耕制的阶段,即是只耕种土地,不用肥料,把耕种过的土地在一定期间闲置着,然后再来耕种。但是,那里的农业技术已经是使用锹和犁耕作,用牛马来拉犁了。农业之外,日耳曼人还从事于牧畜和原始的手工业。在他们中间,商业——大部分为对外商业——已经存在了。

日耳曼人早就在河川流域及山脉中,发现了自然的富源。他们取得盐、银、铜、铁、金等,用这些金属作成器具、武器、食器和装饰品。日耳曼人知道制炼矿物,还知道纺织和制陶术,以及对于木材和金属的雕刻术。因为自然富源产地之不同,在各个交换地方,促成手工业上若干的专门化。因此,日耳曼各种族之间及其与邻近诸民族——斯拉夫人和罗马人——之间,发生了商业关系。

日耳曼人因为移住于各地之故,不能保存自己居住地的旧来的氏族性质。

氏族制度已趋消灭,氏族财产渐渐变为个人财产了。从前一切土地,是归氏族各家族共有的。共有的牧场、森林、草地和水源地,归各家族共同利用、其他耕地等,却按照各家族的利用能力与要求,分配于各家族使用。现在,这种氏族的结合,由别种结合所代替了。除了共有的不可分割的分地仍旧保存外,宅地和耕地却归各家族长期所私有了。日耳曼人的公社,是依从土地利用的一般程序受领耕地及宅地,并利用公共草地森林及水源地的所有者的结合。在这种邻近农村的结合中,不但有用自己本身的劳力来耕作的小地主,同时还有掌握大所有地的地主。大所有者征收租税,租借土地于奴隶佃农或其他隶属于自己的人们。租税是用自然物支付,大所有者就拿它来豢养酋长、武士团和家臣。土地的不平等,是日耳曼人社会之社会分化的条件。因此,产生出军事领袖的土地贵族,就取得政治的优势,变成支配的集团。

轮耕制的低度生产性与自然的灾害(水灾、旱灾)驱使日耳曼人为寻求新土地,而向南移动了。土地的缺乏使日耳曼人抛弃其习惯的生活条件,而寻求新殖民地。

二、“民族大移动”及种族国家的形成

乌拉山脉与里海之间的平原是联结欧亚两大陆的地带,是亚洲游牧民族进入欧洲所必然经过的门户。匈奴(Hun)、阿拔(Avar)、乌加利(Ugri)、帕捷纳格(Petonenegue)、波兰和鞑靼(Tatar)诸民族,都经过这同样的道路而到达于欧洲。最初出现于欧洲的游牧民族,是属于土耳其族的匈奴人。匈奴人把自己所战败的诸民族,驱逐到南部和西北部去。纪元4世纪,匈奴人最初的移动,就驱逐了住在东欧的斯拉夫及日耳曼诸种族。在日耳曼诸种族中,最初与匈奴人冲突的是歌德族(Goth)。当时住在黑海沿岸草原的歌德族,分为东歌德族(Ostrogoth)与西歌德族(Visigoth)。当东歌德族与斯拉夫族同受匈奴人攻击而降服于匈奴人时,西歌德族就越过多瑙河而移动,罗马皇帝就把巴尔干半岛给他们,使他们保护罗马帝国的东部国境。但西歌德族并不以为满足,更逐渐西侵,企图占领罗马,结果,在西班牙树立了欧洲的最初的日耳曼人王国——西歌德王国(412年)。当西歌德族向西移动时,曾将汪德罗族(Vandal,以前侵入罗马帝国的日耳曼的种族之一)从欧洲驱逐到非洲去,但同

时其他日耳曼种族——布尔艮第（Burgundians）却侵入进来了。于是形成了两个日耳曼的王国——非洲的汪德罗王国与罗马旧高卢洲东南部的布尔艮第王国。到纪元 5 世纪，匈奴人在其酋长阿提拉（Attila）统率之下，从罗马帝国境内的巴诺尼亚（现在的匈牙利，匈奴在这里滞留了约一百年）移动出来，但是被罗马和日耳曼人的军队协力击退了。

西罗马帝国，遭受汪德罗、东歌德及郎勃德（Langobarden）的侵扰。意大利方面，在 5、6 世纪时出现了所谓郎勃德王国（6—8 世纪）的日耳曼人王国——东歌德王国。于是 8 世纪的西罗马帝国，就完全变成日耳曼的定住诸种族的领地了。

往后，东罗马帝国也屡次遭受各种族和民族的侵略。保加利亚人（Bulgarian）、乌加利人（匈牙利人）和斯拉夫人在 9 世纪之时就散居于巴尔干半岛，在那里建立了自己的国家。

这些种族的移动，是缓慢进行的。

在阿比利（Apennine）半岛附近的地方，日耳曼人住在肥沃的地方，同多数的旧居民同化了。罗马人少数的边境地方，都被日耳曼人占领了。在这些地方，形成了与其他地方同样的社会制度，即形成了带有经济的、社会的和政治的特殊性的封建关系。

罗马帝国的崩坏与分裂以及新种族的侵入使罗马帝国丧失了政治的及经济的统一性。

纪元 4 世纪，罗马帝国内所形成的经济的、政治的制度之基本要素，在新建设的日耳曼诸国的条件之下完成进一步的发展。罗马的世界原理与日耳曼的原理之同化及相互作用的过程，促进西欧封建主义的形成。

第二节　封建主义

一、封建制度

欧洲在 8、9 世纪形成了的封建主义，是特殊的社会、经济的构造。和其他一切构造一样，规定这种构造的出发点的标帜，是生产方法，是支配阶级在生产上从直接生产者吸取剩余劳动的剥削形态。马克思说："只有从直接的生产者和劳动者吸取剩余劳动的那种形态,能够区分社会的经济构造。"

伊里奇在 1919 年对斯维尔洛夫共产主义大学的学生所讲的国家论的讲义中,说明奴隶所有者社会与封建社会的特征如下:"奴隶所有者和奴隶,是最初的阶级的大分裂。奴隶所有者不仅占有一切生产手段、土地和器具——这种器具当时自然是很贫弱、很原始的——而且还占有人类。这个集团,叫作奴隶所有者,而那些自己劳动或为他人劳动的人们,叫作奴隶。历史上继续这种形态而来的其他形态,是农奴制度。奴隶制度的发展,在许多国家,都转化为农奴制度。社会基本的分裂,是农奴所有者＝地主与为农奴的农民。他们之间的关系的形态变化了。奴隶所有者,把奴隶看作财产,法律也固执这种见解,把奴隶看作完全属于奴隶所有者所有的物品。但是,对于为农奴的农民,阶级的压迫和隶属虽照旧存在,而为农奴所有者的地主,却不算是常作物品看的农民的所有者,他们只有对农民要求劳动的权利,强制农民履行一定的义务。"

区别生产方法及剥削形态的封建构造的基本标志是:封建的大土地所有(土地归于所谓封建领主的特权的农奴所有者＝地主之手);生产手段分配于人格上隶属于封建领主的直接生产者＝农民,由这些生产者＝农民榨取地租,因而加紧把他们束缚于土地;自足自给的,闭塞的,与其他世界发生薄弱的经济结合的自然经济的支配;时常感受贫乏的农民所耕种的小地面上的独立的农业经营(伴随着极低的技术形态);"农业经营落在为贫乏所压迫,及因人格的隶属和蒙昧而没落的小农民之手"(伊里奇);大土地所有与小生产的结合。

农民不得不替封建领主做工。封建领主(贵族、国王)为要役使分领土地而自行生产的农民替自己劳动,就对农民使用强制方法(经济外的强制)。伊里奇说:"这种强制的形态和程度,从农奴状态开始到农民权利之身份制的限制为止,有很多的区别。"

所以,土地所有是封建领主和地主——农民的剥削者——的支配之基础。

马克思说:"封建时代,军事及裁判的最高权力,是土地所有的属性"。土地、封建领主的财产及其领地,割分为土质大体相同的等量的地段,按照农民家族内劳动人口之多寡,分配于各农民家族之间。因为这样划分的地段散在各方面的缘故,一家族的分有地与他家族的分有地就相互交错,而有绝对实行循环耕种法的必要。封建领主的耕种地,不论是大领主的或小领主的,普通都不甚大。在交换尚未发达的自然经济中,剩余物是不必要的。照马克思的话说:"领主肠胃的容量,形成榨取农民的界限。"生产物还不带有商品的性质。封建领主从农民身上取得的生产物的数量,足够供给自己享乐,满足自己的家族、军队及家奴的欲望,以及供办祭祀招待宾客之用。在封建主义时代,生产者私有生产手段的小生产(农村的农业和都市的手工业),到处存在着。生产,不仅满足封建领主的欲望,还要满足生产者本身及其家族的一切欲望;农民家族一方面生产食物,同时还制造器具和衣服。"劳动的社会形态,在这里直接的是它的自然形态及其特殊性,而不是它的普遍性,如像商品生产社会那样。赋役劳动恰如生产商品的劳动一样,也是用时间来测量;但是,每个农奴都知道他给主人做工只是耗费自己所有的个人劳动的一定量。"(马克思)

马克思认为同家内工业(及都市手工业)相结合的小农业,是封建主义的生产基础。农民(在西欧是 Villani,Serve,在俄国是 Smerd)或是使用贫弱的农具,耕种土地,把一部分的生产物缴纳给地主;或是使用自己的农具,于一定日数内,在主人耕地上做工。

国王、贵族、僧侣及其亲近者,都是土地所有者。这种土地集中,是怎样发生的呢? 这些所有者,以前是什么样的人呢? 他们大部分是酋长、僧侣和武士团的武士的子孙。他们掠夺并僭取公社的土地,只把公社当作农业上的生产形态存留着。

恩格斯说明土地集中于封建领主之手的过程如下:"一方面,诺曼侵入的扰害,国王们不断的战争以及最有势力者的内乱,促使自由农民争相要求有势力的保护者;他方面最有势力者的贪婪与寺院的欲求,加速了这种过程;他们用欺诈、束缚、胁迫和暴力,使许多农民与农民所有地都隶属于自己的权力。不论在哪种情形之下,农民的土地都变为领主的土地,领主至多只把土地交给农民使用,从他们征收租税和试役。"于是,被封建领主所完成的无报酬的农民剩余劳动的占有,就确立起来;封建领主对于农民的强制支配,就是这种占有的基础。

伊里奇说:在中世纪①莫斯科王国时代,氏族关系消灭了;国家的基础建

---

① 所谓"中世纪"是指布尔乔亚历史所说的欧洲封建主义时代而言。

立在地域的结合之上。"地主和寺院,由各处夺取农民到自己手中;这样形成的公社,纯粹是领土的结合。……国家分散为各个领地或王国——这些王国,一部分还保存着过去自治的生动的痕迹,保存着行政上的诸特征,如他们自己的特殊军队(地方的贵族率领自己的军队参加战争)及特别的海关界限等。"

农民被当作土地附属物而被拘束于土地,这是封建剥削的源泉;而分配土地于农民,这是地主取得劳动力的手段。

> 属于公社所有,而他们在自己所有土地上实行的自由农民的劳动,变成对于夺取他们共有财产的人们的赋役劳动了。(马克思)

农民负担着什么义务呢? 农民把剩余生产物的一部分,用地租的形式交给地主。他们还向地主缴纳租税,还要从事劳役,即在地主土地上,为地主做一定日数的工作(劳役地租)。地主的土地,比农民的土地耕种得较好,所收得的生产物也都是品质优良的东西。但是,如上所述,这种土地并不广大,同时也没有大量贮藏的必要。地主取得的生产物,都消费在自己的家族中。农业技术是原始的,农业是按照习惯的顺序进行而不变化的。

巴克洛夫斯基说:"最古代的贵族,不从事经营,如像以前所作的一样,只聚集别人经营的果实,只不过不用直接的占领,而用比较和平而有系统的方法实行。他们自己的耕地,普通是很小,即如 15 世纪诺弗哥罗维贵族的耕地,也不过比一个富裕农民家族的土地稍大一点。其中最富裕的,也只能使用自己奴仆的劳动,耕种'自己'全部所有的二三十俄亩的土地。但是,农民必须把一定量的谷物、肉、卵、牛酪等送给贵族。此外,农民不仅养活贵族,还要养活无数武装的和非武装的'臣仆'。"

封建领地的中心,是带有地主城堡的地主宅地。和这种宅地相连接的,有属于地主的村落或农家。地主的宅地中,除耕地之外,还有果树园(葡萄田)、野菜园、鸟屋、牲畜圈和各种小家内生产(马具、靴、纺织物、器具的生产)的工作场。此外还有制粉场、面包场、酿酒场等。地主为了办理宅地内的事务以及地主土地上的一切事务,还雇用许多家内使用人(仆人、厨夫、车夫等),用租税和赋役的财源去养活他们。

大经济,大经济计算、征收、支付或义务的课赋等事之实行,需要一定的领地管理的组织,即需要管理复杂领地经济的各种部门的支配人。在那里有家政支配人、仓库管理人、猎夫、马夫及饲鹰夫等,普通执行这些任务的,是奴隶或农奴的农民的出身者。这样的经济组织,就叫作领地经济,这是闭锁的经济,与国家的其他部分,缺少显著的经济关系。在这种经济上,农业和小家内工业结合起来。马克思在这种结合中看出"古代及中世纪欧洲的自然经济所依以建立的生产方法"的条件。

与西欧的封建土地所有相对照,在俄国有贵族的采地。这种采地,是由几个村落和贵族住宅构成的。在贵族家宅中,有自己的奴仆、犬夫、猎夫、马夫、"匠人"——织物匠、木匠、丝织物制造人等。农民在村里,同时从事家内工业。

地主不单利用土地所有权以榨取农民,并且用其他生产手段去榨取。地主假借各种"扶助"、"借贷"的名义,供给农民建造房屋的木材;并且不使农民对于此种"恩惠"尽什么义务,因此农民更加感激地主了。农民的义务,不限于租税和赋役:农民须向寺院缴纳什一税(缴纳自己收入的十分之一),修筑道路和桥梁,用自己的牛马搬运建筑材料的石块和由森林砍伐的薪木;必须在地主的磨坊碾磨谷物,在地主的压榨所制造葡萄,并且要把生产物的相当部分送给地主。最使农民感觉痛苦的,是地主在农民土地上的狩猎权。为了地主狩猎,农民得蓄养野禽,这些野禽吃尽了农民的种子和根芽,领主和他的仆从当狩猎时践踏农民的田地。地主把农民当作物品看待,他有权把农民出卖、交换或送给别人,并且那时农民的财产也一同被让渡出去。但是,一切农民不完全是农奴;在农村中也有自由农民。他们的隶属状态,表现在被裁判权及支付少许租税一类事实中。此外还有完全自由的所有者,及所谓私邑(Alod)的世袭地所有者。

农民负担着极重的义务和租税。德国俗语说:"农民与牛同而无角。"农民的田地,因连年的封建领主战争而荒废,他们的财产被掠夺。农民苦于自然灾害和歉收——这是低度农业文化的结果。收获率减低,饥饿屡起(11 世纪,法国在 73 年中有 48 年陷于饥馑),疫病流行,死亡增加。

普通租税之外,地主还向农民征收各种捐税,如嫁女税、裁判税等;当无子的农奴死亡时,地主根据所谓"死者"的权利,而没收死者的遗产。地主有盐的专卖权,征收道路或河川的通行税和市场买卖税。此外还征收住宅税、家畜税和家禽税等,依自己的利益去规定。在10世纪至11世纪时,农民为脱离这种状态,引起自然发生的骚动。他们破坏封建领主的城市和宅地,屠杀居民。据年鉴作者所说:"许多人苦于食物缺乏;贫民袭击富裕者,掠夺放火而报仇"。封建领主残酷地处置农民,削去他们的手足,以儆戒别人及其子孙。封建领主的胜利,加强农民的从属状态,使他们更加被束缚于土地。

寺院利用自己的权威,尽力加强封建领主的权力。他们向勤劳者宣传:僧侣为大众祈祷,地主手执武器保卫国土,农民和劳动者应该为养活大众而劳动;并且说这些都是上帝早已规定了的。寺院没有把商人加入进去。寺院由商人身上获得莫大的利益,允许他们在寺院境内安全地贩卖商品。

僧正、僧院长、寺院长都是豪族出身,他们与俗界的封建领主过着一样的生活,即是他们也狩猎,也战争,也掠夺。当邻近领主袭击寺院时,他们站在武装寺院的"兄弟"的前头,率领"主的军队"出临战场。商人对于这种寺院的保护,给了许多的报施。

国王和公侯把所有的广大土地,用条件所有地的形式,分配于军事帮助者和亲近者,作为军事勤劳的报酬。土地所有者——领主用这种领地(在西欧是 Beneficium,在俄国是 Paialovaunaya Zemlya)束缚土地保有者——家臣(Vssal)。家臣应作军事勤务,在战争或其他情形之下须听众领主的要求,以供驱使。家臣奉献自己一身,任凭领主支配,而以恩惠地或封土(10世纪)为代价。封土好像是对于家臣的终身俸禄;家臣死亡时,封土再归还于领主。但是,随着时代的进展,封土渐渐变成家臣的世袭,并且家臣的继承人也要用从前的所有者同样的条件,继续服务。

于是,封建领地变成世袭,家臣变成封土所有者。

家臣可以把这些封土在同样的条件下转赐予自己的亲近者——陪臣。这些陪臣又可以把分得的土地分给自己的亲近者。

于是领主与国王之间的联系成立。所有这些体制,形成一种阶段、一种等级政治(Hierarchy)。较小的地主,依存于最大的地主;更小的地主,依存于较小的地主。

条件的土地所有的其他形态,是寄托(在古代俄国是 Kladnichestvo)。地主,为了避免敌人的攻击并预防自己的土地和财产被暴力所掠夺,接受强力的封建领主的保护,所以不得不把土地所有权让给自己的领主;但是事实上仍然是自己土地的所有者,寄托者算是条件的所有者,同地主缔结契约,担负一定的义务。同时还把土地恩赐于终身佃户,在自然租税形态上使佃户给予极难堪的义务的报酬。

站在封建阶层最上位的大领主叫作国王(在古代俄国叫大公 Velikly Knyaz 或沙皇 Tsar),那些家臣叫做公、侯、伯(在古代俄国叫公 Knyaz 侯 Boyarin),家臣的家臣叫做次公、次侯、子(次伯——在俄国叫候之子),以下有男爵和骑士;这种骑士,是占有一村或村之一部的小领主。陪臣的义务,在战时要武装起来(长枪、剑、楯、甲胄、锁子甲),在马上率领治下的武士,以供自己领主之驱使。

不但领主和家臣是俗界的领主,就是占有莫大土地的寺院和僧侣中的豪族,在封建的体统制度中,也有自己的地位。政治权力的等级制度,同土地所有的等级制度是相适应的。

所有这些制度,都变成农民的重担。恩格斯写道:"中世纪封建压迫的源泉,不是居民的土地被收夺,反之,是居民被束缚于土地。农民是保持着自己的土地的。可是要变成 Serve 或 Villain,而被束缚于土地,并且还必须用劳动或自然物替自己的主人尽义务。"恩格斯当说及 13 世纪的普鲁士时,曾说明如何引起租税和赋役的新的增加过程。14 世纪及 15 世纪,都市急激的发展并富裕化。都市贵族的豪奢生活,震动了粗食粗衣和使用恶劣家具的领地贵族。但是,从哪里取得其他的优美的物品呢? 要买这些东西,自然需要金钱。但为要取得金钱,只有榨取农民。于是引起了对于农民的新压迫,增加租税及赋役,愈加努力使自由农民变成隶属农民,使隶属农民变为农奴。

封建关系,"保存着剥削农民压迫农民的封建的=中世纪的方法",又与商业资本相融合。封建领主对于与农业生产诸条件之恶化相关联的货币的欲望,驱使他们要求高利贷的援助,以借取高利的现金。马克思说:高利贷并不变化生产方法,它反而当作寄生虫附着于生产方法,并且把后者消磨成悲惨的东西。它吸尽生产方法的膏血,减弱生产方法的气力,使再生产不得不在极可怜的条件之下进行。因此,世人对于高利贷的憎恶,在古代世界即达到最高点——在那种世界,生产者私有生产条件,同时成为所谓市民政治独立的政治关系的基础。当劳动者丧失生产手段时,它才消灭。同时,高利贷的威力,也随之消灭了。另一方面,"在奴隶制度盛行,或剩余生产物为封建领主及其仆从所消费的状态之下,并且奴隶所有者或封建领主受高利贷支配之时,生产方法是不变化的,只不过对劳动者的压迫变成更苛酷而已。为债务者的奴隶所有者或封建领主,因为别人榨取他太厉害,就越发加强自己对于劳动者的榨取。最后,他们让位于高利贷者,而后者就变成地主或奴隶所有者"。

关于社会经济诸构成的问题,尤其关于封建主义的问题,在历史家=马克思主义者之间,引起了激烈的论争。这种论争的导火线,是杜布洛夫斯基的《关于"亚细亚的"生产方法、封建主义、农奴制及商业资本之本质的问题》的著作。按照杜布洛夫斯基的意见,封建主义的这种构造是不存在的,而存在的却是两个构造,即封建主义及其以后的农奴制。他以为在封建主义之下,农民占有生产的基本手段和基本农具的使用权。农民在自己的经济上,生产必要生产物和剩余生产物。农民把这些剩余生产物,大部分以实物地租的形式缴纳于封建领主,即基本生产手段——土地——的所有者。在农奴制之下,也是以赋役生产为基础,在这种赋役生产下面,农民只是赋役经济的附属物。在封建主义及农奴制之下,有不同的生产方法及生产关系。按照杜布洛夫斯基的见解,资本主义不是由封建主义母体内生长出来的,封建主义不为资本主义所代替;资本主义可以由原始共产主义,由奴隶所有者制度,由封建主义,由农奴制而发生。关于封建主义与农奴主义的论争,有什么意义呢? 其意义就在说明前资本主义诸关系之发生、发展及死灭的诸法则。如果不说明这些法则,就完全不能理解存在着许多前资本主义生产方法残滓的殖民地及半殖民地国家革命的昂扬。

前资本主义诸构成的问题之马=伊主义的研究,对于殖民地革命运动的展开和预测、阶级力量的计算及当作普罗列达里亚同盟者的农民的革命作用的估计,有最大的实际意义。

封建主义转变为资本主义的问题,对于这种转变尚未完成的国家,有特别切实的意义。这种转变之错误的解释,与马克思主义社会的、经济的构成理论的歪曲,无疑地要生出机会主义,生出对于革命力量的怀疑,因为社会革命学说的基础,是建立在这种理论之上的。

封建主义和农奴制度,是两个不同的构成吗？做这种主张的人们,以为封建时代榨取的基础大半是地主以生产物形态征取地租;农奴时代生产的基础,是徭役经济,被束缚的农民经济,只是地主的赋役经济的附属物。他们根据这种差异,因而主张农奴制是与封建制的构成不同。这种主张是不正确的。自然物地租的支配,当然是从劳役地租及货币地租的阶段区别封建主义的一个阶段。

但是,马克思所指示的,这种转变并未形成新的构成,因为生产方法仍然是同一的。区别地租形态的特征,不是封建经济的本质,而是生产力的发展水准、生产关系的体制;不是由这种经济而来的交换价值的生产,而是使用价值的生产;不是商品的生产,而是生产物的生产——这当然不排除交换的存在。马克思说:"货币流通与商品流通,从其内部构造说来,能够媒介多种以生产使用价值为主的生产组织的领域。"农业与家内工业的结合,无论在封建主义之下,或在农奴制之下,同样是特征的东西。从马克思的摘要——"生产条件(在这里是指土地)所有者与直接生产者的直接关系,在农奴制中,也同样是固有的"——看来,显然应该把农奴制和封建制看作是一种构成。无论从生产方法说来,或从农奴制及封建主义之间的生产关系说来,两者之间是没有区别的。许多国家(英吉利和法兰西)在封建主义的初期,农奴关系就已经普及。并且,农奴制正是封建榨取关系的特征。

封建主义,不是为农奴制所代替,而是为资本主义所代替,这就是马克思、恩格斯及伊里奇所指示的地方。恩格斯说:"封建主义的消灭,其积极的表现,是布尔乔亚社会的树立。"马克思说:"资本主义社会的经济构造,是从封建社会的基础构造生长出来的。"伊里奇也抱着这样的见解。他同样地推测封建主义是先行于资本主义,资本主义是从封建主义生长出来的。他说:"2月19日状态,是农奴制的或封建的生产方法与布尔乔亚的(资本主义的)生产方法之交替的一段插话。"

关于封建主义与资本主义交替的布尔乔亚理论,是否定资本主义中新质的特征,只承认发展的连续性和渐进性,排斥发展的中断及飞跃,排斥由一种运动形态向他种异质形态的转变。杜布洛夫斯基的理论,不由生产方法出发,而由分配方法出发,这显然是变成布尔乔亚的封建主义论。杜布洛夫斯基主张封建制度的特征,在于实物地租的形态。这在本质上,同布尔乔亚学者巴特洛夫斯基的主张,没有多大差别。巴氏主张只有领地与公社之间的经济的及国库的关联,是封建关联;并且认为人类的历史,就是资本主义的发达史。他说到中世纪的资本主义领地经济,说到罗马共和国晚年及帝国时代的农业资本主义,到处看见资本主义的凯歌,而错误地把资本主义估评为非历史的、永久的范畴,本质上否定带有支配及从属体制的奴隶所有制度与封建主义的存在。巴特洛夫斯基追随德国学者德普斯的后尘,否定封建主义的自然经济基础。源据这种布尔乔亚理论的见解,历史的一切都是和平的、有机的发展,而不知有震动和革命。

关于封建构成的马＝伊主义的学说,暴露布尔乔亚理论的阶级本质,正确估评历史发展量程,并由这种估评给予造出有科学基础的结论的可能性。

二、行会的生产方法

封建主义时代工业的支配形态,是手工业。手工业从农民经济的分出,含着工业与农业分离的意义。从生产者开始把用自己的原料造成的生产物卖给消费者的瞬间起,生产者就变成了手工业者。

都市是助长手工业生产的成长、助长交换及货币流通的发展的中心。封建都市,从人口说来,并不甚大。都市的发生,多在通航的大河口岸、良好的港湾的附近或商业路上。那种处所,在封建领主或寺院保护之下发生市场,由农村出来而从事商业或手工业的居民遂定居在市场的周围。这种经常的居民的形成,对于封建领主或寺院是有利益的,领主因征收居民的商业税而致富。小村落变成都会。居民充分地保有货币,战时帮助自己的领主,把自己由农奴状态解脱出来,最后完全脱离领主而自由。市民因为金钱的借贷,从领主方面获得许多特权,即解脱各种义务权、裁判权及为防备敌人袭击而建筑城堡权。都市的自由,由特别文书所确认了。领主努力引诱居民到都市来,用各种特许引诱其他封建领主的农民。

都市自由居民的社会分化，是很显著的。都市的上层部分、富裕阶层（城邑市民及布尔乔亚）、都市地主及家主，用尽种种手段，避免外来者和手工业的侵入，以保护自己的利益。都市中尖锐的阶级冲突不断爆发。加入基尔特——为了共同防御商业路上的攻击及获得各种商业的特权而组成的同盟——的商人，都接近于都市的豪族。随着时代的进展，基尔特获得了都市商业的独占权、商业监督权及对于基尔特会员的裁判权。

基尔特对封建领主的斗争成功了。各都市的商人，为了拥护自己的利益，组成个别的同盟。这在14世纪及15世纪特别发达。

都市手工业者都被组织在基尔特中，这是以排除竞争为任务的同一职业的手工业者的团结。手工业者相信只有在基尔特中可以保护自己的利益，避免危害和外部竞争。基尔特的组织有保护性质，它能消除那些想取得经济优越的企图，使各业都具有完全同样的生产条件。这些对于消费者，是保证避免生产上的滥用的。

凡是违反基尔特的生产规则的人，基尔特要加以压迫，并对于从事那种生产的手工业者加以处罚。店东（master）雇用的伙计（ioumoyman），必须经过徒弟（apprentice）的阶段。

只有在当地劳动力不足之时，才许雇用其他都市的劳动者。受着强力压迫的徒弟劳动，按照行规，只有在被严格限制的范围之内才能在手工业上使用；这种限制的目的，在于不使徒弟劳动充当伙计劳动（在学徒期间，劳动没有工钱）。基尔特的规定，严格取缔职业上的滥用（作违反良心的事情，认为是基尔特的耻辱），因为那种滥用会伤害生产者与消费者的关系。生产规定，带有对于物品制造的各阶段的强制干涉的性质。

手工业的技术，建立在手工劳动之上。简单的劳动手段，只有缓慢地变化和改良。在手工业上尽主要作用的，是手工业者的劳动，这种劳动需要长期的训练和经验，因继续旧日店东的事务，而达到一定的结果。经过徒弟阶段的手工业者，重复着由子传孙的不变化的工作形态。希望在店东下面变成伙计的徒弟，必须在工作的试验上表现出自己的熟练。在制造物品问题上，店东对于自己基尔特的职员有裁判权。

对于有限制的贩卖市场，对于消费者和订货人的工作规定着基尔特实行统制的必要,即树立一都市的生产物的生产及贩卖独占权,规定生产物的价格、数量品质及一切禁止和限制。手工业者过着闭锁的生活,过着盲从于自己手工业的利害的生活,组成特别的结社;店东和伙计或徒弟同地作工,同桌吃饭。徒弟作工只能得到衣食住,而伙计却可以从店东领受一定的工钱。手工业的劳动分工是原始的,手工业者是自己生产所用的生产手段的所有者。

恩格斯在《反杜林论》中说明封建社会的特征如下:"小规模的个人生产。生产机关,是适于个人使用的,因而是粗笨的、微小的,只能获得贫弱的效果。生产的目的,是为了生产者本身或领主的直接消费,在消费以外有剩余生产物时才拿去出卖而交换,所以商品生产是很幼稚的,但是其中已经包含着社会生产的无政府状态的萌芽了。"

在封建社会母胎内孕成的资本主义的作用,是在于集积分散的生产手段,使变为庞大的规模,而转化为巨大内生产力。

在各国的具体历史上,研究封建主义的发生发展和崩坏,以及这种构成与资本主义的交替,这是必要的事情。

第三节　法兰西的封建主义

一、自然经济的优势与大土地所有之形成

6世纪以来,在旧西罗马帝国的领土内,产生了一个罗马人及日耳曼种族之土地的统一的封建国家。在这个国家中,构成于以领地制度为基础的最典型的封建制度。

在罗马帝国领土中,到4世纪时,交换已经停滞,道路、要塞和都市已趋没落,生活已集中于农村了。从前积蓄的一切财产,都流入于农业领域。土地的占有使地主得到了权力、财富及其他特权。

当日耳曼各族住在罗马帝国领土时,自然经济关系更加占居优势。日耳曼人不需要罗马文明的成果,所以伟大的道路被毁坏,都市生活衰退,商业凋落。

当日耳曼族法兰克的酋长占领高卢时,首先占领了属于罗马国王的土地,往后又没收了若干地主的土地。于是,他们把大量土地收集到自己手中,把土

地当作远征时的酬赏,分给于自己治下的武士和奴仆,自己留下一部分作为自己本身的生产手段。

土地和动产由一人手中转到别人手中,使战败者牺牲,使战胜者致富。

当日耳曼诸国家统一在法兰克大强国"墨洛温克"(merovingian)(由5世纪中叶继续到8世纪中叶的法兰克的王朝)时,支配集团的势力,更加增大了。

国王、国王的亲戚及豪族的土地增加起来,同时寺院的财富由于赏赐、寄托和捐赠也增加起来了。

于是发生了大土地所有——王有地、世俗领地及寺院领地。往后,大地主就开始占领小地主的土地、公社的土地和荒地。

逼处于富强的邻人之间的小地主无力保持自己的独立,他们对于大地主逐渐陷入于经济的隶属状态,不得不把自己的土地让给大地主,而降居于佃农的地位。这种土地叫作分与地,因为取得这种土地,同请求有关系("Precaria"在拉丁语中,有请求的意思)。这种把土地作为分与地而使用的事实,盛行于6世纪到8世纪的墨洛温克朝的高卢。地主的一部分土地或荒地,时常是以分与地的使用形式分配于农民,使农民耕种。于是经济生活,在新的庞大土地上发展起来,大土地所有之经济的和社会的势力就形成起来、巩固起来了。

分与地的所有制,是从以下两种关系发生的:一方面,是想利用廉价的劳动力及庞大的未开拓的荒地,借以增加自己的收入;另一方面,如果没有强力领主的援助,便不能发展自己的经济——因为这种援助可以避免暴力和混乱。同时没有土地的人,也向大地主要求土地和保护。有时整个一个农村归于一个地主所有。但是,在许多情形之下,大地主的(世俗的和宗教的)所有地,在各种农村中,散布于其他地主的佃农土地之间,或散布于自由的小地主之间。对于后者一方面,大地主势力把自由的小地主分散的地面逐渐放在自己势力之下。总之,大土地所有与小农业结合,这是封建主义特征的要素之一。

二、农民和地主的相互关系

在大地主的领地中,主人的耕地所占的部分比分配于佃农的土地较少。大地主逐渐减少自己参加于生产的任务,而增大其为支配者和榨取者的任务。

由领地中分给佃农的土地,分为所谓曼斯(manse)的各种大小不同的(因地域和时代而不同)的地面。这种曼斯,是由宅地、耕地、葡萄田、野菜田、草地和森林构成的。由曼斯得来的收入,不但能供养佃农及其家族,而且保证他们缴纳租税和徭役。佃农的徭役是:用自己的马,耕种主人的田地,刈取、割打和收获主人田里的农作物,在主人家里或酿造场里劳动,用自己的马作各种事务,伐木掘沟,及执行其他种种义务。这些事务,每周需要三四日的时间。赋役之外,佃农还必须向主人支付自然物——大小家畜、鸟、酒、蜜、牛酪及其生产物。有时缴纳货币,代替自然物。

除去对于曼斯支付自然物及货币外,佃农使用主人的森林或草地时,也必须缴纳补足税。

三、农民的等级

所有的借地(担负纳税义务的曼斯),分为隶民(奴隶)、次民(或叫作农奴)及公民(或叫作贱民)的曼斯。法兰克国家时代的奴隶,大都充当手工业者、农业劳动者或奴仆,在主人家里做各种工作。奴隶的数量,因为来源的缺乏,和自由民变为奴隶而变为主人的奴仆之故,而非常急速地减少了。地主把奴隶作为佃农,安置在荒地之上。所谓次民,大部分是半自由者,是被解放的奴隶。公民是出让自己土地于地主的自由人。由此,地主取得免费的劳动,更加增大自己的收入。在邻接的土地中,隶民、次民及公民常常没有差别;隶民变成佃农,获得人格的自由,公民反而奴隶化,结局变为农奴(Villain)。农奴没有脱离地主的权利。农奴逃亡时,地主可以把他们寻找回来,再束缚于自己的土地之上。借地只限于一代,农民无权把自己的土地遗传于子孙;佃农的子孙,须地主支付特别租税,才能得到土地。

四、公社

农村中,各色人等的土地互相交错;隶民、次民及公民的曼斯,主人领地的地面,和自由农民的土地,混合一处,统一于共通的农业秩序之下。地主经济,同农民经济一样,都要实行轮耕制;这种轮流的程序以及耕种收获的时期都有一定,收获以后,耕地作为共同的牧场这一切,各色人等都必须遵守。

这种公社组织存在的必要，与地主的利害有密切关系。因有一方面，农民经济的能否安全实行与地主的收入有关；另一方面，借助公社自治之助，地主可以正确地征取租税及徭役。农业生产的技术，是以畜粪作肥料的三圃耕作法，役畜使用牛马。农业之外，畜牧和蔬菜的栽培，也同时发展了。

无论在世俗的和宗教的土地所有者的领地中或在王有地中，领地制度都是特征的东西。

五、政治权力的分散

领地之大小，各不相同。地主占领在从前曾是自由的公社的土地及自由的采邑地，把自己的土地扩大起来。大地主不仅使自己领地中的一切居民变成经济上的隶属者，同时又掌握了政府权力的许多机能。普通把自己土地交给地主的所有者，多少要放弃人格上的自由，在经济上受富裕地主的支持和保护。

法兰克诸王，同其他地主一样，也是大地主。他们把土地租给佃农，把很多的劳动者聚集在自己王有地中。法兰克王为加强自己的力量，组织军队。为使大封建领主完成行政上的事务，在一定条件下，暂时把封土颁给这些大封建领主。

大地主利用经济的和社会的势力，同时掌握了地主权。这种地主权，也由于特许而得到王权的承认。因此，豪族的领地，连同领地上的人民，也都从国王官吏的权力下解放出来。领主得征收领内的租税，组织警察和军队，并有裁判权。各地主的政治的独立因而增大了。封建领主越大，掌握的政治权力也越大。政治权力与大土地所有的结合，是封建主义典型的特征之一。

当对外发生危险时，国王虽能一时聚集土地和人民于统一的权力之下，但是危险一去，封建化的过程就更急进了。

六、法兰西的封建国家

4世纪，法兰克的一种族开始定居于高卢西北部。在5世纪，贺洛维克王征服若干日耳曼种族，占据罗马领土，法兰克的势力就扩张于高卢全部了。经过若干次分裂之后，米洛温克王朝（贺洛维克以后）在6世纪把分散的高卢统一在一个法兰克王国之下,这个王国就叫作法兰西。法兰克王国所实行的政治制度,是日耳曼制度与罗马制度的混合。国王掌握着政治权力,他是日耳曼族的酋长,又是罗马帝国的高卢领地的权力代理人。因为种族经济领域的扩张,法兰克诸王就废除日耳曼风习的旧民会的召集。国王每年召集武士聚会一次,这就叫作"三月野"。武士在这里聆听政府的法律和政策,这恰好尽了昔日民会的作用。

国王又召开豪族会议,解决国家问题。于是一切最高权力开始集中于国王之手。国王把法兰克国家的庞大领土分割为各州,各州由掌握该领土全部政治权力的侯伯所分配。

大国家的支配,需要大量费用。因此,法兰克诸王对人民征课直接税和间接税,征收军税和关税,并课取罚金。但因大地主不愿负担这些重税,结果,租税减少了。所以政府对于勤务,必须用土地作报酬。

七、王权的衰落

法兰克诸王,由于对近邻的战争,收集了大量土地,但是国王的力量也逐渐衰弱了。法兰克王,因为分配这些土地的缘故,丧失了自己权力的基础。对于王权的缩少有过很大的作用的,是变成独立领主的大地主的势力。

领有经济上和政治上隶属于自己的人民之大地主,通常都从国王手中获得地方行政的某种职务。他们以地方权力代表者资格,世袭自己的职务,事实上强制历代法兰克国王服从自己的意志。

于是,国家权力的没落、土地的枯竭及地方统治者权力的强化的过程就发生了。中央的残余权力,移入于管理土地及支配武士的宫相之手。随着时代的进展,宫相的职务变为最有力量富裕的地主的世袭物,其中一个代表者,最后废弃了世袭的、经济上完全无力的米洛温克王朝,在法兰西建立了新的加洛林王朝(Carlovingian)。

8世纪,加洛林王朝战胜阿拉伯人,击退外寇。新王朝的查理大帝,战胜近邻的日耳曼诸种族,加强自己的权力,更因征服意大利及并吞北起易北河多瑙河南至伊比利半岛北部的地方,把国境扩大了。统一旧西罗马帝国的领土以取得皇帝称号的查理大帝,想把罗马皇帝所有的无限制的权力复活起来。

加洛林王朝需要莫大的资金。查理大帝的祖父,僭取寺院的财产,把夺取的寺院的土地分给自己的将士,作为自己本身及将士的军马之劳的报酬。这种寺院财产的收夺,就叫作还俗化。

查理大帝施用中央集权的体制,派遣自己任命的伯(Graf)去统治各地方,派遣边境伯(Markgraf)去管理所谓马克(边塞)的边境领土。查理大帝把土地分给这种伯和边境伯以为报酬,使他们借这种土地的收入供养自己和将士。查理大帝又分给封土于一切将士。

这样,加洛林王朝一方面想加强国权,巩固自己大权;另一方面又把封土和地方统治于职务分给大地主,因而巩固了大地主的自由及政治的独立。

大地主取得保证其政治机能的特许。他们在地方行政上取得高等职务,同时又得到以军队力量保证自己支配权的"忠实"家臣的卫护。他们在自己领地中组织军队,取得势力和尊敬,得到莫大的收入,自以为是完全独立的大公。他们修筑城塞,为争夺支配权而互相战争,为获得特许和独立而与国王斗争。

在各种地方,都有一个大于其他领主的强大领主。他掌握极大的领土,这种领土给他以莫大的收入,并且使他成为数千佃农的主人。一切领土都陷于对这个大领主的封建隶属状态,这地方的一切贵族,都是他的家臣。查理大帝,只能暂时地抑制这种地方领主的远心倾向。而这种远心倾向,无论在世俗的大地主之下,或在寺院之间,却都充分成熟了。僧侣的特权,保证寺院领地中僧正的政治权力的特许,以及对于僧侣(不问其居住之场所如何)的裁判权等,加强了僧侣的力量,使它高出于国家之上。封建主义的基本要素,即是:自然经济关系的优势,农业的支配,大地主与小经济的结合,政治权力与大土地的结合,政治权力的分散等。这些,在8世纪到10世纪的法兰西已经成熟了,并且在11世纪至12世纪,封建主义也发展起来了。

9世纪中叶,法兰克王国根据查理大帝的子孙之间所缔结的威尔丹(Verdan)条约,分割为三个国家:法兰西、德意志及意大利。到9世纪末,从法兰西本身中,又分成七个国家。并且到12世纪,在法兰西领土中,建立了几十个封建国家,而事实上它们都是独立国。

第四节　意大利及德意志的封建主义

一、寺院的封建化

按照威尔丹条约而分离的意大利及德意志国家,继续着封建主义进一步的发展过程,这种封建主义是从这些土地属于法兰克王国的构成时开始的。

意大利封建主义的发展,由于各种种族频繁的侵入及当时寺院和教皇权在这里所有意义,更趋于复杂了。

5世纪以来,意大利遭受许多外敌的侵扰。东哥德、拜占庭、郎勃德、诺尔曼、萨拉森等,都相继入寇。他们占领伊比利半岛各地,在那里建立自己的国家。

到8世纪时法兰克的一个国王,由占领全意大利的郎勃德人手中夺回了包含拉温那及罗马的中部意大利的小部分。他承认教皇封于意大利的世俗权的委任状,并把这些土地放在教皇领地名义之下,让渡于西基督教教会首领的罗马教皇去统治。于是教皇不但是西欧万众应该服从的宗教上的最高权力者,而且掌握了世俗权力。查理大帝从郎勃德人手中夺回意大利(774年),并合于自己的王国,而未给教皇。教皇加帝冠于查理大帝,称为西罗马帝国之复兴,由此教权受到查理大帝的保护。

往后国王取得王冠,必须经过教皇之手,并且要根据所谓《君士坦丁帝的赠与》的伪文书。按照这种证书,当君士坦丁帝把首府移到东方(拜占庭)时,将把罗马帝国(以罗马为首府的)的西半部归教皇统治。

9世纪时,教皇为取得罗马帝国一部分以巩固自己的支配权起见,撒布伊西德尔布告的伪文书。这种文书,是西班牙僧正伊西德尔所召集的宗教会议的伪规定,及初期基督教时代的罗马僧侣的伪命令。在这种集录中,述说着这样的思想:僧侣不受俗界的裁判,他们一般是离国王独立的,并且教皇不仅对僧正有支配权,对国王也有支配权。教皇认为这些教令是真正的东西,因此主张教皇的权力是地上神之副王的最高权力,所以不仅僧正和教长应服从教皇,就是宗教会议和皇帝也必须服从他。

当查理大帝王国势力衰弱分散之际,教皇常常干预俗事。寺院占有庞大土地,在这种土地上构成典型的封建关系。寺院领地,由于捐赠、遗产继承及寄托而增大。在意大利土地中,教皇造成所谓"圣彼得领地",实行大规模的复杂经济。一般支配人和管理人记载居民缴纳租税的账簿,实行对于分受土地的佃农的计算。在寺院长及僧正的领地中,实行使用农民徭役的大规模经济。

封建时代,通常谷物经济尽了支配的作用,虽然在意大利也栽培葡萄、酿酒和制造橄榄油,并且在若干地方还实行牧畜,教会及寺院的领地比世俗的领地,其经营强度较大,劳动生产性较高,并且在这里早已顾到农业方法的改良了。

僧正和大僧正是大封建领主,使居民大众变成隶属者,同时和世俗的领主结成封建关系。宗教上的显官们和大地主过着同样的生活,从国王手中接受对于他们的勤务或官职的"封土",对国王实行臣下的宣誓。当分给他们土地或城市时,要实行赠与朝笏或链环(这是宗教上高官的象征)的特别仪式。这种仪式叫作封地式。于是国王就掌握支配宗教职务的权力,后来就开始贩卖它(宗教职务的贩卖叫作买卖圣职),并且这还变成国王收入的资源。僧侣的生活,与俗界的封建领主的生活简直没有两样。

教皇的国家分散在许多独立的封土之上。教皇和僧侣,参加于封建领主的一切烦细的纷争和阴谋。封建领主间为争夺权力、王冠、帝王称号而实行的斗争,时常由于教皇的干预而解决。

二、日耳曼民族的神圣罗马帝国之形成

10 世纪中叶,德意志的鄂图大帝(Otto Ⅰ,962—972 年)占领了意大利的中部和北部。鄂图大帝,获得皇帝称号,建立了"德意志民族的神圣罗马帝国"的大帝国。

往后意大利及德意志的政治运命,常常联合着。历代的德国皇帝,虽同治下的封建领主相斗争,但因为不断地向意大利的远征及对教皇的斗争,帝权日趋衰弱,反而加强了侯伯的力量。

因此,到了 10—11 世纪,德意志就分为许多独立的小公国。意大利方面,商业路上发达起来的都市,和教权同时获得相当的势力。

德意志和意大利的经济的社会的制度，是展开的封建主义体制。

第五节　英吉利的封建主义

一、诺尔曼人征服英吉利

不列颠群岛，距离罗马帝国北部极远。这不列颠群岛，是由凯尔特族的不列颠人而得名的。罗马人在纪元前 1 世纪时，才侵入这地方。罗马的征服者，在不列颠开掘矿山，采集海产物，配置罗马军队，建立都市（现在的伦敦），并成立罗马地主的大领地。但是道路的开发和都市的建设，主要是由于罗马人为要达到军事上的目的，以期容易占领不列颠。殖民的罗马人为数极少，所以凯尔特族的土人在罗马领属时代还没有拉丁化。

当日耳曼族开始侵入罗马帝国境内，而罗马人抛弃其远方州郡任凭日耳曼人移住及掠夺时，罗马军队就离开不列颠去防守高卢和意大利了。罗马人所抛弃了的不列颠，往后常受漂泊海上的日耳曼海上种族萨克逊（Saxons）及盎格鲁（Angles）的侵扰（5 世纪）。于是不列颠群岛发生斗争，结果，凯尔特族就被征服者驱逐到西北部去。在这次战争中，凯尔特人完全被粉碎被破坏了，凯尔特人的许多豪族都变成农夫或奴仆。外来的日耳曼人，彼此之间也时常发生战争。在不列颠岛上产生的日耳曼人的七个小国，直到 9 世纪才渐渐统一起来。

8 世纪以来，英吉利遭受诺尔曼人的侵寇。诺尔曼人与盎格鲁-萨克逊人同属于日耳曼族，他们住在丹麦及斯干底那维亚半岛。他们侵扰欧洲海岸，最后占领法兰西一省，并移往该处，因名之为诺耳曼底。他们在那里沾染了法兰西的风习。到 1066 年，后来以威廉征服王（William I the Conqueror）闻名的诺尔曼底侯爵威廉，击破了盎格鲁萨克逊，而成为英吉利王（1066—1087 年）。他夺取萨克逊的贵族、僧侣、寺院及自由农的土地，分给从征的功臣。于是英吉利的一切良好土地，都被诺尔曼人占领了。

威廉在所征服的地域中，地位并不巩固，所以他首先就要组织在危险时足以保护王权的军队。

在诺尔曼人侵入英吉利以前，英国已经形成了封建关系。生产力的未发达和经济的不安定,迫使农民脱离土地的长期战争,人口的增加,暴力,以及继承人之间的土地的分配等,结果引起农民大众的破产,使他们丧失土地、独立和自由。另一方面,盎格鲁萨克逊诸王的土地占领及大领地支配下的武士的土地分配,引起大土地所有的形成。

二、大地主的保护

在优势的自然经济状态之下,大地主为了分配自己的土地,不能不需求没有土地的人。地主把土地分为许多小块,作为以租税及赋役为代价的借地,分配于需要土地的人。

土地的必要及不断的不安,驱使没有土地的人或土地少的人,向强大的大地主要求土地和保护。大地主变成这些人的军事保护者,把他们放在自己的保护之下,这叫作"受寄托"。

当不断的战争及国家混乱的时代,要求这种保护的,不仅是没有土地的人,小地主也得要把自己的土地交给大地主,反而从大地主手中去租借土地——这是受保护的土地。主人一面保护自己的属下,同时要求他们用租税和赋役的形态或劳务的形态,完成随借地而来的一切义务。政府认为大地主是自己和人民之间的中间人,是现存制度的保护者。政府分给他们带有国家性质的权力,如警察权、裁判权及财政上的(关于课税)权力。

国王分配封土于治下的武士及寺院,同时又给以特许权,即对于自己分与地的人民的政治权力。因此,王权趋于衰落,即是因土地的赐予而丧失经济的支配权,因授予特权而丧失国家的威力。

威廉及其治下的武士,由封建制已具备一定形态的法兰西移到英吉利,并且把前者所实行的制度也移到后者来了。于是在盎格鲁萨克逊诸王时代开始的英吉利的社会关系及国家制度的封建化过程,随着诺尔曼人侵入,同时得到促其发展的外部刺激,并且这种外部刺激在英吉利的封建制上,给了许多特殊的特征。

三、领地的体制

威廉征服王,重新分配了所占领的整个土地。那时,他对于新地主或从前的少数旧地主所成立的关系,是封建关系。

威廉征服王,认定自己是英吉利全部领土的君主(Suzerain),扫除盎格鲁萨克逊时代所存在的一切复杂的所有形态,把一切所有者变为一时的地主。威廉征服王,不仅给地主以土地使用权,同时给他们以支配人民的权力。并且领地制度,获得进一步的发展。英吉利的领地是大领地,领地所有者,分受了支配属民的国权的一部分。居民的经济隶属状态、国权的若干机能之让渡于领主,以及对于他们的农村公社的劳动及劳动生产物的保证等事,使大地主能够对于中央权力负担军事义务,供献货币和自然物。

威廉一世,一方面扩大领地制度,他方面加强王权。从9世纪后半期起,英吉利发生了国家中心的强化过程。威廉一世,保存分割英吉利于伯领(earldom)的旧制度。这种领主,叫作州长(Sheriff)。州长监督租税的缴纳与军事义务的履行。威廉一世设立国王裁判所,受理地方法庭的不平事件。他为使家臣不易反对国王起见,把领地分为各别的区域。这样,他们的"领地",就不能成为一个完整的领土。在国家统治上,他要借助官吏及亲近的家臣。他时常召集家臣会议。

四、国王与封建领主的斗争

军事义务、普通租税与裁判税之征收,虽属于国家中央政府的特权,但是,那些随威廉一同到英吉利并帮助威廉占领英吉利的家臣,却不尽军事义务和国王所课的义务。封建领主与英吉利国王之间的斗争,充满了11—13世纪的英吉利史。在这斗争中,反对诺尔曼伯爵的、占有小领地的骑士所领导的盎格鲁萨克逊大众,表示同情于国王方面,他们认为国王是避免外来"主人"——大领主——的压制的保护者。斗争是互有胜负。在许多英吉利国王治世之下,诺尔曼的伯爵即英吉利与诺尔曼底的大地主,互相战争,虐待农民,不服国王的命令。封建的无政府状态,使中央权力衰退。

这种远心的倾向,被普兰达耐特(Plantagenet)的创立者亨利一世(Henry I)所消灭了。他采用许多方策,巩固了王权。他为了减少对于大家臣的依赖,废弃私人的军事义务,代以所谓"盾牌税"(Scutage 或 Shield money)形态的货币缴纳,颁布武器敕令(Assize of Arms),吸引占有小领地的骑士广泛阶层,编入军队。并且他用这种骑士作基础,去和封建领主斗争。一切自由民都能在国王命令之下,立刻武装起来。亨利二世又将司法权收归国王法庭,受理各地方人民的诉讼,建立陪审制。他召集官吏、僧侣及国王亲近者所组成的议会(Council)代替封建领主的大会。亨利二世主义,是加强国权,削夺大封建领主的政治机能,减弱大封建领主的势力,并获得新收入的资源。

往后,封建领主独立的愿望,在约翰王(1199—1226年)治世实现了。约翰王治世的对外情势,帮助封建大领主成功,约翰王因与法兰西战争失败,丧失了英吉利在法兰西的领土。他召集家臣大会,筹措大宗战费,苛征赏金及任意罚金等,使封建领主的土地荒废,因此甚至使僧侣都变为自己的敌人。

五、大宪章

约翰王在法兰西失败以后,再想募集作战费用,但伯爵们手执武器,起而反抗,终于使王屈服。英吉利的一切阶级,因为战争、苛捐杂税以及国王的专横与暴力,弄得疲惫不堪。1215年,约翰王不得不署名所谓自由大宪章(Magna Charta)。

发动这种运动的伯爵们,自然是注意自己的封建利害。他们不但要打破国王的专横以保护自己封建的利害,并且想把王权束缚在纯封建的范围之内。自由大宪章确认英吉利大封建领主的巩固权利及特权,巩固僧侣的权利,保护伦敦及其他都市的自由,拥护商人的利益,并给市民以自由。在大宪章的条文中,没有一条是和大封建领主的"身份制的"利害相矛盾的。

大宪章条文之一,这样写着:"兵役,特许税或捐助金,非经国会同意,不得课赋"。国会是"大僧正(archbishops)、僧正(bishops)、长老(abbots)及封建大家臣(earls and greater barons)"的会议。"伦敦市享有昔日的自由及自由习惯",其他一切大小都市(cities,boroughs,town)及港市(harbours),亦得享有自由及自由习惯。"自由民,非依其同辈适法的裁判或英吉利王国之法律,不得逮捕,监禁,剥夺财产,剥夺法律保护或放逐,以及用任何方法而加以侵害。朕不得侵害自由民,或命令侵害之。"

由25个伯爵组织委员会,监督大宪章的遵守。如国王加以破坏时,就实行用武力反抗。这种文书,根本上是为了扩张封建领主的利益,但是为要得到人民大众的拥护,所以有少数条文在某种程度上也保证着都市人民及农民的利益。这是成功地限制英吉利王权的英国最初的身份制运动。

六、国会的诞生

在英吉利最初形成身份制的代议制,是在约翰王的继承者亨利三世(Henry III,1216—1272年)时代。

亨利三世为了取得罗马教皇所约定的西西里王的王冠,就准备战争,大征租税,忽视大宪章中规定的国会的同意,破坏了大宪章。

封建领主及都市居民,又共同团结与国王相斗争。他们最初想用和平方法与亨利三世订约,可是失败了。于是他们在大封建领主即国王义弟西蒙捷孟佛尔(Simon de Montfort)伯爵领导之下,起而叛乱。国王军队与叛徒军队在路易斯开仗,结果,亨利三世及其太子都变成叛徒的俘虏。事实上,权力移到了孟佛尔之手。当时名为国会的议会,是由封建领主及高僧组成的,但是也有由伯爵领地及都市中选出来的代表参加,他们也参加制作新宪法(1265年)。

这种宪法,在英吉利政治生活上所添加的新东西,是全民支配的诱导。所以,自从1265年以来,英吉利的王权就受议会所限制,即受代议制所限制了。不但大封建领主及高僧参加议会,农村公社的代表者、伯爵的骑士,即中小地主也可以参加。在议会中没有代议权的,只是无权利的农民大众及都会贫民。

大事记年表

4 世纪　　匈奴人出现于欧洲。

5 世纪　　最初日耳曼王国之形成,法兰克占领加里亚,盎格鲁萨克逊人出现于不列颠。

5—8 世纪　高卢的麦洛温克王国之形成。

8 世纪　　阿拉伯人侵入高卢,加洛林朝开始,教皇领属之形成及其世俗权之开始。

800 年　　查理大帝复兴西罗马帝国。

9 世纪　　威尔丹条约(查理大帝王国分裂为法兰西、德意志及意大利),盎格鲁萨克逊七王国之统一。

10世纪　意大利北部合并于德意志，"德意志国民的神圣罗马帝国"之形成。

1066年　威廉征服王领导的诺尔曼人占领英吉利。

1215年　自由大宪章。

1265年　英吉利国会之形成(牛津宪法)。

问题

一、日耳曼各种族之散居于罗马帝国领土，其条件如何?

二、封建构成的基本标志为何?

三、何以农奴制与封建主义不是不同的构成?

四、关于封建主义—农奴制的论争，含有什么意义?

五、法兰克的大土地所有如何形成?

六、领地经济之组织如何?

七、在领地经济中，公社尽了什么作用，并带有怎样性质?

八、何谓农奴，其经济的及法律的地位如何?

九、在"自由地"、"分与地"、"恩赐地"及"封地"之间有何差异?

十、何谓寄托制?

十一、何谓特许，并引起什么结果?

十二、土地及地方官职之世袭化，引起什么结果?

十三、寺院的封建化在什么地方?

十四、盎格鲁萨克逊时代，形成怎样的封建主义之基本要素?

十五、怎样引起威廉征服王的土地分割，并在如何条件之下分配土地?

十六、威廉征服王及亨利二世，用什么方策加强英吉利王的中央权力?

十七、1265年的宪法，对于英吉利政治生活有什么新的诱导?

第八章　近东(拜占庭与阿拉伯)及俄罗斯的封建主义

当西欧形成封建制度及发生新种族国家时,在欧洲东南部,展开了所谓希腊人占优势的拜占庭帝国的东罗马帝国的历史;在小亚细亚及阿非利加,展开了建立新国家(哈利夫朝)的阿拉伯人的历史。拜占庭人及阿拉伯人的历史的趋向,商业交换及文化影响线,交相错纵,由地中海绵延到中国,由阿非利加绵延到窝瓦河沿岸。因此,到7—9世纪,在东方两大国家——拜占庭帝国及哈利夫朝之间,引起了激烈的斗争。这些国家内部衰弱的结果,两国的封建化以及来自亚细亚的塞尔鸠克土耳其、渥斯曼土耳其侵扰的结果,促进拜占庭及阿拉伯哈利夫朝之崩坏与灭亡。

当研究本章第一节时,应说明下列各问题:

(一)阿拉伯哈利夫朝兴起之原因如何?

(二)在拜占庭与阿拉伯哈利夫朝,带有怎样的封建主义要素,并且是怎样发展的?

(三)封建主义时代,拜占庭及阿拉伯人之历史作用如何?

许多俄罗斯的布尔乔亚历史家,以为西欧和俄罗斯历史发展的道路是不同的。

按照他们的意见,这种差异可以用俄罗斯没有封建主义一事来证明。19世纪后半叶,俄罗斯的民粹派由这种命题出发,得到更发展的结论,主张俄国在其发展上一定避免工业资本主义阶段。马克思主义者反对这种见解。伊里奇在1894年写的论文《何谓人民之友》书中,对俄罗斯史给以马克思主义的说明,指出俄罗斯也有过西欧封建主义的社会制度。往后,布尔乔亚历史家马洛夫·西里曼斯基以及马克思主义者巴克洛夫斯基的研究,在俄罗斯的名称中,发现了以封建主义为特征的诸关系。

当研究本章第三节时,应注意下列各问题:

(一)在基辅鲁斯,形成了怎样的封建关系的诸要素?

(二)在东北鲁斯,形成了怎样的封建主义之社会、经济的诸前提?

(三)东北鲁斯领土中的经济单位之孤立化,引起怎样的政治结果?

(四)生产的封建领地体制之特征如何?

(五)在生产手段分配的基础上,发生怎样的阶级矛盾?封建领地体制的支配时代,阶级斗争,采取如何形态?

(六)俄罗斯的封建主义,在其发展上,带有怎样独特的特征?

第一节　拜占庭的封建主义

一、拜占庭帝国的成长及其商业

自从罗马帝国在 4 世纪时分裂为东、西罗马帝国以后,东罗马帝国,因袭用希腊时代新帝国首都君士坦丁堡的旧名,而称为拜占庭帝国,约存续了千年之久。在 5—7 世纪时,拜占庭帝国,几占有地中海全部海岸。巴尔干半岛、小亚细亚、爱琴海群岛、西西里海岸及埃及等,都隶属于拜占庭帝国的版图;到约斯丁尼奴斯帝(Justinianus)时代,连意大利也加入了。

站在东西洋商业路上的拜占庭帝国的地理位置,对于这个帝国,是最为便利的。拜占庭帝国,吞并了丰饶的罗马东部州郡,同时掌握了小亚细亚半岛的牧场,埃及的谷仓、绒毛和丝绢,以及经由叙里亚和美索不达米亚东洋诸国而来的绒毛丝织物与各种部门的手工业生产物之最重要的商业路。因此,拜占庭帝国成为广泛的商业中心地。拜占庭帝国首都君士坦丁堡,因为得到博斯破鲁斯海峡的地利,形成许多商业路的交叉点。亚细亚、阿非利加、意大利及西班牙的商品,都在这里汇集或分散。对于中国和中央亚细亚的交换线,以及对暹罗和印度的交换线,都经由叙里亚和红海而延长了。

二、拜占庭的封建主义

拜占庭对外贸易的发达,使参加贸易的人蓄积了极大资产。这种资产,逐渐移入于农业领域。此外,一切属于中央集权帝国之膨胀官僚机关的官僚们掠夺人民,往往掌握大量资产,并用来投资于土地,因为土地占有,是最便宜的财富投资场。拜占庭的富豪,大部分是地主。因此,形成了大土地占有。租税的剥削、农村人口的重压和贫困等,造成这种大土地占有的成长条件。这些农村人口,因为土地的缺乏和贫困,不得不向大地主租借土地或作债务奴隶,以寻找出路。大地主的豪族一面买集土地,同时又没收农民土地以作负债的担保,借以增大自己的领地。大地主大部分是不在自己领地中作私人经营,而是把土地分给农民,由他们身上取得租税和义务。

在拜占庭,不仅官僚和官僚中的豪族是大地主,就是僧侣们也集中了大量土地。8世纪初叶,拜占庭帝国的土地之半数,几全为教会和寺院所占领。

8—9世纪时,政府分配土地于军事移民,因为要借军人的力量抵抗各种族——斯拉夫、保加利亚、伯健耐克;波罗维兹、阿握——的侵寇,以保卫拜占庭帝国国境。

当政府分配土地于军事移民时,土地的大部分是颁给军事指挥者的。所以到了八九世纪时,大领地就形成了。大地主利用一切机会,牺牲占有小土地的邻人,以扩大和增加自己的领地。最后,常有许多占领小土地的被压迫的农民,为避免国家租税及各种义务的重负,而投身于地主保护之下。

到了11世纪,拜占庭帝国的经济作用和对外势力都衰落下去,因而促使帝国的衰弱与灭亡的封建化过程,也日益加甚了。

当时大领地的分封颇为盛行。受封地的领主,不能不为自己治下的农民向国家纳税。当国有地分封净尽时,皇帝又开始把农民公社的土地来分封于臣僚。封建领主又分割自己土地,作为条件的使用地,分给于自己的属民。于是在拜占庭帝国,就形成了带有农业的优越作用,大土地占有,农奴的农民,隶属及依存的体统制度等典型的封建关系。

三、拜占庭与邻近诸国的斗争及其灭亡

拜占庭帝国,虽然避免了日耳曼族的侵扰之主要道路,但是,另一方面却不断遭受其他民族的攻击,这些民族是被民族大移动驱逐出来的。

5世纪,哥德人和匈奴人侵犯拜占庭帝国的领土,但都被帝国击退了。6

世纪末和7世纪初,拜占庭东与波斯及阿拉伯战争,北与阿握及斯拉夫战争,西与郎勃德战争。7世纪初叶,波斯人把拜占庭和包括巴勒士登(Palestrina)的叙里亚与埃及的联络截断。后来这些领土虽归于拜占庭帝国之手,但到这世纪末叶,又被阿拉伯人占领了。拜占庭帝国,在北方又受斯拉夫的压迫。拜占庭皇帝对于斯拉夫人袭用罗马帝国的政策,把边境土地交给斯拉夫人,使他们保卫国境,防御新种族侵入。于是斯拉夫人就逐渐移往于巴尔干半岛,到7世纪时,在该半岛北部,建立了保加利亚国。8世纪时,拜占庭帝国约丧失其领土之一半,东部的州郡,被阿拉伯人所夺取,巴尔干半岛被斯拉夫人及保加利亚人所占领,意大利被郎勃德人所夺取。

拜占庭帝国,虽然丧失了自己的领土,可是帝国的市场却增大了,反而引诱拜占庭帝国领土内的新民族经营商业。

拜占庭位于东西洋主要商业路道路之上,这种地理位置使拜占庭帝国能够掌握地中海的商业对于高加索的商业,占据重要地位,在"由瓦列克到希腊"的大水路上,也演了特别作用。所谓"由瓦列克到希腊"的大水路,即是由北欧经过波罗的海(Baltic)沿东欧平原诸大河南下而达于黑海及博斯破鲁斯海峡沿岸的水路。这些商业关系,促使邻近诸民族都感受拜占庭帝国的文化影响。拜占庭帝国,把它的文化、宗教和文字,传播于生在巴尔干半岛的南斯拉夫人,传播于巴尔干半岛的保加利亚人、东斯拉夫人以及得尼热普洛河(Dnieper)附近的瓦列克=斯拉夫的国家。

11世纪,塞尔鸠克土耳其占领阿拉伯哈利夫朝的领土,更向西而吞并拜占庭的小亚细亚的大部领地。为东方所摒斥的拜占庭帝国,失掉了商业上的媒介作用。同时,与拜占庭帝国同时发展了的西欧的商业资本,也失掉了与东方直接交换的可能。往后十字军——为了从土耳其夺回巴勒士坦而屡次远征该地的骑士军队——为夺得往来地中海的最短商路,又和回教徒相斗争。在这次斗争中,拜占庭帝国灭亡了。十字军在第四次远征时,瓜分了拜占庭帝国,建立了封建的拉丁帝国。

巴列渥洛克朝(Palaeogen)的拜占庭帝国之复兴,为期甚短。14世纪,拜占庭帝国,遭受渥斯曼土耳其的侵寇,到15世纪的1453年,在土耳其人占领的拜占庭及东阿拉伯哈利夫朝的废墟上,建立了土耳其人苏丹大强国。

第二节　阿拉伯人的封建主义

一、阿拉伯人及其征服地

当日耳曼人在欧洲建立国家时,阿拉伯方面也在 7 世纪前半期发生了新国家组织。阿拉伯是不适于定居生活的沙质的庞大不毛之地,伯顿族的游牧民在这里追寻牧草,饲养畜群。只有阿拉伯半岛西南岸狭小地带的也门(Yemen)棕树丛生,阿拉伯人就定居此地,建设都市,经营商业。他们分裂为互相反目的各种种族而生活。

往后,农业商业与手工业发达起来,生活发生变化,就与从前游牧种族及氏族的原始父家长的分散生活相冲突了。定居于农业地带的民族,对于游牧民族是深闭固拒的。在阿拉伯的不毛之地,农业发达,采取应用集体劳动去维持并扩大灌溉制度的田野耕作的形式。这些经济任务,只有在掌握强制机构的强力国家存在的情形之下,才能完成。这种国家发生了,7 世纪新发生的宗教——回教(回教在阿拉伯语中是"托身于神"的意思),就是一种强制机构。[①]

新宗教——回教——的创立者,是谟哈默德(Muhammed,死于 632 年)。他几乎把全部阿拉伯统一在一个宗教和一个权力之下。在许多种族中,只有一部分承认他,另一部分是被威胁而服从的。长期的战争与新土地的占领,结果形成了游牧民转移于农业文化的必要条件。手工业和商业的发展,引起新征服地的必要。这种新的征服地,是在为回教而斗争的口号之下进行的,而实际上的目的,是为了获得农业经济的新土地,扩大商业与发展手工业的新市场。谟哈默德的继承者"哈利夫",占领新土地,传播回教于阿拉伯以外,传播于许多东方民族之间。

阿拉伯人征服的成功,一方面由于世界商业中主要竞争者拜占庭及波斯之衰落所决定,另一方面由于阿拉伯人在征服以后实行的政策所决定。阿拉伯人在所征服的地方,最初另造军营居住,不与被征服地人民相融合。他们一

---

① 关于回教的详细说明,可参看第十一章"封建社会的意识形态"。

方面从征服地中取得收入,同时还照旧保存被征服地的制度;但到后来,阿拉伯人加入于地主及商业阶级,因为人少的缘故,就与当地土著相融合了。

回教侵入叙里亚、巴勒士坦、美索不达米亚、波斯、中央亚细亚(包含布哈拉的土耳其斯坦)、埃及、北阿非利加、小亚细亚各都市,及地中海各岛。最后到8世纪末叶,又企图扩大势力于欧洲,而侵入意大利(萨拉森)、西班牙及高卢。在欧洲大陆方面,阿拉伯人只占领了伯列宁半岛。他们在高卢方面,被法兰西人逐退了。可是,阿拉伯人由于占领叙里亚和埃及,就得到了重要的东洋贸易路和谷仓;又由于占领其他领土,就得到了阿拉伯沙漠中的过剩人口所必需的市场和土地。

到8世纪,阿拉伯人在一切征服的地域中,建立了大帝国(哈利夫朝),其首领为掌握世俗和宗教两种权力的哈利夫。阿拉伯人统一庞大的领土,扩张商业交换的范围到空前的规模,掌握一端达大西洋他端达太平洋的中国沿岸的商业道路。到9世纪时,阿拉伯商人更侵入伊比利半岛及中国、阿非利加及巽他群岛(荷领印度)印度及东欧平原。阿拉伯语,变成全哈利夫领属的东洋各国的支配语,到现在,它还是一切回教徒的国际语。阿拉伯人在这种征服的路途上造成新都市,即造成广泛的商业上根据地。于是,在非洲建立开义罗和突尼斯,在西班牙建立克德瓦,在波斯建立白格达,在土耳其建立撒马尔罕。

阿拉伯人从东洋驱逐了拜占庭,几乎支配了罗马帝国旧领的全部。到8世纪末叶为止,这个大强国的中心地,是叙里亚的都市大马士革(Damascus),往后到了奥马亚朝,才由回教圣都麦加迁都在这地方。从8世纪中叶起,波斯发生民族运动,因而引起纷争,奥马亚朝就为阿巴斯朝所代替,并且把首都移到了白格达。在这次纷争中,白格达的哈利夫朝,丧失了繁荣的边境的领土,西班牙,而亡命的奥马亚朝,却在西班牙建立了独立的克德瓦哈利夫朝(这是由伊比利半岛南部的首都克德瓦而得名)。不久,白格达哈利夫朝,又分裂为两个哈利夫朝,即阿非利加哈利夫朝和埃及哈利夫朝,并且以后波斯也由白格达哈利夫朝分离了。

二、阿拉伯人的封建主义

哈利夫朝征服了庞大的土地,把这些分封于臣仆、僧侣及信仰回教的被征服的东方民族的豪族。哈利夫领土的各部分支配权,归哈利夫的特别总督所掌握。东方封建领主及领地所有者,同西欧一样,掠夺小地主或占据新的无主土地,以扩大自己的领地。丧失土地的居民。陷于隶属于领主的状态,缴纳租税和履行各种义务,丧失自己人格上的自由,而变成农奴。往后,无论在白格达哈利夫朝,或在克德瓦哈利夫朝,阿拉伯人哈利夫朝领土的封建化过程,都引起领地及地方官职的世袭化。最后,到了 11 世纪,更引起哈利夫朝在政治上分散为许多小独立领地。封建的分散化,把白格达哈利夫朝细分为波斯"王"、布哈拉"帝"及叙里亚"皇帝"等独立领土。

这种封建的分化过程,到 11 世纪中叶,又使克德瓦哈利夫朝分散为数个独立公国;到 11—12 世纪,在旧日哈利夫朝领土中,更形成了数十个分散的国家及数百个小封建领主。统一这些分散国家的企图,暂时形成了大国家单位,例如埃及的哈利夫朝(10 世纪)、葛子尼的哈利夫朝(10 世纪——阿富汗、波斯、印度)及西班牙的哈利夫朝(12 世纪)。但是,封建化的过程,更引起这些国家组织向分散的封建单位之新的分裂。

三、哈利夫朝的衰落

由 11 世纪 50 年代起,新民族就开始侵扰哈利夫朝的东部领土。最初有塞尔鸠克土耳其的侵袭,后有蒙古的进扰,更后又有渥斯曼土耳其的攻击。这些民族,都皈依回教,掠取哈利夫朝的土地,以建立自己的国家。塞尔鸠克土耳其,最初夺取哈利夫朝的边疆国家(阿富汗、印度),往后又占领白格达哈利夫朝的中心地(波斯、美索不达米亚),夺取拜占庭帝国的全亚细亚土地,最后占领埃及哈利夫朝的土地。塞尔鸠克土耳其大强国,不久分裂为许多互相反目的封建领土(汗国)。13 世纪,蒙古侵入笛格里斯河,占据亚细亚的大部分——土耳其斯坦、阿富汗、印度、波斯及美索不达米亚,把白格达哈利夫朝破坏无余。到 14 世纪末叶,全亚细亚的拜占庭及塞尔鸠克土耳其的领土,都被渥斯曼土耳其所吞并;到 15 世纪,建立了渥斯曼土耳其大强国,它占领了巴尔干半岛及东哈利夫朝的领土。15 世纪末叶,姆阿人(封建时代的回教徒即叫此名,西班牙的阿拉伯的亦叫此名),最后被西班牙人由伊比利半岛扫荡出去。于是,阿拉伯人,把那独特的文化的丰富果实,当作遗产留给世人之后,就退出了历史舞台。①

第三节　俄罗斯的封建主义

一、斯拉夫人的散布

当日耳曼人侵入西欧（罗马帝国）领土时，斯拉夫人、匈奴人及立陶宛人各种族，已定居于欧洲东部。4世纪末，斯拉夫人居住地扩张到波罗的海、维斯都拉河流域、多涅波河中流及普利彼得河右岸。南方斯拉夫人居住地的境界，是特尼斯特尔河、波格河上流及喀尔巴阡山脉之侧。4世纪及其数后世纪的民族大移动，使斯拉夫人居住地的境界，逐渐变迁。加入于一般移动的斯拉夫人，离开旧日的居住地，向各方面移动。4世纪，有许多斯拉夫种族，与游牧民匈奴人同时南进，占领巴尔干半岛（塞尔维亚人、克罗瓦特人等）；其他各族就向西侵入东日耳曼人土地，并把东日耳曼人（捷克人、波兰人）逐到易北河；最后，斯拉夫移民的第三部分，就向东侵入了。斯拉夫人在窝瓦河及喀马河流域，遇见土耳其族的芬兰人及保加利亚人，一部分和他们同化，一部分被逐到北方，而移往于东欧平原。

5—6世纪时，许多土耳其民族越过黑海南部草原，而迭相侵扰。

5世纪，保加利亚人向南移动，但被阿握人驱散了，其一部分侵入拜占庭帝国领土，与斯拉夫人混合，在巴尔干半岛建立都那＝保加利亚王国（9世纪）；其他一部分，被阿握人驱逐到北方，在窝瓦＝喀马河流域，与芬兰人混合，在9—10世纪，建立保加利亚王国。

7世纪，在欧洲东南部，出现了土耳其系统的新民族——霍沙尔人。他们在那里巩固自己的支配权，防卫由亚细亚游牧民的侵入，帮助斯拉夫人扩张定居于黑海南部草原。南斯拉夫人，隶属于霍沙尔人，向他们缴纳贡税，以他们为媒介，同东洋各国、阿拉伯及拜占庭帝国实行贸易。

9世纪，斯拉夫人的殖民地，在现在苏联的欧洲领土中，扩张于南部及北部。斯拉夫人各种族，住在俄罗斯平原的诸大河流域；波兰人住在多涅波河附

---

① 参看第十一章"封建社会的意识形态"。

近,德来夫列宁人住在普利彼得河附近,瓦喀人住在鄂喀河附近,茵萝斯拉夫人住民莎克斯那河及茵萝湖附近,此外许多种族,住在其他各大河及其支流附近。

人口最稠密的地方,是当时"由瓦列克到希腊"的大商业水路,即是由波罗的海到黑海的水路。在多涅波河、西都那河及茵萝湖附近,产生了都市。斯拉夫族沿着这个商业路,形成小殖民地而散住着。

由波罗的海达乌拉的北方斯拉夫邻人,是芬兰族的利瓦人、埃斯特尼亚人、鸠特人(波罗的海沿岸)、威斯人(白湖)、麦尔人、姆伦人(鄂喀河)、捷列米斯人及莫尔顿人(窝瓦河)等;在东部,是保加利亚人(窝瓦河)及霍沙尔人(窝瓦河下流、顿河、喀克萨斯及克利米亚半岛)。由西波罗的海到南尼曼河沿岸,住有立陶宛族的普鲁士人、立陶宛人及拉多维亚人等。9世纪,在东欧南部草原中,掀起游牧民——乌哥尔人(匈牙利人)——的新波动。伯捷克人,随后袭来,把斯拉夫人由顿河、多涅波河南部、南波格河及亚速海的草原驱逐出去。北方的斯拉夫人,在9世纪时,常遭受外来的种族的侵扰,但这次入寇的民族,是日耳曼族,是由斯干底那维亚出来的诺尔曼人(瓦列克)。诺尔曼族的酋长及其将士们侵入西欧各地,夺取土地,建立独立公国。在北方,诺耳曼人经过波罗的海而达到能与东洋各国相交换的"大水路"。他们在这商业路上征服和掠夺斯拉夫族,并课以贡税。斯拉夫人与诺尔曼人,在其从游牧民族把商业道路解放出来这一点上,利害是一致的,所以他们在这种斗争上,结合起来了。结果,至9世纪时,诺尔曼的康奴格(武士团的指导者),就变成俄罗斯国家的创立者。于是,在北方建立诺弗罗公国,在多涅波河沿岸建立基辅公国。

二、东斯拉夫人的氏族制度及其崩溃

当许多斯拉夫种族散住在东欧平原时,还是在氏族制度的条件之下生活着。氏族是繁盛了的家族,它掌握土地,开垦新的未耕地及荒地,共同耕作。氏族首领,是氏族的长老,氏族首长或选出的长老。一切事务,都在氏族全体人员所构成的亲属的一般会议中决定。当转移到定居生活时,氏族在新地方同其他氏族的残存者相冲突,外来者常常加入氏族。结果,破坏在氏族血统结合上所构成的氏族组织,而发生了一种不由血统关系结合而由一个领土和一个物质利害而结合的社会。于是氏族制度崩坏,让位于邻人的公社;这种公社的巩固性,可以由农业技术来说明。

在实行采伐农业的情形之下,只有用共同的集体劳动,才能从掩蔽东欧平原的苍茂大森林中造成农业用的耕地。砍伐树木,烧芽断根,都是必要的工作,这些工作,必须公社全员共同协力去做。

外来的危险,促使邻近的氏族统一为小同盟,这些同盟再结成更大的种族结合。

三、基辅诺弗哥罗的鲁斯

最紧张的生活,是在多涅波河沿岸的基辅鲁斯及诺弗哥罗北部发生的。这些地方,是向东方各国实行贸易的终点;从这里,把在国内搜集之毛皮、蜂蜜、蜜蜡和奴隶,贩卖给东方各国、拜占庭、保加利亚及其他国家。

12世纪末叶以前,是东俄罗斯平原的斯拉夫人历史中的基辅诺弗哥罗时期。这个平原的居民的基本职业,是狩猎、制造毛皮和养蜂。这些产业,是由这平原的丰富的自然环境所产生的。农民从事农业。牧畜也非常发达。当斯拉夫人的基本大众,把自己生产物的一部分,用自然物租税形态缴纳于公侯及其将士时,公侯们就把这些生产物输出于东方各国,因而掌握着有利的对外贸易。往后,游牧民族屡次中断基本的商路的结果,对于东方各国及拜占庭的贸易就开始衰落了。到了波罗维兹不断侵寇的时代,公侯及其将士们就丧失了自己物质福利的基础;因为地方分立,而失掉了租税,因为输出不良而减少了收入。于是他们不得不寻求新富源——土地和农业。所以11世纪以后,公侯开始经营农业了。贵族、商人阶级所积蓄的大量资产,都移到了农业领域。这种经营,是用奴隶劳动进行的。在11世纪和基辅时代,与公侯的土地占有相并存的,还有贵族的土地占有。贵族的村庄和邸宅,是由于占领荒地和农民土地的结果而构成的。与贵族的土地占有并存的,还有寺院和教会的土地占有,这是私人寄托和公侯寄托的结果。无论在贵族土地中,或在寺院土地中,都是一方面使用奴隶劳动,同时还使用农民劳动,即是对地主负债并须偿还债务的半自由劳动者的劳动。

　　11—12 世纪时,鲁斯的大地主逐渐把自由农民作为自己的隶属者了。在农业发达的初期阶段,使用奴隶劳动是没有利益的。当时还不能造成大农业经营。因为要开辟耕地,首先就要垦荒伐林,在这种情形之下,要想易于作成这些工作,就必须把土地划分为许多小块。地主把自己的奴隶束缚在这种划分的小地面上,这样好像是把这些奴隶由纯粹奴隶状态解放出来了。但在另一方面,需要租借农具和资金的自由农民,因为由地主手中取得这种土地,而丧失自己的经济独立和自由。于是农民的各种范畴间的差异,都均等化了。

　　这种经营,是用大家庭的共同力量来进行,这种大家族叫作"公炉"(即家族共同体),在"公炉"中没有私人的占有。往后这种大家族分裂,"公炉"崩坏,在农村中引起了阶级分化。一部分人占有广大土地,另一部分却是没有土地。在子孙多的家族中,土地为之分散;在继承人较少的家族中,大分配地还能保持着。因为土地广大的缘故,可以用新的"开垦"——在新占领地面的树木中设立标帜——来补偿耕地的不足。

　　农业的经营方法是落后的。那种经营形态,无须复杂化,因为未占领的大地面尚能长期供给人们以耕地。农业的基本形态是采伐农业,这种农业形态骗使农民寻求新土地,渐渐由多涅波河沿岸移到腹地。

　　住民大众之向北移动,不单是由于经济的原因,同时还由避免于游牧民族的侵入。由亚细亚侵入的蒙古系统的伯捷耐克人及波罗夫兹人,蹂躏了丰饶的多涅波河沿岸,并且还使它荒废了。人口的一部分,与游牧民战斗而死亡;一部分因公侯间的战争而死亡;一部分变为战胜者的俘虏;一部分离开草原,而走入深林地带。

　　于是,基辅鲁斯趋于荒废,到 12 世纪中叶后,就移居于新领土,因而斯拉夫人口又重新分散了。这种分散,向着两个方向进行:一方面走向西南的边境,达到喀尔巴阡山脉的波格河及多涅波河地方;另一方面走向东北边境,即鄂喀河及窝瓦河上流地方。

四、东北鲁斯之殖民与分封地之形成

　　东北鲁斯之物理的、地理的条件,不及多涅波河沿岸的西南鲁斯。在富于黑土的南部平野一带,有几百年的森林和贫瘠的土地。这是形成居民的基本职业的条件,这些职业即是采伐农业、手工业、狩猎、养蜂及渔业等。大小河川,横断密林。人们顺着河流移动,定居沿岸地方,组成自己的公社。农民的居住地,是由密林掩蔽不能通行的溪谷所划分的。鄂喀河中流和下流及窝瓦上流和中流的一带地方,叫作苏兹达尔鲁斯或乌拉几米尔＝苏兹达尔公国(东北鲁斯);其领土包含着沿克列兹马河、莫斯克河及鄂喀河支流的地方,以及沿莎克斯那河(达白湖)与哥斯得罗马河(达北部那系河川的分水界)的窝瓦河中流以北的地方。到 11 世纪末叶止,俄罗斯领土的这些边境地,完全是僻静的人口稀少的地方。芬兰人居住地,与斯拉夫人同时散住在森林中。斯拉夫人,因为散住于芬兰人之间,就把芬兰人逐到北方,或者使他们同化。到 12 世纪止,东北鲁斯还是与经济政治中心地相隔离的边境地方。

古代文献上说,人类的居住地,因为"大而险的溪谷和许多森林苔苏以及不能通行的沼泽"的阻隔而互相分离了。自然环境,把人类居住的地方分散了、隔离了。13 世纪时,由于鞑靼人的袭击,更加强了这种过程。由亚细亚内地侵入的游牧部落,变成大群,布满于斯拉夫人的土地。鞑靼人掠取居民的土地,奴使居民。于是,多涅波河沿岸终被鞑靼人所荒芜了。该地居民,不能不避入深僻辽远的森林之中。

由于地理的经济的原因以及对外性质的原因(鞑靼的侵寇),结果在鲁斯经济中发生了经济发展的两个倾向的斗争。一方面,是自然化的过程,即货币经济变为自然经济的过程,是鲁斯一切领土变为孤立部分的转化过程;另一方面,是商品经济的倾向在封建关系的母胎内渐渐发达的过程。

东北鲁斯的殖民,继续到 14—15 世纪。殖民之外,同时制定苏兹达尔鲁斯对于各地的支配及领有的新秩序。

在基辅鲁斯,当支配阶级(年长者轮留)内部的共有的氏族制度实行支配时,而北方的苏兹达尔,土地之世袭的占有,却已经在各公侯及地主的完全私有权之上显现了。

北方公侯之政治的及经济的活动的目的,在于取得大宗的收入,所以在显著程度上使用了殖民的方法。他们造成自己的领地,建筑城堡和宫殿,开拓市场,结果把土地变成私有财产,变成自己的领地。

五、大公及分封公

广大的东北鲁斯,在 11 世纪及 12 世纪时,还有一个统一的公国。到 12 世纪前半,该地因分割于大巢公佛塞渥洛特及其子亚洛斯拉夫等之间,就分裂为许多大公领:乌拉几米尔大公领、莫斯克大公领、特威尔大公领及连萨大公领。这些大公领,又分割为较小的公领。扩大的公侯家族,把领地分为各个米尔,归大小公所统治。小公隶属于大公,互相结成攻守同盟,在战时实行军事上的援助。小公纳贡于渥尔达,须经由大公转纳(因为小公没有同渥尔达独立交际之权)。在其他一切事务上,所谓小公,是自由的独立的,他们在自己公国的内政上,完全独立。他们可以把自己的公国分给子孙,把土地或土地的一部分当作遗产留给自己的亲戚、寺院或其他各公。

封公在其公领内,有许多土地和工作场,吸引大部分的农村人口来执行各种事务和义务,大规模地发展自己的经济。王公变成大家长,把自己的公国看作家族经济或世袭经济,分割于各继承者。王公本身的增加及公领分割之结束,各公国遂变为极小的领域,有时比贵族领地都小。许多分封公,就其领地大小说来,与领主、地主相似;并且他的生活,不消耗于裁判和统治于自己经济的管理,这一点也与领主相似。爵的周围,是替他管理复杂经济的各种部门的人们;此外还有管理一切耕地的家仆、鹰夫、马夫和猎夫等。

分封公不但在自己私有地上是权力者,并且在自由的农民公社中,也是权力者,而向他们征收贡税。分封公有裁判权、铸造货币权等。

与分封公同时存在的许多小公,只占有极小的分与地。这种分与地,各贵族领地相同,离大公的权力独立,只有对于自己属民的裁判权和征税权,是由大公保留的。土地之分割为小分封地,开始于 14 世纪,尤其是在 15、16 世纪,随着公领的形成,而急速发展起来。

由于对外贸易的衰退,赋税的繁重以及大小公之间的斗争,因重税和内战所引起了俄罗斯土地的贫困化,使得公爵们对于自己将士的劳务不能用货币作报酬,而不得不把土地分给自己的贵族和家奴,借使荒地对自己更为有益,并得以各种形态去取得劳役(作为封土地的报酬)。贵族及公爵的家仆,自己发现荒地时,就移住那里。分封公也把自己的领地作为一时的条件使用地,分给自己的家臣和贵族。公爵常把庞大的荒地及人民居住地,给予寺院或教会。

六、贵族及官僚阶级

贵族同西欧的家臣(Vassal)一样,也是自己的公爵的自由家仆。他们的义务,第一是当军役,战争时率领自己的家仆和武士武装起来,以供公爵的驱使。这些关系,普通是由于承认"贵族自由"的条约所确认的,但结局这只是表示贵族有脱离王公的权利。"服役于公爵的人,不论到什么地方,必须跟随公爵。但是在我们的公爵之间,贵族和家仆却是自由的。"这种脱离权,虽然在条约上是被确认的,然而事实上,这种关系是由力量来决定的。强大的公爵,却毫无假借地把弱小的脱离者处死。

贵族除尽军事义务外,还要充当公爵的代言人,出席于贵族会议。但是,贵族并非一生都要服从于公爵,因为他们有权脱离自己的公爵,而对其他公爵尽贵族的义务。

在这种关系上,14世纪离去尼捷哥洛特公而移于莫斯克公的尼捷哥洛特的声明,确是一个特征。他说:"公啊,不要依赖我们,今后我们不属于你了,不和你同住了,而且也许来攻击你。"

这种条约关系,不外是家臣关系。寄身于公爵,在俄国也像西欧一样,普通只是所谓随请求仪式而来的寄托。贵族或寺院,常常和许多乡村同时寄托于公爵,受公爵的保护,变为受保护者、寄托者。贵族的子孙及小领主,也像贵族寄托于公爵一样,为避免暴力、重税、冲突和内讧,而寄托于公爵,不寄托于贵族。当贵族或家仆,向公爵"叩头"请求服务时,他们普通可以得到土地形式的扶助,或大部分服役形式的扶助(即西欧的恩惠地)。他们只有服务期间,才能得到土地。当家仆或贵族脱离公爵时,土地、村落及公爵给予的扶助,都归还于公爵。例如说:"在不服役于我的'在服务期间,村儿子时,村落是我儿子的,停止服役时,村落就被没收'。但是,因为无人居住的荒地甚多,所以贵族常常不依照条约,不经公爵的认可,就占领这些荒地。服役的赐予和'扶养',在鲁斯是非常普遍的。我们常常得到关于赐予的'扶养'的文件:'在某地给某人以扶养(即乡长)。他是我们的执行吏,你要服从他,尊敬他,而且收入也要给他。'"

　　地主常常寄托于新公,并与领土同时"离去",而旧公却努力使对于土地的权力不随勤务同时移于他人之手。在条约上记明:贵族领地,因"土地与水"而受裁判,即裁判与贡税,必须留给贵族从前住过的土地的公爵之手。这种随带领地的移转秩序,虽然遇到公爵方面的抵抗,但是,贵族带着领地而臣属于其他公爵的事实,仍然不断发生。这种随带领地的移转,自然是限于向更强大的公爵的移转,即只限于下述的情形:新公爵能保护土地避免旧领主的追索,或者能用新土地或勤务的赐予以补偿失去的土地。

　　强大的贵族或寺院的领地,须由公爵颁给特赐证书,这种证书和西欧的特许状有同样意义。依照这种证书,领地的土地不受市长的干涉及公爵的裁判。"市长和乡长以及乡长执行吏,不得侵入寺院长的范围。"

　　对于属民的裁判权和课税权,由于公爵的特赐证书而转入于贵族和寺院手中。这种证书,巩固贵族和寺院对于领地的现存关系。领主权直接与地主结合。

　　于是,13—15世纪时代,东北鲁斯的政治权力是属于贵族寺院及公爵的,依照分封公及大公的阶段而分划,并且这种权力,更与大小地主相结合。

　　在西欧方面,领主权以国王的官吏、男爵、伯爵(最大地主)之占有上层权力为基础;但在俄国,贵族和乡长没有变成公爵,公爵不但握有领主的权力,而且握有君主权力——国家权力。

　　经济的地理的分散,形成政治权力的分散条件,这在俄国和欧洲是一样的。自足自给的分散的各"米尔",根本上形成政治的孤立和自立。因为河川、沼泽、森林和丘陵的阻隔而互相孤立的公爵,在自己的都市中建造城壁。寺院和贵族,当自己的领地巩固之时,就不顺从于公爵。

　　贵族因为不断的内战而变成武士,他们时常武装起来,率领部下将士去参加战争。那些将士,住在贵族的"垦地"、农村或邸宅之中。

七、贵族领地之形成与乡村公社之公领化及贵族领化

　　贵族不单领有宅地,并且占有数千俄亩耕地与草原的数百村落与开垦地。他运用种种方法,形成自己的大贵族领地。本质上,这些方法引起大所有的发生,这是小所有者的崩坏、结合或占有的结果。此外,大所有者之形成,也有用

露骨的超经济的暴力来实现的。

鲁斯大土地占有的形成过程,常常与强大的贵族、寺院及教会之占领土地的过程相结合。

这样的占领,有许多传记作者的文献可以证明。此外,主权者之赐予土地也帮助了这种大土地占有的形成。因为与土地的赐予相关联,农民必须耕种新地主的"耕地,并向他们缴纳租税"。但是要知道,大土地占有的形成之基本过程,是一个长期的过程。这就是公社的崩坏、自由小地主的破产及大地主吞并小地主。这种过程,是在抵押、负债及小所有者破产的基础上成长起来的。

东北鲁斯的农村人口,分住于小别墅之中,或组成别墅的小村落而同居。这种小村落,是由公社的联系而结成的。这种公社的联系,在公爵的权力实行统治以前,只以裁判和行政为限。到了公爵统治这种共同体之时,就首先课征租税,然后掌握公社裁判上行政上的若干要素,由此以寻求收入的资源。公爵把占领地的土地转化为黑暗的公领的村落,利用公社秩序去征收贡税,不仅向各个农民征收,而且向各个米尔征收。这样看来,农村公社并不是原始的氏族的公社,而是邻人的公社。在征收贡税的目的上,公爵不但不破坏公社,而且加以保存。

公爵权力的统治,最初对于公社是很痛苦的,因为向王公缴纳贡税、自然物、货币或劳动的义务,对于农民经济是很重的负担。但是,随着领地制度的发展,到 14—15 世纪,农民宁愿留在黑暗的土地中,因为隶属于领主,比较更为苦痛。土地占有越小,农民的状态越是隶属与痛苦的,领主中的小领主,参加于商品流通,因而比较注意于自己的经济。他们所为经营的领地经济,一部分是与市场相结合的,所以必然需要劳动力,因而不能不束缚农民。鲁斯的农村公社的人员,把土地当作私产占有,实行分割或抵押,但荒地森林及弃地,却仍归公社领有。于是农村公社的没落过程开始了。在另一方面,领地被分裂为许多小块,归许多所有者占有了。那些所有者大都不是身份很高的人们,例如书记①和僧侣之类,有时奴隶也在其内。不过他们的领地,并不比农民的地

———————

① 书记(嘉克)是 13—14 世纪的公爵个人的家仆,管理公爵的财政和记载账簿。以后到莫斯克公国时代,行政机关的官吏,即用这名称。

面大。

于是,一方面发生了农村公社领地及个人领地的破产过程,另一方面,大领地的占有把经济上弱小的各部分集合起来了。因此,到了15—16世纪,农村公社破产,引起了俄罗斯土地的贵族领地化及公爵领地化的过程。

公爵、贵族和僧侣,只在狭小的自己宅地中,经营自己的经济,而把大部分的田地当作一时的使用地租给农民,向他们征收自然物、劳役、手工业生产物和货币。

当来自西部、南部及西南部的移民定居于东北荒地的殖民时代,外来的农民构成各种范畴的隶属的半自由民。他们来到新土地,遇到土地的新耕作条件。在北方贫瘠的草灰质土壤中,农民必须先投入大量劳动和手段,然后才能由土地取得收益;他们首先要砍伐森林,烧掘树根,以后还要等待长久期间。在极度贫乏与缺少生活资源的时代,"帮助"移民的人,是富裕的地主。地主把货币和必需品贷给移民,把他们束缚在自己土地上,因此,地主就奴使移民,使变为隶属者,剥夺其自由,强夺其土地。

农民的隶属状态有许多种类。农民必须用自然物租税的形式,向地主缴纳"一茶杯燕麦,四分之一袋及半瓶的谷物、干酪、卵及一束亚麻"。有时农民耕作地主的田地,须向地主缴纳自己生产物的一部分。这种关系,叫作分粮关系。有时住在贵族、寺院或教会土地中的农民,须支付货币租税,这种人叫作货币支付人。有时租税的一部分,是用自然物支付,一部分是用货币支付。除此以外,分粮租地人、租税支付人及货币支付人,还要负担许多赋役的义务劳动。

隶属的农民在自己的经济中劳动,把自己生产物的一部分缴纳于地主,并负担某种劳动义务。这种劳动义务,在地主经济中是很显著的。一切农民,在"扶助"及对自己经济的供给之下,都变成地主债务人。在这种扶助之下,农民所必要的东西,首先是犁、马和种子,其次是谷物和货币。由于这种供求关系,农民就变为地主的债务者,而这种债务几乎是不能清偿的。这种债务,是束缚农民于地主的一种桎梏。农民只有在完全偿还一切债务之后,才能脱离自己的主人而自由。

封建时代农民的经济隶属状态,表现于租税及赋役中。在大领地中,租税获得极大的普遍性。在这些大领地中,租税和赋役、"赐予"和"扶养",充分保证了大地主。

后来到了15世纪,农民对于土地或宅地的使用,必须负担徭役。这种赋役,不仅推行于中小领主的土地,而且推行于大地主的土地及寺院的土地。农人耕种主人的土地,刈草收粮,为主人经营宅地。这类徭役,随着货币关系的成长发达而加强,随着主人经济和主人耕地的扩大而加重。到16世纪时,主人的耕地已占全耕地50%以上的领地。主人的耕地,能够更合理地经营。耕地之外,主人还有草地,主人经济的收益比农民土地的收益高得多。

大地主占有大量的劳动力,由自己的农业经营中获得大量的收益,并且还榨取农民本己的收益,以补足自己的资财。大地主更利用所积蓄的资财,加强农民经济的各种隶属形态。

在各种隶属形态中,有一种"抵押"。农民被抵押于大地主,而陷于对大地主的隶属状态。在这种隶属状态之下,也有改善自己的经济的可能。但是,农民宁愿丧失自己人格权的一部分,以提高自己的物质幸福。

于是,在鲁斯的分封公时代,封建领地的经济制度和政治制度发展起来。在移住东北平原的过程中,形成农村公社,在那里占支配地位的,本质上是分散的小土地占有。外来的移民占领地面,设立疆界,建造自己的别墅和村落。当公爵和贵族,即封建社会的上中层实行统治以前,农村公社遭受大地主的经济的和趋经济的影响。大地对于小地主,形成若干阶层,结果,使得农村公社趋于零落,吞并了小农民的土地。

农村的土地,一方面因为经济的抵押化及负债化的结果,另一方面因为采取单纯占领或"保护"形式的超经济的强制的结果,就逐渐移到大小公爵和贵族以及俗界或寺院的地主之手了。

大地主(公爵贵族和寺院),使人民陷于经济的隶属状态,并实行政治上的支配,而政治权力更按照公爵及地主的领地而细密分割。

阶级斗争,采取猛烈反抗的形态,采取农民企图反抗占领自己土地而终于失败的形态。

支配阶级发展自己领地的土地,同时在自己领地内小属民经济的剥削之上,确立自己经济的收入。这种阶级,在被剥削的徭役的榨取及主人经济所必需的劳动生产的租税的征收之下,确立自己的福利。

与领地的经济占有及支配相结合的行政权和司法权,维持着这种榨取人民的隶属关系。

大事记年表

拜占庭及阿拉伯

395 年	罗马,罗马帝国分裂为东西罗马帝国。
527—565 年	拜占庭,约斯奇尼奴斯大帝。
6—7 世纪	阿拉伯,谟哈默德及谟哈默德教之发生。
7 世纪	阿拉伯,哈利夫朝之开始及斯拉夫＝保加利亚公国之创设。
8 世纪	阿拉伯,阿拉伯人占领西班牙,阿拉伯人侵入高卢及其被法兰克所击退,白格达哈利夫朝之形成。
11—13 世纪	十字军。
13 世纪	东方各国的十字军的拉丁帝国。阿拉伯,白格达哈利夫朝之没落。
14 世纪	土耳其,渥斯曼土耳其占领塞尔维亚及保加利亚。
1453 年	拜占庭,渥斯曼土耳其占领君士坦丁堡。
15 世纪(终)	阿拉伯,阿拉伯人被逐出伊比利半岛。

鲁斯

8—9 世纪	斯拉夫人散居于达到窝瓦上流及鄂喀河的多涅波河流域,瓦利克(诺尔曼)人之出现。
10 世纪	斯拉夫人向俄罗斯平原扩大以及基辅为中心的瓦列克人强国之形成。奥列克侵寇君士坦丁堡。基辅强国与拜占庭的最初条约。拜占庭文化之摄取。
11 世纪	基辅的公爵亚洛斯拉夫驱逐南方的游牧民伯捷耐克。与新游牧民波罗继兹之斗争。
12 世纪	东北鲁斯(苏兹达尔)的继续殖民。
1147 年	关于莫斯克的最初记录(年代记中)。

13 世纪　　　"由瓦列克到希腊"的大商路之衰落。鲁斯细分为分封公
　　　　　　　领及鞑靼的入寇。

1237—1240 年　拔都的入寇。

演习题目

一、封建时代的商业中拜占庭帝国的媒介作用,由什么去说明?

二、领地"proni"是什么? 它是怎样形成的?

三、拜占庭帝国与何种民族斗争? 并何以不得不斗争?

四、拜占庭是"由瓦列克到希腊"的大水路的终点,其作用如何?

五、土耳其人占领拜占庭领土,在西欧生活上有何反映?

六、何谓领地(ikt)? 并如何形成?

七、哈利夫朝与白格达哈利夫朝之分离,其条件如何?

八、11 世纪,多涅波河沿岸的鲁斯中农业的作用,由什么所决定? 又该处
当时大土地占有是怎样形成的?

九、向东欧平原的殖民是如何发生的? 其方向如何?

十、分封公领地之形成,如何发生?

十一、大土地占有(公国、贵族领地及寺院领地)之形成过程如何?

十二、何谓"公社的贵族领地化"? 并且当时公社尽了如何的作用?

十三、领地经济如何实行?

十四、在领地经济中,赋役和租税占如何地位?

第九章　封建时代的西欧农民运动

自然经济向货币经济的转移,压制封建时代农民的义务的重担及土地的缺乏,结局引起农民运动的浪潮。这些运动,开始于 14 世纪的法兰西农民运动——扎克里(Jacquerie)——及英吉利的瓦特·台勒尔(Wat Tyler)领导之下的农民运动。到 15 世纪,农民运动在捷克表现为胡司战争;到 16 世纪,表现为宗教改革时代的德意志农民战争。在农民革命中,我们可以看到,反对大地主与商业资产阶级同盟的,是另一个阶级的同盟,即是战争的农民与参加反对支配的都市商业贵族的都市无产者的同盟。

本章说明下列各问题:

(一)西欧农民运动之起因如何?

(二)在法兰西、英吉利及捷克,农民暴动的要求如何?

(三)农民暴动的同盟者之作用如何?

(四)农民暴动失败之原因如何?

一、封建农村的阶级斗争

西欧的封建农村,不能不变成激烈的阶级斗争的舞台。恩格斯写道:"高压于农民之上的,是王公、贵族、僧侣、官吏、都市贵族等社会的全阶层。无论他是属于王公武士和寺院,或属于都市,总是把他当作物品看待,当作四足兽看待,甚至还要恶劣些。如果他是个农奴,他就要无条件地受主人的支配;如果他是个隶属者,法定的契约的诸义务,就会充分地压服他,而且这些义务,每天都在增大着"[①]。这种话是指着 16 世纪初叶的德意志说的,但是,也可以说

---

① 　恩格斯:《德意志的农民战争》,《马恩全集》第 8 卷,1930 年版,第 125 页。

是先行的各世纪的封建欧洲其他国家被榨取的农民一般状态的特征。

农民所负的义务是很重的,而那些被高利贷拘束着的领主们,又不得不把农民的义务转变为货币,并且还激烈地从农民手中榨取货币。他们又参加于掠夺战争,又掠夺农民公社的土地及荒地。这一切事情,在西欧各国,构成了反封建领主的农民运动的基础。

然而同时也有一种相反的原因,使得农民的愤懑不能急速显现为暴动形态,显现为普及全国的暴动形态。关于这件事情,恩格斯曾经说过:农民虽然"呻吟于可怕的压迫之下,但要爆发暴动,却是不容易的事情。农民的分散性,使他们不易结成紧密的一般的联合。历代遗传的长久的忍从习惯,在许多地方缺乏使用武器的习惯,以及依照领主的意向而减少或增大榨取的严格性,就养成了农民一种忍耐的心理。所以在中世纪,我们虽然见到许多的地方暴动——至少在德意志,但是,普遍于全国的农民暴动,在农民战争以前,一次都没有发生"[1]。

地方的暴动,到处不断地发生。关于这些暴动的最初消息,在西欧可以追溯到11世纪。农民暴动的次数,到13—15世纪,大见增加。法兰西和英吉利的农民暴动,属于这一类,而且都是大规模的暴动。

封建时代许多农民运动,带有宗教的特征。农民的宗教的意识形态,与反对支配的天主教会而被天主教会目为异教的宗教教义,有密切的关系。[2]

二、法兰西的农民暴动(Jacquerie)

14世纪前半期,在英法之间,发生了所谓的百年战争(1337—1453年)。引起这百年以上战争的原因,是英法争夺法兰达斯的支配权。英吉利是法兰达斯的毛织工业的主要供给者。法兰西军队侵入丰饶的法兰达斯,引起英吉利的干涉,演成英法的武装冲突。在这时期战争中,法兰西屡战屡败。法兰西的田野,变成不断的战争舞台。因此引起法兰西勤劳人口的贫困,尤其是占人口大多数的农民(扎克)的贫困。法兰西的地主,把被束缚的、被卑视的、被严

---

① 恩格斯:《德意志的农民战争》,《马恩全集》第8卷,1930年版,第36页。
② 关于异教的详细说明,可参看第十一章"封建社会的意识形态"。

厉征收租税和赋役的农民,叫作"扎克"。

巴黎商人长老埃琴马塞尔领导的巴黎商人与手工业者的行会,因不满于战争的进行,要求召集三级的代表——僧侣、贵族和商人的代表——会议(三级会议)。三级会议,于1355年开会于巴黎。议决供给政府以抵抗英国的战费,并对国王提出设立代议制度的要求。到1356年,三级会议又在巴黎开会。这一次的指导权也属于商人。法兰西商业资本的代表,提出了限制王权并使王权受三级会议的委员会所指导所监督的问题。1357年2月,三级会议又开会,巴黎商人要求每年召集两次三级会议,而三级会议须有向各州派遣委员之权;并要求废止官吏职务的买卖——这是国王最大的收入资源。于是,王权不得已而让步。这是三级会议最得势的时期。后来三级会议在1357年11月及1358年1月和5月再行集会。只有1358年1月的三级会议中,反对布尔乔亚指导权的贵族的代表,全数缺席。

1358年5月,法兰西发生了援助巴黎革命的农民暴动,这就是所谓扎克里,即是反地主的农民自然发生的运动。农民暴动的火焰一起,立即变为强大的农民运动。农民暴动的原因,是由于没有权利,他们不能在地主土地上劳动,加以封建领主与国王以及英吉利军队掠夺他们,榨取他们,还有疫病凶年以及因战争而加重的特租税,使他们不能担负。这一切原因,使得一般农民陷于贫困境遇,因而发生了暴动。至于小商人和手工业者的生活,比较稍好一点。所以当封建领主的第一个城塞中发生暴动时,大众多年蕴藏的愤懑就充分明显地表现出来。农民运动普及于法兰西北部全境。14世纪,法兰西的一个有才能的历史家福罗萨尔,对当时的封建社会表示好感,用一种愤激之情谈论暴动的事情,他说"农民的大疯狂暴动发生了。因为农民们,没有领袖的指导而集合起来,互相传说:法兰西王国的一切贵族,用耻辱覆盖国土,他们食尽了全国土,国家所遭受的一切不幸和痛苦,都是由于贵族和国内战争所招致的,这种战争是贵族没有方法能够反对的,如果将贵族消灭净尽,那就是国家的一件大善事"。

暴动的指导者,是农民柯尔(Cole)。农民无计划地暴动起来,手里只是拿着棍棒、小刀、镰刀和铁锁等,攻击城堡,杀戮贵族。暴动人数,达十万之多。但是,暴动终被镇压下去。因为在暴动扩大之中,没有团结一切不满者中枢组织，并且在这个运动中，既没有组织原理，又没有关于消灭农奴制度以后的办法。农民是散漫的大众。

至于贵族、僧侣、资产阶级和国王，却团结起来对抗暴动者。并且法兰西商业资产阶级害怕农民暴动，就背叛农民和手工业者而与国王妥协，反对革命运动的深刻化，走向拥护王权的道路。封建领主在镇压农民暴动上，尽了指导的作用。英吉利及法兰达斯的贵族，帮助法兰西的贵族镇压农民暴动。内乱转移了国民反目的视线，使互相战争的封建领主团结起来，反对他们的共同敌人——扎克里。福罗萨尔说明这种仇敌同志的同盟如下："于是，外国贵族和地方贵族集合起来，而外国贵族则站在前面。他们对于这些暴行，无慈悲无假借地实行杀戮，到处把遇见的暴徒吊在树上，而处以绞刑。那瓦拉王，一日曾杀戮三千余人。但是，他们的数目是很多的，如果一集合起来，即有 10 万人以上，这些人以为贵族一个都不应存留，必须由这世界上断绝他们的根芽。"

在继续 20 年以上的英法战争中，发生了以战争为职业的人。所以政府为对抗农民，组织了有组织有规律的军队。柯尔与巴黎商人长老订盟，并且当那瓦拉王指导下的封建领主的强大部队临近时，向农民提议同巴黎人联合；但是，农民强制自己的指导者去战争，那瓦拉王使用奸计，假意与农民订盟，骗请柯尔到自己营中而加以逮捕，贵族乃乘机击破了农民军。农民散漫的行动，终于被国王军队残酷压服了。暴动的农民们被市民引诱于芒市中而被残杀了。骑士们焚毁芒市及其全部居民，报复他们开放市门援助暴动农民的仇恨，被俘房的农民领袖柯尔被烙死于炽热的铁鼎之中。

在继续两个月的农民暴动被压服以后，立刻引起地主方面的白色恐怖。农民死于断头台上的有四万余人，封建压迫日益加强，农民贫困日益加深。"法兰西年鉴作者"——当时法兰西的公认历史，记有下面一段话：

> 贵族杀戮一切参加农民集会的人们，杀戮一切攻击贵族的乡村居民及其妻子，并破坏他们的家宅。受洗礼的一天，被杀的农民达 20 万人以上，这都是毫无疑义的事实。

大屠杀继续不断地实行着。

农民被镇压以后,巴黎的运动也由于当地资产阶级的不活动与脆弱以及商人与手工业者的分裂而消沉下去,更因为马塞尔被杀而失去领袖。于是基于贵族和僧侣之上的王权,就获得了胜利。

想在法兰西实施议会政治的资产阶级的企图以及失败的农民革命,就这样完结了。往后百年战争中,法兰西的农民暴动虽曾屡次勃发,但均遭失败。直至18世纪法兰西大革命时,法兰西的农民才由封建压迫之下彻底解放出来。

三、英吉利的瓦特台勒的暴动

14—16世纪,继续法国农民暴动而起的英国的农民革命,其特征是农民运动与资产阶级的政治运动之联合。资产阶级的政治运动,是反对大地主的压迫,希图取得政治的自由。并且,这种联合的运动还受了宗教的影响。在14世纪到15世纪,资产阶级的指导者,在英国有威克利夫,在捷克有胡司;同时,农民运动的指导者,在英国有波尔,在捷克有普洛可布。他们的思想,含有共产主义的成分。

与商业资本相结合的都市的发展,农业生产物价格的增大,共有地被地主所占领(土地的圈围),以及加强农民农奴化的赋役的繁重,这是14世纪中叶以来在英国发生的基本的社会经济的变化。由于绒毛工业的成长,地主就在所有地中举办牧羊业。这牧羊事业,使得大地主由农业经济转移到畜牧经济。于是,引起农民土地之收夺以及农村人口之普罗列达里亚化。这是绒毛工业发展的结果。于是形成了丧失土地的大量农民阶层。他们不能不在发展的手工作坊中作工;但是,因为手工作坊收容不下,于是他们就变成乞丐、流氓和盗贼。当1348年的黑瘟疫减削英吉利人口时,对于劳动者的需要,就大见增加了。1349年,地主与上层商业资产阶级所把持的议会,发布了减低劳动者工资的法令。于是农民对于领主占领共有地、剥夺农民利益的新法律,以及想用赋役代替租税的地主的企图,就表示不满,而开始动摇了。

14世纪,威克利夫起而拥护农民经济,他是英吉利商业资产阶级的思想家,是僧侣,是牛津大学教授,是宗教改革家及天主教会的反对者。他的改革宗教的纲领,是脱离罗马天主教会,建设国民的英吉利教会,并没收教会财产。

国王贵族及都市资产阶级,羡慕天主教会的财产,以为自己是天主教会财富的自然继承者。但是,在威克利夫教义中,含有为支配阶级所不能容忍的要素,这就是主张拥护反抗大地主的农民公社经济。英吉利的领主,愿意占领天主教僧侣的土地,但威克利夫教义中的"异端"的方面(如为农民而放弃自己的领地及减轻农民生活),却不能获得贵族的同意。威克利夫的农民纲领,因为想使领主把所占的共有地归还农民,又希望国王能够帮助农民,这在当时全是空想。农民暴动的领袖,从威克利夫教义中,采取其空想的共产主义要素,而抛弃其政治的要求。于是威克利夫的和平的希望,变成了农民暴动的实践的革命的口号,而要求强制地剥夺领主或僧侣的财产。

14世纪,威克利夫教义的革命的继承者,是与威氏同时的约翰波尔,他是所谓"肯特(Kent)的疯狂僧侣"的英吉利农民暴动的思想家。他把威氏的主张发展为战斗的纲领。他向农民宣传;用暴动手段推翻领主的压迫。财产共有、法律上平等及王权(被认为能够帮助农民)拥护的要求,是约翰波尔的主张的基础。他宣传自己的教义说:"亲爱的兄弟们! 在财产共有,贵族和农奴消灭及万人平等之实现以前,英吉利的生活是不能改善的……他们穿着天鹅绒、丝绸和毛皮,我们穿着粗糙的布衣。他们喝酒吃香料和肉,我们吃面麸和喝水。他们住在繁华的城市里,骄奢淫佚,过着安逸的生活;我们却风雨不停地劳动于原野;而且他们用以维持骄奢的手段,正是从我们劳动中榨取出来的。他们把我们当奴隶看待,当我们不听从他们命令时,便对我们加以惩罚。"约翰波尔,因煽动革命而被捕入狱。

百年战争已经继续到40年以上了。英吉利政府,不断追求继续进行战争的财源,并且获得议会的承认,向人民征收追加的租税。于是征税吏对于拒绝缴纳新税的几十万农民的压迫,就引起了暴动。1381年6月勃发的农民暴动,如像法国扎克里一样,是农民反地主的自然发生的运动,同时提出了许多要求。在这农民暴动的领袖中,有由暴徒之手从牢狱中释放出来的约翰波尔。波尔做过有名的演说,题目是"当阿丹耕地夏娃织布时,谁是贵族呢"。农民大众为了索还共有地,废除1349年的法律和赋役及完全解放农奴,都起来反对领主。如像法国的扎克里一样,英吉利各都市的手工业者,都同情于农民暴动,只有商人拥护贵族。英吉利东南部的全体农民都暴动起来,运动的领袖是石匠瓦特·台勒尔。当时有一个贵族写道："疯狂的农民,起来了,叛乱了,因为他们以为自己是处在极痛苦的奴隶状态中;当世界开始时,并没有什么农奴,他们和自己主人是同样的人,但是,现在却被看成家畜了;他们不愿意并且不能够再忍受下去,而想要'团结起来';他们愿意有领主之下去耕作或作其他事务而取得工资"。

农民暴动时代的年鉴作者,关于农民军的记载如下:"一部分人拿着棍棒和锈刀,一部分人拿着斧头,还有些人拿着弓箭,那种弓是用比旧象牙还黄的油烟熏成的,并且只能放一支箭。他们就拿着那样的武器占领了王国。"这个运动,立刻就变成反抗全农奴制度及英吉利全国的社会制度的暴动。暴动的目的,是"改革王国的恶习惯"。

农民进攻伦敦,"左右跟随着农村的一切居民","狂风似的破坏国王和大僧正裁判所的律师及检事的家宅,对任何人都毫不容赦"。据某年鉴作者的话,叛徒在伦敦附近达五万人,一说达15万人。农民烧毁讨厌的贵族的城塞,占领寺院,屠杀领主或国王的官吏及行政上的代表。伦敦下层市民,都同情于农民暴动。作年鉴者说:"伦敦市长及长老(old men),虑及都市的危险,决定关闭市门,但伦敦市的平民,尤其是极贫者,却同情于农民,阻碍市长关闭市门,用暴力反对市长,如市长必欲关闭市门时,就用死威胁他。"叛徒于是占领伦敦。伦敦的手工业者,响应暴徒。伦敦塔(这是伦敦市的城塞,也是国立牢狱)中的国王,不得不和农民订和。

依据国王的布告,宣言农民由农奴的隶属状态解放出来,在法律上完全与自己的压制者平等而变为自由人,并赦免暴动之罪。但是,国王的让步只是一句空话,借此得到暂时的休息,恢复自己的力量,然后再去进击农民。农民虽能相当的组织起来,进入伦敦,但是缺乏暴动的统一的领袖。各个农民部队都有自己的领袖,而这些领袖不能服从一个最高的命令者。

国王布告发出之后,大部分农民都相信国王会保护他们脱离领主的压迫,于是回到自己的农村。数日以后,国王乃采取攻势。留在伦敦的只剩下瓦特·台勒尔的一小部队。这少数部队的领袖瓦特·台勒尔,与国王会见,国王带着骑士见他。当台勒尔走近国王,向国王要求给予约束的自由条令时,国王的从者从马上把台勒尔杀死。农民闻讯,都出动援助自己的领袖,而国王反向

161

农民部队走来,宣言国王自身是他们的领袖,并且保护他们。诚实的农民竟相信不疑,而表示满意,当政府军队到达前,国王与农民讲和。国王不相信对叛徒实行武装斗争能够成功,于是设计使他们离开伦敦。

首都解围以后,国王集合四万军队,开始镇压暴徒,农民相信国王约誓的履行的日子到了。"农民的领袖"——国王,向农民宣言:"你们以前是农奴,将来还是农奴,并且你们状态比以前还要恶劣。"于是自由条令废止,农奴制度复活,波尔及其他农民领袖都被处死。"绞头台造成了,但因囚徒人数过多,绞头台乃不敷使用。民众战栗于许多白昼被绞死的尸体之前,并且许多人都像逐放者一样,舍弃自己故乡的土地。"

英吉利的农村公社继续破坏下去,但农奴的隶属状态却逐渐废弃了。这种"解放",同时引起农民大众的丧失土地及普罗列达里亚化。

四、捷克的农民暴动

农业国捷克,由于在 18 世纪发现大银矿,引起了国内经济的繁荣。商业经济和手工业的发展,以及农产物价格的增大,助长自然农业经济向货币经济的转变。商业资本企图扩大国内市场(它受领主及农民的前资本主义的关系所妨害)的倾向,促速农民由农奴状态解放出来。捷克的大土地占有,适应于经济状态的变化,向农民征收货币的租税,使最富裕的农民得到由农奴状态解放自己的机会。但是,农奴制的衰退却给小贵族以极大打击。小地主一方面想强力地把农民束缚于自己土地中,加强对农民的剥削,并抑制农奴制崩坏之必然的经济过程,同时还想牺牲天主教寺院和教会的土地,扩大自己的土地。德意志人支配捷克的各都市,德意志的资产阶级与天主教的僧侣结成紧密的同盟。这种危机,在反对德意志人的都市及天主教会的捷克农村的国民宗教之斗争中解决了。

对于德意志人商业资本的憎恶,以及分配教会财产的热望,成为宗教改革者胡司所宣传的(起于 14 世纪的)捷克的斗争基础。威克利夫学说的后继者胡司,煽动改革宗教。他反对天主教会,宣传组织离罗马独立的新教会。1415年,君士坦司(Constance)天主教会议,决议处胡司以火刑,这就是战争的导火线。于是 20 年之久的战争,终于开始了。在这个战争中,在国民宗教的动机背后,表示了真正的捷克的阶级斗争的社会本质。

贵族的目的,在没收教会的财产。农民(因为暴徒的主要阵营在塔泊Tabor 市,所以把他们叫作塔泊党)要求改革社会,并完全地分配土地。罗马教皇组织十字军,企图打破反抗天主教会的运动。骑士和雇佣的兵士同时侵入捷克,胡司战争的第一期,天主教军大败。教皇与胡司派讲和。捷克贵族,完全愿意让渡他们所占领的教会土地。而捷克小贵族与农民集团发生分裂。于是为了对抗德意志商人与天主教会而形成的同盟,当他们阶级利害的矛盾一经显现时,立刻就分化了。农民不但反对教会的大土地占有,而且反对农奴制度及一切贵族。小贵族知道,与其和农民联合,不如和敌人妥协。但是另一方面,小手工业者和银山的矿夫,却倾向于农民方面。于是在旧同盟者之间,开始发生了斗争。

捷克的扎克里,占据中心地塔泊,在那里组织共产主义公社。私有财产的废除,及工作的平等,是塔泊党的生活基础,武装的农民在这里必须时常用武器代替和平的劳动要具。塔泊党人以为:"在人类社会中,不应有国王、权力者和臣民;租税和贡赋,必须废止;任何人也不应向他人作强制的行为,因为大家都是兄弟姊妹……在塔泊市中,决没有你我的私有,一切都是共有,谁也不应有私有财产。"但是,塔泊的共产主义公社,是私有的经济社会大洋中的孤岛,因此发生了阶级分化。随着贫富阶级矛盾的出现而来的私有财产,在公社中复活起来。塔泊公社,因为内部的崩坏及消费的共产主义不能长久维持的理由,不得不趋于没落了。

捷克贵族,不久以前还指导着农民去反对天主教会,但是为了消灭在捷克一切农民间获得极大势力的塔泊党,立刻和罗马教皇及德意志皇帝结成了同盟。农民没有力量去对抗捷克人及德意志人的贵族同盟军。1434 年,农民崩溃,被屠杀者达一万三千人,农民领袖安特列普洛可夫亦包含在内,塔泊党的存在及捷克的农民革命,就这样完结了。捷克的农民,再变成奴隶。

五、农民暴动失败的原因

一切农民暴动,最后总是农民方面失败。这些失败,并不是运动的不充分展开或暴动大众及其领袖所犯的错误之结果。这些失败,是以后由农民暴动转化而来的农民革命所必然经验的。一切这些失败,都是不可避免的。这些失败的根本原因,由于农民在其阶级的性质上自己不能达到革命的胜利。在革命运动中,只有在其他阶级领导的条件下,农民才能破坏封建制度。这种阶级,在资本主义发展的初期,是资产阶级,后来是无产阶级。14—15 世纪,封建欧洲的农民,把商人、手工业者、都市居民的被榨取者阶层及占有小土地的贵族等,当作自己的同盟者;但是,他们既不是运动的指挥者,便会很快地脱离同盟,反转自己的武器去对付农民。同时,农民又没有组织,暴动是自然发生的、分散的而且没有显明的纲领,缺乏与阶级敌人的技术相对置的技术。

虽说如此,然而反对封建制度压迫的农民暴动,却是对于这种制度的一个大打击。

大事记表

1337—1453 年	英法百年战争
1358 年	法国农民暴动
1381 年	英国瓦特台勒尔的暴动
1415—1434 年	捷克的胡司战争
1434 年	捷克塔泊党的失败及农民暴动的结果

演习题目

一、何谓法兰西的扎克里?

二、何谓英吉利的瓦特·台勒尔暴动?

三、捷克农民暴动之本质何在?

第十章　封建主义时代的西欧都市

如以上各章所述，欧洲封建社会的阶级斗争史，不能只归着于封建农村的阶级斗争史。那个时代，一方面有以自然经济为封建社会基础的领地和农村，同时也有都市。欧洲的都市，在封建社会中，是手工业生产、商业及货币流通之发达的中心。商品生产、高利贷资本及其"双生子"（据马克思的表述）的商人资本等，均在这里成长起来了。另一方面，在农村形成封建制度，同时在西欧的都市形成行会制度。都市变成市民与封建领主间，及都市中所形成的新阶级间的阶级战争的舞台。"中世纪，和在意大利所见的不同，如果在封建制度不因都市例外的发达而破坏的任何国家中，农村总是从政治上榨取都市；同时，都市也是到处无例外地用独占价格、租税制度、行会组织，直接的商人欺骗及高利贷等，从经济上榨取农村"①。许多都市所获得的政治独立，使这些都市在媒介商业的成长及手工业的发展的基础上，转化为商业共和国。并且这些商业共和国，如像威尼斯（Venice）一样，时常成长为统一的强国。

这个时代，俄国的都市还在西欧各都市发达的范围之外。俄国的都市是商业的地点，并在个别的情形中，虽参加于国际贸易，有大规模的发达商业，但是不能成为工业中心地。并且就其发达程度说来，其手工业还不能与西欧各都市的手工业生产提高到同一水准。俄国的都市转化为工业中心地，比欧洲较后，但这是在俄国还存有农奴制度的时代。

带有手工业及商业的都市之发达，及货币流通之扩大，破坏封建制度，准备由封建生产方法向资本主义生产方法的推移。

研究本章时，应阐明下列各点：

---

① 《资本论》，第一卷，第二部，第五版，第275页。

（一）都市的发生和成长之原因如何？

（二）都市在封建时代的经济生活上，尽了什么作用？

（三）都市中阶级斗争之发展如何？

（四）古代俄国的都市与西欧的都市，有何特殊性以相区别？

一、西欧都市之发生及其居民

封建时代的西欧的都市，是采取各种途径而产生的。这些都市中，较小而又最古的是散在于加里亚、日尔马尼亚、西班牙及布里他尼亚的旧罗马殖民地（在意大利，这是罗马的都市）。当罗马人占居这些地方的时代，这地方建立了无数的军营驻屯地①和用城塞包围的殖民地。存留到现在的许多都市，例如法兰西的麦兹（Metz），德意志的特利尔（Trier）、窝尔姆斯（Worms）及奥格斯堡（Augsburg）等，都是由罗马殖民地发生的；哥罗尼亚（Cologne）、明士（Montz）、巴塞尔（Basel）及斯特拉斯堡（Strassburg），都是罗马的军营。例如克布林士（Koblenz）、苏利士（Zurich）等许多都市，也是在罗马城塞附近发生的都市。都市在封建初期，尽了城塞的作用。关于这种作用的记忆，残留在以"Burg"（城塞）结尾的德意志许多都市的名称中，例如奥格斯堡、萨尔士堡（Sarzburg）及列兼斯堡（Regensburg）等。都市是一种城塞，它成为邻近农业者的避难所。这些农民，当敌人接近时，就逃入城市中。为了保护农民，在封建初期，遂设立许多都市。如9世纪，奥尔弗列特大王为保护居民，避免丹麦人的侵袭，而建立都市；在克洛林朝时代的法兰西，为防御日耳曼的侵入而设立都市。

同时，封建时代的都市，在经营商业的场所，是由殖民地而发生的。这种市场殖民地，发生于奖励商业的世俗和宗教的封建领主的辖地之中。都市商业吸引他国的商人，并且可以增加领主的关税收入。所以封建领主，吸引移民者到自己土地来，而自己变成都市的创立者。德意志的许多大公，就是完全因为这种缘故出名的，即是因为在自己领地中创立许多都市而出名。封建领主，

① 关于由罗马军营发生都市一事，还有其他证据，这由于以"Chesta"结尾的英吉利许多都市的名称可以知道。这个结尾，是由拉丁语的"kastrom"（城塞）出来的。

为了吸引居民到新都市来,对于这些居民,特别减轻货币及军事上的各种义务。这是用特别文书——所谓"特权",来实行的。我们所知道的最古代的"特权",是 11 世纪前半的德意志的"特权"。

普通新起的都市,都是沿着都市城堡外部所设立的市场的附近建设的。但是,随着时代的进展,市场也移入都市内部。封建时代的都市与市场的这种紧密结合,使都市变成市场的中心。邻近的农村日渐倾向于这个中心,农民由农村出来,走到都市去贩卖自己的生产物。在当时极端恶劣的交通运输状态之下,都市自然只能是小地域的市场中心。这个小地域的半径,普通不能超过半日行程以上的距离。

最后,都市的一部分,是由农村公社变成的。封建领主给予自己农村居民及在市场出卖商品的商人以许多特权,在自己农村中建立市场。于是这种农村就渐渐变成都市,但是,这种变化并不是时常发生的。

德意志新都市的创立,通行于全封建时代。例如 13 世纪,德国创立了约 400 个都市;14 世纪,创立了约 300 个都市;但到 15 世纪,只创立了不足百个都市。封建领主们(包含着最小的封建领主)努力创立都市的结果,以致全无经济基础的都市纷纷出现。因此,德国就用立法来限制。有名的所谓"萨克森之镜"的法典中有一条规定:"在距离他市场一哩以内,不得另设市场"。据德国资产阶级经济学者和经济史家皮海尔的计算,在封建时代末年,仅仅德意志,就有 3000 个都市。在德意志西部和南部,用马车走路,平均每四五小时的行程即有一个都市,在东部和北部,每六到八小时的行程有一个都市。

封建时代的都市居民,都是来自农村。"从中世的农奴中,形成最初的都市居民。"邻近地方的农民流入都市,行艺人或商人也移居于都市。都市最初的居民与农村的关系很密切,因为市民的耕地、园地、森林和牧场,都散在于都市的周围。13—15 世纪之时,巴黎城市内,还存有耕地。

大部分的都市居民,都是非自由民出身。德意志早有规定,领主对于逃亡的农奴,在一定期间,得将逃亡的农奴领回。为了创立都市的封建领主及都市本身的利益计,须要废除这种移居都市的农奴与主人之间的关系。所以从很久以前,就制定一种制度:凡是在都市中住满一年零一天,而没有人干涉他的身份的,就被认为自由。最先承认这种制度的,是英吉利国王(11 世纪)。在德意志,这种制度屡次获得皇帝的承认,而表现在"都市空气是自由"的格言中。

从现代的见地看来,封建时代欧洲的都市,无论从面积说来,或从人口说来,绝没有达到大规模的程度。例如德意志都市领域之扩大,到 13 世纪就停止了。当时最大的都市,已经把自己附近的殖民地和农村包围在自己城壁中。据 14—15 世纪某都市的文书记载,德意志及瑞士的大多数都市,当时以有五千以下的居民。有 1 万人口的都市,就算是大都市;有 2 万人或 2 万以上人口的都市是例外。在 15 世纪的德意志,卢卑格(Lubeck)、斯特拉斯堡、挈尼不尔尼(Nuremberg)、乌鲁穆及奥格斯堡等,都是属于这样的大都市。在 14 世纪的英吉利,有 3.5 万人口的伦敦也是例外的。意大利的都市人口较多。14 世纪末,佛罗棱斯(Florence)居民数达 8 万。因出生率增高及新居民的流入,封建时代的都市人口显著增加,但因别种原因,不仅限制增加,反而使居民人数减少。封建时代农业的低度生产性,在欧洲常常引起饥荒,结果大量人口死灭,同时小儿死亡率之增高及不卫生的生活状态所引起的种种疫病,也是灭多都市人口的原因。到 14 世纪 25 年以后,及 14 世纪之末,在德意志发生长达 32 年的激烈的疫病;到 15 世纪,又有约 40 年的疫病之流行。1348—1350 年,流行于意大利及法兰西的黑死病,几乎消灭欧洲的人口。以上种种原因,遂引起 14—15 世纪都市人口激烈地减少。

二、作为手工业及商业中心地的都市

都市=城塞,同时是都市=市场,在封建时代,同时也是手工业的中心地。

在封建领地中,普通工业品的需要由农奴所供给。在寺院中,农奴和僧侣共同从事于家内工业。但是,凡是需要一定熟练的工作,例如铁匠和木匠的工作,却要由行艺人来操作。这种行艺人,一部分是由封建的隶属关系中解放出来的,一部分是对自己主人支付租税的农奴。这些手工业者,与移住都市而从事手工业的农民,同时形成都市的工业人口。都市变成手工业生产的中心地。

这种生产在相当程度上都带有局部的地方的性质。住在都市的手工业者,生产都市及都市附近居民所必需的一切最必要的生产物。因此,在各个都市中,手工业者之间引起各部门中巨大的分工。随着时代的进展,这种专门化日益激烈。在都市建立之初期,裁缝同时削剪绒毛,制作男女服装、帽子和毛皮品,并从事刺绣;但到14—15世纪,绒毛削剪者、男裁缝、女裁缝、制帽工人、皮匠及刺绣工人等,都成为独立的手工业者了。并且妇女的衣服,也由女裁缝来制作了。当时手工业的专门化,进展到怎样程度,可由个别职业的数目说明。于是,例如在14—15世纪的佛琅克佛尔(Frankfurt),居民所从事的个别职业数,达340种。

然而,手工业生产的一切部门,并非在各个都市中都能发达。封建时代的各都市,在比满足地方市场需要还大的大规模上,使某个手工业部门发达起来。在这种情形之下,各都市或都市集团就变成手工业生产的大中心,并且那些生产物超其都市或地方的境域而广泛地普及于欧洲。于是最好尼绒的制造,在13—14世纪,多集中于法兰德斯的等市(伊普尔、不鲁日等)及德意志来茵河下流地方(哥罗尼亚)。因为这些地方,在输入品质良好的英吉利羊毛上,占较近的位置。其他绒毛工业的中心地,是北部意大利的都市(佛罗棱萨、威尼斯、热那亚)。这些地方,同样由英吉利买入羊毛,制成毛织物,卖给欧洲和东方各国。12世纪末,这些意大利的都市也是由东方各国输入欧洲的丝织业的中心地。南部德意志的都市(挈尼不尔厄、奥格斯堡等)以金银制品闻名,同样形成采掘工业之中心地。英吉利许多海岸都市的居民,多从事渔业。

都市手工业者,一部分为定户,大部分为市场而工作。商业不仅是零卖商业,而且是批卖商业,多集中于都市商人之手。然而,手工业生产的大中心的都市,并不一定同时就是大商业都市。那种既是自己的商品市场又是地方定期市场——位于商业路上——而成为商品运输中心的都市,获得伟大的商业意义。这样,南德意志的都市大部分是手工业中心地,而北德意志的都市却是商业中心地。在意大利,佛罗棱萨主要是手工业都市,而同时威尼斯却是一个世界最大的商业都市。

三、市民与封建领主的斗争

封建领主对于都市的支配,随着都市经济势力之成长与强固,而在市民心中唤起脱离领主势力的热望。市民开始与封建领主的斗争,在西欧继续到数百年之久。参加和指导这种斗争的,是上层的都市居民。

9世纪中叶,意大利的都市首先开始与封建领主斗争。10至11世纪,意大利和德意志的市民有时把僧正(都市领主)逐出都市,利用这种方法以得到利于自己的一定的让步。斗争的目的,是都市自治。意大利的都市反抗自己的领主,同时要求自己的同盟者。一方面,罗马教皇在意大利是这种强固的同盟者,他帮助罗巴尔士(Lombardy)及托斯加那(Toscana)等都市去对外国出身的领主和教皇斗争。另一方面,意大利的都市在封建领地的农奴中找到别的同盟者。都市为解放农奴脱离农奴的隶属关系而斗争,这是用种种方法才达到目的。13世纪,波罗格那(Bologna)解放农奴,脱离主人的束缚,佛罗棱萨打破了领主领地中的农奴状态。结果,在托斯加那地方,形成了无土地的劳动者阶级。一切意大利的都市,都定出一种规则:凡农奴在都市中生活满一年者,即取得独立的地位。在反封建领主的斗争中,意大利的都市取得了胜利。它强使战败者移居都市城壁中。在现今残留的高塔和堡垒中,还存在着这种强制移住的纪念,这在意大利的都市里时常可以见到。都市=胜利者,形成政治上独立的都市公社。这种公社在意大利与法兰西相同,也叫作"Commune"。这些普及于11—12世纪的公社,名义上虽然承认皇帝(10世纪以来,是意大利国王)的支配权,但是常常反抗它,而得到教皇与那坡利王援助。在这种斗争中,意大利的都市形成同盟。意大利的公社自从它形成之日起,就和其他欧洲都市一样,变为激烈的政治斗争的舞台。

继意大利而开始与封建领主相斗争的,是南法兰西的都市。普罗温斯(Provins)及兰葛多斯(Languedoc)的都市,利用封建领主间的纠纷,在他们的斗争中有时倾向这一方面,有时倾向那一方面,在酬劳的名义之下,从封建领主手中获得某种特许权。

法兰西及北部法兰西的许多都市,从封建领主及法兰西国王手中用货币购买自由。在许多都市里,在为人格自由及政治独立的斗争中,市民毫不踌躇地借助于武器。11世纪时,都市中发生了公社,封建领主费了很长的时间,才能把它粉碎。12世纪,在兰(Raon)省发生暴动,残杀都市领主=僧正。在法兰西的领主及僧正领地中,发生许多获得政治独立的公社=都市。建立在国王土地中的都市,均未能得到独立。法兰西公社的数目,比所谓特权都市的数目较少,虽然也得到若干允许,但对于自己的领主,仍然处在政治的隶属状态及领主裁判权之下。法兰西公社之存在,为期不久。企图统一封建领地的法兰西国王,到 16 世纪,几乎把公社的一切独立性都剥夺了。

在英吉利,都市未能获得政治独立,这是因为王权太强之故。英吉利的都市,由于支付高额租税,由国王手中获得许多特权。英吉利的都市用货币力量从封建伯爵手中获得允许一定特权的宪章。

德意志的都市,虽能由皇帝及世俗的和宗教的封建领主手中获得特权,但未得到政治的独立。德意志的都市,在发生时有帝领都市、公领都市及僧正领都市之区别。僧正领都市,脱离领主权力,一部分变成帝领都市,因而获得独立(莱因地方的许多都市,就是这种情形);其他都处于王公权力之下。13—15 世纪,德意志发生都市同盟。这些同盟中的斯瓦比西同盟(Schwäbischer Bund),其目的在巩固脱离了封建领主的都市的独立。反之,其他大都市同盟,如巩固同盟(Rheinbund)及汉萨同盟(Hansabund),是企图拥护自己的商业利益的。

封建时代的西欧,许多都市获得政治独立之后,到 15 世纪,特殊的都市生活就繁荣起来了。从反对封建领主的斗争中,生出"中世纪的最灿烂之花——自由都市"。

四、都市居民的社会构成

取得政治独立的都市的居民,以及从封建领主得到许多特许权的都市的居民,在其社会的构成上是非常复杂的。都市是公社。加入公社的人,只有一部分是有完全权利的市民,其他人民集团在都市中没有政治权利。

市民——在德意志叫作布尔格尔(即都市居民之意),在法兰西叫作布尔乔亚——中的支配阶级,是都市地主、手工业者和商人。但是,在这种阶级中也分为若干集团,这些集团在都市城壁中有不同的权利。

有完全权利的集团,是贵族。要明显地区分贵族的构成,是很困难的。德意志各都市中都市贵族的构成,常常各不相同。贵族之中,有旧日的都市豪族,有都市地面及都市城壁外的都市共有地的占有者,即变为市民的农村人民的苗裔。大商人也属于贵族。商人,一般是代表商人资本,构成有特权的居民的第二层。成长于都市的新兴社会层,是手工业者——生产手段及手工业工场的占有者。

失败的封建领主,也是都市公社的无权利的人。如像意大利的公社一样,这些封建领主是市民的一分子,但是没有权利。所以13世纪末叶的佛罗棱萨,禁止转让土地于贵族,宣言贵族是失宠者。在意大利,只有封建贵族的代表替都市建立大功绩时,才能加入市民中。在德意志,完全禁止骑士住在都市。

此外都市公社中其他无权利的分子,是当作封建地主的代表看的可恨的僧侣。在都市中,禁止僧侣占有土地,没收僧侣所得土地,并禁止将动产作为遗产留给教会。

封建时代的都市中,还有一种都市居民的阶层。这种居民数目虽少,而手工业者及商人却对他们都会有敌意。这就是犹太人。欧洲都市的手工业者及商人之间的反犹太主义之原因,是商业上的竞争及高利贷业。13、14世纪,在德意志,住在都市的犹太人尽了银行家的作用,他们把金钱贷给都市人民、封建领主、国王。11世纪末,都市的反犹太主义在德意志引起对犹太人的迫害。十字军时代,住在都市的犹太人常常变成大众侵掠的牺牲品。到了14世纪,几乎全欧洲都发生残杀犹太人的狂乱,当时认为犹太人是"招来黑死病的人"。从11世纪起,各都市才允许犹太人居住,但须限制在一定的街道或房屋中,这在意大利和德意志叫作哥特①。犹太人在哥特中形成独立公社,这种公社由于支付一定的贡说而受大僧正、都市及皇帝的保护,以后他们被认为是这些权力者的奴隶。犹太人没有市民权。例如在德意志,禁止犹太人在都市内部推广土地占有。在夜里和星期日,犹太人没有走出哥特的权利,这时候哥特的门是关着的。当他们走到都市的时候,必须穿着特别颜色和特别样式的衣服,可以明显同基督教徒区别出来。13世纪末14世纪初,犹太人在英吉利和法兰西被逐放出来。至15世纪,又从德意志的许多都市、从意大利及保加利亚被逐放出来。

随着手工业生产的扩大,在店东=手工业者之下,出现了在店东工场中作

---

① 哥特是由gota出来的,gota是由有犹太人住宅的威尼斯大炮工场之名而来的。

工的雇佣劳动者。最初这种劳动者叫作农仆,到 13 世纪,在德意志获得职工(Journeyman)之名。职工受行会的保护,最初的时候可以有变成店东的机会。职工是住在店东家中的劳动者,这种地位关系,最初在店东和职工之间并未引起激烈的社会差别。"无论在农村中,或在都市中,主人和劳动者在社会上是互相接近的。"随着时代的进展,职工渐渐失去变成店东的机会,并且手工业者=职工,在带有行会生产方法的封建都市居民中成为特别阶级,而益加分离了。

此外,在都市中,还有许多站在手工业行会之外的无市民权的居民层。在行会外的居民中,有做工资低廉的职业的人,有从事被都市手工业者所蔑视为农民职业的各种职业者。例如从事非农业生产的日佣工人、建筑工人、搬运夫、制酒工人及家婢等。

五、商人的行会

商人的行会,是商人实行结合的形态之一。封建时代,德意志及英吉利由于自由意志而结合的商人团体,最初就叫作商人行会。这些团体的团员,聚集许多金钱,去满足各种目的,即完全满足娱乐的目的(酒宴),及慈善事业、宗教、建筑和商业等目的。我们所知道的最初期的行会,是 7 世纪英吉利的商人行会。这是为了互相扶助及法律上保护的目的而形成的。这些最初的行会组织的性质,说明其后各种行会发生之原因,即当国家权力或社会团体的力量衰弱而不能满足社会需要时,私人就组织行会有时能去完成国家所不能完成的机能。国家权力只在自己力量衰弱时,才同行会保持和平;但当国家权力稍为强固时,如在加洛林王朝的法兰西及诺尔曼诸王的英吉利,国王即开始反行会的斗争。但因整个封建时代的王权都很衰弱,所以不能消灭行会。

因此,在西欧就发生了商业上的——商人的——行会。在欧洲大陆,行会最初是商人携带商品赴他国定期市场时所形成的暂时的商人结合。旅程上协力之必要及共同防御掠夺者之必要,更促进此种结合。这种防御,在经营商业的场所是必要的。在商业地域中,需要协定买卖价格及共同享受特权。11 世纪末叶以来,形成商人行会的英吉利。这行会的目的,在于从王权方面获得商业上的特权。需要货币的国王接受行会的货币,就给行会以商业上的特权。

大陆商人中最初组成行会的,是往来查姆巴尼(Champagne)定期市场的意大利商人(往来查姆巴尼于法兰西定期都市的意大利商人同盟)、普罗温斯商人及兰葛多克商人。欧洲毛织业中心法兰德斯,在 13 世纪前半,为购买细羊毛而赴英吉利的不鲁日商人组织了行会,叫作"伦敦汉萨"①,继续到 15 世纪。加入这个行会的不鲁日商人,立刻和其他都市的商人结合起来。这种含有都市间的性质的团结(这个行会包含 15 个都市的商人),就叫作"佛拉曼特汉萨"。13 世纪,又发生其他汉萨——17 个都市的佛拉曼特商人汉萨。这种结合,是为了交换查姆巴尼的呢绒而造成的。大规模的行会,是在意大利(例如在佛罗棱萨,即有所谓结合输出业者的"老行会")。在德意志,也发生过有名的"北部都市汉萨"(参考下篇)。然而,商人行会的主要国家,是英吉利。

在商人行会中,商人自身结合起来追求共同利益,而商人之加入行会,只缴纳行会支出上所必需的现金,而不结合自己的资本。但为了共同经营商业企业,而组织各种商会,其参加者得使自己资本集合起来。所以这些在行会内部发生的商会,是一种与行会不同的组织。

行会因其所图谋的商业利益的性质如何而各不相同。即一方面有因批发的对外贸易而发生的行会,另一方面还有结合各都市(有时是靠近都市的区域)小卖商人的行会。

为了在外国进行商业而加入行会的大商人,同时也加入自己地方的行会。批发商人,在自己故乡都市中,是零卖商人。此外还有一种行商的行会,这种商人由这村到那村,由一都市到他一都市,贩卖外国商品,有时也贩卖地方商品。

一切商人必须缴纳一定现金,才能加入行会。行会有的特权,得使行会以外的商人,向行会支付关税和罚金,并且借此以吸收新会员。在英吉利,出卖自己生产物的地主和寺院常常加入行会。

以后,商人恐怕竞争,就阻碍新分子加入行会了。

商人行会,是一种取得法人权的组织。行会会议所选举的机关,是行会的干部。当携带商品出行或往来定期市场而组织的最初的行会,即已选举队长,

---

① 汉萨二字,即同盟之意。

以作商队之指导。在外国设立常时商馆,在商馆中设有被选出的领事(热那亚及威尼斯的商人在东洋各国设有领事,德意志商人在威尼斯设有领事)。在这些领事之下,设立评议会。领事代表会员,办理一切交涉。以后,行会内部又发生一种职员体制。行会的行长,是长老(英吉利叫作 older man,在法兰西叫作 Prevo),由这些长老组织评议会,办理行会的公务。行会还设有书记。当行会会员间发生纠纷时,必须在行会公断处审议。因此,实际上,就生出一种所谓行会法典的习惯法。

商人行会,在都市生活、都市制度及都市法律组织中,起了很大作用。都市贵族,为了在都市公社中尽其指导作用,并借此以与手工业者行会相斗争,而在行会形式之下团结起来。

六、手工业者行会

当在欧洲都市中形成自由手工业者阶级时,他们开始组织行会或手工业者基尔特①。这种行会,是由于手工业者反对都市中掌握权力的贵族之斗争的必要而促成的。另一方面,行会的发生原因,是巩固手工业者的经济地位的斗争,及排除妨害他们的一切障碍物的斗争。

在各都市及各国中,手工业者行会出现之时代各不相同。意大利都市中(在这里,行会叫做"archi",含有手工业的意义,更正确地说,是含有工艺的意义),行会之出现比其他各国早,在 9—10 世纪即已存在了。11 世纪时,手工业者行会发生于法兰西,12 世纪时,发生于英吉利和德意志。12 世纪末叶以来,行会组织在西欧急速地形成了。14—15 世纪,是它的繁荣期。当时,行会数目达数百之多。这可以证明手工业的专门化仍然继续发展着。例如法兰西新行会的形成过程,继续到 14 世纪。

行会是由于手工业者本身的动意及自由人的自由意志之结合而发生的。然而,政府却主张行会须得政府之承认。在许多国家中,例如在德意志,这种对国家的隶属丝毫不影响于行会。反之,在其他国家,这种国家权力之要求却

---

① 在欧洲各国语言中,即使在一国语言中,手工业者的行会也有种种名称。行会一语,是由德语出来的,它含有宴会场所的意义。即在德意志本国,也并非到处都使用这个字。

影响于行会。在法兰西,国王承认行会,向它索取一定现金,强使参加行会者"收买手工业",向官吏或王室支付一定金额,并且任命自己的臣僚去支配各个行会(例如在 13 世纪的巴黎,任命国王的厨师去支配面包工人行会)。行会也触犯国家权力时,行会必受迫害。例如法兰西某国王破坏行会,使行会停顿了好多年。在意大利都市中,行会往往遭受公社权力的迫害。

手工业行会之发生,如商人行会一样,常负有各种任务。这是为共同宴会的团结,宗教结社,是互相扶助的团体,而主要的是工业性质的组织。同时行会又是结合都市居民的一定集团在一个阵营的组织,而执行社会、政治性质的机能;某个行会的诸分子,构成都市军队之一部分的部队。这种部队当都市受包围时,负有把守都市城壁的一定场所之义务。

手工业行会的基本任务,是调剂手工业的生产和买卖。12—15 世纪,旧来的手工业形态——用定户的材料制造定户所定的东西——已逐渐消失,把自己的地位让与工场手工业劳动。然而,都市市场非常狭隘,都市人口极少,同时都市附近的地方农民购买力也很薄弱。商队的道路之困难和危险,在扩大对外市场的事业上,受到极大障碍。由于手工业生产不断地成长,各手工业者的劳动在手工业者阶级的全体顺利的进行上受到了障碍。所以这种行会组织,最初是允许新会员自由加入的,往后却变为独占生产及都市市场的闭锁的组织了。行会只有在严格的统制手工业生产的全制度及生产和贩卖的各方面之下,才能保证各会员的工作,排除内外竞争,才能阻止任何手工业者,在经济关系上占据优势地位。

行会顾虑市场的收容力,首先规定投手市场的生产物数量。这是由于限制从事生产的人数才能达到的。手工业生产,是手力生产。一切生产过程,都是在作坊内部来完成。在作坊中,有作坊主人店东,有助手职工,最后还有徒弟。生产工具在多数的场合中都不复杂,并且都是由手工业者自己做成的。在许多种的手工业上,有许多生产过程,需要使用复杂高贵的工具。这些工具,不在各个手工业者手中,而为行会所有,变成行会全体会员的共同使用物(这种工具,在毛织物工业上可以见到)。在某种情形之下,这样工具又为都市所有。

行会为了减少从事生产的人数,所以当加入行会时(即得到店东的名称时),加上许多困难条件。14 世纪,加入行会的女职工已逐渐失掉升到店东的权利,她们永久是职工。并且到 16 世纪以后,行会就完全没有女会员了。

加入行会的第一个条件,是一定的出身。14 世纪,只有在一定都市中获得市民权,并且是自由而出身合法者,才能加入行会。想加入行会者,必须证明在他四代以前都是由于自由而合法的结婚生出的。外国人、非自由民以及从事"下流职业"者的子孙,例如亚麻工人、磨粉工人、牧羊人、刽子手、牧者、更夫、吹鼓手、理发匠及其他等等的子孙,不得加入行会。换言之,行会是不许农民及都市无产者子弟加入的。

第二个条件,是技术的性质。即是实际上,须学习手艺,最初是徒弟(14 世纪以来,徒弟是尽义务的),后来升为职工。然而,无论是徒弟或者是职工,都是含着在店东之下作长期工作的意义。徒弟期间,因国家和职业而不同:在德意志与英吉利,是从 1 年到 20 年之间;在德意志,徒弟期间平均是 3 年;在英吉利,平均是 7 年。徒弟必须经过职工的阶段,但至 15 世纪以来,又加上 1 至 5 年的游历各国的义务。本来在他国磨炼自己技术的习惯,从很久以前就实行了。此外,职工想做店东,必须在行会指定的处所受工作试验,证明自己的技术。到 14 世纪,在德意志和法兰西,这种义务试验往往因用自己费用购买一切材料之故,而对于受验者成为不能踰越的障碍。试验课题,又往往故意为难。例如,德意志受试验者的铁匠,必须给拉车的马钉马掌。法兰西受试验者须制造陈旧的不适用的物品。并且,行会试验官常常使受验者的工作失败。所以试验总是利于行会。

最后第三个困难条件,是缴纳入会金。这种入会金,虽在容纳职工或徒弟时,均须缴纳。作完试验工作者,亦得照缴,并且必须设席以宴请行会的店东和职工。此外,还需要许多财产上的资格。在挐尼不尔厄,必须在都市有家,才能成为铁匠、铜匠及锅炉匠等行会的师父。所有这些条件,限制新人加入行会,而将行会弄成几乎不准新人加入的闭锁的组织了。在 14—15 世纪,职工升为店东,是非常困难的。许多职工,都甘心于永久处在工资劳动者的状态。德意志及法兰西的行会,对于店东的儿子或与店东的女婿,却有例外。在法兰西,店东的儿子可以免除试验工作;在许多场合中,一达到成年,即可加入行会。这些方法,把行会变成都市的闭锁的身份组织了。

许多行会,不仅采用限制职工升为店东的方法,同时还直接限制其会员人数。例如 16 世纪卢卑格的铜匠、制针匠及制鱼人行会中,规定每一行会之会员为 12 人;15 世纪汉堡的金工业店东,限制为 12 人;窝尔姆斯造酒人数目,限制为 44 人。在此种情形之下,只有在旧会员死亡时,始能收容新会员。同样,在一个作坊中作工的职工及徒弟数目,也有相当限制。此种规准,在 14 世纪末叶的君斯坦士,限定为 5 个职工和 2 个徒弟。在其他德意志都市中,这种规准更低。

行会由限制工人数目,进而限制生产工具和生产物。13 世纪的法国,规定一个作坊中所使用的织机数目。有些地方,还规定店东所占有的原料;店东没有收买大量原料之权。原料常常由行会共同购买。行会规定停止工作的休息日,规定最大限度的劳动时间,禁止夜工。如有破坏此种规定,就处以货币形态或自然形态的罚金。行会更规定最大限度的职工的劳动工资,以避免某个店东增加劳动工资以诱惑别人的有才干的职工。

行会对于商品的销路,也加以很大注意。无论是行会的或由手工业者组成的都市官厅的商业政策,或是保护手工业者的国王的商业政策,都是一方面废除输入商品之竞争,另一方面免除行会会员间之竞争。普遍禁止在都市外部制造的商品之输入。但是在都市中开放定期市场期间,却是例外。在普通时期,允许商品输入都市内部时,必要在其商品贩卖上加上许多条件。例如限定商品贩卖时间,对于商品之品质加以统制(没收劣等商品,或课以罚金)。由商品中征收租税,例如市场税、通行税、秤税及仓库等税。普通允许输入和贩卖的,都是该都市所不能生产的物品,如意大利及法兰西的呢绒、意大利的玻璃器等。同样,农民也可以输入食料品。在都市郊外,外来者在一哩或一哩以上之一定半径地方,不得贩卖输入的商品(这叫作禁哩)。

行会会员在贩卖自己商品上受许多限制。任何人在都市中,不得有一个以上的店铺。按照行会的规定及行会长老的决定,规定行会会员贩卖自己商品的最低价格。另一方面,市会恐市面发生骚动,对于食料品制定其最高价格。在许多的生产物上,例如在面包生产物上,限定流动的定价:价格虽不变化,而受限定的面包分量却变化了。

行会是自治的组织。由店东组成的行会总会,选举行会职员——行会长老(8人至12人),他们最初是管理裁判事务并指挥战争,后来,管理行会财产,监督行会规则的遵守,及统制行会新会员的收容等。他们又常常委任会计师,以管理行会金库。行会认定某一祖师是自己的保护者。这种祖师的姿态,普通均会在当举行某种仪式或视祭时所陈列出来的旗子之上。

规定行会生活的各种规则,当作习惯法而存在,代代口传于手工业者。但是,这种规则,也常常在行会权利的决定或国王敕令的形式上,变成文书。这种记录有体系的决定的文书,普通叫作行会规则。当新行会会员要求作店东时,必须宣誓遵守一切团体规约。如有破坏此种规约的情事,须受行会公断处的裁判。

在各都市的行会间,常常结成关于共同行为的协定。例如14世纪末叶,德国铁匠行会为与伙计斗争,而互相结成协定。

封建时代都市中的手工业者行会,包含着会员各方面的生活,加以统制。因此,手工业者的组织得以巩固起来,但这只是在助长其组织之存在的状态继续存在时,才是这样的。在经济发展过程中,随着资本作用的增大,行会就开始没落下去。

七、都市制度

西欧都市不仅因国家不同而显示各种相异的构成,即在一国之中,其构成也大不相同。

当都市还依存于世俗的或宗教的封建领主时,封建领主由君主手中取得开辟市场,铸造货币,征收商业税及各种关税(道路税、桥梁税、入市门税等)的权利,及裁判市民的权利。他们还任命支配都市的行政官和裁判官。

市民自与封建领主斗争而获得都市自由后,就建立了选举制政权。

在某种场合,都市公社是转化为都市公社的旧农村公社;在别种场合,这种公社是在都市创立后才形成的。在都市中占有土地者,是有完全权利的市民。在都市公社的领地中,也有位于都市城壁之外的土地。都市是裁判上的区域。由12世纪末叶到13世纪初叶,在都市中,有都市权力及法庭所适用的都市的特别法律。在许多场合中,许多都市都适用一种类似的法律。在德意志,这种法律的基础是古代日耳曼的习惯法。

在意大利都市中,选举制的权力,通常是握在公社的领事——他们尽裁判官的任务,而且是都市的军事指挥官,都市评议会及都市各居民区域的民会之手。到了 12 世纪,皇帝任命的波捷斯特(都市长官——译者),代替选任的领事而成为市长。其后,与波捷斯特同时又出现了选举制的市长(甲必丹及评议会)。到 14 世纪初,首先在佛罗棱萨,其后在其他意大利共和国中发生僭主政治——以都市下层阶级为基础,借助都市雇佣兵士之力的贵族和布尔乔亚之一时的独裁。这种独裁,从暂时的转变为终身的,最后更变为世袭的。因此发生掌握数个都市共和国的僭主王朝。

南法兰西都市的都市制度,与意大利的都市制度相似。波捷斯特的权力,曾经暂时存在过。在北法兰西各都市中,选举制的权力是市长、评议会和民会。在德意志,和这相当的是市长、都市评议会和民会。英吉利的都市,没有获得政治的独立,都市权力操于市长、长老会议及公众会议之手。

八、封建欧洲的商人资本与高利贷资本

"都市产业,一旦与农村产业分离时,前者的生产物立刻变为商品,在其贩卖上需要商业的媒介,这是当然的事情。在这种意义上,商业关系于都市的发达,同时商业又以都市的发达的条件,这也是自明的事情。"①

封建时代手工业生产的地方专门化,是各都市间及各国间的商业发达的条件。在都市生活中,商人开始尽其伟大的作用。封建时代的商人还不能把某种商品的买卖专门化,他们只交换一切物品。他们所处理的流通手段,当时往往达到极大的额数。12 世纪时,即流传了关于拥有 7 万马克财产的商人(德意志)的记录。13 世纪,参加商业远征的商人,一次即携带 2 万马克的商品。同世纪,英吉利的一个商业公司,一年间由英国输出 125 万马克的绒毛。在意大利和德意志都市中,也是到结合极大流通手段的商业公司。在这种资本结合中,可以看出这些商业公司与结合商人本身的商人行会之区别。除商人外,同时寺院和当时发生的银行及国王等,也经营商业。国王利用自己权力,掌握某种商品的独占贩卖权。商业机能与银行机能之结合,在意大利是普

---

① 《资本论》,第三卷,第一部,第二十章。

通现象。商人与银行同时经营银行机能。佛拉曼特及汉萨的商人，大规模地经营高利贷业。

商业在相当程度上带有媒介的性质。"所谓商人资本之独立的发达与资本主义生产之发达成反比例，这个法则在威尼斯人、热那亚人及荷兰人等所实行的居间商业的历史上，很明显地表现着。此种商业不仅由于输出本国生产物而获利，更由于媒介落后的各社会生产物之交换，在商业上及其他经济方面榨取双方，而获得主要利益。在这种情形之下，商人资本是纯粹的东西，而且和这种资本所媒介的两极的生产部门相分离。只有这种事实，才是使商人资本得以成立的主要源泉。"①

往后，商人变为工业家，特别是在从外国输入原料的生产部门。另一方面，工业家又变成商人，开始大规模地生产商品，拿到市场出卖。

商人并非与直接掠夺无关。意大利商人在十字军时代，屡次掠夺东方各都市。汉萨商人，在北海和波罗的海，做海贼事业。"商业资本，当它占在压倒的支配地位时，到处代表着掠夺制度。无论在新旧任何时代的商业民族中，这种资本的发达，必然与暴力的掠夺——海上强掠、奴隶压迫与殖民地剥削——相关联。"②

在各都市中，货币经济随着商业的发达而发达。但是，在封建时代的欧洲，贵金属之贮藏并不丰富。15世纪末叶，西欧银的全贮藏量，合计银制品在内，估计为700万基罗格兰姆（kilogram），金的贮藏量估计为500万基罗格兰姆。所以当时常常感受铸货的不足。国王用皮革货币代替铸货，同时在商业关系上用谷物或胡椒做支付手段。所以常常把商人叫作"胡椒袋"。铸货的缺乏引起金银输出的禁止，同时，使铸货减低自己的价值。国王和封建领主，利用货币铸造权，故意破坏铸货，减少铸货中的贵金属分量。货币交易，随国际商业关系的发达而发达。"种种不同的国民铸币一经存在时，在外国买货的商人，需要兑换本国铸币为当地铸币，反之亦然。或者把种种铸币，代替为当作世界货币的未经铸造的纯金或纯银。由此发生改铸事业。……汇总业是

---

① 《资本论》，第三卷，第一部，第二十章。
② 《资本论》，第三卷，第一部，第二十章。

这样成立的。"①10世纪的天主教曾经尽了银行家的作用。银行业在意大利各都市中发展起来,到15世纪,热那亚人在欧洲开设最初的公众银行。同时汇兑事业,也随着发展起来。到13世纪,汇票普及到南欧洲及西南欧洲。

与商人资本之发达相关联,尤其是与货币、商业资本之发达相关联,而以谋利为目的之高利贷资本,在封建时代的各都市中也发展起来。马克思写道:"当作生利资本之特征形态看的高利贷资本,与独立经营的农民及小手工业者的店东之小生产的优越性相适应。"②在封建社会中,高利贷业者不仅榨取手工业者和农民,主要是榨取封建领主。此时教会尽了高利贷业者的作用。贷借货币所取的利息,虽受政府的一定限制,而利率却很高。例如14世纪中叶林达市(Lindau)的高利贷业者,收取百分之二百十六又三分之一的利息。高利贷业当作一种资本的直接发生过程,在历史上是重要的。高利贷资本与商人财产,促进不依存于土地占有的货币财产之形成。

货币经济和商业的发展,动摇封建的行会制度。"商业最初是行会的和农村家庭的产业及封建农业转化为资本主义生产之前提。一部分,由于为生产物而建立市场,一部分由于形成新的商品等价物,对于生产供给新的原料和补助材料,使生产物发达为商品。于是,无论从以市场和世界市场为目的的生产一点看来,或从作为由世界市场中构成的生产条件之基础一点看来,基于商业的各种生产部门,都开始发达了。"③其后,工厂与大工业本身创立市场,并使商业隶属于自己。

九、商业对象及商业路

许多商品,都成为封建时代的商业对象。首先是食料品。在欧洲时常发生饥馑,往往达到食人程度,因此促进谷物交易的发达。在许多地方,都市官厅常蓄藏谷物,以备物价腾贵和凶年或饥馑之用。14世纪中叶,访问拏尼不尔厄的查里第五,在市仓库中存放着保存118年的谷物。15世纪,充分大规模的实行谷物国际交易。此时谷物被输送到各地方去。有时一个国家,同时

---

① 《资本论》,第三卷,第一部,第十九章。
② 《资本论》,第三卷,第二部,第三十六章。
③ 《资本论》,第三卷,第一部,第二十五章。

输入和输出谷物。此外,在生产物中,鱼类和盐也是商业对象。酒类也被大量交换,皮革、毛皮、蜜蜡、木材、树脂和石灰等,均被买卖。金属一类,在欧洲交换的有铜、铁、铅、银等。由英吉利输出的羊毛,佛拉曼特、布拉巴特(Brabant)、意大利法兰西等地之呢绒,意大利之丝织物,佛拉曼特之布,亦被广泛交易。威尼斯以输出玻璃器而闻名。

活泼的商业,盛行于东方各国以及近东各国——莱曼特。欧洲商人与近东各国做交易,主要是与叙里亚和埃及做交易。他们在那里,由阿拉伯人手中购买东方各国的生产物。由印度及摩鹿加群岛(Molucca)输入香料,由阿拉伯输入香料和医药材料,由小亚细亚及印度输入染料,由叙里亚输入果实,由摩苏尔(Mosul)、白格巴及大马士革输入木棉、绢织物及毛毡。由欧洲商人方面输出东方者甚少。因此货币流入莱曼特各国。意大利商人所从事之奴隶贸易,是一种纯粹收益。他们把黑海沿岸居民当作军人出卖于埃及。同时女奴隶也被输入了。

所有一切商业,都为封建社会的支配阶级服役。商品购买者,特别是东方奢侈品的购买者,都是封建领主、高僧寺院及上层市民。

封建欧洲的商业关系,因道路恶劣而感受极大困难。狭小及往来稀少而无人修正之道路,只有用驮马始能往来。商人在途中遇到许多封建关隘,对于商品之通过必须缴纳关税,商人常有遭受掠夺的危险。攻击商人的普通是封建领主,尤其是大封建领主。所以商人与其走陆路,不如走水路。水路除时间经济外,而当用船时,还能装载大量商品。

欧洲商业,是经过下面的许多道路进行的。这是联结南欧(特别是意大利)与北欧都市及联合西欧与东方各国都市的道路。当时有几个最重要的商路。例如由威尼斯运出商品,沿布兰他河(Brenta)而达阿尔卑斯山,由此沿来茵河岸或来茵河上而输送于法兰德斯。另一商路,是从罗奴河溯流而上。从西到东的商路,最初是沿着来茵河前进,往后却从法兰德斯而经过德国各都市了。

欧洲商业通过当时航海者名为"黑暗之海"的大西洋而进行。意大利人开始沿欧洲大陆海岸线而进入大西洋的海路。到14世纪之初,威尼斯商船始出现于安多厄尔比(Antwerp)。后来意大利人也经由此路而进入英吉利。由

15世纪中叶起,热那亚人与佛罗棱萨人随威尼斯人之后航行大西洋。意大利商馆林立于英吉利、法兰德斯及法兰西各都市。意大利商船在经过直布罗陀(Cibraltar)海峡及大西洋的海路上,常常变成普罗温斯、西班牙及热那亚海盗之饵食。法兰西国王派遣舰队保护威尼斯商船,而那普利国王却与海盗分取赃物。

远洋航海,引起海路交通上的许多改善。到12世纪末叶,海图始出现。当时已知磁石指北之性质。至13世纪,阿拉伯人利用此种磁石性质。到14世纪,意大利人使用罗盘针。海岸上的灯台也开始出现(12世纪)。

十、近东贸易和十字军

12—15世纪,由法兰西、意大利及西班牙到达东方的道路,是地中海。那些商路,是经过地中海,而通达拜占庭、小亚细亚、叙里亚、巴勒士登及埃及的商路。欧洲商人在这些地方与阿拉伯各国做交易。他们从阿拉伯人这手购买阿拉伯、印度及中国的商品。据一般传说,中国和印度是有无限财富之地,所以达到中国和印度是欧洲商人毕生的目的。但是,经过阿拉伯各国,是不能到达的。威尼斯商人马哥孛罗,是最初达到中国的欧洲人(13世纪)。他的中国旅行记普及于欧洲,更加刺激欧洲商人想达到辽远的东洋各国的希望。

东方贸易完全集中于意大利商人之手。年年往来威尼斯的德意志商人,只知由乘河船横过威尼斯街市,不知有南海。威尼斯人在到莱曼特海岸经商时,决不许德意志人参加,因为恐怕在多利的东方贸易中形成新的竞争者。德意志商人,诱惑威尼斯的竞争者,热那亚人,经过热那亚港湾,而达于西班牙海岸。德意志商人与西班牙和保加利亚的这种关系,使德意志商人后来能够参加开拓东方道路的远征。威尼斯及热那亚商船,在地中海掌握支配权,15世纪以后佛罗棱萨共和国商船也参加在内。威尼斯和热那亚,在地中海的商业上驱逐其他竞争者——意大利的其他都市,法兰西及西班牙的都市。威尼斯及热那亚,在东方各国建设自己的殖民地。热那亚人,在黑海沿岸——克里米亚半岛及高加索——占据要塞,在叙里亚、巴勒士登及希腊,建立根据地。同时,威尼斯人也去到黑海,与小亚细亚北岸及克里米亚地方进行贸易。他们在叙里亚巩固自己地位。热那亚人与威尼斯人在东方各国的遇合及其不断的竞争,引导他们走入战争。威尼斯人及热那亚人的商业强国,在对东方贸易的基础上成长起来。威尼斯变为海上强国,其领土扩张到亚得里亚海(adriatic)及地中海沿岸和岛屿。

其他国家的商人,在海上虽不能与威尼斯及热那亚相竞争,但也能用其他方法而达到近东。从11世纪末到13世纪末的两世纪中,欧洲举行了数次的军事远征,西欧各国的骑士和商人几乎都加入在内,这就是十字军时代。十字军表面的任务,是为了由塞尔鸠克土耳其的回教徒手中夺回基督教圣地耶路撒冷。在很久以前,欧洲的基督教信徒即屡次往谒圣地。彼等组成庞大团体,向巴勒士登出发。11世纪,马因斯的大僧正一次率领7000信徒往谒该地,于是决定用武力夺回耶路撒冷。教皇祝福了这种远征。参加十字军的人,在外套肩上戴着十字徽章,因而得到十字军之名。十字军的真正目的,隐蔽在宗教的愤激之下,是为了占领通达东方的商路,掌握其丰富的财源。十字军一方面形成西欧骑士与僧侣的同盟,另一方面形成骑士与商人的同盟。欧洲商人希望用骑士的宝剑来实现自己的热望。参加远征的骑士、封建领主,知道在远征成功时,自己可以获得东方各国的丰饶的财富。教皇和僧侣,也知道当教会占领基督教圣地时可以得到某种巨大利益。商人们追逐于十字军之后,他们热望着军事上的成功可以驱逐东方贸易中的意大利人的垄断。农奴们也加入了十字军队伍,使十字军成为活泼有力的军队。这些农奴,受传教师的煽动而参加远征,相信在圣地中他们的状态可以改善。

十字军在两世纪之内,出发了8次。在远征途上,虐杀犹太人,掠夺东方及拜占庭都市。他们在目的地中,遇到军事熟练的敌人,而且有数万人因不服水土而病死。第一次远征,结果占领耶路撒冷及形成耶路撒冷王国。十字军在叙里亚的占领地域中,建立许多封建公国和伯领。13世纪初叶的第四次十字军,暂时破坏拜占庭帝国,在帝国领土中建设新国家。当远征时,十字军是用威尼斯人的军舰来输送的。因此,威尼斯人乃强使十字军占领亚得里亚海沿岸的都市萨拉(Zara),据为自己的领土。往后,威尼斯人又使十字军侵犯君士坦丁堡,结果,君士坦丁堡被占领,并且遭受掠夺。在拜占庭帝国领土中,发生法兰克的拉丁帝国及希腊和小亚细亚的许多法兰克国家。但是在同世纪中,拜占庭人夺回了自己的首都,在短期的拉丁帝国废墟上,复兴自己的帝国。

叙里亚及巴勒士登,在十字军远征之后,依然留在回教徒之手。

欧洲的征服者,屡次想巩固地占领近东,结果终不成功。欧洲各国的商人想把意大利商人由东方贸易中驱逐出去,结果也失败了。对于致富的一切希望,完全失败。但是,十字军东征的结果,却非常加强对于东方的商业关系。同时这种远征,更显著地扩大了封建时代人们的眼界,开拓了沟通东西文化的途径。15世纪中叶,奥斯曼土耳其占领了君士坦丁堡,在欧洲的东方贸易上给了强大的打击。

十一、西欧的定期市场

在西欧,除普通市场外,还有无数带着地方性及国际性的定期市场。随着手工业及商业的发展,愈加感到有在各地方各产业部门之间树立更巩固更常久的结合之必要。商人们因为携带商品旅行远方的困难和危险,不得不在短期间内互相会合。从教会或都市的市场会合而发生的商业,就变成定期市场的商业①。

封建时代的商业交换,因为定期市场的发生,得到某种确定性。此种定期市场,在一定地点和一定时间举行,变为经济生活的经常现象。最初确立定期市场的场所,是在经济和地理关系上比其他场所占有许多优越的地点。这些定期市场,是靠近发达的工业区域,位于重要商路的交叉点和交通便利的地方,同时也就是从来没有商人居住却又便于聚集商品的地点。定期市场所在地的领主的态度,对于定期市场的建设有很大的关系。领主知道定期市场之发展于自己有利,所以助长它的发达。这些领主为商人排除道路上的危险,给予外国商人以特权。定期市场开市时间,普通是该地方的教会的纪念日。

重要的定期市场,在封建时代的欧洲取得国际性质。12世纪前半以来,香槟定期市场具有国际意义。香槟,当时是独立的伯领,处在有利的地位。其邻国是工业国法兰德斯、德意志的造酒业地方及法兰克王国。塞纳河(Seine)、马斯河(Maas)流入香槟,附近又有萨鄂内河(Saone)、摩塞尔河(Mosel)。香槟位于水上交通的中心,是欧洲商业上运输上的重要地点。香槟

---

① 德意志的定期市场,叫作"Messe"(在天主教会语言中,Messe有祝祭之意)。

领主,保护这定期市场的发达,结果吸引商人到此地来。香槟定期市场,每年在四个都市中举行六次(上塞纳河的特鲁亚、马尔奴河畔的布里、拉尼及与布河畔的瓦尔)。往来此地的人,主要的是法兰德斯及意大利商人,此外是英吉利、布拉巴特、法兰西、德意志、斯干底纳维亚、西班牙、萨瓦伊(Savaa)等地商人。交易的商品,有呢绒、绢、皮革、毛皮、布、香料、果实、蜜蜡、蜂蜜、兽油、谷物、鱼类、家畜、马、乳制品、酒类、羊毛、麻、亚麻、盐、金、银、铁、钢铁、玻璃器、帽子、手套等。13世纪以前,此地也买卖奴隶,香槟定期市场的繁盛期,是由12世纪前半到14世纪中叶。此后,香槟定期市场,就开始衰退;但是,仍然存续到15世纪之初。

欧洲各国除这额定期市场外,还有许多较小的含有地方意义的定期市场,其中有几个市场也吸引外国人。例如法兰西的波开罗(Beaucaire——位于距马赛不远的罗尼河畔)的定期市场不仅有南法兰西人,而且有意大利及东方各国的商人。在英吉利,温彻斯特定期市场不仅是英国南部的定期市场,而且是法兰西的定期市场;斯顿布利士定期市场不仅是英国东部的定期市场,而且是法兰德斯的定期市场。

在吸引许多外来者,继续相当时期(2周至6周)而含有国际性质的大市场场中,交易是有规则的组织。在香槟定期市场,第一周陈列商品,然后开始交换呢绒等其他织物。这些商品在一定间期交换完结之后,再开始贩卖皮革和毛皮。同时也交换秤量的商品、家畜和马。市场的最后几天,商人清算其相互间的账目。意大利商人首先把定期市场变为支付场所。温彻斯特的僧正,由当地定期市场征收入场税,市场周围立有栅栏。在温彻斯特,当定期市场开市时,全区商业完全停止(因为在市场外,还有无税商业)。并且平时的都市权力,到这时就让渡于特别的定期市场的官厅。在香槟定期市场,这种官厅是定期市场的监视人。属于定期市场监视人所管理者,是定期市场的警察权和行政权。此外,还设有公证人,以便作成定期市场中的契约。

商人所取得的特权,是吸引商人聚集于定期市场的手段。例如不许在市场上没收债务者及其商品的习惯即是。对于商人在定期市场外所作之行为,不得在定期市场中加以迫害。同样,在定期市场中,商人对于同国人的债务或其他行为概不负责。在定期市场中死去的商人的财产,不得违反当时习惯,变为领主财产,必须转与其同国人。商人间在定期市场中发生的纠纷,由商人组织定期市场的公断处,用极简单的手续去解决。这种习惯,是后来国际商法的基础。

到了14世纪,欧洲定期市场的状态大生变化。香槟定期市场,已失去其旧日的国际意义。因为13世纪末,香槟伯领一门死亡,该伯领变为法兰西王的领地。新权力者激烈地变更对于这种有名的定期市场的政策,由当地商人手中征收关税,以救济自己穷乏的财政。到了14世纪,因为此种关税之故,意大利商人就裹足不前。并且当时法兰西与法兰德斯的战争,更阻碍法兰德斯商人去到香槟。他们为了同意大利往来,就寻找其他道路——水路。英法百年战争,以香槟为战场,使得该地市场荒废,最后到15世纪,终沦于死亡。旧日经商的人,或改赴热那亚,或改赴不鲁日。

不鲁日,是法兰德斯最富足的都市,运河南北横流,商业发达,而有北方威尼斯之名。13世纪末叶,是它最繁荣的时期。当时在其港湾之斜面(这个港湾甚浅,现在其海岸线,离不鲁日城市15启罗米特),除法兰西及意大利外,收集了34国的商品(其中有俄罗斯的商品)。法兰德斯的伯领采取自由贸易政策,因而促进不鲁日变为世界市场,同时也是因为此地的绒毛工业发达之故。14世纪以来,不鲁日定期市场在法兰德斯定期市场中占居主要地位,而成为国际的定期市场,以代替香槟定期市场。14世纪初叶,不鲁日的商业意义已开始衰退,到15世纪,其国际作用就移于邻国布拉巴特的安多厄尔比。15世纪后半(1460年),欧洲最初的商品交易所出现于安多厄尔比定期市场。安多厄尔比及其定期市场。直至16世纪中叶,还保有其"世界指环之宝石"的意义。

从前到香槟去的一部分商人,开始集会于热那亚(当时的萨瓦伊领地)。热那亚定期市场,自13世纪开市以来,往往于此地的意大利、德意志及法兰西的商人,把热那亚定期市场变为国际的定期市场。因此,热那亚定期市场在15世纪曾有过暂时的繁荣。到15世纪后半叶,法兰西的里昂发达起来,成为热那亚定期市场的竞争者。在里昂,意大利手工业者所输入之丝织物异常繁荣。15世纪后半叶,法兰西王路易十一,禁止法兰西商人参加热那亚、法兰德斯及布拉巴特等定期市场,使里昂定期市场变为国际市场。

13—14世纪,德意志的许多定期市场也获得国际的性质。例如13世纪以后,意大利商人去经商的佛琅克佛尔特定期市场,以及15世纪以后,苏利士(南德意志)定期市场,都带有国际性质。往后,萨克逊定期市场也获得同样的性质。这个市场,直到现在还保存着为世界毛皮定期市场的国际意义。

十二、西欧都市的阶级斗争

在封建时代的西欧都市中,发生了数世纪的激烈的阶级斗争。这些斗争,一方面采取经济斗争的形态,同时另一方面,又变为政治斗争及为都市权力的斗争。都市居民的各阶级,均参加这个斗争。都市居民的某一集团,为了镇压反对者,暂时地与其他集团携手,但到实现了自己的目的后,就与以前的同盟者反目。

在意大利都市中,手工业者及商人对于封建贵族的斗争不断地发生。这种斗争,与以前的各种斗争不同,因为斗争的场所已移入都市城塞之内了。住在都市的封建领主,因为丧失了一切政治权利,所以常常想推翻手工业者及商人的权力。关于这一点,在14世纪佛罗棱萨所展开的斗争,即是特征的实例。1343年,无权利的贵族组织武装暴动,反抗"皮匠与行商"的权力。佛罗棱萨市民攻击环围贵族宅邸的河桥。经过困难的战斗之后,占领了贵族住所。于是想在佛罗棱萨引起政治变革的封建贵族之企图,由于暴动之被镇压而终结了。

在意大利其他都市中,封建领主借助雇佣兵士之力掌握权力,树立自己的独裁。例如俾斯康士变为米兰僭主,德里亚变为热那亚僭王。

同时在市民本身间也有斗争。这种战争,在德意志及意大利都市中,首先表现于掌握权力的贵族之间。斗争的起源,是为了夺取都市的种种职务及榨取都市财产的权利等。在这种战争中,互相敌视的贵族都依赖于手工业者。

另一方面,手工业者又同贵族斗争。他们反对只用贵族代表去组织市会,非难自己的反对者的不正当财政政策,以及对于都市居民小资产者部分的横暴。14世纪,手工业者行会常常压服贵族,树立自己的支配权。但是,贵族再占胜利,激烈地弹压自己的反对者。例如1371年,在哥罗尼亚,织匠推翻贵族的权利。但是,贵族之后,就大举屠杀织匠。据都市年鉴所记:"都市的权力者结成团体,高举都市之旗,带着喇叭和口笛步入街市,带领许多善良的人们,逮捕织匠,就地屠杀。他们到织匠家里、教会和寺院中,搜索织匠,不分老小,一律杀戮。马利亚寺之钟一鸣,织匠开始逃亡,能逃亡的人都逃亡了。织匠的妻子被逐出都市,市会没收他们的一切财产和房屋,特别是有大势力的和有财产的曾经粗野的管理过市会者,更变成残酷的对象。大部分煽动叛乱而犯罪的领袖,都逃去都市,抛弃都市和自己的家庭。"

14—15世纪,在德意志,贵族权力,到处都被推翻了。

在14世纪的德意志都市中,又开始职工与店东的斗争。当时职工组织团体,以便改善自己阶级的物质状态。第一个团体,是北勒斯劳(Breslau)的皮带工人同盟,这个同盟在14世纪之初,宣言同盟罢工,向店东提出许多要求。首先组织起来的是职工。这种同盟,最初是一时的组织,后来才渐渐变成经常的组织。这些同盟,采取工人宗教团体的形态,在其本质上,是为救护病人和葬仪的共济组合。职工组织,开始起于集合工人的都市饭店。工人运动开始是为缩短劳动时间而战争,当时劳动时间,由日出到日没,约有14—16小时。同时工人要求"青礼拜一"——即习惯上认为是休息日——的解放。工人反店东的斗争,也有因为店东把自然物的一部分作为工资的事实而起的。在为这些要求而与店东斗争的过程中,当店东不容纳自己的要求时,工人常常以离开都市的手段去威胁店东。

代表店东利益的都市权力,常常与工人运动相斗争。一方面,如像14—15世纪的君斯坦士一样,禁止工人集会结社;他方面,当时德意志的都市权力,封锁工人集会的饭店。在各都市中,工人罢工运动遭受特别激烈的压迫。14世纪,在但泽,采用削去参加罢工者耳朵的法令。但是,这些都市权力的方策终不能消灭工人运动。到了15世纪,工人已有经常的组织,并得到都市权力的承认。工人不仅使用罢工以为经济的斗争方法,而且用它去维持自己组织的尊严。例如在德意志的某都市中,因为当教会游行时不允许工人通过,而引起罢工。但是,封建时代的工人罢工,不含有任何政治的性质,工人运动,没有政治目的。

在封建时代的都市历史中,残留着最鲜明的斗争之一页,是行会外的无组织的劳动者斗争。这些斗争,多发生于意大利都市,在意大利都市中,农奴状态消灭的结果,从 13 世纪起,出现了在手工业工场劳动的大量的工资劳动者。这种劳动者,在羊毛工业中最多。他们没有市民权。店东常常不给劳动者以全数工资,有时支付工资,也由店东任意决定;工资多少,完全取决于店东。当恐慌开始时,店东驱除劳动者;当劳动者不足时,行会和都市权力,就禁止劳动者用现金偿还店东的借款,必须用劳动来偿还。当时行会的规则,禁止劳动者集会结社。在这种情形之下,羊毛梳刷匠及许多熟练的染匠的运动,激烈地发展起来。14 世纪前半,在佛罗棱萨,梳刷匠企图召集会议,激起反店东的运动。但都市官厅闻知后,立即逮捕倡首的工人。于是劳动者开始罢工,要求释放被捕工人,并提高工资。都市官厅释放了被捕者,但没有容许提高工资的要求。到 14 世纪后半叶,佛罗棱萨的染匠利用黑疫流行后劳动者缺乏的机会,提出提高工资的要求。店东们不得不同意,但到数年之后,行会为了小企业的利益,就禁止任何人在各生产部门中有 4 人以上的劳动者。

十三、詹丕①(流氓——译者)暴动

1378 年,佛罗棱萨发生了劳动的暴动,他们掌握都市的权力。这种暴动就叫作詹丕暴动,这是阶级敌人称叫叛徒的一种名号。

14 世纪 70 年代之末,佛罗棱萨的权力握在大商人资本的代表者及大手工业工场所有者之手。属于佛罗棱萨的大手工业者的纤维业行会,叫作"老行会"。这种行会,加入商人团体。如用马克思的话来说,其会员是生长中的资本主义生产的代表者——这种资本主义,"其萌芽在 14—15 世纪时,即已孕育于地中海沿岸的各都市中了"②。这些人员,把工业家与商人结合起来。属于所谓"青年行会"的手工业及小商人,与这种"肥胖之人"相斗争。青年行会当对抗老行会时,极力煽动在大企业家=纺织业者的作坊中作工的工资劳动者。这些劳动者,是于 14 世纪时在资本主义生产最先发达的意大利发生的工资劳动者阶级。这些劳动者在佛罗棱萨,当时达到 13000 人,其中主要大众是不熟练的劳动者(约 9000 人)。受劳动者拥护的青年行会的手工业者,破坏

---

① 本书中亦译称为"张鄙"。——编者注
② 《资本论》第一卷,第二十四章。

工商业者的家宅,掠夺寺院,释放囚徒,驱逐老行会的领袖于都市之外。以前没有权力的青年行会,由于此种都市革命就掌握都市权力。

希望从这种变革中改善自己状态而终于失望的劳动者,仍然不断地骚动。他们结成自己的"拥护同盟"。新的都市权力逮捕集会者,并加以虐待。劳动者及一部分青年行会,要求都市权力释放被捕者,但是被拒绝了。于是劳动者就焚烧哥法洛尼尔(佛罗棱萨的最高官吏名称)的家宅,夺取都市之旗"公正之旗",放出了被捕者。青年行会和劳动者,同时又向都市权力提出揭载许多要求的请愿书。在这请愿书中,劳动者要求参加政府机关、组织行会,正当分配租税,改善劳动条件。都市当局容纳了这些要求。于是"青年市民"在森纳利亚(森纳利亚,是佛罗棱萨的权力机关,是由老行会的代表构成的)中,获得了两个议席。小手工业者布尔乔亚,掌握着权力。当时有一个羊毛梳刷匠兰德,率领一群劳动者,高揭"公正之旗",侵入森纳利亚。劳动者选举兰德为哥法洛尼尔,但未选举其他官员。于是佛罗棱萨的劳动者掌握了权力。这是一种革命,这种革命,是商人与手工业者的都市所未曾体验过的。

兰德以顾问的资格,召集青年行会的代表者,由所谓詹丕(这是当时都市布尔乔亚对于劳动者的蔑称)的 32 个代表组织委员会。但是,劳动者并未建立自己的独裁。佛罗棱萨的劳动者及小手工业者,结成同盟。在各行会代表者参加之下,自由都市的各种职务由新人员来执行了。胜利的劳动者,组成了属于特别范畴的"小行会"的三个新行会。在这新行会中,一切行会——老的、青年的、小的——都有同样人数的代表,所以劳动者在森纳利亚中,获得 1/3 的议席。

劳动者及小手工业者的支配,继续四十余日。新森纳利亚,采用实现劳动者要求的政策。羊毛业者行会,为了防止大羊毛工场主停止生产,规定每月必须制造一定分量以上的呢绒;又制定直接税,废止支付对于国债的利息。同时采用许多对于食料品的政策,即撤销磨粉税,减低盐税,允许谷物自由输入,禁止谷物自由输出,分配谷物于贫民等。

老行会不能与新情势相融合。他们反抗森纳利亚的命令,停止工场的工作,蔑视关于呢绒制造最低限度的法令。因为佛罗棱萨市的金库空虚,森纳利亚不能不复活许多租税。于是,当作独立行会组织起来的,已经成为"最小市民"范畴的詹丕,再开始动摇了。詹丕造出的委员会,向政府提出了新要求。森纳利亚赞成实现这种要求,并且承认詹丕委员会是高于森纳利亚的权力机关。但是,反对詹丕的老行会不同意。他们找到了两个新行会的拥护——由熟练劳动者组织的羊毛者行会及绢工业者行会。这些熟练劳动者,受延长的失业之威胁。兰德也反对詹丕,而倾向于熟练劳动者。于是佛罗棱萨市又发生骚乱。结局,詹丕失败,逃出佛罗棱萨市。侵入劳动者住宅区域的战胜者,破坏劳动者住宅,宣言劳动者为被驱逐人;废止詹丕的行会,把小行会中的两个新行会移入青年行会的范畴;由森纳利亚中,驱逐詹丕的代表;撤废以前森纳利亚的方策;兰德辞去哥法洛尼尔之职,变为反革命的参加者,大受战胜者之褒奖;在佛罗棱萨树立青年行会的权力。其政府因以罢工手段要求制定最低工资,缩短劳动时间及废止自然物工资的熟练劳动者力量的压迫,不得不实行民主政治。然而数年之后,老行会再反对劳动者行会,破坏劳动者做工的工场。老行会的权力复活起来。小手工业者布尔乔亚的领袖及兰德等,均被逐出佛罗棱萨市。劳动者行会消灭。随后小手工业者也遭遇同样的运命,他们的代表者被逐出权力机关,而在佛罗棱萨市中,树立老行会的寡头政治。

　　詹丕的暴动,是资本主义生产方法黎明期中的工资劳动者最初的政治、社会的大运动。这个运动,证明了生诞中的都市普罗列达里亚的目的意识性与其组织能力。但是,詹丕的社会的、政治的理想,当时没有超出而且也不能超出转移政治权力于以前受压迫的行会的手工业者的行会制度以上。由此生出都市普罗列达里亚与小手工业者联合的必然性。詹丕运动失败的原因,是劳动者之间的内部分裂。这种分裂,表示出熟练劳动者与不熟练劳动者利害的不一致,以及熟练劳动者之缺乏巩固性。当时带有手工业者意识形态的独特色彩的詹丕暴动,却是最大的工资劳动者的运动。

十四、意大利各都市的僭王

　　14世纪初叶,意大利都市中为权力的战争,在这些都市中,树立了实际上的个人的支配——僭王政治。以前的自由公社现在变成贵族的国家,握有权力的成功者独裁地支配都市。掌握权力的僭王,依存于都市居民的某社会层,使用其权力,以谋该社会层的利益。在某种场合,他们代表都市的贵族的封建的豪族，在他种场合，又代表都市手工业及商业资本各阶层的利益。僭王常常依赖雇佣兵士之力，以掌握主权。在各都市间断的、不间断的斗争之下，无论为了攻击其他都市及工业竞争者，或是为了保护自己的城壁，这种雇佣兵士是非常必要的。雇佣兵士的大部分，都是以得到大量给养以及当占领其他都市时掠夺财物为目的的外国人。他们是受了容易发财而放荡的雇佣兵士生活之引诱而来的。这些雇佣兵士的长官（在意大利叫作康多捷尔），同某一都市谛结勤务契约，但是以后很容易违背这种契约，而走到报酬更多的敌方去。意大利都市的僭王，以雇佣兵为基础，好像不曾依存于人民的某阶层变成专谋个人利益的无限制的压制者。僭王有的是贵族出身（例如米兰的威斯昆士），有的是教皇同族，有的是雇佣兵士的长官出身，并且在15世纪，还首由都市资本代表出身的。例如佛罗棱萨的银行家麦几士，即是明证，麦几士家族中的吉瓦尼开创麦几士朝。

随着时代的进展，大都市的僭王，如像米兰、曼都等地一样，支配小都市的僭王，并且用这种方法建立许多小国家。在意大利，直到最近，还残留着这样的小国家。

僭王的形态，虽然发生变化，虽然由粗野的压制者转化为实行相当受人爱戴之政策的国王，转化为受"文艺复兴期"精神的教养并接近学者诗人及美术家而醉心科学哲学文学美术的国王，但是，这种僭王，仍然是对于不满意公社自由之丧失的都市布尔乔利亚一部分的政治敌人。14世纪，意大利最有名的文学家瓦喀捷，关于僭王曾说明如下："怎样呢？我们把这种人叫作皇帝吗？尊敬他为君主或相信他是主人吗？不是的。他是敌人。我们要暗杀他，用武器去反对他，给他设下陷阱，用暴力去打他——这是最高尚最神圣最必要的事业。因为僭王的血，是上帝最欢迎的牺牲品。"在这一方面，瓦喀捷是反君王的理论的先行者，这种理论，与对抗中央集权之君权的都市公社之斗争相关联，而在16世纪时得到普遍的发展。

十五、都市生活

德意志、意大利、法兰西及西班牙的若干都市，直到现在，还残留着封建时代的外貌。我们不难借助古代文献和绘画把它详细地显示出来。为巩固都市的建设与防御之必要,给予都市一种军事姿态。在许多都市中,都保存着带有无数门塔包围着它的城壁。城壁之外的沟壕,灌以流水,两边架起吊桥。城门围以吊栅。这种都市常常由于第二层墙(即内墙)而把内部分为几部分。这可以证明住在同一区域的人不能不警戒自己的邻人。在这种都市中,常有领主的城塞。这种领主的城塞,普通设在小山下,城塔耸立,下视狭隘的都市街道。在封建都市中,这些街道,其名称足以表示它与某种职业或某国人有关。这就是说,这条街上有一定职业的手工业者作坊及店铺,在这条街上住着某国的商人。在街道上,耸立着紧密相连的高房,因此,使街市完全黑暗。房子是用木料造的,房顶盖着干草,所以封建时代的都市常常发生火灾,甚至全部变成灰烬的事,也是常有的。使用烧砖的新建筑方法,是向前进展了一步。由烧砖盖成的建筑物,建立在涂染粘土的石基之上。15 世纪以前,在都市中,玻璃是一种奢侈品,只用于寺院或公共建筑物上。个人的房屋,用纸或布糊窗以御寒。街道的通行,是很困难的。泥泞满街,两旁住宅,向街道上投抛污物。德意志的一切都市,均为猪所苦。在某种地方,每天限制一定时间,准允猪在街上通行。这种都市权力的法令,被当地诗人歌咏在诗中了,15 世纪奥格斯堡的年鉴作者说:"都市到处都是污秽。"只有在举行祝祭时,清除粪尿和其他污物。最先铺装街道的,是 12 世纪的巴黎,其他都市较后。在街道上,没有灯光。当祝祭或某种事故时,在街角上才安置灯光。普通夜里上街时,都市手里拿着灯笼。

此种工业的及手工业的都市之中心,是市场的广场。这种广场,也是当时的集会场和行刑场。在德意志,都市在市场中耸立着封建叙事诗的英雄罗兰德之像——公平裁判的象征。在市场及其他都市的广场中有井,这是一种伟大的艺术建造物。这种井不仅用于直接的用途,也是邻近人们集合的中心,并且在井的附近,通常总有醉鬼和赌徒集聚着。在市场上设有耻辱柱,暴露罪人于此柱之下。在都市中,除主要市场外,还有一种专门市场,例如谷物市场、鱼市场及干草市场等。

都市的其他中心,是公会。这种耗费数百年时间筑成的庞大建筑物,在封建时代的各都市中,随处可以见到。此外有无数的建筑物,也是都市的装饰。其中首推市政所,在这种建筑上,不惜投以巨大费用。在市政所中,有为举行

195

会议或种种祝祭之用的很奢华的大厅,在法拉曼特都市中,耸立着带有都市钟表的高塔。这种高塔,常常直接与市政所连在一起。都市设立特别娱乐场,以备公共宴会跳舞会及市民中豪族的家族祝祭之用。在公共建筑物中,还有一种客厅。行会为了各种集会及娱乐之故,建设自己的行会公所。又与该都市有商业关系的其他都市的商人,也在那里设立自己的住宅。例如德意志商人,在威尼斯设立自己的佛达克(借用阿拉伯语),伦敦和其他许多东方都市,均有这种建筑物。

封建时代,手工业的及商业的都市创造自己的都市文化。发达于许多都市中的学派及科学的生活,许多行会的及宗教的祝祭,反映在都市生活中,并给以独特的特征。

十六、基辅鲁斯的都市

古代俄罗斯都市,与西欧都市表示着尖锐的对称。当 10 世纪沿着由瓦列克到希腊的水道敷设商站时,都市鲁斯开始发生。侨居鲁斯的斯干底那维亚人,把鲁斯叫作"都市国"。以鲁斯为对阿拉伯人通商的国家而加以注意的阿拉伯作家说,在俄罗斯国内,有很多都市。12 世纪,在俄罗斯有 300 以上的都市。历史家对于这些都市的意见,大不相同。俄罗斯布尔乔亚历史家克鲁捷夫斯塞,以为这些都市中,至少有许多是大工业都市。但是,鲁斯的都市与西欧都市不同,并不是那种在它周围形成手工业者及商人居住的都市的市场,然而也不是手工业生产的中心。在鲁斯的初期,都市手工业只是在萌芽状态。虽然有许多书上都说在手工业者之间有相当的专门化,但这种专门化,是 13 世纪以后才形成的。14 世纪以前,鲁斯经济生活中手工业者的作用并不显著。当时只有手工业的小企业存在。以后,手工业发达于王诺弗哥罗,更后又发达于莫斯科。鲁斯的都市,既不是手工业中心地,也不是大商业都市,如波克洛夫斯基所说,是"商人和掠夺者的滞在地"。商人是这些都市的创立者。从其商业方法说来,他们是掠夺者。

脱离了人格上隶属状态的人,是构成基辅鲁斯各都市居民的基本大众。其中最高阶级是地主,同时也是大商人和高利贷者;并且使小商人、手工业者及下层劳动者,在经济上依存于自己。下层阶级,苦于高利贷资本之压迫,结果在基辅引起两次革命(11—12世纪)。革命虽然对于高利贷者的任意行为加了若干限制,但不能彻底排除他们的压迫。同时,革命加强了都市被榨取大众的政治作用。都市民会虽然在都市政治生活上尽了很大作用,召集王公与他们结成关于统治的条约,并可以支配王公,但是,根据我们所有的材料判断,都市权力实属于都市地主及商业贵族。

然而布尔乔亚历史家常常太重视古代俄罗斯的商业意义。当时的一切人们,即王公、贵族、僧侣、寺院、商人和农民等,经营商业,诚然是事实。但是,在13—14世纪以前,特别阶级的商人在古代俄罗斯都市中尚未出现。商人同时就是地主。直到14世纪左右,特别的商人阶级才开始形成。虽然一切人民阶级均经营商业,但是全体的商业并未达到广大的范围。市场是到处都有(托尔格、托尔基思卡、托尔哥威斯卡)。11世纪,在基辅有8个市场,交易农产物、家畜、都市手工业品等,但是,地方的交换并不显著。规模稍大的,是在诺弗哥罗及北斯哥弗(Pskov),大商人是同他国交易的公爵和贵族。这种商业,是以公爵及其将士从居民所征收的贡税作基础。这种贡税的一部分——最有价值的部分,例如毛皮、奴隶、黄蜡及骏马等,都变成了输出品。王公的远征,获得许多俘虏。到13世纪末叶止,这种俘虏被卖在欧亚非各市场中。除了人口及毛皮的交换以外,还由外国输入纺织品、金、银、酒和蔬菜等,这都是王公贵族的奢侈品。

对外贸易的商路有两条。第一个商路,是从多涅波沿岸都市沿该河而下,遇急流时,就由陆上曳船,以达黑海。并且用独木舟构成的商队,由此沿海岸,而达到拜占庭。第二个商路,是由窝瓦河上流至河口,与阿拉伯人各国结成商业关系。阿拉伯人为与俄罗斯通商,而访问窝瓦的霍萨尔王国和保加利亚王国。霍萨尔人住在窝瓦河口,建立首都于伊其里——离现在的阿斯达拉干(Astrakhan)不远,窝瓦的保加利亚人住在窝瓦河的中流沿岸。他们与访问他们的阿拉伯商人的商业关系之中心地,是距离喀马河河口不远的保加利亚首都布鲁格尔。对拜占庭的商业,及通过拜占庭而对东方各国及西欧的商业,是直接在拜占庭首都实行的。基辅的第三条商路,到达西克拉科(Cracow)、巴拉加(Prague)及来干不尔厄(都纳河畔),外国商人由这些地方来到鲁斯。窝瓦的保加利亚人,为了保护对阿拉伯人的商业利益,尽量防止俄罗斯商人到东方各国去。这种到达近东各种道路上的障碍是拜占庭。但是俄罗斯商人往往能进入喀利夫首都白格达。12世纪,俄罗斯商人进入亚历山大商场。

对于拜占庭的商业,绝不是在和平形态之下来进行的。到达拜占庭的瓦列克＝俄罗斯商人远征队,在远征途中掠夺各地居民。在这一点上,明白表示出当时商业的二重性,他们一方面是商人,他方面是军人,是掠夺者。10世纪之初,拜占庭与俄罗斯王公的条约,可以证明拜占庭想把商业放在和平的、规则的关系范围内的企图。

商业最初带有物物交换的性质。到13世纪止,在鲁斯中当作最初的货币而流通的,是家畜、毛皮、貂鼠及皮带。11世纪,在基辅鲁斯,金属货币出现,但其铸造不久即中止。自13世纪以来,始使用锭子形态的金属货币。自鞑靼主权确立后,又开始铸造货币(14世纪)。

基辅鲁斯的商业,到13世纪,渐告衰落。13世纪初,十字军占领拜占庭,将欧洲与东方的商路完全移至地中海,而集中于欧洲商人之手,因此基辅鲁斯的商业不得不没落下去。后来鞑靼人侵入基辅鲁斯都市,更彻底消灭该地商业。商业生活移到北部和东北部。在东北鲁斯都市中,王公依赖鞑靼人,从都市民会夺取在东北各都市所确立的权力。

十七、诺弗哥罗

北方经济生活的中心是诺弗哥罗,它与其他各都市的运命不同,幸未遭受鞑靼人的侵扰。诺弗哥罗只在若干期间,曾向鞑靼人纳贡,所以能成为民主主义的商业国。诺弗哥罗吞并北斯哥弗、特尔鸠克、伊兹保尔斯克等许多都市,其领土沿北部及东北远达北冰洋、白海、乌拉及鄂毕河。诺弗哥罗在广大北方平原殖民,使诺弗哥罗的地主及商人取得无限的收入资源。诺弗哥罗人在尤哥尔的土地上(芬兰族居住之地),获得铁矿和银矿。北部森林地带富于毛皮。诺弗哥罗的年鉴作者还率直说起萨窝罗士及尤哥尔土地忽然由天上落下许多灰鼠和鹿的故事。12世纪以来,诺弗哥罗人在都纳的土地中建造制盐所。沿北地一带,敷设着诺弗哥罗人的猎房。在水边则从事渔业。殖民并非是和平进行的。诺弗哥罗商人掠夺土人从14世纪以来,更进而掠夺窝瓦河上流的俄罗斯都市——哥斯得罗(Kostroma)及下诺弗哥罗(Nizhni Novgorod)。诺弗哥罗的掠夺政策,遇到过土人的抵抗。12世纪,有一队诺弗哥罗人,在尤哥尔地方完全被杀。诺弗哥罗的地主及商人的财富,在榨取殖民地的基础上增大起来。

诺弗哥罗的阶级分化,比较基辅鲁斯各都市更为鲜明。此地也有一种大地主——王公,一方面经营商业,同时还贷金于商人。他们由于经营高利贷,而积蓄了极大的货币资本。此外还有中小商人、手工业者及下层人民——下层劳动者。诺弗哥罗虽有专门的大手工业,但仍然未成为手工业中心地。其手工业者专门家有:锅炉匠、铁匠、首饰匠、武器匠、木匠、石匠、桥匠、修路匠、皮匠、靴匠、鞍匠、铜匠、泥水匠、花匠、木桶匠、裁缝、帽匠等。诺弗哥罗的手工业与小农业结合着。

诺弗哥罗的货币资本之大量集积,使地主货币资本之代表人取得都市权力。这种权力,以前掌握在家长的土地贵族之手,到12世纪以来,就落到商人、小商人及手工业者之手了。诺弗哥罗居民的经济独立,虽没有消灭王公权力,然至少在相当程度上使它薄弱,并加以极大限制。诺弗哥罗的地主和商人,与王公结成条约,不许王公在诺弗哥罗占有土地,寄托土地,并不得通过诺弗哥罗人而自营商业。诺弗哥罗的民主主义,利用自己选举的权力——市长(Posadnik)、千人长(Twisyatskiy)及百人长(Sotskiy)等,对抗王公。13世纪以后,王公已不能变更诺弗哥罗的选举的权力。虽然如此,但是当这些权力的政策还有使诺弗哥罗的商人及手工业者的状态感到痛苦时,他们对于这种权力就要加以激烈的攻击。本质上,这种斗争,不单是对抗诺弗哥罗之军队指导者的王公,对抗蹂躏商人和手工业大众利害的权力的斗争,并且都市被榨取居民和榨取者——贵族——之间,也有激烈的冲突。在15世纪初的25年间,绝望的大资本家的债务者在诺弗哥罗破坏了贵族的邸宅。

诺弗哥罗的商业,与基辅鲁斯的商业一样,以掠夺殖民地人民所得的贡税等为基础的。诺弗哥罗与西欧实行大规模的批发交易,向西欧输出毛皮(这种毛皮,支配欧洲的毛皮市场)、乌拉银(由鞑靼人手中获得的)、丝绸、脂肪、鱼油、鲸油、亚麻、麻、大麻等物;对于东方各国,就通过窝瓦的保加利亚而贩卖奴隶。

诺弗哥罗，从其位置说，是处在有利的地位。它一方面，位于阿拉伯人行船的窝瓦河＝里海商路之终点；另一方面，位于由波罗的海达里海的有名的大水路之上；并且与瑞典各都市、加得兰岛（Gotland）、里波尼亚的德意志各都市及汉萨同盟的商业势力范围等相邻接。诺弗哥罗与欧洲也有相当关系。12—14 世纪，诺弗哥罗对德意志的商业是通过那尔瓦、勒佛尔（Beval）、鸠鲁普特、利加而进行的。诺弗哥罗商人到达卢卑格、亚波（abo）、加得兰，出现于但泽。由西欧输入诺弗哥罗的物品，主要是呢绒，其次是布、绢、铁、铜、锡、铅、金、银、谷物、盐、鲱鱼、酒、啤酒等。对德意志商人的交易，由于 12—14 世纪中几度缔结的许多条约，而成立经常的关系。汉萨商人与在西欧一样，在这里也有自己的商馆，即在诺弗哥罗有两个，在北斯哥弗有一个。访问诺弗哥罗的汉萨商人，是带有选举的权力机关的巩固团体。诺弗哥罗商也有自己的组织，即有以教会为中心而结成的商业组合。

到了 14 世纪，诺弗哥罗商人遇到莫斯科大公国的大竞争者，这个公国是对东方及克里米亚半岛的外国贸易的中心地。到 14 世纪之末，在莫斯克与诺弗哥罗之间发生夺取萨窝罗士（丰富的原料资源）的最初冲突。到 15 世纪，斗争的结果，诺弗哥罗失败，而臣属于莫斯科。其后汉萨商业衰退，都市的商业意义遂不得不完全灭亡。

除诺弗哥罗外，在西北鲁斯中还有许多与西欧有直接关系的都市，例如斯摩棱斯克（Smolensk）、巴洛克、威德比斯克（Vitebsk）等。由此沿西都纳河而达德意志。13 世纪斯摩棱斯克与德意志人缔结的条约，足以证明俄罗斯、德意志的商业中斯摩棱斯克的显著作用。但是，斯摩棱斯克通过海上时必须经过巴洛克与利加，于是这些都市遂利用自己的位置而取得利益。巴洛克不愿意德意志商人进入斯摩棱斯克，利加不愿意俄罗斯商人过海。最后，斯摩棱斯克与巴洛克成立了商业协定。

十八、资本主义社会诞生中的都市之作用

关于封建都市的历史，其经济生活及在城壁内展开的阶级斗争的认识，足以帮助我们理解封建主义的崩坏过程。"资本主义社会的经济构起，是由封建社会的经济构造中成长起来的。后者的崩坏，解放了前者的诸要素。"此种

崩坏之征候,早见于13世纪。商人资本及高利贷资本,在封建的欧洲各都市中发展起来。这双生子中的任何一个,不能造出新的生产方法,亦不能造成新的社会的、经济的构造。"商业对于既存的经济组织(其形态虽有不同,而主要都是以使用价值为目的),到处给以多少分解的影响。但是,商业达到怎样程度,始能分解旧生产方法,这首先关系于旧生产方法之坚固性及其内部组织如何。这种分解过程之归结如何,换言之,怎样的生产方法代替旧生产方法而起,这并非关系于商业,而是关系于旧生产方法本身的性质。"商业资本在某种场合,保守旧生产方法。成长于西欧封建都市的商业资本,破坏了手工业的生产形态。封建时代的各都市,使资本主义的生产方法发展起来。丧失土地的农民是这种发展的前提。马克思论定资本主义生产的最初萌芽,早已孕育在14世纪及15世纪的地中海沿岸的各沿岸中,即农民如在托斯加那一样,脱离封建的从属,丧失土地,当作工资劳动者,而出现于都市的工业中。表示封建主义崩坏过程之反面的资本主义社会的生成过程,自16世纪以后,急速向前发展了。

演习题目

一、助长西欧都市经济成长的原因如何?

二、都市公社何以首先发生于意大利?

三、都市制度的特征如何?它是怎样发生的?

四、商业行会的任务如何?

五、手工业行会的目的如何?

六、店东与职工的关系如何?

七、海上贸易之优点如何?

八、十字军发生的原因及其对于东西欧的影响?

九、资本主义的生产方法之萌芽,在欧洲何地发生最早?其原因如何?

十、张鄙暴动,带有怎样的性质?

十一、何以在意大利都市中发生僭王?

十二、何以在古代俄罗斯都市中没有形成行会制度?

十三、由古代鲁斯各都市之输出,其基础如何?

十四、封建西欧及古代鲁斯的都市与农村之关系如何？

十五、手工业、货币经济及商业之发达,在封建时代西欧的经济生活中尽了什么作用？

第十一章　封建社会的意识形态

封建的意识形态之宗教的和权力的(立足于某种权力之上)性质,无论对于欧洲各国或东方各国,同样都是固有的。从其发生来说,这种意识形态,与同一经济的和社会政治的诸前提相结合。现在不从国别去看,只加以概括的观察,亦可以说明欧洲和东方一部分的精神生活中的共通特征。

研究本章时,应注意下列各问题:

(一)封建时代,在欧亚二洲有怎样的文化摇篮存在? 拜占庭文化及阿拉伯文化之内容如何?

(二)回教发生之原因为何?

(三)封建的基督教会,由何获得对于人类意识的无限制的权力? 并用何手段以维持其主权?

(四)封建关系,如何反映于当时的宗教思想之上?

(五)都市文化繁荣之起因如何? 又其内容表现于何处?

一、封建时代的文化摇篮

3—4 世纪,罗马帝国之崩坏,引起加入帝国构成的各民族之文化独立。此种过程是为互相影响的,同时又保持独立性。几个文化摇篮所完结。这即是欧洲西部的拉丁文化、欧洲东部的拜占庭文化及亚细亚北阿非利加及西班牙的阿拉伯文化的三个文化摇篮。

拜占庭人及阿拉伯人在文化方面,是希腊人、罗马人、波斯人及印度人的后继者。拜占庭人及阿拉伯人,最初激烈地破坏自己所继承的遗产。4 世纪末叶,罗马皇帝西阿达斯(Theodosius)破坏古代的许多工艺品。拜占庭皇帝朱斯廷尼封闭亚典(Athens)学校,没收其财产(529 年)。7 世纪,阿拉伯人占领亚历山大,焚毁闻名于古代世界的亚历山大图书馆的羊皮纸。但是,随着时代的进展,拜占庭人及阿拉伯人渐改其对于希腊文学、美术、哲学及科学的态度。拜占庭人变成希腊、罗马文化的保存者。阿拉伯人不仅占有古代世界的文化成果,而且使之深化。这些文化成果,多经过阿拉伯人而传播于西欧。

阿拉伯文化,如果对于西欧是精神的源泉,那么,拜占庭文化对于东欧,给予意识形态的影响。古代鲁斯,由"第二罗马"(即君士坦丁堡)传入基督教、文学和工艺。亚美尼亚(Armenia)和佐治亚(Georgia),也是在拜占庭宗教的及艺术的影响之下发展起来的。

意大利自然是受拉丁文化的养育,即使法兰西、英吉利,甚至德意志,亦莫不受拉丁文化之养育。此种文化与加特里教及教皇制度结成紧密的关系。罗马艺术的传统,成为工艺上罗马式的基础。

二、拜占庭文化

当西欧罗马旧领中日耳曼族的住民,保存着在5—9世纪与若干国王的法律一同记载于日耳曼法典(日耳曼法典中最古的是萨里法典,这是6世纪初叶由于海岸地方的法兰克族做成的)中的古代国民习惯法时,拜占庭即采用罗马法,并由朱斯廷尼帝之命令而统一为一个民法典。这就叫作朱斯廷尼法典。在拜占庭法典中,显然是受了教会及宗教见解的影响(帝王神权说)。而拜占庭法典,则又影响于古代鲁斯的法律。在俄罗斯,到亚历山大米哈罗维奇(Aleksei Mikhailovich)帝颁布宗教法典时(1649年),显然是受了拜占庭法典的影响。

朱斯廷尼一世(527—565年),在拜占庭开始建设寺院。朱斯廷尼认为僧侣是巩固王权的手段。寺院变成地主,并取得为皇帝谕令所巩固的许多特权及免除。至7世纪,获得极大势力之寺院,造成推崇法权占国家首要地位的特别的意德沃罗基。法权和俗权的这种对立,必然引出宗教贵族与世俗贵族之冲突。这种斗争,就叫作偶像破坏斗争(726—780年及813—843年)。这种斗争的动机,是关于偶像的论争。关于宗教仪式及信仰的象征的各种见解,在拜占庭表现在无数反对派的"异端的"学说中。所谓"巴洛"派,以为人工作出的偶像的礼拜是不正当的。这种见解,颇受拜占庭皇帝之拥护。由于皇帝的敕令,把偶像从教会中铲除涂抹,或完全废弃。君斯坦士五世(741—775 年)封闭一部分寺院,没收其占有地于国库,令僧侣穿俗衣而结婚。后来斗争的结果,胜利属于拜像派。但是,对于寺院的土地占有,实在给以强大打击,至 11 世纪,才渐渐恢复过来。

10 世纪及 11 世纪,拜占庭获得经济和政治的强大,这时可以说是拜占庭文化的繁荣时期。此时,拜占庭追求旧书和研究古代希腊著者的文献。自从拜占庭市成为拜占庭帝国之政治中心地时起,在裁判上及法庭上成为日用语的希腊语变为国家的、文学的和科学的用语了。但是,拜占庭的僧侣为了宣传基督教,仍然使用当地的国语。至 9 世纪,基里尔及麦佛儿的兄弟在摩拉瓦(Moravia)用斯拉夫语传教。为了达到传教的目的,他们造成所谓"基里利萨"(Kirillitsa)的最初的斯拉夫字母。用斯拉夫语的所写的基督教的书籍,至 10 世纪还传留在古代鲁斯中。

拜占庭文学,带有神学的、道德的性质。带有宗教性质及效劳于宗教的和世俗的贵族利益的塑像美术,与文学同时发达起来。偶像破坏,几乎扫尽了一切雕刻术。在拜占庭,只承认有建筑术和绘画。初期的古典建筑物,是朱斯廷尼帝时代(6 世纪)所建筑的君士坦堡的苏菲亚寺。苏菲亚寺是采取罗马、希腊建筑术之特长所建筑的,解决了所谓占有极大内面积的圆天井的建筑上的问题。在绘画上,流行寺院墙壁上的摩萨克的装饰,其后非常普及于佛列斯哥。拜占庭艺术家的艺题,是由新旧约圣书中,由圣者生涯及伪经的(新教徒认为不经的旧约书中的 14 篇)说话中采取来的。拜占庭的建筑绘画及圣像画,对于古代俄罗斯美术的发展给以强大的影响。尤其在基辅,查尔尼哥弗(Chernigov)、诺弗哥罗、乌拉几米尔等都市的艺术纪念物中,可以看出其明显的反映。

三、回教与阿拉伯文化

与拜占庭文化之发展平行发展,形成阿拉伯文化。

阿拉伯一神教的宗教思想,表现在所谓回教中。回教徒,现在在地球上,达 2 亿 4000 万人。阿拉伯人在回教旗帜之下,占领亚细亚、阿非利加及欧洲之一部,建设世界的商业帝国。

回教的教义,发生于麦加市(阿拉伯商队的主要根据地)商人所结成的商业同盟中。麦加大圣堂,处在这种同盟的保护之下。这种圣堂,叫作喀巴(这是阿拉伯语,即正六面体之意)。据阿拉伯人的信仰,在其墙壁内,装置着所谓由天国降下来的黑石。

同盟员默罕谟德(570—632 年),把回教的意识形态加以体系化。回教的见解,表现在默罕谟德自己所写的诗中。回教的主要圣书,是搜集谈话、规则和训诫而成的可兰(阿拉伯语,示尊敬之意)。信徒们组成回教徒公社。

回教是由于阿拉伯人团结之必要而发生的。这种全阿拉伯人团结的思想,表现在小商人默罕谟德的头脑中。商业上的利害,引起此种要求。回教的意识形态,是阿拉伯商人的意识形态。有一个宗教意识形态的研究家说:"可兰的全卷,通带有这样的特征:合理主义,干燥的计算,事物之秤量,及从其个人主义的性质说来,不是表现农民的利害,而是充分表现商业资本——参加商业资本,必须要斗争——的利害。"

阿拉伯人以为自己是有到处去宣传"真正信仰"之义务的"上帝的选民"。当回教感受威胁时,可以对"非信者"宣言圣战。"非信者"的回教化,扩大商业关系,促进"可兰大商业公司"的成长。回教越阿拉伯,而扩至高加索、亚塞尔拜然(Azerbaijan)、布哈拉、基瓦(Khiua),经布哈拉而入印度,其后更达于西藏,而普及于中国北部。其走向欧洲之分流,则经阿非利加,沿途征服苏丹、阿耳尼尔(Algiers)、突尼斯,其前锋直达西班牙。

7—8 世纪,阿拉伯人创造多方面的深刻的文化。阿拉伯的学者扩大当时的地理视线,使数学——代数学(含有代数学意义的欧语 algebra 是从阿拉伯的一本数学画的表题中所采用的)、几何学及三角术——的研究,显著前进,在星象学、自然科学及医学领域中作出许多发现。阿拉伯的记数法(阿拉伯数字),虽是在阿拉伯人以前作出来的,但是,由于阿拉伯人之手才能普及和国际化。多数的阿拉伯语,都变成欧洲的科学用语及商业用语。例如 algebra(代数)、damage(损害)、tariff(税率)、shop(商店)等即是。亚里士多德的注解者阿拉伯哲学家阿维洛斯(Averoes),在欧洲封建时代,是一切著名哲学家中的大权威者。当时有人说:"亚里士多德说明自然,而阿维洛斯则说明亚里士多德。"

四、封建时代的基督教

当西欧尚在野蛮状态时，拜占庭人及阿拉伯人的文化已经很发达了。但是，至封建时代，这种拜占庭及西欧的文化发展的不平衡，乃大为减少了。

基督教在欧洲各国的精神生活中尽了指导的作用。宗教意识形态在精神生活的一切领域及一切社会意识形态中行使其绝对的权力，使一切哲学、政治、法律、科学、文学、艺术都从属于神学。甚至社会运动，也因为欧洲封建时代的世界观以神学的尺度通过宗教思想而接近于政治的现实之故，而穿上宗教的衣裳。

数世纪间，基督教会掌握巨大财富。教会的土地财产，在11世纪的西欧，几占封建领地的半数以上。此种状态于古代鲁斯中亦可见到。在古代鲁斯，寺院不仅攫取纳入金（这是王公贵族为供养死者所捐助的，这成为神圣住民的巨大财产），还掌握极大的耕地、渔场、养蜂场和制盐场等。农民根本上去充实教会的仓库。他们缴纳所谓"什一税"，而向僧侣供给谷物和家畜。

这些财产，常常遭受封建国王或皇帝的夺取。当必要时，世俗权力的代表者，无论在西欧，或在鲁斯，同样不客气地掠夺教会或寺院。这恰好同由犹太人夺取黄金相似。虽然如此，但教会并不因王章权（所谓国王使用僧正的一定额数收入的权利）之故而少有贫困。这反倒使教会更执拗地去搜集黄金和土地。

这种庞大的教会的物质力，助长教会扩大其精神生活领域的主权。如像文字所示一样，封建时代的人们，处处受宗教的统制。寺院是防卫正规军包围的城塞。在教会或寺院附近，开辟定期市场。有时市场设在教会里面（如法兰西），而同时教会遂变成公开场所。又在教会或寺院附设学校。教会的穴藏，变成仓库、其圣器所；当教会发生危险时，变成贵重物品的保管所。当上演神秘剧时，教会变成剧场；又当祝祭时，在那里唱赞美歌，举行宗教舞蹈。有数种法兰西的资料，可以作为关于这些情形的证据。在教会的礼拜时，不分昼夜地召集邻近的住民。关于任何事情，都高呼上帝之名。喀尔大帝的军队，手举旗帜，口唱赞美歌，而与阿握人斗争。牧师为了驱使兵士去剿灭异教徒阿尔卑鸠尔，而高声喊道："基督教的战争啊！用尽主给予你的力量去消除恶魔。"教会假借上帝之名,祈祷暴力和掠夺。十字军是在由回教徒手中解放巴勒士登的基督圣墓的口实之下而兴起的。十字架的力量,完全依存于宝剑的力量之上,这就是说不仅是俗权要拥护教会,而且是"牧师"学习武器的使用法,并在必要时去使用它。

巧妙使十字架和宝剑的封建时代的僧侣,在他一方面,也是强者。在当时,僧侣几乎是唯一有教养的人。中世初期的学问,几乎与教会合为一体。封建时代,一切知文识字的人都属于僧侣身份(Clergy),他们与僧侣作成同样的姿态(僧正)。教会供给全欧洲以建筑家、技师、历史家、外交官、医师。寺院因为在长期间里是唯一的模范农场,所以就以更高度农业形态教导德意志人。

僧侣一方面利用由自己智识中发生的利益,同时热心地努力夺取教养的独占。不许把拉丁语的书籍译成国语。所以这种书籍,大众是不能读的。教会禁止普通人、平民读"圣典"。教皇尹纳塞特三世在 1199 年的通牒中说:"不要向大众宣讲信仰的奥义,因为他们不能理解……因为普通人不容易涉及圣典的高奥。"

五、异端派

无论教会怎样向信徒表示自己是"圣书"的唯一有权威的解释者,而结果,终于出现了以异于加特里教会的方法来高呼"灵魂救济"的人们。在这些人们中,常常追随着广泛的大众,他们打破一切柔顺和冷淡,与教皇和公认的教会斗争。这种斗争,生出无数神学的异端派。恩格斯以为这些异端派,是最初的反封建主义运动。在异端派与教会的斗争中,因为在封建主义时代的缘故,所以我们只能看见穿着宗教衣裳的阶级斗争。异端派起于都市布尔乔亚与手工业者之间,其后,其形态屡变,而进入农民大众中。

团结一切异端派——参加异端派运动的封建社会的各种阶级——的共通事情,是对于罗马教会的榨取、对于教会的财富及对于僧侣的奢侈和有闲生活的憎恶。一切异端派的潮流都努力于一个目的,即复归于原始基督教。但是,一切异端派各个在其自己的流派上,解释原始基督教生活的基础。

我们不能把中世纪的各异端派,完全放在同一的分母上。

在阶级关系上看来,可以把它分为两类,即布尔乔亚的、温和的异端派与平民的革命的异端派。都市住民的无产者层——日工、小手工业者及各种男女奴仆的集团，以及所谓是后来的无产阶级先行者的集团，都加入平民的革命的异端派。布尔乔亚的异端派，常常蔑视"平民的"异端派。他们恐惧贫民层的动摇，恐惧也许从别的方面会对自己加以打击。

异端派最初广泛地普及于法兰西的南部都市。在这些残留着希腊罗马文化之糟粕及深根的都市中，引起对于支配的教会的抗议。异端派为其成长而获得好地盘的别的国家，是意大利北部。

12世纪初叶，异端派广泛普及于法兰西。在意大利北部及法兰达斯，同时发生许多加达尔（Katharer）的信仰者。这又叫作阿尔卑鸠派（Albigenser）。瓦登斯派（Waldenser，——因其创立者是里昂商人 Peter Waldes，所以叫作瓦登斯派），否定现世的财产和结婚，拒绝军事勤务和宣誓。瓦登斯派的共同体（这叫作里昂的贫民），扩大到法兰西国境之外，而达于北意大利、德意志、帕米尔、荷兰及匈牙利。在一切共同体之间，结成紧密的联系。

当异端派威胁教权时，教皇驱使北法兰西的骑士，对抗南法兰西的异端派。这些骑士杀入南法兰西，剿灭"异教徒"，掠夺其都市和城塞。此后，异端派乃不得不成为秘密结社。其信徒由都市移至农村，于是遂将都市手工业者运动农民化。

北意大利的瓦登斯派，叫作巴他伦派（Patarener）。13世纪以来，后者又叫作使徒兄弟派。这是狂信的共产主义者，自其发生后，立即遭受意大利僧正及教皇的剧烈压迫。其领袖塞格列利（Gerard Segarelli）被焚以后，勇敢的领袖得尔西那（Dolcino），站在运动的前锋，对教会、国家及封建制度开始公社斗争。得尔西那率领运动大众，侵入皮门特（Piedmont），爆发武装暴动，这个暴动是欧洲最初的共产主义的暴动。得尔西那暴动，遭受教皇有组织的军队的压迫。约有两千多被包围的暴徒，惨遭杀戮。得尔西那被捕，死于火刑（1307年）。其后，余党乃散居欧洲各地。其多数则走入南法兰西，又在其他地方，使徒兄弟派与瓦登斯派和伯格果派（Begharden）合为一体。

伯格东派，起于荷兰。伯格东派（乞食之意），最初是手工业者的团体，教会亦加以承认。但是其后，在伯格东派之间，遂发生反原始基督教教义及反教皇的思想。于是公认的教会对于伯格东派，亦如对于其他异端派一样，加以同样压迫。

当 14 世纪,罗马、德意志皇帝巴维也拉王鲁得维,开始与教皇斗争时,异端派在巴维也拉获得安全地带。但至鲁帝之后嗣时,对异端派之压迫,忽又紧张。于是异诸派运动,遂移至英吉利,在那里,于 14 世纪后半发展起来在许多点上类似伯格东派的所谓洛尔哈东派(Lollharden),多由欧洲移入英吉利并扩大起来。其煽动者遍历英吉利,宣传自由友爱的思想。这种运动,后因奥哥斯佛尔大学教授牧师维克利夫之参加,乃更为强大。

在俄罗斯,异端派之发展较后于欧洲其他国家。最初的异端说,出现于北斯哥弗(14 世纪),其创立者是助祭尼克他及斯特利哥尼克(剪绒毛工人)的喀尔普。因此,这一派就叫做斯特利哥尼克(Strigolynik)。斯特利哥尼克,以为教会是"立在贿赂之上",而宣言脱离教会。他们攻击仪式和僧侣,非难教会不应收纳贡物。这种运动,也像西欧一样遭受弹压。斯特利哥尼克被监禁起来,投于河中溺死。但是,这种运动仍然能够继续到 15 世纪中叶才消灭。

教皇为了与异端派斗争,一方面宣传类似异端派意德沃罗基的贫困、严格规律和断食;另一方面,利用教训服从教皇的寺院规律。因此,给予教皇的党羽以许多特权,及设立贫民寺院的权力。

13 世纪,发生两个加特里的大寺院规律——佛兰捷斯克派与得米尼克斯派。佛兰捷斯克派的活动,在意大利,由于阿西几的佛兰捷斯克而开始,教会及布尔乔亚把这种人物当作贫民教师的典型,而加以诗化。但是,事实上,佛兰捷斯克派及得米尼克斯派,都是教皇的臣仆和走狗。教皇委托得米尼克斯派去剿灭异端派。

六、异端裁判所之出现

在活泼的实行反 Albigenser 斗争中,有异端裁判所出现,这是为要搜索和处罚异端派所特别设立的加特里教会的宗教裁判机关。异端裁判所,自镇压 Albigenser 的异端派开始活动以来,不久就广泛设立于意大利、德意志、荷兰及英吉利。其中最严酷的是意大利。异端裁判所之制度,至欧洲封建制度崩坏时,始告衰退,但其基本活动进继续之好久。

对于异端派的普通刑罚,是死刑。但是,因为"教会不欲见血",所以委托俗权去执行死刑。出于教会意志的死刑,不能见血。由约哈耐传的文句(谁要是不附属我,就要把他当作树枝一般抛弃而任其枯萎,然后搜集起来投入火中烧掉)看来,中世纪的神学宣传火刑。并且,在裁判上,也广泛地使用它。在古代鲁斯,有魔术师及卜者的火刑。

七、禁欲主义与神秘主义

异端裁判与封建的世界观及禁欲主义,有极紧密的结合。顽固的异端裁判者,常常是热心的禁欲主义者。封建的宗教宣传人类生活的根本目的,是灵魂的救济,地上的生活不过是向天国的准备罢了。以为妨害人类生活当前的最主要目的之实现的人们——异端派——是最大的恶人,以为他们的行为是犯了最重的罪恶。并且"神圣"的教会,对于他们,应当加以极残酷的待遇。当时有人论及反对 Albigenser 派的十字军道:他们(十字军)于 13 世纪,达到有 10 万以上住民的伯几尔市,并包围之……但是,他们知道在这里不仅住有异端派,同时还住有加特里教徒,于是他们向长老问道:"父啊! 怎样办呢? 我们不能区别善人和恶人。"长老的答复,充分表示出僧侣的野蛮。他说:"把全部都杀死,上帝会看出谁是善人谁是恶人。"于是这个都市的大多数住民,遂惨遭杀戮。

禁欲主义,是主张压制人类性之感觉方面的学说。这种主义的起源早于基督教,更古代的宗教早已知道它。但在封建时代的基督教中,才达到最高的发展。禁欲主义的思想,立于二元论(关于精神与物质之对立的学说)之上,二元论是社会生产诸关系的反映。封建制度的矛盾——大众的极度贫困与领主的庞大财富,前者的无权利的状态与后者任意胡为——在封建时代的人类意识中,发生物质原理与精神原理的冲突的尖锐化。这种冲突,在各方面不断地受到以它为利益的基督教会的拥护。并且这种冲突,就养成了禁欲说。表示禁欲主义内容的公式,可以说是中世的某苦行者言论:"现世与神对立,神与现世对立。"实际上,禁欲主义表现于寺院制度中,而这种寺院制度自身就是封建经济诸关系的产物。

在封建主义时代,神秘主义与禁欲主义同时发达起来。它是封建时代的一切宗教意识形态及哲学的特征。

被压迫大众认识封建的现实越深,越使他们感到失望,感到不快。他们看见不断的不幸——传染病、凶年、战争、暴力——为要不至于完全绝望,因而发生奇迹的信心。他们以为只有奇迹可以把他们从压迫者、从不幸中拯救出来。热狂的农民与手工业者,热心地想要知道由于超自然力的行为所能引出的新世界。这种世界,是由于他们的"内心之声"、他们直观及"内面之光"所创造的。对于奇迹的信仰,生出许多文学。关于一切详细的奇迹之叙述,几乎成为一切"圣者传"的根本内容。

八、封建诸关系向宗教表象的推移

封建时代构成的宗教表象,反映封建社会的诸关系的体制。信徒们描写着在天上和地上存在着同样的体制。上帝掌握巩固的最高权力,他是天上一切体制之长的"全能者"、"命令者"、"天帝"。天上的体制,完全模写地上的君臣关系。上帝为许多天上的家臣(在斯拉夫正教,这是天使的位阶)拱卫着。作成最高级的圣像阶层的德罗斯寺院的圣隔,描写"天力"的相互的从属关系。如果在没有圣隔的寺院中,寺院的壁画普通是在圆天井的顶点,绘上萨瓦夫的神像(如基辅的苏菲亚大寺为诺弗哥罗的苏菲亚寺等)。

圣者的配置,也适应于地上的诸支配阶级的配置。在农村地方,有一种圣者;在都市,又有别一种圣者(在古代鲁斯,普遍在市场设立所谓"客人"的保护者的巴拉斯凯瓦=皮亚特尼莎寺院)。各地方都有特别的圣者。最后还有国民规模的圣者,这在德意志、法兰西、英吉利、鲁斯都受人尊敬。在圣者之间,也有相当于封建社会分业的分业。例如胜利者凯尔基,军事指挥官米海尔、佛洛尔及拉维尔(家畜保护者及马之繁殖者),彭台列摩(药王),尼哥来(航海保护者,同时又是丰年之神)等。10 世纪,因为道路恶劣,旅行危险,所以认为保卫旅人的圣者,特别受人尊敬。种种神的封建的分业,更扩大到地狱去。天上及地狱的体统制度,被封建时代末期的意大利大诗人但丁(13—14世纪),美妙地描写在他的《地狱》、《炼狱》、《天国》的三部《神曲》中。

九、加特里教与斯拉夫正教

某种宗教思想在其发生过程中,表现着被压迫阶级的意识形态;但是,随着时代的推移,这种思想渐渐改变它的相貌,而适应于压迫者的利益。结果,在封建主义之下当作支配的武器而被使用的宗教,遂来辩护社会的阶级矛盾,想用自己的威力或物理的力量把封建制度神圣化了。

在封建式的宗教中,除基督教之外,还有以下各教:由"正统派"默罕谟德教生出的封建波斯的希特教,佛教之变形的蒙古及西藏各民族的喇嘛教,佛教与古代宗教之混物的日本神道。在所有这些宗教中,其特征之点,即是种种神的封建的体统制度。基督教,适应于封建的必要,分为两派——加特里教与斯拉夫正教。

11 世纪中叶止,基督教徒形成一个所谓"普遍的"教会,以为拉丁的罗马与希腊的君士坦丁堡,都有彼此互相干涉的权利。在这种基础之上,在罗马教皇与君士坦丁堡的总主教之间遂引起论争。但自拜占庭几乎全部丧失其意大利的领土之后,在这两个教会之间也引起了分裂(1054 年),这就是所谓教会向西罗马加特里教会与东希腊加特里教会(斯拉夫正教)的分离。

加特里教的基础,是教皇制度。在欧洲史的全封建期间,教皇与俗权斗争,想使后者从属自己。神权政治思想,在教皇葛来哥利七世(1073—1085年),得到极猛烈的主张者。葛来哥利,在 1074 年的宗教会议上,实行提高加特里教会权威的三个决定。第一,僧侣必须独身;第二,禁止僧侣职权的买卖;第三,禁止俗权任命教会的职务。对俗权的斗争,最初归于葛来哥利七世的胜利。罗马、德意志皇亨利四世,亲赴教皇居住的喀那萨城(Canosa),于教皇允许其谒见的前数日,曾裸足待于关闭的门外雨雪中。其后俗权乃推翻教权,把葛来哥利七世逐出意大利。教权在其繁荣期中足以左右国王的命运,而支配其生活。在欧洲各国,各种阶级与教权实行不断的斗争。但是,只有在新制度及新社会的基础已被形成时,才能获得对于宗教的榨取者的最后胜利。

在鲁斯根据拜占庭之模型构成宗教体制的斯拉夫正教的教会,于数世纪间,陷于对君士坦丁堡的从属状态。最初俄罗斯的大主教是在拜占庭选出,除少数例外,都是君士坦丁堡总主教所指定的希腊人。至封建主义衰落的莫斯科与隆斯,俄罗斯教会始告独立。在莫斯科设立总主教(1589 年),这一直存续到 18 世纪初叶。

斯拉夫正教的僧侣与加特里教的僧侣不同,他们造成带着神政色彩的强大的俗权。因此,斯拉夫正教就变成莫斯科王公政策的工具,而颇蒙王公的恩宠。在其他点上,在加特里教与斯拉夫正教之间,并没有本质的差别。斯拉夫正教的寺院,与西欧洲寺院的所为一样,不客气地掠夺农民,同样利用人民大众的无知以达榨取的目的。

十、哲学与科学

封建意识形态的各种形态向基督教神学的从属,对于哲学则表现于"哲学是神学的奴仆"的公式中。当作"神之启示"的"科学"的神学,在封建时代的哲学家思考中,指导关于理性法则的科学的哲学。"神之启示"被尊为不易的真理,以为人类的理性是一种陷于迷妄的东西。

封建时代的欧洲的哲学,叫作烦琐哲学。所谓烦琐派,最初是指在学校研究科学尤其是研究哲学和神学的人们而言。烦琐一语,在其文字的本来意义上,就是指着在 9—15 世纪的教会和寺院的学校中成长的学校哲学说的。烦琐派所研究的问题的范围,只限于基督教宗教思想的范围内,不研究任何自然,排斥经验和观察。以为唯一值得研究和解释的实在物是书籍。因此,烦琐哲学常常变成烦琐无益荒诞的东西。12—13 世纪的烦琐派的著名代表者是:阿伯拉尔(11—12 世纪)、马格奴斯(12 世纪)及其弟子阿克维那斯(12 世纪)。

至 13 世纪,欧洲的哲学使亚里士多德哲学适应于基督教的意见。亚里士多德的著作,通过比当时基督教徒带有更高文化的阿拉伯人,而传入欧洲。不仅是亚里士多德本身的著作,甚至其弟子——注解者(逍遥学派)——的著作,也都成为基督教神学的最烦琐的研究对象。

封建时代的哲学思想,彻底地为形式主义所渗透。这种思想,是许多公式的迷路,是无内容的言辞上的无边际的论争。在封建的哲学家思考中,世界是在于绝对平稳状态。封建学校中所教授的辩证法与马克思主义的辩证法没有任何关系,不过是证明和论争的技术。那种哲学把现象从周围的环境分离,而加以形而上学的研究。

封建的欧洲的科学,也同样没有超出伯布尔、亚里士多德及朱斯廷尼法典的解释以上。这和哲学一样,与对于人类社会生活及外界自然现象的观察,完全无关。学者头脑中所思的问题,都带着神学的性质。例如神能够知道比自己所知道的更多的东西吗?在复活的基督体中有伤痕吗?亚当有脐带吗?当圣者复活时,他有肠子吗?在针头上能够站立天使吗?封建的思考法的习惯,在封建时代,有很深的根据。所以,直至 17 世纪,当英国学者哈布发现血液循环时,保守的文笔家还使那种发现与亚里士多德及中世纪哲学家的威权对立起来。

在封建时代,也继续研究发生很古的似是而非的"科学"——占星术。基督教会首先与占星术斗争。而阿拉伯人所热心研究的占星术,由阿拉伯人之手,再传入欧洲,广泛普及于各地,并常在大学里被教授。至 17 世纪,自星学知识发达后,对于占星术的信仰始消灭。除此之外,封建社会还研究炼金术。本质上叫作化学的那种炼金术,当时认为是寻求"哲学石"——用它的力量,可以把非贵金属变为金银——的科学。古代在埃及发生的炼金术,由阿拉伯来加以研究。他们的研究,为 11 世纪的欧洲人所熟知。在欧洲也有许多人没头去寻求"哲学石"。在著名的炼金术士中,有当时的大哲学家马格奴斯、培根(Bacon)、阿克维那斯等。

十一、文学

封建时代的文学,虽然受了宗教的很大影响,但不能认为只有宗教文学。为保持宗教的权威,及辩护自己对于农民手工业者的精神的物质的榨取,许多中世纪的僧侣所写的《圣者传》,并不是唯一的艺术文学。除此种《圣者传》的文学外,还有颂扬支配阶级代表者的英雄勋功的骑士诗。在骑士诗的基础上,有古代寓言及基督教的传说。在这些寓言和传说中,实际与幻想交织着。在法兰西,有跟从喀尔大帝的罗兰等勇士歌谣。在法兰西骑士之间,关于阿萨大王的凯尔特的寓言,也很普及。在德意志,《尼拜伦干寓言》及关于英雄捷克弗利特的悲剧运命的寓言等,也很流行。在古代鲁斯,有《伊哥尔远征记》及勇士寓言。宗教的摩奇弗,在骑士抒情诗中,是最后的东西。英雄诗之外,骑士的文化又生出许多的抒情诗。12 世纪的骑士抒情诗,盛称英雄的理想感情及对于少女的爱恋。骑士诗叫作"罗曼",因为这些诗不是用教会和学术上的文书所使用的拉丁语写的,而是用南法兰西语、罗曼语写的。骑士抒情诗,取材于盛行骑士之间的对于妇女的态度。教会认为妇女是罪恶的容器。封建领主的妻女处在幽闭状态,农民的妻女,被当作物品一样看待。但是,骑士则崇拜支配阶级的妇女,对她们实行臣下的宣誓,为她们而树立功勋。在德意志,这些骑士诗叫作恋歌。在骑士诗中,除以爱为题材外,也有论及政治的。至十五世纪,骑士诗始消灭。

古代俄罗斯的艺术,则不知骑士诗。在古代俄罗斯,圣僧传及各种僧正或王公的训话,颇为繁荣。在世俗文学之间,也像西欧一样,11 世纪以来寺院中所编纂的历史年鉴(如诺弗哥罗年鉴,基辅＝波捷斯基寺院的集成及《暂时年数的寓言》等),很引人注意。这种年鉴,成为我们关于古代俄罗斯封建社会的历史知识之基础。

西欧封建时代的最大的文学著作,是但丁的诗。但丁的《神曲》,从题材说来是封建的、宗教的,从形式说来是象征主义的;同时还藏着在都市中被形成的新文化的特征,及个人主义、合理主义、现实主义的特征。恩格斯说过:"但丁是中世纪的最后的诗人,同时也是新时代的最初的诗人。"

在都市中发生异于骑士文学和宗教文学的别种文学。这就是讽刺和小说。在这两者中,都含着对于封建制度的批评。讽刺是描写人类的缺点。法兰西的《狐狸寓言》,借动物的姿态——狡猾的狐、懒惰的熊、愚钝的狼——嘲笑骑士僧侣和廷臣。在奥大利,政治的讽刺文学发达起来。用端正的诗歌写的《小奇达利》(13 世纪)的著者,描写阿尔布来特伯爵的贪欲、维也纳宫廷、幽闭的浪漫女郎和骑士等。著者说,假若可能的话,最好把这些人掷到火里去。

在意大利市民间,有一种叫作《纳维利诺》的寓言颇受人欢迎。纳维利诺追求教训的目的。这种寓言鞭策和嘲笑封建领主及愚钝市民的缺点。13 世纪的以生动之笔致所描写的用《纳维利诺》的匿名出版的百编的纳维利诺集,至今尚传流着。50 年后,这种纳维尔,在有名的《德加麦伦》的著者佛罗棱萨人波加奇(14 世纪)之新奇的充论艺术风味的作品中,达到最高峰。

从 13 世纪末到 14 世纪初,在都市中,抒情诗随着散文艺术同时发达起来了,其代表者是代替骑士诗人的行会诗人。在莱因河沿岸的德意志都市中发生的都市手工业者的诗,也普及一时。这些诗人,叫作马斯台尔金葛尔,他们设立学校,互相实行巨大的竞争。至 17 世纪止,这种繁荣的马斯台尔金葛诗,在很大的程度上染上了宗教的色调。

十二、艺术

封建时代的艺术,与其他所有封建文化一样,是在教会的影响与保护之下发达起来的。但是,至封建时代之末,支配艺术的教会的影响被都市公社的势力驱逐出去了。新的艺术虽然也是宗教的,但是,在宗教的基础之上表现出与封建体制封建制度相矛盾的其他特征。

封建时代,在西欧艺术上,发生两种样式,即罗马式与高卢式的交替。罗马样式之与高卢样式的交替,形成现在我们所说的艺术过程的特征。

封建时代,在各种艺术部门占第一位的是建筑。雕刻与绘画,没有独立的意义。雕刻多作为装饰建筑物及寺院壁画之用。圣像之制作,用于寺院者比用于私人住宅较多。所以封建时代的艺术在建筑物的样式中获得极显明的表现。

罗马样式,支配了由 10 世纪至 12 世纪的欧洲的建筑术。罗马样式的教会,虽有高塔耸立,但很钝重,而且房脊很低。其装饰是制约的几何的。罗马样式的教会,是从封建威力及封建体制之庄重理想中生出来的。如现代学者证明,罗马样式是在亚细亚、叙里亚、拜占庭和北欧的影响之下生出来的,这种样式的教会,遍立于法兰西、英吉利、德意志及意大利。罗马样式的诸要素,在12 世纪的俄罗斯乌拉几米尔＝斯兹达尔公国的教会建筑中也可以见到。德意志皇帝佛利得里希、巴尔巴洛斯(12 世纪),派遣欧洲的工匠去参加建筑乌拉几米尔＝那＝克列兹玛寺院,这是谁都知道的。

罗马样式的绘画是贫弱的,其中最发达的是玻璃画及细工画。在西欧,描写人物的带着色彩的玻璃画,多用于教会的建筑(在古代鲁斯不用玻璃画)。富裕的封建领主,用壁画来装饰寺院。封建时代的样本,常常是真正的艺术作品。法兰西的喀洛林克朝时代的书籍,用金银嵌在紫色的封地上。中世纪的样本,除带色的细工画之外,还用华丽的文字来装饰。

12 世纪中叶以来,在西欧的建筑术中出现了新的样式。这是当都市公社出现于历史舞台时,从欧洲封建社会新生之变化中发生的。这种后来叫作高卢式的样式,至 12—14 世纪,与罗马样式对立。在高卢式的教会中,尖顶高压建物的母体而上指天空。寺院的墙壁,好像没有似的。用由华美的圆窗尖拱及塔织成的石头的玲珑花边,代替壁面。罗马样式,是由箱形穹窿造成寺院的屋顶,而高卢样式是用箭形穹窿使建筑物显得非常高大。

"高卢"一语,与最初在法兰西(伊尔·得·法兰西省)出现的艺术的内容极不适应。这两个字在 16 世纪与"罗马"相异的"野蛮"用为同义语。意大利人,以为与哥德人无任何关系的高卢建筑,是野蛮的建筑。意大利人使用的这句话,其后成为科学上的惯用语了。

在法兰西的高卢式的教会中,最有名的是巴黎圣母寺(纳特尔达姆·德·巴黎)及萧特尔、兰斯、阿米安各大寺。高卢样式,由北法兰西扩大到德意志(哥罗尼亚大寺等)、意大利(米兰大寺)、英吉利、西班牙、保加利亚、瑞士、匈牙利等。俄国至 16 世纪,在所谓莫斯科建筑的天幕样式中,也受了高卢样式的影响(如莫斯科的光荣瓦西利寺、莫斯科郊外的哥罗曼斯克村的大寺等)。

高卢建筑,不仅效力于以封建领主及僧侣为长的农业集团的必要,而且效力于组织行会及商会的手工业集团的要求。许多高卢式的寺院,都是用都市公社的费用及由于都市职人的共同努力所建筑的。俄国文学家及美术史家的马克思主义者佛利奇说道:"至 12—13 世纪及 14 世纪时,艺术家应各行会或都市全部手工业住民的定货而劳动,主要的是建造和装饰寺院。一切住民一面唱着歌,一面向建筑场走去,自己运输建筑材料和食料品。"在封建时代荘①大的寺院建筑中,有好几代的工人在作工,他们继续到几个世纪之久。

高卢样式,是所谓天上王国地上空虚的封建宗教观之完全的反映。这种样式,把封建时代人类社会心理之基本特征及由地望天的宗教的憧憬再现出来。这在建筑中表现出把捉封建社会的神秘的禁欲主义的气氛。

在高卢样式占支配地位的时代,还有封建城塞的建筑。封建领主们,因为不断的战争的缘故,不得不用带有枪眼的城壁和高塔,把自己从周围世界区划出来,在城外掘沟,设立吊桥。

---

① "荘"疑为排印错误。——编者注

除宗教的和军事的建筑物之外,市民的建筑物也很发达。手工业者和商人在都市中建造石房。许多商业资本的代表者,完全住在宫殿式的房屋中(如法兰西、不鲁日的扎克、凯尔的邸宅)。市民建造高大的市政厅及其他许多的公共建筑物。

十三、都市文化

封建时代的都市文化,比之骑士文化或封建领地及农村的文化,实含有独特的特征。在都市文化中,很显然地表现着对于封建制度的抗议。异端派,多半是都市的产物。都市生出讽刺文学及富于纳维尔式的社会内容的文学。中世纪建筑中的高卢样式,都是在都市中发达起来的。

在封建的欧洲都市中,首先有大学出现。"University",是对于集在都市的各国的学生和教师的团体所起的名称,这种团体如基尔特一样,是为了相互援助而组成的。最初的大学,于1200年,设立于巴黎。至13世纪初叶,在其他各都市中,也有大学设立。即奥哥斯佛尔(英吉利约1206年)、那布勒斯(意大利1224年)、维也纳(奥大利1226年)、剑桥(英吉利1231年)。中世纪最有名的大学,是巴黎大学。在这里有由欧洲各国来的学生。因此,巴黎大学遂分为四个"民族",即法兰西、英吉利、皮咯得、诺尔曼,其他民族则附属于这四个民族中。学生是在特志家所设立的学塾中过活。在学塾中名誉最好的,是苏鲁波奴的罗伯尔为研究神学而设立的苏鲁波奴学塾。大学在教会管理之下,以教皇为校长。但是,大学的生活却破坏了一切教会和世俗的"礼仪",反抗教会和教皇的精神在学生中间成长起来。学生常常发动苦恼都市住民的骚动。因此,在大学和都市法庭之间常发生冲突,最后停止讲授,把"堕落的"学生放逐出去。

研究的对象,是学院哲学与"七个自由的技术"(文法、修辞学、辩证法、算术、地理、音学、星学)。13世纪,在巴黎大学讲学者有当时最大的哲学家荷兰人斯哥特、英吉利人培根及德意志人马格奴斯。

都市生活,除由于学校骚动及高贵人们时常的访问而冲破沉寂外,一般说来,总是很单纯的。教会为着巩固自己的权力,常常利用大众的祭日游行,那时,大街上充满了杂乱的人群。游行的动机,由于各种事件而发生,如都市的疫病、新教皇的选立、某伯爵的害病及公子的诞生等。从 13—14 世纪起,发生宗教性质的戏剧——神秘剧。这种戏剧,充满了基督教的意识形态。神秘剧的主要题材,是描写"基督的苦难"。它由于机械和衣裳,而化为华美的陈列品。

僧侣在教会中,举行所谓驴马祭日或阿保祭日,以对抗公式的祭日。这种祭日的任务,是为了嘲笑教会的权力者。因此,这种祭日遂受禁止,其参加者要受激烈的惩罚。在各种驴马祭日中,甚至带着反宗教的情绪。

在古代鲁斯,都市文化的典型的中心,是商业都市诺弗哥罗及北斯哥弗。在这些都市中,宗教的艺术的文化,完成最高度的发达(教会的建筑、壁画、圣像及工艺美术等)。

十四、结论

封建的世界观,是经过数世纪之久才被完成的。同样,封建的世界观如果没有战争,它不会简单地让位于新世界观。恰如在封建经济中即已含着从内部破坏其自身的诸要素一样,在封建的世界中,也可以看到与封建时代的思想秩序相矛盾的那种特征。13 世纪,中世纪最大的自然科学家英国培根出生。他的信念,完全与教会的烦琐科学的学说及方法不同。因为他的思想及对于教会的非难之故,他失宠至十年以上,而过其牢狱生活。他一方面批判烦琐哲学,一方面宣传科学的经验方法,即"建设于经验之上的方法"。培根于 13 世纪即已预见 19—20 世纪的诸发明,这是很有兴趣的事情。他说:"我们可以造成不用船浆航海的工具,造成没有任何牵引而以不能想象的速度行走的车子,造成一种飞机,人们坐在里面,能像鸟羽一般,鼓动两翼,翱翔天空。"培根的这种见解,是走向新社会即布尔乔亚的见解的过渡。

重要事件年表

宗教与教会

6—7 世纪　　　　　阿拉伯人,默罕谟德(570—632 年)及默罕谟德教之发生。

7 世纪　　　　　　拜占庭,寺院之繁荣。

8—9 世纪　　　　拜占庭,偶像破坏。

9 世纪(1054 年) 基督教,教会向罗马加特里教及斯拉夫正教的分裂。

11 世纪　　　　加特里教,教皇古列哥利七世。

11—13 世纪　　加特里教,Albigenser 异端派及其抑压。

14—15 世纪　　斯拉夫正教,Strigolynik 异端派。

哲学及科学

9—15 世纪　　　西欧,烦琐哲学之支配。

11—12 世纪　　西欧,阿伯拉尔。

12—13 世纪　　西欧,马格奴夫。

12 世纪　　　　阿拉伯人,阿维洛斯。

13 世纪　　　　西欧,亚里士多德向基督教的烦琐哲学的顺应,最初的
　　　　　　　　大学的创立(巴黎大学,1200 年;奥哥斯佛尔大学,1206
　　　　　　　　年;维也纳大学,1226 年),阿克维那斯,培根。

艺术与文学

10—12 世纪　　西欧,罗马样式。

12—14 世纪　　西欧,高卢样式。

12—15 世纪　　骑士的抒情诗。

13—14 世纪　　意大利,但丁。

14 世纪　　　　意大利,波喀奇;德意志,马斯太尔萨克。

演习题目

一、在拜占庭,发生偶像破坏之社会的原因如何?

二、商业资本的意识形态诸要素,如何反映于回教中?

三、阿拉伯文化之影响的痕迹,现在反映于何处?

四、封建生活的哪一方面,与教会和基督教相结合?

五、异端派与教皇权力及教会的斗争,何以是阶级斗争?

六、异端裁判所与封建时代的世界观及禁欲主义之结合何在?

七、封建时代神秘主义的特征如何?并由何所引起?

八、试举例说明天上神的分业与地上支配诸阶级的分业之对应。

九、加特里教之基础如何?

十、烦琐哲学所要解决的问题的范围如何?

十一、封建时代的文学,带有怎样的性质?

十二、封建时代的末期,在工艺上引起什么变化?

十三、从什么地方看出封建社会对于工艺上的罗马样式的影响?

十四、都市公社对高卢样式之形成的关联如何?

第 五 编

封建制度的崩溃与资本主义之发生

第十二章　西欧诸国 16—17 世纪的工业及农业之发达

第一节　行会手工业的崩坏

一、店东与职工

16 世纪时,商品货币关系的发展(都市和农村的分离、各都市及各国民之间商业及信用的发达),逐渐扩大和进步,破坏了自然经济。

店东、职工及徒弟之间的矛盾,随着手工场的扩大及店东财富的增大而激化了。店东自己不做工,大都从事于生产管理。

因为商业资本对于手工业店东压迫的加强,店东就不得不加强对于职工的压迫,借以解脱自身的困难(详见后述)。

徒弟期间,延长到 10 年或 10 年以上。能够由职工变成独立的店东的,只限于少数的"幸运者"(在许多场合,是主人的本族)。要想做店东,首先必须经过几乎完全不能通过的绝望的困难试验;还必须向行会共同金库,缴纳大宗的现金,用华美贵重的飨宴招请店东。

以前主人免费供给职工以衣食住,现在也要钱了。休息日减少,劳动时间越发延长,平均达 15—16 小时。

职工为了同这种强化的压迫相战争,而扩大并加强自己的组织——"友谊会"。

15—16 世纪,职工同盟广泛地普及于全欧。不仅在一个都市中有此种组织,在各都市的同一专门部门职工之间,都发生了统一几个地方之"友谊会"的同盟。例如在法兰西,在各种手工业职工之间,开始发生紧密的联络。

"他们为了贯彻向主人提出的要求,而团结得像一个人似的。"在许多都市中,为职工之"友"特别组织住所(在法兰西叫作"母")。来到都市的职工,最初住在这种住所里,领受食品——在许多场合——和若干金钱。在这种住所里面,揭示着寻求劳动者的主人的姓名。如果都市中发生罢工时,来到都市的职工,应当立刻走开。但是,所谓职工之"友",并非包括一个手工业的所有的职工,只不过包括其最熟练的部分罢了。

二、行会的专门化

各行会间的斗争,也激化了。各行会不能适应日益增大的需要,为避免其他行会的竞争,而闭锁在一个狭隘的专门领域中。并且在下面那种"专业"的行会之间,也发生了斗争。靴匠只做靴的上部,而靴踵及靴底则由其他行会的职工——靴底匠——来做。巴黎的纽扣职工与裁缝之间,因裁缝有无用同衣服一样的材料制造纽扣之权利的问题,而引起斗争。普鲁士的木作,没有制造金具的权利,铁匠不得造钉,面包匠不得做馒头。馒头是属于点心职工行会的范围。若制造暖炉,必须雇用 10 种职工。

三、行会制度压制技术的发展

手工业技术,是随着生产的扩大及生产的专门化而同时被改善了吗?完全没有。手工业者,"照旧"继续着"父祖的事业"。这是当然的事情。行会制度的本质,即在排除竞争。个个店东所实行的一切技术的改善,必然影响于其他手工业者的财富。显著的新机轴(特别是机械)之一切大规模的施行,这不是普通的店东所能做到的,并且同小手工场也不能两立。"不柔顺"的手工业者破坏手工场,烧毁房屋,破坏机械和设备,危害发明家——行会使用这种手段,对抗技术的发展。这虽不能停止技术的发展,但是却加强对它的压制。这种事实,证明工业的行会制度已经不能适应生产的新要求了。

四、商人与手工业者

以前,手工业者本身就是自己工作场生产物的贩卖者。但是,在生产的新条件及商业的广泛展开之下,这种制度还能够维持吗?自然不能。手工业者在各都市间及国际间的广泛的商业经营上,既没有多余的时间和充足的货币,也没有了解市场条件的智识。

但是,所有这些条件,在商人方面却是具备的。商人向手工业店东提出自己的条件,获得财产的大部分。

当手工业者遇有困难时,商人贷给他们货币或材料,然后,用高利要求偿还。如手工业者不能偿还时,他就要完全受商人——高利贷者所支配。

这样,手工业者不能不努力奉迎商人的意志,而按着商人的音调来跳跃。我们知道,奥格斯堡 Augsburg(南德意志)有一个商人,他向琥珀行会的行东定货,使他们在一定期间给自己做工。他在这期间中,用一定的价格专门收纳这些手工业者制造的一切物品,绝对禁止给别人做工。

五、行会——商人

前面说过,一个行会对于其他行会陷于隶属状态,后者渐渐转化为商人。

例如武器工业的有名的中心地佐林铿(德意志)的武器制造业者的店东分为三个行会:(一)铁匠;(二)锻炼匠;(三)鞘及附属品的职匠。他们为了避免其他行会的掠夺,而禁止出卖未完成品。结果,一切贩卖都集中于最后的行会之手。其中只许最后的行会到定期市场去。然而前面两个行会为了保守生产的秘密,不能宣誓绝对不到佐林铿去。于是"附属品的职匠"的行会,渐渐供给铁匠和锻炼匠以材料,而转化为用契约规定的价格由他们手中收买制品的商人。

个个手工业的富裕者,往往变为收买和转卖其他店东的制品的商人。结局,经过种种途径,发生下述结果,即独立手工业者变得微弱无力而受商业资本所支配。

生产及商业发展的结果,由于店东和职工的斗争,由于各行会间的纠纷,以及手工业者之隶属于商人,行会组织就被破坏了。于是手工业的小生产的封建制度,终于崩溃下去。

演习题目

一、职工用什么方法同店东斗争?

二、行会的"专门化"何在?

三、行会制度能助长生产技术的发展吗？

四、何以手工业者隶属于商人？又其隶属之归趋如何？

第二节 家内工业与手工工场

一、家内工业之发生

行会之进一步的衰微，是与家内工业的发展相结合的。

家内工业，普通作为农民的副业，而发生于农村。农民使用家属的劳力，在自己家里生产许多的物品。随着商品经济的发展，农民为了向地主支付地租，向高利贷支付利息，及取得诸种必要品，而在自己家里实行许多的生产。农民在自己家里，生产布匹、粗呢及革具等，超过自己的需要时，就出卖其剩余物。但是，他把自己的商品在同村里卖给谁呢？在这一点，家内工业者比都市的手工业者更加困难。正因为这个理由，就出现了一种居间人——普通是农村的富农。居间商人，把家内生产物转卖于广泛的市场。

最初，商人只购买制成的物品，后来，更开始供给家内工业者所使用的原料。结果，一切材料都由居间人分配于家内工业者，而家内工业者再把这些材料加工制造。

在这种情形之下，家内工业者，完全成为蜘蛛式的居间商人＝高利贷的俘虏。

二、家内工业的发展

家内工业者，各自在自己家里，依赖自己家族之助而作工，并且连儿童也参加了。在家内工业者之中，没有任何组织，只是同自己的农村完全结合着。这种情形，遂使商人高利贷容易剥削家内工业者。此外，家内工业者并不抛弃农业，而把它当作副业。半农业者、半手工业者及家内工业者，所得的报酬是很少的。

家内工业强力地驱逐了手工业。手工业者向政府述诉于家内工业者的不平。例如他们诉说："在农村的织工之中，有许多不可思议的人"，"经营其他手工业和农业，而使行会的手工业者吃苦"。然而这种愁诉，是没有效力的。

于是手工业者,就往往使用暴力。例如在某条街上,行会的织工听说有人在农村制造呢绒,他们求得封建领主的许可而处罚"犯罪者"。这种惩罚的远征,结果是破坏了织机,破坏了不幸的非行会的劳动者=农民的商品。但是,专买商人普遍同情于家内工业者。商人对于自己,不仅支持重要的生产者,而且自己还造出生产者。

16—17 世纪前后,英国呢绒、长靴、帽子及金属品的生产,日益普及于农村,当时的法兰西及德意志也是一样。

为居间人而经营的家内生产,随着行会势力的削弱而达到都市。都市的闲散工人和农村的家内工业者一样,完全隶属于商人。他们在别的主人之下取得工作时,需要专买人的保证状。只要以前的主人不表示满意,任何人都没有给他工作的权利。家内工业者如果稍有忤犯商人的怒气时,必然要失掉工作。

这样,特别形态的资本主义的家内工业,就渐渐形成了。按照这种制度,劳动者从资本主义的企业家那里取得一切材料,而以一定价格提供制品。于是家内工业者由小经营主,一变而为资本家企业主的工资劳动者。

三、手工工场的发生

其次是各个家内工业者间的分业,各劳动者不能生产全部商品,只能制造其一部分。例如在制造钟表上,一个劳动者在家里制造发条,另一劳动者制造摆,第三个劳动者制造文字板,第四个劳动者制造框子,把这各部分结合起来,才成一个出卖于市场的商品。此时制造各部分的一切小经营者,都是给一个主人、资本家做工。

家内工业达到这种发展阶段时,就转化为资本主义的手工工场。在手工工场的生产上,资本家用一定的工资,雇用数十个有时数百个劳动者。这些劳动者使用资本家的工具和材料,去做某一部分的事务。在这种场合,同手工业一样,工作都是用手操作的。

手工业者和家内工业者,是出卖自己小工作场的制品于需要者或专买人的小经营主。手工工场的劳动者,是出卖自己的劳动力于资本家的无产者。在这种场合,商人(专买商人与居间商人)就转化为资本家的工业者及企业主。

四、集中的手工工场

除"分散的"手工工场外,还有集中的手工工场。资本家把分散在各个小屋的劳动者集合在一个工作场,供给他们劳动工具。

协同的劳动,提高劳动者的劳动生产性。而在企业主及其雇用人的直接监督之下做工,更能够提高劳动生产性。无论在大工场或在小工场,都使用不能用的新机轴。对于场所、灯光及搬运等,都实行节约,更经济地使用工具和材料。

手工工场的经营者为了回避各种的行会规定,常常把工场设立在乡村和新发生的都市,或都市的郊外。在农村中,常有混合式的手工工场。例如在瓦尔特休丁伯爵的伯尔米亚的手工工场里,在其中心的工场中作工的,只有30个织工,但是有400个织工是在自己家里做工,有3000个农奴纺纱。不能和大手工工场竞争的手工业者及家内手工业者,用一切方法妨害大手工工场的成长。但是,他们没有对抗发展中的资本与日益激急的商品需要以及政府——手工工场的出现,能加多租税收入,故对政府有利——的力量。

五、手工工场的劳动条件

集中的手工工场的劳动者,丧失了在自己家里做工的家内手工业者及手工业者所保有的微少的独立性。专买人对于家内工业者怎样工作或何时工作,是概不过问的。他所必要的只是接受制品,其他事情是毫无关系的。于是手工工场的劳动者,转化为资本家的工资劳动者。劳动时间,延长到14至16小时;工资的低廉仅仅不至于饿死。工资规律支配着手工工场。甚至在纪念日,劳动者都没有休息时间。

下面所指示的,就是17世纪法兰西的手工工场的规则。"星期日和纪念日,劳动者必须出席祈祷。然后把残余的时间,消磨在他们所招引的相当的慰安中,直到夜里9时或10时,才能回到自己家里。"

劳动者或在自己的小屋里睡觉,或在共同的小屋里睡觉,有时就在他们白天作工的工场里睡觉。这些地方,往往使清净人感觉眩晕,一点钟的工夫都不能住。

雇佣工资劳动者的大生产,从很久以前就侵入了矿山业(采矿及采煤)。那时矿山劳动的条件,比手工工场更残酷。16 世纪,有人写道:

"德意志矿山劳动者的劳动,是牛马般的事业。击碎矿石和排水。因此,他们不仅吐血,而且挫颈。有的人终身作汲水的事务。……立在沉重的卷扬机旁边,为了一个银货,不断地架起这个机器,置身于危险之中。两个劳动者交替汲水,这是充满苦痛的工作。桶子很大,需要许多的力气,劳动者的手足青筋暴露。"

六、儿童劳动

企业家追求利润,尽量广泛地使用儿童及妇女劳动。儿童劳动特别便宜。零落的手工业者和农民,不能赡养自己的家族,不得不因极小的报酬,而把子女送到工作场去。儿童们在手工工场里,工作四五年之久;但是也有许多为了儿童劳动而设立特别的工作场。

下面这段话,就是表示 16 世纪英吉利的一个手工工场的情形。访问者写道:"走进一间大屋子,里面装满了衣服褴褛的小孩。他们坐在那里选择粗细的羊毛。数目大约有 150 人,都是贫苦父母的儿子,到晚上获得一个便士,算是自己劳动的报酬。"

儿童们因激烈的劳动而疲劳。并且在低微工资的 10 至 12 小时或 14 小时的工作之后,才有极短促的休息时间。他们把这些时间,多消费在火酒、烟草或赌博上,以为"安慰"。他们一个床上睡四五个人。苍白的颜色,膨胀的面颊,恶性的肿物及喘息等,都是这种非人类的地狱中不可避免的附属物。

如有企图停止工作的,政府便把他当作逃亡者而加以拘禁,并送回手工工场去。在许多国家,尤其是在英国,孤儿都是被强制去做工。布尔乔亚经济学者,赞美儿童劳动。他们主张,由于这种制度"可以把儿童从恶行中拯救出来",他们说"劳动变成第二天性"。

七、随强制劳动而来的大生产

因为手工工场感到劳动者缺乏,于是在大生产中适用强制劳动。某德意志伯爵,于 1616 年发布命令道:"一切有劳动能力的乞丐、流连酒馆的醉鬼及一切浮浪人,可以在自己的矿山,以相当的工资而劳动,如果他们不愿意做工时,把他们带上刑具送到矿山去。"

17世纪,欧洲各处都开始设立所谓"工作场"、"监督室"的强制工作场。乞丐、放浪者、罪犯、孤儿及精神病者,被监禁在这种工作场中劳动。重病者、幼儿、老人等,都疲劳于过重的劳动。劳动者所得的一点点食物就算是充分的报酬,他们一个钱也得不到。

八、手工工场劳动者的阶级斗争

我们在上面说明了资本家对于手工工场劳动者的压迫。但是,劳动者是没有企图对压迫者作斗争吗? 自然不是,不过当时的无产阶级尚在萌芽状态而已。

工资劳动者人数很少,他们没有组织,不能脱离农民及手工业者所持的偏见,不能很明显地自觉自己的要求和利益。正因为这种缘故,所以这些企图几乎不能引出任何明显的成功。

然而同时多数劳动者结合于一个大企业的这一事实,却助长了他们的结合并养成了他们中间的斗争精神。劳动者已经使用我们所知道的方法,即罢工、主人的非卖同盟、组合(自然尚不巩固)的组织方法,并往往出之于暴动。然而一般说来,这些分散的骚动,多被镇压下去了。

17世纪末的法国布尔乔亚经济学者,关于同盟罢工记明如次:"在劳动者中,表现出极激烈的动摇的色彩。在商业都市里,某一手工工场的七八百个劳动者,忽然抛弃未完成的工作而离开工场。这是因为减低他们工资的缘故。最动摇的分子,对于某种有分别的人们加以暴力。"

英国刷毛工人,在17世纪末,发生了特别的团体。"谁也不准做一定限度以下的工资的工作。任何主人,不得雇用不属于他们团体的刷毛工人。如果主人雇用他们团体外的刷毛工人时,所有其他劳动者就结成一体,不给主人做工。他们唾骂不停止工作而留在工场的人们,对他们加以暴力,并破坏他们的工具。"

劳动组合被政府所禁止,遭受了激烈的压迫。关于16世纪德意志的坑夫运动,曾有下面一段有兴味的文字:"坑夫反对由他们收入中减少一钱,而驱逐斯奈堡的官吏。一部分劳动者上山。当时山的支配者,不能不用军队的力量,占领斯奈堡。"这次暴动,经过两年又暴发了。"坑夫由于威胁生命,而联络卷扬机师及其助手,共同对抗支配者的镇压。"

九、技术的发展

大生产的技术,在当时根本上还是手力。但是,比较手工业,已有相当的跃进。15 世纪 90 年代,在欧洲发现铣铁。知道由矿石取铁比间接由铣铁取铁更为有利。为了取得铣铁,把混合着木炭的矿石,用高大的(约达 3 米)石头组成的镕矿炉去熔解。到 17 世纪中叶,才用煤代替了镕矿炉内的木炭。

展铁机及截铁机,普及于 17 世纪。在该世纪,出现了为加工于大铁块的机械锤。

太古的文化民族巴比伦人、埃及人、希腊人等,已经知道钢铁。其后,钢铁制造几乎被忘记了。在欧洲,到 12—13 世纪,才渐渐发展起来。由铣铁制炼铁及由铁制炼钢铁,在 18 世纪及 19 世纪初叶,还是使用着极原始的方法。

现在说到织维工业,到 16 世纪止,纺织是使用太古的方法。然而在这个时候,纺车已经广泛的普及欧洲了。1600 年,茂拉(Anton Muller)在但泽发明力织机。织机由车轮来运转,只是一个工人管理它就行了。行会的织匠,恐怕破坏了自己的手工业,烧毁这种织机,杀死茂拉,把该机投入河中。纺织机和织机,直到 18 世纪末,才渐渐得到普及。

所有这些机械是用什么来运转呢? 蒸汽机关在 18 世纪已经被使用了。以前,人们使用回转特别车轮的动物力水力和风力,以代替自己本身的力量。最初的风车场,在 10—14 世纪,即已出现于欧洲。这使用最广的是制粉业。在其他工业上利用风车,是很困难的。

当时有最大意义的是水力,在制粉、汲水、制材、吸引矿石等各方面上都能利用它。为了捣碎木层布屑,而在制纸手工工场中使用了特别的机械。在金属制炼上,为了击碎矿石,而设置机械打碎机,最后在织维业上也开始使用水力。

十、到达资本主义生产的道路

生产的增大,在都市和农村都唤起自然经济的崩溃。加强商业的范围和意义,助长都市的发展,并且最后生出地理的大发现(参看以下第二章第一节)。商业的发展,反而成为生产增大的刺激。

结果,封建的手工业的行会工业崩坏,手工业者隶属于商人,大部分都零落下去,被驱入手工工场("分散的"或稍集中的)。资本主义工业,在封建主义的胎内成熟了。

演习题目

一、家内工业者与手工业者之差别何在?

二、手工工场的资本主义生产与手工业及家内工业有何区别?

三、集中的手工工场与"分散的"手工工场之差别何在?

四、大生产中的劳动条件为何?

五、集中的手工工场的技术与手工业及家内工业的技术有何区别?

六、手工工场时代,劳动者用什么手段同资本家斗争?

七、怎样说明当时劳动运动的失败?

第三节　16—17世纪的农民状态

工业的发展,及与此相结合的都市人口的增大、商业及货币关系之急激的扩大——这些事实,增大了对于农业生产物、食料品及工业用原料品的需要。需要增大,农业企业之收入即随之增加。在13—14世纪开始的农村自然经济向商品、货币经济的转化,到16—17世纪,更被促进和深化了。同这些转化相联结的一切过程,获得进一步的发展。

一、地主对于新状态的适应

不仅已经占有小规模土地者,大封建领主地主也想要适应转化的经济状态。

但是,这并未能完全成功。一部分封建领主零落下去,寻求解脱困难的道路,或企图由于掠夺教会和其他封建领主,或由国王手中取得俸给,或专门激烈地压迫并公然地削剥农民以解决问题。但是,"适应"新状态的布尔乔亚化的地主,不会减弱农民的剥削,只不过采用若干别的方法而已。

对于万能的货币的欲望,驱使"新"地主,实行新的经营,想出剥削农民的特别方法。在经济上发展了的大多数西欧诸国(英吉利、意大利、尼德兰),农民脱离人格的农奴的隶属关系,对于地主是有利益的。因为这是同农民部分地或全部地土地丧失相连带的。那时候,地主就可以部分地或全部地占领农民的土地。然后把土地租给农民,或用工资劳动者去耕种。

因此,在共同体的土地所有仍然存在的地方,首先有撤废它的必要。例如在英吉利,"圈围土地",即占领共有地,用栅子围着,防止外部的人或别人所有的家畜侵入。最初是分割共有地,形成地主自身的土地;后来就占领农民的土地(共有的),合并于自己的土块。在牧羊的发展特别有利的国家(英吉利、西班牙一部分),这些土地全变成了牧场。

二、农民丧失土地

农民虽由农奴的隶属关系"解放"出来,却又遭受着货币租税的诛求。他们在多数场合中,不能适应新的经济状态而没落下去,自己抛弃了自己的土地。

农业生产物的买卖之发展,加深并促进贫富的农民的阶级分化。富农收买贫穷的同村人的土地,租借地主的土地,剥削无土地的农民的劳动。这又助长了勤劳农民大众之进一步的急激的没落。

丧失土地的农民的一部分变成雇农,一部分投身于工业,尤其是手工工场,一部分变为兵士,而其大部分都陷于失业状态。最后的部分,变为垂死的流浪者、乞丐,有时变为盗贼。

中央权力的发达,使封建领主的旧家臣团归于无用。货币经济的成长,危害了大量使用人的扶养。封建的家臣团及使用人的解散,生出无家无业的新的人群。

13 世纪的英国作家托马斯·摩尔,明显地描写这种人们的生活道:"贪欲的土地所有者,用栏栅圈围几千英亩的广大的土地。淳朴的农民,或是受欺骗,或是被暴力赶出家庭。……这些人的家族,男女、寡妇、孤儿、父亲和怀抱幼儿的母亲等,徘徊于十字街头。……他们随手以两三文钱卖掉世传器具。

然而这还算是好的。当这一点资源枯竭后——这是很快的——还有什么呢？结果只好为盗，因而遭受绞罪①。但是所谓他们的犯罪是什么呢？他们找不到一点工作，费尽全力或者能够找到。"

政府使用严刑，以防止放浪者的增加。例如在 16 世纪中叶的英国，有劳动能力的乞丐和放浪者，依据法律，"被缚在囚车里，用鞭抽打到满身流血"，然后再宣誓去做工（这是他们寻找不到的工作）。如果再犯时，就削去耳朵，三犯者处以死刑。这都是因为封建领主逼迫政府施行这种苛酷的法律，用暴力夺去他们的土地和工作。

三、各国的农奴解放

我们已经说过，农民转化为无家无业的无产者的前提，是他们由人格的农奴的隶属中获得解放；并且说过，在法兰西和英吉利，农奴解放过程是在何时并怎样实行的。在意大利，商品货币经济很早的发展，以及收容逃亡农民的都市之急激地增大，引起了农奴隶属的消灭。

这里所说的解放，是 13—14 世纪时在封建领主的个别协约之下来实行的。封建领主依据这种协约，向农民要求赔偿。

在尼德兰最发达的地方，旧农奴制受了 14—15 世纪国内强力的工商业之成长的影响而消灭。代之而起的，是地主掌握共有地（特别是牧地及"不适于耕种"之地）。在农民中引起阶级分化，生出多数无土地的人们，他们供给成长中的工业以劳动力。

16 世纪，布尔乔亚开始收买地主的土地，在那里培养工业用的农作物（亚麻）及商业用的家畜。但是，在都市生活未发展的尼德兰的地方，例如在东北部地区，旧封建关系直到 16 世纪尚未消灭。

在西班牙，农奴解放是经过农民坚决的猛烈的斗争才得到的。②

"黑死病"以后，到 14 世纪后半叶，西班牙的农民状态因地主的强制和诛求而特别困难。农民间激起了动摇。封建领主们喊道："农民走近生死之渊

———————————

① 据国王官吏的证言，在英国亨利八世时代，约有七万"大小的盗贼"遭受绞罪。

② 在西班牙各地，情形是很复杂的。我们大部分只谈到最重要的一个地方——喀他罗尼亚。

了,给他们挖掘坟墓,安置十字架吧。"最后发生许多叛乱,其中最大的,是1462 年的叛乱。

叛徒手执武器,进攻城塞和教会,对于支付租税及所谓用赔偿求解放的一切要求回答道:"我们用枪去支付"。叛乱终于失败了。但是,到 1484 年,又发生了新叛乱。结果,国王颁发命令,用赔偿金赦免农民的人格隶属。

关于伴随商业、货币经济的发展而来的农民的阶级分化及无产阶级化,我们现在用伊里奇的话来做个结束吧。

> 依赖市场的经济体制(这最重要),已经变化了……商品经济的侵入,使各户的财富隶属于市场,于是由于市场的动摇而形成不平等,并使之尖锐化,把自由的货币集中到一方之手,而使他方零落。这些货币,自然是用去剥削无产者,而变成资本。……最后,零落,达到农民完全抛弃其经营的发展阶段。农民已经不能贩卖自己的劳动生产物,只能出卖劳动力。

第十三章　大洋贸易及殖民地的掠夺

第一节　地理的大发现

这个时代,在国际贸易上发生了大变化。到 15 世纪末叶止,实行国际贸易的海上大动脉是地中海。地中海的主要商人,我们都知道是意大利商人。他们早已征服了一切自己的竞争者。但是,到 14 世纪,意大利的商业已经开始衰落了。到 15 世纪中叶,意大利的商人受了很厉害的打击。很早从小亚细亚逐出欧洲人的土耳其人,占领君士坦丁及黑海沿岸之全部。这种占领,把意大利的都市最后从近东的都市分离了。然而最坏的,是使达到辽远的印度的道路更加变为困难。本来商队走到这个辽远的国家,就是非常困难的。但是,在欧洲商人看来,都认为印度是理想国,是有无限财富的国土。在某种意义上,这是正确的,但是由印度归来的商人幻想的故事所夸张之点,却未免过甚其辞。以前是假话,现在要知道它的实情,却是很困难的事情。因为道路很远,由一端旅行到他端,需要几年的岁月。

正因为这种原因,在这个时代,就开始热心地寻求达到印度的新而较短的无危险的道路。

一、地理学的知识

13—15 世纪,欧洲人的船舶渐渐作辽远的航海。他们常常由波罗的海及北海,绕到欧洲海岸,而出地中海,再由地中海经过直布罗陀海峡而出大西洋。

在大西洋东部,已经发现了若干海岛,许多船舶向南远行,而达非洲大陆。

所有这些事实,遂扩大航海者的视线,为 15—15 世纪的地理的大发现,建立了基础。

关于地球之球形的正确知识，仍然缺乏。但是，关于地球之球形的表象，在当时受航海业之发展所影响的进步的人们之间，却开始发生了。许多地理学者及航海业者，都相信远在西方，在海洋的对岸，一定有未知的土地。在许多人之间，都浮动着一种大胆的思想，以为如果由大洋西进，就可以到达印度。

在这方面特别有贡献的，是有名的意大利的医生星象学者兼地理学者Toscanelli。他读了意大利航海家的旅行记和小说，相信大地是圆形，那种认为地球是扁平的旧的普及的表象是错误的。他作出世界地图，绘明印度是位于大西洋的欧洲的对岸，即位于美洲——关于美洲的存在，Toscanelli 一点都不怀疑——所在的地方。

地球的球形及西向而达印度的思想，越加引动人心。大胆者企图实现这种思想。在这些人里面占第一位的，是有名的航海家哥伦布（Christopher Columbus）。他想要证明 Toscanelli 言论的正确。

二、美洲的发现

哥伦布是手工业者、热那亚纺织业者的儿子。这贫困的航海业者，自然缺乏实现自己大胆企图的资金。他经过极大的努力之后，由他所服务的西班牙政府获得实现计划的资金。最困难的事情，是打破那些认为哥伦布的计划是冒渎《圣经》的宫廷僧侣的抵抗。僧侣们相信《圣经》上写着大地是平板式的，大洋是没底的，不是球形。然而僧侣的抵抗，违背西班牙商人的利益，也就是违背完成统一为一个大商业国家的西班牙政府的利益。商人努力去获得商路和丰富的土地，努力去剥削土民。政府也追求这同样的目的。所以僧侣的反对是不必顾虑的，最后组织了远征队。三只加拉伯尔①，都归哥伦布指挥。哥伦布率领这些小舰队，于 1492 年 8 月初，从西班牙小港巴洛斯出发，顺着航路走向加那利亚岛。在该岛停滞数日，蓄积食粮，并修理船舶。然后沿航路西进，而横渡大西洋。

---

① 加拉伯尔，是在高舷边上船首及船尾设有高塔的船舶。这是一种有速力的船。这种船带有四根帆柱及很复杂的船帆。这种船于数世纪中，非常普及于意大利人、西班牙人及保加利亚人之间。大半都是用于远洋航海。但是，哥伦布的加拉伯尔，完全是小船，船员一共不过 120人。

航船经过了数日、数周之后，还没有看见陆地。于是水手中间，发生了动摇。迷信深的人认为哥伦布的道路是没有完的，大洋是没有边际的，反对那种神仙似的横渡大洋的大胆企图，想对他加以惩罚。幸而这船达到被一片海草掩蔽的地方，这给他们一种靠近陆地的希望。又在船的附近飞翔鸟类，也使这种希望更加确实，因为当时认为鸟类不能飞到离海岸太远的地方。但是，又经过数日和数周，仍然看不见陆地。动摇越加厉害了。船中发生了杀死哥伦布而驶船归国的呼声。这时一共走过 70 天了。但是，有一天，一只船上的值日员在水平线上认出陆地的薄影，航海完成了。

哥伦布以为是达到了印度。而实际上，这是美洲巴瓦马斯群岛中的一岛。不久哥伦布的远征队，发现了古巴岛及汉地岛。

以后，哥伦布又三次走到他新发现的陆地。他发现了波尔土尔克、加马加、小安其尔群岛之一部。他仍然认为他是达到了印度，所以他把古巴岛当作印度岛的一部。哥伦布的错误，现在还存留于他在中美东海岸所发现的群岛的名称中，即这些岛都叫作西印度，以后美洲土人，也被叫作印第安人了。关于"America"的名称，是为了纪念佛罗棱斯航海家亚美利加 Amerigo Vespucci 而给予新大陆的。因为他曾经屡次参加新世界的探险，并关于新大陆作出相当详细而引动人心的叙述。

三、印度的海路

当哥伦布寻求走向印度之道而达到美洲时，而走向印度的真海路也同时被发现了。这条海路，不是向西走，而是沿非洲海岸南行。向这个方向的航海，早已从 15 世纪初叶就实行了。那时主要的是葡萄牙人。他们上那里去，并不是希望达到印度，主要的目的是借基督教的名义，去尽量捕获异教徒和非洲土人，把他们当成奴隶。然而也有所谓想掠夺富于黄金及其他高贵物品的新发现地的意思。葡萄牙人年年南进，最后于 1486 年，巴士噶加马（Bartolomeu Dias）发现好望角。他的远征，证明非洲大陆是围绕在南方。现在剩下的工作，便是越印度洋而继续航海。

十年之后（1497 年），由充分修装的四只大船组成的达伽马（Vasco da Gama）领率的有名的远征队，从利斯顿出发。这个远征队，最初采用达士噶加马的航路,后来绕过好望角,沿非洲东北岸北上。在那里,远征队发现阿拉伯商人的商港。阿拉伯商人认为葡萄牙人是危险的竞争者,对他们不表示好意,然而,远征队在港湾的一个麦利达地方,终于找到了富有经验的阿拉伯人的引水人。葡萄牙人的船舶,按照引水人的指示,得以横渡印度洋而达马拉巴尔海岸。

于是发现了由欧洲达到印度的海路。

四、最初的周航世界

美洲发现之后,不久就有最初的世界周航。这是于1519年,在麦哲伦(Magellan)指挥之下实行的。麦哲伦生于葡萄牙,出仕于西班牙。他受西班牙政府的嘱托,以征服新陆地及发现达亚洲诸国之最短海路的目的,而组织远征队。麦哲伦向西南方进行,横渡大西洋。在沿赤道的南方达巴西海岸,更沿这海岸南向,最后达到美洲大陆的南端。于是在大陆与佛哥岛之间,发现了联结大西洋与太平洋的海峡。

这个海峡,叫作麦哲伦海峡。

以后,远征队用武力征服太平洋西南群岛的土民,而横渡大洋。当企图征服这些群岛的一岛而失败时,麦哲伦死了。但是,以后远征队的其他队员,尽量努力赶快完成自己的旅程。他们没有到达印度,由马拉加群岛横渡印度洋,而达非洲南海岸。以后的道路,都是欧洲人早已充分知晓的地方。最后于出发后三年,即于1522年,麦哲伦远征队的残余队员,回到了西班牙。

这样就完成了最初的世界周航。

演习题目

一、为什么在15世纪后半叶,开始寻求通达印度的新道路?

二、美洲是怎样被发现的?

第二节　殖民地的掠夺

现在来看看欧洲人用什么方法征服新发现的土地,怎样去掠夺这些土地。

新土地最初的征服者,普通是半海贼半军人的冒险家的部队。他们受了自己政府的保护和祈祷,而进行那种事业。在西班牙,这些部队的领袖叫作征服者。其中有一个科泰斯(Fernando Cortez),占领了墨西哥;有一个皮萨罗(Francisco Pizarro)占领了秘鲁。他们都是利用自己军事技术的优势,以少数部队完成自己的任务。征服者在美洲土人尚不知火器的时代,就使用火器了。

征服者由西班牙取得广泛的特权。事实上,他们差不多变成了征服地的独立的统治者。

一、土人的消灭

被征服的土地,受了极残酷的掠夺。诞生中的欧洲资本主义,迈出了染满白种人征服者残酷掠夺的重负之下而死灭的数百万土人的鲜血的第一步,根据某历史家的话说:"许多的人种和种族,因我们而死灭,世界上各部分,因我们而丧失人口,然而因此我们却变成富裕了。"

1503 年,最初的西班牙人达到加马加岛。至 1558 年,一切印第安人都消灭了。于 1508 年(征服当时),在埃斯巴尼欧拉①,尚有六万土人,然至 1548年,仅仅剩下五百土人了。在古巴岛,于 1550 年前后,已经完全看不见土人的踪影了。在欧洲人所征服的其他土地中,也可以见到同样的情形。土人这样迅速的死灭,是非人类的掠夺的结果。

政府官吏对土人的掠夺,也是非常厉害的。

例如西班牙殖民地的国王的代官,在他对于国王的报告中,有如下的一段话:"在所有西班牙领土中,土人或是完全消灭,或是变成极少数。土人因为过度的自然物及货币租税的担负,而抛弃了不值钱的家产和土地。他们移到别的地方,或者因避免早晚变成野兽饵食的危险而逃入山林。许多人都自杀了。这都是我亲眼见到的。"

二、土人的奴隶化

西班牙的征服者,捕获土人,使为奴隶,关于这些不幸的奴隶的生活状态,

---

① 所谓埃斯巴尼欧拉,是哥伦布称呼汉地岛的名称。

现在还留在许多记录中。例如在《新世界史》——著者是当代人——中有下面一段话：

> 西班牙的甲必丹,拍特拉列喀利斯,在克曼葛岛(西印度群岛)上所捕获的四千土人的大部分,一部分因缺乏食物而饿死,一部分死在由父母妻子分离的悲苦中走向克马尼港的途中。如果有一个奴隶,固为疲劳不能同别人一块走时,西班牙人怕他留在背后不便,就拿剑从背后把他刺死。看见这些几乎裸体的疲劳已极的饿得不能起立的不幸的生物,是非常苦痛的。他们的脑袋和手足全被锁缚着。变成奴隶的土人,全都烧上火印。他们一部分为甲必丹所有,其余的被分送在军队中。兵士们拿他们互相打赌或者出卖。商人用酒、砂糖和其他生活必需品,交换这种活商品,把他们输送到最需要奴隶的西班牙领的殖民地去。当输送的时候,这些不幸者,因为船屋里缺乏水和空气——把奴隶装在船底,在那里商人都不能坐不能呼吸——而死亡了。

美洲土人的死灭进展地很快,差不多达到使征服者在殖民地中找不到劳动人口的程度。因此,发生了反对使美洲土人做奴隶的反对运动。这种运动的前卫,是随着征服者来到新世界的天主教的传教师。他们要求被强制的"基督教徒化"的土人脱离奴隶状态。然而这些传教师,一点也不反对由旧世界向美洲输入奴隶。

三、黑奴贸易

在非洲捕获的几千万的黑奴,被输送到美洲去。此种黑奴的输出经数世纪之久,至18世纪达到最大的规模。在18世纪,每年由非洲输出的奴隶不下十万。

奴隶贸易之所以达到这样大规模,是因为这种商业特别有利的缘故。由于买卖黑奴所得的利润,不下50%,普通达到50%乃至200%。据某个报告(1692年)所揭出的数字:用29200利维尔购买奴隶,卖价为240000利维尔。

四、强制的贸易及独占

此外对于土人的"贸易",也有很大的利益。

下面就是某历史家关于这种殖民地贸易记载的情形。

用完全不值钱的物品,换得砂金和金块。……在殖民地,旧靴卖300刀克特(Ducat)①,西班牙外套卖1000刀克特。不幸的土人,必须购买不知用途的物品。并且他们是不能反对的。他们因为不能赡养自己的家属,所以不能穿绸缎和天鹅绒,把镜子挂在用树枝编成的自己小屋的墙上。欧洲商人们出卖——用很贵的价钱——绦子、纽扣、书籍及其他一切无用物于土人。……用低廉价钱购买土人的物品。

对于欧洲人特别有利益,而对于土人是一种大害的,就是麻醉性食物,尤其是鸦片的买卖。鸦片与火酒使土人完全变成颓废,反之,商人和投机者在这种事业上却获得极大的收入。

下面的例子就是表示由于这种交易而如何容易造成极大财富。某英国人,走到远离鸦片产地的地方的印度政厅派出所,由政府取得该地方的鸦片专卖权。他把自己的权利,以4万镑卖给某企业家。后者又在当日以6万镑转卖别人。最后这个人自己相信由于行使这个独占权,能得莫大的利润。

五、贸易公司

上述情形,并不是少有的例外。这种例子,我们在殖民地商业史上到处都看得见。

新发现的国家中这种异想的致富,只有在实行占领殖民地的诸国政府极热心的援助之下才有可能。对殖民地的贸易,普通都委托于大贸易公司经营。这种大贸易公司,在自己活动的地方,几乎行使国家权力的全部。

荷兰及英吉利东印度公司,是特别有名。最初创立的是荷兰东印度公司,

——————

① 一刀克特约合三个金卢布。

这是以后一切殖民地公司的模范。荷兰公司的资本,达650万佛洛林。这些资本,按3000佛洛林一股,分为2150股,其半数以上都在阿姆斯特丹的商人之手。每年股东间所得的红利,达到极大的额数,往往达到60%—75%。对于殖民地的这种贸易独占权及殖民地支配权,公司每年向国家支付几百万佛洛林。然而这巨大的额数,用公司的大量利润就可以充分抵补的。

六、欧洲诸国的殖民地

当地理的大发现时代,国际贸易中心移到大西洋岸。位于大西洋的都市和国家,在国际商业上,开始尽了主要的作用。威尼斯人及热那亚人,让位于葡萄牙人及西班牙人,以后法兰西人,更后荷兰人及英吉利人相继登场了。

葡萄牙人,在非洲西岸及印度马拉巴尔海岸及哥伦曼台尔海岸,做了最初的发现。他们占据西伦、马拉甲、苏丹群岛(斯马特拉、甲巴、塞列巴斯)及马拉甲群岛,于1563年,取得中国澳门。那里香料、砂糖及棉花的贸易,均握于葡萄牙人手中。利斯顿变成国际贸易的中心,经过此地,而结成欧洲与印度的一切关系。葡萄牙人是印度洋的主权者。阿拉伯人的贸易被绝灭了。任何船舶,没有葡萄牙人的许可,不得通过,否则就实行截夺。由于同土人领主所结的商业条约,而贸易完全受葡萄牙人的保护。

当葡萄牙人占据印度时,西班牙人因被丰富的金银产地所引诱,而在美洲扩大其征服地。西班牙人,占领墨西哥、智利、秘鲁,即富于金银的国土。但是不产金银而丰富的土地,并不能引起他们的注意。他们把这些土地,在自己地图上,记为"无收益地"。

葡萄牙人掌握印度贸易及其掠夺独占权,而西班牙人却成为美洲掠夺的独占者。

但是,在16世纪末叶,西班牙及葡萄牙的独占地位,已经开始崩坏了。荷兰、法兰西、英吉利等,年年掘毁西班牙及葡萄牙的殖民地的优越。竞争者常常实行有组织的秘密输入,往往诉之于公然的战争。西班牙及葡萄牙在经济上和军事上都不及自己的竞争者,因此,竞争的结果,荷兰毫不费力地把葡萄牙人逐出印度。但是,荷兰也不能长久保持着霸权,到17世纪初叶,就让位于英吉利。英吉利又开始与法兰西竞争,经过坚决而长期的斗争后,才把这称为"英吉利王冠之珍珠"的丰富的殖民地,完全收归自己手中。

西班牙在美洲的地位比较巩固。但是,西班牙人在中南美殖民地中,只能保存着若干的政治权力,在经济上却渐渐陷于荷兰人、法兰西人及英吉利人的势力之下了。

结果,殖民地主要的收获不是被最初的殖民者——葡萄牙人及西班牙人——占领,而是被荷兰、法兰西及英吉利的资产阶级所占领。

第三节　货币流通的发达

一、贵金属的流入

殖民地的征服及掠夺,发生了巨大的空前规模的世界贸易及货币流通的极大的发达。金银越大洋而流入欧洲。最初欧洲人在美洲,不采掘这些贵金属,只掠夺土人蓄积的物品就满足了。他们强要货币,以作为俘虏的族长的身价,又挖掘坟墓,由寺院壁上剥取黄金,强夺土人的服装品。

但是,当这些数世纪中蓄积的土人的财宝告罄时,欧洲人在新发现的国土中就开始采掘丰富的金银矿山。

被采掘的银量　　（单位:基罗格兰姆,kilogram）

年数	欧洲	美洲	合计
1493—1520 年	45100	—	45100
1522—1544 年	61000	13300	74300
1545—1560 年	647000	199200	263900
1561—1580 年	50000	214900	264900
1581—1600 年	41300	305100	246400

由上表看来,可以知道 16 世纪美洲银的采掘量是怎样急速地增大了。但是应当注意欧洲的银产出量,在这个期间,也差不多在同一水准,至 16 世纪末,才有若干减少。

二、价格革命

金银的流入数量甚多,因而金银价格开始急激下落。这就是说货币购买力减低,一切商品的价格都腾贵了。物价腾贵,最初起于西班牙。因为大量贵金属最早流入西班牙的缘故。至 16 世纪中叶,特别在 16 世纪后半叶,物价腾贵,已经普遍于一切商品,而为全欧洲所公认了。在英吉利及西班牙,物价腾贵,达到 50%以上;在法兰西及德意志,达到 100%。

谷物价格,比其他一切物品腾贵尤甚。在英吉利,由 1550 年到 1590 年之间,谷物价格腾贵 50%;在法兰西,腾贵 200%;在亚尔萨斯,腾贵 280%;在萨克苏尼亚,腾贵 300%。货币这样急激地下落,及购买力的低减,就叫作“价格革命”。商品价格的增加,显然超过工资的腾贵,所以“价格革命”给予勤劳住民层以极大打击。这从下面的例子可以知道。在法兰西,石匠和木匠,在 16 世纪最初的 25 年间,按现在货币计算,每日可得 60 哥贝,在其后 25 年间,可得 90 哥贝。换言之,即工资腾贵 50%。但是,在最初期间,劳动者用 60 哥贝,可买得 14 利特尔小麦,而在后来期间,用 90 哥贝,只能买 4 利特尔(litre)小麦。

“价格革命”,对于许多地主也是不利的。他们把自己的土地作为长期的租地(往往限期到数世代之久)贷出,虽当地租显著腾贵时,也只能照旧时的估价收租。例如在法兰西,一海克特耕地,在 1501—1525 年,平均是 70 卢布(换算为俄币),至 1560—1600 年,就达到了 250 卢布。

三、银行及交易所的发达

在欧洲北部,在意大利所未见过的范围上,兴起了商业、工业及银行公司。佛罗棱斯的巴尔奇及伯尔其家的财富,在这新公司的活动之前,落到第二位了。

16 世纪,德意志的银行主、商人及手工工场经营者佛开尔家,特别有名。这是旧奥格斯堡的商会;在 14 世纪已闻名了,是由于意大利及欧洲北部的贸易(奥格斯堡恰在通意大利商路的南德意志)而变富裕的。

佛开尔,是新式资本家之明显的代表。他不仅是商人,而且是企业家手工工场经营者。他在奇洛尔获得银矿,在匈牙利获得铜矿,变成欧洲最大的矿山业者。他以银行家的资格贷款于欧洲的许多政府,因而显著地提高其政治的意义。16 世纪,佛开尔投资于殖民地贸易。1511 年,其资本达 20 万佛罗林(1 佛罗林约合 4 卢布),至 1527 年,则达 2000 万佛罗林。

这种矿山业者的企业活动,完成进一步的发展。在克林奇,增大铅和亚铅的生产,在西来甲增大金的生产,在西班牙增大水银的生产。佛开尔的商馆,遍立于温、拉普奇、布来斯劳、纽兰堡、安特瓦布、罗马、威尼斯等都市。小布尔乔亚及大富豪都是他的债务者。佛开尔的资本,在 1546 年,达到 510 万佛罗林。

信用事业及全部商品流通之发展的次一阶段,就是交易所的设立。交易所与实行一切交易的商人的集合地的市场不同之点,即在交易所并不交易现物,往往连样子都不看,只是所贩卖的商品的质,要在事前规定了而已。在交易所中,只流通能被代用的商品,即能从各方面被提供的商品,乃是当然的事情。最初出现于交易所的,是各种货币及各银行的汇票。后来其他商品,如毛皮、青鱼、谷物、羊毛等,最后殖民地商品——胡椒等——都上场了。

最初的交易所,是在 15 世纪,开设于不鲁日。在这里,交易是在富裕的商人汪达布尔塞家里的前庭中举行的,当地的或远来的商人都在这里聚合。因此,由商人布尔塞之名,才生出"交易所"之名。至 16 世纪,不鲁日的交易所丧失了主要的地位。里昂以及安得瓦布的交易所取而代之,尤其是后者,在当时成为世界贸易的重要中心地。

商业、货币流通、银行、信用业务及交易所的发达,引起商业资本的意义之极度的增大。诞生中的都市资产阶级变为很大的社会势力。

演习题目

一、"价格革命"发生之原因为何?

二、"价格革命",使什么阶级受苦,使什么阶级致富?

三、高利贷业的发达是被什么引起来的?

四、何谓交易所?

第十四章　16世纪德意志及尼德兰的阶级斗争

西欧诸国经济的发展及旧封建秩序的解体,到处都是在尖锐阶级斗争状态之下进行的。表示这种斗争之特征的例子,是德意志。

第一节　德意志的宗教改革

一、德意志经济的衰弱

在16世纪初叶的德意志,发生了阶级斗争之复杂的症结点。这是由于从16世纪开始的德意志经济的衰落而促成的。这种衰落是因何引起的呢?

德意志的经济生活,与由意大利及欧洲北部达南部的商路紧密地结合着。商路由地中海向大西洋的移动,及商业中心地由意大利向西班牙的移动,推翻德意志的经济势力。从此以后,德意志就离开国际贸易的主路,而站在经济发展之外了。

德意志经济的衰落,妨害它政治的统一及握有巩固中央政府的统一国家(如法兰西、英吉利、西班牙等)的转化。德意志仅仅名义上统一在衰弱的王权之下,事实上却被分为许多的独立国家。经济的衰弱使德意志一切阶级的矛盾尖锐化,根本上形成了反封建制度的广泛的复杂的运动。这种运动同反天主教的斗争发生密切的关系。

二、罗马教会及其各阶级的关系

11世纪,罗马教会在欧洲政治界还尽着指导的作用,并且当作富裕的团体,而保持其巩固的地位。罗马教皇,被宣言为"地上的神的代理人",现世界的最高统治者。但是到了"国民的"大国家(法兰西、英吉利、西班牙等),在经济发展的基础上成长起来,中央权力加强之时,这些国家越努力解脱教皇的干涉了。

罗马教会由各国勤劳居民层征集的租税,对于这些人民层是很重的担负。教皇制定"什一税",即征收谷物等收获的十分之一,以为每年之租税(征收谷物时叫作"大",征收其他物品时叫作"小")。以后在"什一税"上更附加许多租税。此外,地方僧侣在一定时期(如就职、拜访罗马等),都要向教皇支付莫大的货币。

国王绝不反对这些租税,只是希望他们"臣下"所征收的货币不给远方的罗马,而流入国王的口袋。封建领主,尤其是小领主——他们不能适应商品、货币关系的发展而没落——嫉视属于教会的巨大的富裕的领地。

但是,罗马的主要敌人,乃是抬头的布尔乔亚及被压迫大众。

布尔乔亚除羡慕教会的富裕外,自己还苦于租税的压迫。占领教会的领地和财宝,由教会的租税之下"解放"勤劳民众而加以进一步的剥削,从干涉全生活领域的僧侣的监督中解放出来——这些正是布尔乔亚的梦想。于是在布尔乔亚之间首先发生要求"革新"教会及改造天主教的腐败组织的潮流。

被压迫大众,把罗马教会当作封建压迫的全制度之最有力的支柱,当作彻底推翻独立生活的全现象的一切愚弄的鼓吹者,最后当作苦于僧侣的无限制租税的勤劳者之最大的仇敌者而起来反对。

随着商品、货币关系的增大,天主教会愈加贪婪而追求货币。在罗马,充满了用最良艺术装饰的许多宫殿和寺院。教皇和高僧们的生活穷极奢侈。教会为了适应增大的必要,而从需要莫大货币的各种经济企业搜集大量货币。

教会不以商业或高利贷以及普通租税等之收入为满足,进而扩大旧收入和寻求新的收入源泉。

三、路德的活动

最苦于教会诛求的,是德意志。罗马教会,利用了德意志的政治分散及经济衰落的弱点。较强的国家英吉利、法兰西及西班牙,与天主教虽不能绝交,而事实上,却脱离了教皇的束缚。

"假如德意志停止自己的支付,罗马的王座将要怎样呢?"教皇皮斯二世自己这样问,并且回答道:"那将是贫穷和衰弱吧。"免罪符的出卖,在德意志特别盛行,所以可以说当时"罗马是建立在德意志的罪恶之上"。

16 世纪德意志的阶级矛盾的尖锐化,反封建秩序斗争的强化,各阶级对于罗马教会的否定态度,德意志因教皇所受的诛求——这些事实,正是形成德意志宗教改革条件的根本原因。

1517 年,马丁·路德(Martin Luther)在兴登堡公然开始反对出卖免罪符。这个活动,就成为反罗马教会的广泛运动的导火线。

路德最初以为罗马教皇对于教皇及修道士的掠夺和恶行,完全不负责任,但是,忽然知道那是不对的。路德依赖最有力的德意志封建领主——萨克苏尼亚的选帝候佛列智利基——获得国内大多数的拥护,他高呼手执武器去袭击罪恶的诱惑者、枢密员、教皇及罗马苏得姆①的全派,用他们鲜血来洗手。他要求剥夺教皇及"贪欲的臭气纷纷的罪人"的俗权,消灭僧侣的特权地位,由信徒选出"宗教的指导者",消灭修道院——"疯狂圣者"的集聚,废除大部分的教会仪式。

路德的活动,是落在火药库上的火花。路德绝不是革命家。代表封建领主及大布尔乔亚的利害的他,是稳和的、妥协的,自己放弃最决定的并极端的要求。但是导火线已经燃着了——反对教皇及天主教一般的激烈的运动开始了。"穿紫衣的猿猴"、"教皇及其财富的搬运者"——那时在德意志,用这种话来称呼"圣者"及"基督的代理者"。有许多高呼反罗马的叛乱的放浪传教师出现了。

革命的小手工业者及农民集团侵入修道院,破毁圣像和寺院的装饰物,驱逐修道士。并且他们叫道:

　　　　神啊! 我们请求你。

　　　　主啊! 允许我们。

　　　　主啊! 允许我们做僧侣吧。

———————————

① 苏得姆与哥毛拉,在旧约圣书上,相传是受神罚而堕落的传说的都市。

改革运动在继续发展中,更分为两个潮流——路德指导的稳和派与更彻底的决定的"民众改革派"。封建领主与大布尔乔亚,以没收寺院财产、解脱罗马的压迫、确立适应自己要求的"路德派"的信仰(以下详述)为满足了。

四、民众改革派

反对当时社会秩序的民众改革派,获得贫苦市民(小手工业者及商人)、职工劳动者及农民等广泛大众的拥护。

"民众改革派"最大而最极端的指导者穆策尔(Thomas Müntzer)叫道:"路德是恶的改革者。他虽然同教皇的权力作斗争,不承认免罪、炼狱、镇魂等恶弊,然而那只是做了一半的改革。如果不进而对教皇和修道士加以攻击,什么事情也不会奏效的。"

然而,"事情是进行下去了"。在德意志不断地发生叛乱。

工业都市兹维克及兴登堡的织工——受富裕呢绒商人之激烈压迫的——成为运动的关切者。兹维克的职工及劳动者,不以仅仅对罗马的斗争为满足,而活泼地拥护要求与富豪、剥削者作断然斗争的明兹尔的宣传。财富向平民间的分配及消灭一切财产上的不平等——这正是明兹尔及其同志们所要求的。

运动波及于其他都市,很快地成长起来,不仅威胁加特里教的僧侣,而且威胁稳和的路德派。明兹尔暴露路德的阶级本性说道:"那个唇被你这样热心的给涂上蜜了。德意志贵族啊,感谢他吧(对于自己的成功)!贵族照自己的教义,愿意给你修道院和领地。"

五、骑士的叛乱

民众的叛乱急速激化。至1521年,发生反大封建领主尤其是反寺社领的小领地所有者之骑士的叛乱。这个叛乱,是不能适应新经济制度的小规模的贫穷地主的运动。但是,被压迫的农民及市民并不拥护骑士。大封建领主的大炮,射透以前不能逾越的骑士的城壁,叛乱被镇压下去了。

1524年开始的大农民战争的有力的农民运动之镇压,比镇压骑士更困难了。

演习题目

一、在16世纪的德意志,因何引起经济的衰落?

二、为什么德意志最受罗马的诛求?又这些诛求之表现为何?

三、反罗马的宗教改革运动,是怎样开始的?

四、何谓"民众的宗教改革"?其指挥者要求什么?

五、骑士的叛乱,追求什么目的?达到什么结果?

第二节 大农民战争

一、16世纪初叶德意志的农民状态

在德意志,于13—14世纪,已经发生农民脱离人格的农奴的隶属的"解放"运动。

但是,到15世纪之末,因受经济衰落及恐慌的影响,这种解放过程始而停止,继而向后开倒车了。于是开始了逆行的农奴化。农奴制比以前更加酷烈。

下面一段话,就是恩格斯所写的关于1500年初叶德意志的农民状态。

压在农民之上的,是封建领主、官吏、贵族、僧侣、巴特里(富豪、商人及高利贷者)、市民(中流商人及手工职工)等社会的全阶层。

农民是领主的隶属者或是僧正和都市的隶属者,那是毫无关系的,他们总如东西一样,或如呆兽一样被管理,甚至还要厉害。假如他们是农奴,就要完全无条件地服从领主的意旨;假如他们是隶属者,法律的契约的行为就十足地压服他们,并且这些行为,每天在增大着。农民必须把他的大部分时间在领主的领地上劳动,他们必须从极少的自由时间工作所得的东西中,支付什一税、贡租、租税、租地、买路钱(战时税)等地方税和国税。他们如果不向君侯支付金钱,就不能结婚,甚至不免于死。他们除正规的赋役之外,还必须给大慈大悲的领主采集蒿草、莓果、苔桃和蜗牛壳,并狩猎野兽和伐木等。狩猎和钓鱼属于君侯,农民眼看着野兽践毁自己的农作物而不敢作声。

农民的共同牧场和山林,差不多到处都被君侯强制没收了。这些君侯,不仅对于农民的财产如此,同时对于农民的身体、妻子和女儿也任意侮辱。

　　当他任意肆虐时,把农民投入牢狱,农民在那里只有等待死亡。君侯在任意肆虐时,把农民或送之牢狱,或处以死刑。

　　那么,能够保护农民的是谁呢?"在裁判所里,王公、僧侣、都市贵族和法律家占据议席,可是他们很知道自己是怎样取得俸给的理由。一切国家的王公的身份阶级,是由于绞榨农民的血汗而生活的。"这是当时某人关于"四个强盗"——特别剥削德意志农民的——所说的话。那四种强盗就是骑士、小领主、僧侣及法学家。

　　僧侣除普通地主义务以外,更要求教会的特别租税。商人组织公司用几文金钱购买农业生产物,同时对于农民提高必要的工业品的价格。这些商人,也是"剥农民皮"的高利贷者。法律家拿法律做成一切不平等的基础,而引起勤劳者激烈的憎恨。

　　路德说高利贷者常随着自己的财富,去"吃尽"农民、骑士以及富裕的诸侯。他说:"高利贷,在几年里,恐怕要吃尽世界吧。……他们没有任何忧虑、危险和损害,由于别人的劳动而致富,生活在懒惰与奢华之中。坐在炉边,用一百哥鲁登就可以聚集国内的财富。"

　　当15世纪末及16世纪之初,在想要逃避这种不能忍受的惊人的剥削的农民中,引起了许多叛乱。在那比较大的叛乱中,所谓"农民靴"的西南德意志的1493年的农民运动,是值得记忆的。农民靴与骑士的长靴相对称,而象征普通农民变为叛徒旗印。这个叛乱与休瓦比的1514年"贫苦的康拉德"首谋者领导的运动同时被镇压下去。

二、叛乱的开始

　　叛乱几乎普及到德意志的许多地方。农民最初不用暴力,仅仅向封建领主和商人提出自己的要求,然而这种要求只遇到冷嘲热笑。

　　当农民代表集合在乌姆市时,市长说道:"你们这些百姓,像春天的蛙一样地集合成群,呱呱地叫着,等待蛇来吞吃。你们尽量地吵闹吧,领主先生会来扫除你们的。"

经过一周,在乌姆市集合有三万多农民。领主的使者出来交涉,可是"他们连骑马走入这样人群之中的勇气都没有了"。实际上,那时是"蛙吞蛇"了。

农民交涉的结果毫无所得,于是不得不出之于武力了。他们拿着随手取得的武器,组织队伍,烧毁地主和修道院的房屋,使封建领主限于极端恐慌中。都市贫民同情农民,并常常加以援助。甚至在骑士中,也有表同情的。最后,农民占领了若干都市。

三、农民的要求

叛徒要求什么呢? 农民因地域的不同,而提出许多相互不同的要求。

有三个主要的叛乱地方。南部(休伐比亚)是大半反对复归于农奴的隶属及反对上述一切不堪忍受的剥削的纯然的农民运动的地方。富农为取得被封建领主——他们的商品市场的竞争者——掠夺的土地和商业自由,以及排斥地主及高利贷以榨取同村人的自由而斗争。在中部地方(佛兰克尼亚),农民把都市小布尔乔亚当作同盟者。在北部的捷林根,农民运动获得矿山劳动者及都市平民(贫民)的拥护,带上最尖锐而决定的性质。

把叛徒的要求,按照地方来比较看吧。首先从稳和农民的休瓦比亚开始。当时有人写出下面一段话:

> 农民,第一只要属于基督,不愿意承认其他任何主人。第二他们断然拒绝一切赋税,不愿意在谢肉节(Carnaval)送鸡和缴纳小什一税。他们说那是完全违背兄弟之爱,而在圣经上一行也没有写着。第三,他们否认任何租税、支付和用益税。第四,照他们的意见说,一切人们对于所有的川水、森林、飞鸟及各种野兽,都有完全的处分权——因为这些东西,都是为一切人们的使用而被创造的。

在上面这段话里,所引用的圣经和基督等,都是很特征的东西。我们已经知道,当时宗教具有极大的意义。因此,农民暴动的口号,和当时其他大多数的社会运动一样,采取了宗教的形态。农民想引用《圣经》,以确证自己的要求。而贵族站在镇压叛乱的方面,也来引用圣经。叛乱农民的宣言,有名的

《十二条》——于 1525 年 2 月发表——也是用同样的形态做成的(上述一段话,就是这《十二条》的一般要求之简单的概要)。农民向剥削者说道:"你们要从农奴状态解放我们,不然就要在圣经的文句中证明我们何以要当奴隶。"

在佛兰克尼亚,纯农民的要求因受都市布尔乔亚的压力而更加变为稳和,所以提出这样的方案:将分散的德意志转化为统一的国家。在那种国家里,有统一的货币制度,不压迫工商业,废止封建领主的暴力,法律上一律平等,统一裁判制度。同时要求限制商业的特权及高利贷等。

在佛兰克尼亚则有上述的叛徒指导者托马斯·明兹尔。恩格斯写道:"只有在捷林根(Thüringen),在明兹尔势力之下,以及在其他地方,在他的弟子之下,都市平民的分派,在这一般的骚乱中,受了极大的感动,因此,其中萌芽的无产阶级,转瞬之间把握了对于其他一切运动要素的支配权。"

四、叛乱的发展及结果

封建领主最初是很狼狈的。并且他们有许多人,都认为自己的权力要倒塌了。但是,统治者们不久就看出农民不能一致,采取分散的行动,缺乏统一巩固的指导,并且易受一切虚伪约束的饵诱。于是封建领主遂脱离最初的恐怖,集合大量军队,经过许多激烈的战争,粉碎了虽勇敢而无训练的武装农民群集。当他们力量不足的时候,就使用欺诈的约束,许多农民部队都相信这种约束而解散了。

路德协力镇压叛徒。他在自己的传教和文书上,断然拥护统治者。

最巩固的,是捷林根的运动。在那里,托马斯·明兹尔有力地警告《欺诈的条约》,对都市贫民、矿夫和贫农叫道:"努力工作,进行斗争,时候到了! 时候! 恶党们牡犬似的恐怖了……他们向我们请愿,在我们面前,像小孩一样的哭泣了。但是我们不能容许他们。铁是由热里锻炼出来的! 在时候未过去时,要努力工作!"

明兹尔获得都市平民的援助,在姆鲁霍森(Mülhausen)市组织独特的共同体。并且这个共同体和封建领主及布尔乔亚对抗到二月以上。但是,在捷林根,运动终被镇压下去,明兹尔也被杀死了。

1525 年春,农民暴动溺死于恐怖之中。统治者的复仇是屠杀。农民被用极非人类的方法杀死，其首领们则被用火烧死或剥皮，全村被消灭。十万的人们，变为地主及其助手们的憎恶的牺牲。

以后，在德意志，农民状态更加恶化。在许多的东部地方树立了极尽苛酷的农奴制，如借用当时人的话说来，就是使农民完全限于饥饿与贫困的状态之中了。

五、失败的原因

德意志农民运动失败的根本原因，与上面说过的扎克里及他拉暴动的失败原因是一样的，所以在这里不必再来重述，而需要尽力说明一个基本的契机。当时无产阶级虽已诞生，但不足领导农民，这就是不能独立获得胜利的农民失败的根本原因。伊里奇说："为什么农民数量虽多，而其本身不能养成指导的势力呢？因为大众的经济生活条件，使其自身的结合为不可能。"

德意志的布尔乔亚不拥护农民运动。布尔乔亚自身，没有充分的力量和封建领主作完全断然的斗争。所以，布尔乔亚虽然要求加诸侯权力，削弱骑士，与罗马断交及没收教会领地，然而终于背叛了农民。因为农民及都市平民所提出的要求，威胁了统治者秩序的基础。

六、明斯太尔的公社

农民运动镇压后，经过九年，在勒斯伐里亚的都市明斯太尔暴发了手工业者与都市贫民的叛乱。叛徒于1534年2月，从市里驱出僧正的军队，树立以12个长者为首的公社。其后，这些长老将全权让渡于市卫成总督，裁缝约翰·明斯太尔，当时正受着僧正军队的包围，但是，僧正的军队虽然怎样的努力，终不能占领动摇的都市。

明斯太尔的人们最初进行的事务，是设立"共同食卓"，建设许多共同家屋，分给各家以特别的耕地。家里的户口无论昼夜，对大家都是开放的。一切住民必须为公社的必要而劳动，特别是为保卫都市而劳动，铲除加特里教的宗教制度。

但是在明斯太尔，并未引起全社会秩序的决定的变革。特别是小手工业的生产组织依然如旧，行东与职工的差别仍未绝灭。被包围的明斯太尔的人们，发檄文于全国贫民。他们在明斯太尔号召平民。"在这里，万事都能满足吧。以前我们里面乞食的最贫穷的人，也可以变成市长一样的富裕了。"封建

领主及都市贵族,因恐贫民在别处也效法明斯太尔,而合力加以包围。直至
1535 年 6 月,经过激战之后,包围军始占领明斯太尔。

镇压叛徒是极其残酷的。富豪与封建领主的军队,不分女子和小儿,一概
加以蹂躏。明斯太尔完全被破坏了。约翰以下的明斯太尔的三个领袖,都头
带铁枷,游示全国,至翌年 1 月,在明斯太尔执行死刑。

他们的死骸于长期间放在寺院钟楼的铁槛内,任人参观。

七、路德派教会

民众的改革完全被粉碎了。在德意志的大部分地域,只见到路德指导的
改革运动的稳和派的胜利。在许多公国里,新的路德派教会确立起来,代替了
天主教。

布尔乔亚及从事商业的贵族层,绝不是反对一般宗教。他们反对封建的
加特里教,主张新的、更"廉价的"、适合于他们利害的"自己的"宗教。加特里
教,除我们已知的事情外,更由于纪念日、断食及许多义务的教会仪式、种种向
"圣地"巡礼的奖励,以及对于高利贷业虚伪的(因为教会本身并不如此去做)
禁止等,而妨害工商生活。

在路德派教会中,僧侣直接从属于诸侯及富裕的市民。教会的仪式被简
便化,以至用德语举行(在加特里教会中,此种仪式是用拉丁语并很华丽的举
行的)。所谓"圣书",也都译成德语,废除许多的纪念日、斋戒日、巡礼,及对
于各种"圣物"(圣像、"圣者"的遗骨)的礼拜。

路德派的信仰的基础,在于主张人们不必做"善行"或对于教会做特别的
"效劳",仅由于信仰,就能得"救"。这里,所谓"善行"与对于教会的效劳,即
是向教会送金和纳税的意思。结果,如像恩格斯所说,布尔乔亚派获得了与他
们的利益相适应的"廉价"的宗教。

路德派教会对于独立的大诸侯也是有利益的。他们由于随宗教改革运动
而来的社会运动的结果,而得到很大的利益。诸侯获得了完全顺应和从属于
他们意志的路德派教会,代替了离大诸侯独立而为自己的利益以剥削大众的
加特里教会。我们不必再来重述大封建领主由于占领罗马教会的丰富领地而
变富裕的事了。因宗教变化而来的一切"利益",对于勤劳大众,只可以算是

一种统治形态与他种统治形态的交替,而后者并不稍轻于前者。

八、恩格斯关于宗教改革的见解

恩格斯说:"对于封建制度的反对,在此种场合中,只是当作对于宗教的封建制的反对而显现。""普洛斯坦特异端的不屈服,与强化中的都市布尔乔亚的不屈服是相对应的。当布尔乔亚充分巩固时,他们对于带有地方性质的封建贵族的斗争,开始采取国民的规模。斗争之最初的一击,是在德意志进行的所谓宗教改革。都市布尔乔亚,没有力量去把其他革命的要素,即都市平民(劳动者、日工、职工等)、下层贵族及农村的农民,团结在自己的旗帜之下。贵族最先失败了。其后,为当时革命运动之最顶点的农民暴动也失败了。都市不拥护农民。并且都市因为革命被大封建领主军队镇压下去,反享受了一切有利的结果。"

演习题目

一、德意志大农民战争的根本原因为何?

二、说明 16 世纪初叶德意志的农民状态。

三、农民战争是怎样开始的?

四、在德意志有农民暴动吗?

五、说明农民战争的过程、其领袖及叛徒的要求。

六、一切人们都是提出一样的要求吗?

七、农民失败的根本原因何在?

八、路德对于叛徒采取什么态度?

九、诸君知道当时的都市叛乱是什么样吗?

第三节　宗教改革的反动

一、天主教的反动

鲁洛斯太特派(新教)的发展,最初只不过从荒废的加特里教方面受到微弱的抵抗。各地相继脱离罗马之手。教皇蔑视路德的活动,认为是"修道士的纠纷"。但是,自 16 世纪 40 年代以来,情势大变。罗马教皇为了加强自己的地位,实行许多内部的改革。为了和普洛斯太特运动作斗争,形成许多加特里的斗争组织。

这种反改革运动之基本的阶级势力,是以维持并加强"修正的"封建制度为利益的社会集团(地主等)。从布尔乔亚及被压迫阶级方面的最初的打击中复兴起来的封建集团,转取了攻势。因为他们感到震撼布尔乔亚本身及统治者的基础的勤势大众的广泛运动之威胁,使这种攻势容易成功。

二、宗教裁判的强化

1546 年,在德连特召集宗教会议。其活动虽时有间断,但已继续到 1563 年。在这个会议上,极严格地承认加特里教的一切教条,咒骂普洛斯太特的教条。但是,在教会仪式中,即加入了从普洛斯太特的"异端"借用的许多新机轴。

当时,在罗马,冥顽已极的宗教裁判——其意义自然比以前的衰弱——复活了。宗教裁判首长任命的枢机员(后来的教皇波兰四世)喀拉发(Carafla),热心工作,自设审判庭,掌握杀人的器具。

宗教裁判到处活动。稍有"异端"派色彩的,即被拷问或受火刑。教皇干涉生活上一切琐事。"三次破坏日曜日之休息"者,割舌并使作苦役。

三、es 会

在罗马教会之战斗组织中,最重要的是 1540 年西班牙人罗拉所创立的 es 会。es 会会员与住在修道院离开周围世界的有义务的其他修道士不同,他们是生活于俗界,干涉一切"俗事"。

es 会员不准穿特别的修道士的衣服,所以有许多秘密的 es 会员。es 会员,努力侵入各处,尤其是为了给国王影响,而出入国王、权门及富豪的家庭。

他们主要的口号是"目的使手段正当化"。会的利益是要求得来的,会员不作的污秽事情,一点也没有。会的主要目的——至少最初是这样——是同普洛斯太特派及其他异教派战争,加强罗马教会。

会的组织,是在奴隶的训练及完全的中央集权的原理之上构成的。会的首领,是常住罗马的凯拉尔。他统治 es 会的"地方"的支部,即设在各国的支部。在地方有长官——"地方之长"。其下有各种阶段的"兄弟",以至做最下级工作的新修道士。新参者不问其命令如何,必须盲从旧参者。罗拉的训诫是:"假若教会把我们看作白的东西决定是黑的,那么必须承认它是黑的。"新参者是旧参者手中的"盲目的武器"、"木棒"。在会内,相互之间设有侦探制度和会员裁判,甚至有无限威权的凯拉尔也要由特别会议来侦探。

Es会设立大学,拥有多数学校。他们成功地完成了这种事业,从es会的学校里造就出许多信徒。罗拉向自己的弟子说,你们在一个月里,可以变成健康的青年,变成能够看见上帝、"圣者"及其他"奇迹"的信徒。这种话并不是没有意义的。

Es会急速富裕化。Es会用种种方法搜集资金,例如富豪的献金、广泛的商业、投机和高利贷等。许多商船和企业都属于该会。在他们手里,有南美殖民地,在那里,es会员尽量地剥削土人。

Es会员,当罗马教会发生危险时,须热烈地加以拥护。所以他们是激烈的反动的支柱。但是因为他们采取很独立的行动,而使许多教皇都对它抱有戒心。他们的一切阴谋——他们对于与自己不便者不惜采用暴力的手段(例如法兰西王亨利四世的暗杀)——甚至使政府都对之抱反感。于是在17世纪及18世纪,es会员从欧洲许多国家被驱逐出去,但是仍然保有着秘密结社。

演习题目

一、何谓反改革运动?

二、反改革运动始于何时,其表现如何?

三、那种阶级势力拥护反改革运动?

四、es会之组织如何? 特征如何?

五、es会尽了怎样的政治作用?

第四节　尼德兰的革命

一、尼德兰的商业

早在16世纪以前,尼德兰即以发达的工商业闻名。在14世纪,当时的人写道:"从输入尼德兰的商品数量说来,任何国家也比不上佛兰德尔(尼德兰南部的佛兰德尔伯领)"。当时这个地方以呢绒工业闻名。佛兰德尔的布鲁日是最富裕的都市。

在 14 世纪,尼德兰的工商业中心,随着商路的一般的变更,移到西北(布拉班得)及北部(荷兰)。

布鲁日的财富和意义,移于鸠得沙口的布拉班特的安多瓦堡市。安多瓦堡成为国际贸易的最大中心地,从英吉利、西班牙及葡萄牙殖民地以及德意志的来茵地方来的商品,都流放该地。当时的人说道:"在安多瓦堡,一个月里所行的交易,比以前在威尼斯二年间所行的交易都多。"这种交易的大部分,是在为"各民族及国语商人"而设于安多瓦堡的交易所里实行的。每年聚集在交易所的大屋内和廊下者不下千人。安多瓦堡的商业,占尼德兰全部商业的四分之三。

当时荷兰及其主要港阿姆斯特丹的财富,在对波罗的海沿岸诸国的谷物贸易、渔业及造船业上,急速增大了。

至 16 世纪末,尼德兰几乎掌握了欧洲、美洲及亚洲诸国的全海洋的中介商业。美洲贵金属、印度的香料、波罗的海沿岸的谷物和木材、英吉利及西班牙的毛织物——所有这些东西,都是用尼德兰的船舶输送的。该商船叫作"欧洲的行商人"。18 世纪初叶,荷兰占有欧洲全商船的半数以上,至该世纪末则占有四分之三。

二、布尔乔亚的成长

尼德兰布尔乔亚的势力,随着暴风雨式的财富的增大而急速加强了。许多都市成长起来并富裕化了。在工业上,行会制度崩坏,被家内生产及集中的手工工场生产所代替了。

但是,恩格斯说过:"社会虽渐渐变成布尔乔亚的,而国家制度仍然是封建的。"新布尔乔亚(与拥护旧行会制度的那一部分不同)的直接的敌人,是强有力的封建诸侯——第一是贵族的门阀,他们从尼德兰的布尔乔亚身上尽力地榨取大量货币。

第二个敌人是封建制度之支柱的加特里教会——在国内拥有莫大财富,在广大的土地上保存着半封建制度。

16世纪,尼德兰加入哈普斯堡喀尔五世(1519—1556年)的广大的"世界王国"的版图。喀尔五世,同时是西班牙王、德意志皇帝及美洲殖民地的领有者。

在这"太阳无落时"的王国版图中,尼德兰是最富裕的地方。王权努力从那里取得尽量多的利益。

关于尼德兰农村农民及经济发展的状态,已经说过了,这里,只说明商品经济广泛的发展,在此处加深了农民的剥削并促进社会的动摇。

三、尼德兰的加尔文派

尼德兰的布尔乔亚及勤劳大众的反抗,同在其他国家一样,也是与宗教运动结合着。最初路德派侵入尼德兰,其后,加尔文派的教义忽然扩张了。

法兰西传教师约翰·加尔文(John Calvin),于16世纪中叶在日内瓦(瑞士)建立改革派的教会。

加尔文所传的教义,与热心致富及在激烈斗争上掌握领导权的当时的布尔乔亚甚相适合。恩格斯说:"加尔文派的教义,适合于当时布尔乔亚最大胆的部分的要求。"加尔文教宣言完全不容许高利贷业,认为商业是上帝规定的一种职业。严格的朴素生活,节约与积蓄,对于敌人的战斗性及不客气的无容许性——这都是加尔文派的特征。

一切加尔文教徒都属于自己地方的宗教共同体。共同体受康西斯特利特别委员会的支配。在康西斯特利中有最大权力的,不是"传教师"(僧侣),而是从富裕的有劳力的教区中选出的长老。

国王与天主教会借宗教裁判之助,反对尼德兰的加尔文派,进行激烈的斗争。在喀尔五世时代,因"异端"之故而受死刑的尼德兰人达数千之多。与其说是用墨水,毋宁说是用血潮来记载的当时颁布的敕令,凡属"异端派"或隐匿"异端派"而不告发者处极刑(例如活埋)。

四、革命

在喀尔之子西班牙王腓力普二世时代,尼德兰的状态更加尖锐化。西班牙激烈地限制并压迫尼德兰的商业。腓力普用高率的关税及禁止外国商品的输入,以避免外国的竞争,保护西班牙。同时,他反对尼德兰的航海业,以保护西班牙的航海业,禁止西班牙的现金输出。同时在尼德兰,又加强租税及宗教上的压迫。

于是在尼德兰,开始了动乱及加特里教的征伐。菲力普对于强硬的地方实行残酷的弹压,从各方面搜集大量的货币。

菲力普派送严酷的阿尔巴伯爵去统治尼德兰(1567年)。他设立特别的"××①会议"。在他受命后最初三个月间,这个会议判处死刑者约达两千人,并没收受刑者的财产。阿尔巴课赋许多重税,事实上压迫尼德兰的全经济生活。

与此相适应着,于1527年②,在北部荷兰开始了农民的叛乱,几乎扩大到全国。叛乱的主要势力,是小手工业者、家内工业者、职工及勤劳农民。但是,在这些大众前面,却是站着为自己阶级的利益而巧妙地利用他人势力的布尔乔亚。

为了同西班牙人作战,用富豪的资金,在德意志和法兰西召募兵士,输送到尼德兰去。在西班牙的海上,"海上干兹"③横行,屡次攻击加特里派。尼德兰最富足而门第最高的贵族——荷兰的威廉——不久就站在教徒的前面。

在最初战争时,熟练的、有富于经验的指挥者的西班牙军队占胜利,驱逐叛徒,尼德兰的都市相继陷落。但是,北荷兰的都市却坚强地抵抗着。尤其是大都市兰登,坚强地、长期地与西班牙军的包围对峙。兰登当食粮告尽、迫于陷落时,乃切断防御海水侵入国内低地的堤防,开放河川与运河的小门。西班牙军为洪水冲袭而败亡,干兹的舰队,供给市民兵器和粮食。

"贫血的牡犬"(阿布尔的绰号)的军队失败了,英吉利舰队供给西班牙舰队兵器。当他们被干兹的舰队打败时,国王召回阿尔巴。但是新任命的代官也不能镇压叛乱。

不久(1579年),北方事实上变成独立国,后来就叫作荷兰(因其为主要地方之故)。布尔乔亚的权力在荷兰确立起来,他们立即没收教会的及反对自

---

① 原文如此。——编者注
② 应为"1573"。——编者注
③ "干兹"是对于西班牙人的蔑称,是叛徒自己相称呼的名字,即"贫民"之意。

己的封建领主的财富。

在南部各地,事情却不相同。在那里,西班牙人与罗马教会,获得憎恨"布尔乔亚的无赖汉"的封建领主及农民落后层的拥护。西班牙人在坚强而长期的战争之后,征服布琅巴特及佛兰得尔,不客气地占领这些富裕地方。仅仅在安多瓦堡,就屠杀了八千以上的平和住民,焚毁成千的家屋,没收 600 万哥鲁登货币和商品。

后来就形成了比利时。尼德兰的几乎整个的南部地方,均落在国王及加特里教会之手。这些地方的经济生活,因处在封建制度极度强化的压榨之下而衰落了。

荷兰的大布尔乔亚,因避免对于自己工商业的竞争,而不拥护南部,并往往叛变。荷兰商人,甚至供给西班牙人武器和食粮。荷兰的资本家说:"商业必须自由。假若为利润而必须入地狱,虽烧毁篷帆亦所不辞。"

五、17 世纪荷兰的工商业

尼德兰革命的结果是怎样呢? 荷兰自独立后,于 17 世纪中叶以前,不断地同西班牙战争。战争胜利的结果,遂获得西班牙及葡萄牙殖民地。荷兰驱逐西班牙人,占领印度及其他殖民地,削弱自己的南方邻人(佛兰得尔及布拉班特),而变成世界上最富裕的商业国。马克思把荷兰叫作当时的"典型的资本主义国家"。殖民地的残酷的剥削,农民土地的掠夺,商业精神及其投机之空前的发展——这都是荷兰的特征。荷兰人为了印度的商业,而创立上述的东印度公司。其后,在其他国家,也仿此而组成商人团体。1600 年,在阿姆斯特丹创立为工商业上的相互清算的银行。阿姆斯特丹的银行,成为 17 世纪末叶所创立的最大的英吉利银行的模范。

荷兰的工业,比商业落后,但是也有显著的发达。

法兰西人皮鲁·伯,于 1682 年在阿姆斯特丹建立具有百十架织机的生产毛织物的手工工场。同时,亚考夫·完·摩尔在乌特列特创立以水车为动力的呢绒手工工场。在那里有 500 个劳动者。此外,摩尔还占有在自己家里做工的千百架织机。当乌特列特的繁荣时代,在该都市的呢绒及毛织物的生产中,全部约有 1 万工人。当时在阿姆斯特丹,有 54000 工业劳动者,当时的荷兰,仅仅在织维工业中即有 66 万工人。

六、荷兰的政治制度

从政治制度说来,荷兰是共和国。政权属于哈格召集的国会及休他喀太尔(国内的最高职务者)。国会议员是在特别的地方会议中选出的,后者又是在市会中选出的。都市大权,完全握在大布尔乔亚之手。劳动者和职工自然不能参加行政,即使手工业者和商人,也完全不能参加。在荷兰各地的 120 万住民中,有选举权的只不过 2000 人。在 17 世纪的荷兰,艺术、哲学及科学,基于庞大财富的增加和相对的信教的容认及布尔乔亚的"自由"(对于富者的),而非常兴盛起来了。

七、劳动者的状态

但是,如借马克思的话说来,"荷兰的民众,在 1648 年,已经被过度的劳动所疲劳殆尽了。在欧洲各国的国民中,他们是最贫穷和最受压迫的。"平均劳动时间,达到 12 至 14 小时。广泛实行妇女及儿童的激烈的劳动。租税不断地增加,而工资却不增加。一切食粮品都被课税。为了免除对于小麦粉的课税,农民食用的面包都是用发酵的破碎的谷类烧成的。荷兰布尔乔亚的财富,是在劳动大谓的强制劳动、疲劳与穷困之上及殖民地的榨取之上,蓄积起来的。

在 17 世纪的荷兰,反对大布尔乔亚独裁的广泛而无结果的民众运动屡次暴发,这是不足惊异的。尤其是荷兰的劳动者,常常实行同盟罢工或其他各种的运动。阿姆斯特丹当局,于 1682 年放逐参加"秘密结社"的一切的剪毛职工,或加以笞刑。十年后,同样的"犯罪",则处以死刑。

演习题目

一、在地图上指出 16 世纪初叶前后的尼德兰最富裕的地方及其最大的商业中心地。

二、尼德兰的布尔乔亚,何以不满意现存秩序?

三、勤劳大众要求什么?

四、反抗带有怎样的宗教形态？

五、在北部，革命的结果如何？在南部则如何？

六、革命后尼德兰经济的发展是怎样进行的？

七、荷兰劳动者的状态如何？

第十五章　16—17世纪法兰西的绝对王政

第一节　绝对王政的发展

当荷兰"金钱"共和国的繁荣时代,在法兰西(及在其他许多欧洲国家),贵族的专政国家,发达并强化了。

一、经济制度

法兰西的经济基础,是农业、"矿山及伯尔的财宝"。主要对外贸易品,是农业生产物、谷类、酒和果实等。努力增加自己收入的地主,广泛的染指于商业。当时,土地的一部分,是蓄积在获得封建城堡及贵族称号的布尔乔亚之手。

但是,封建或半封建制度,仍然支配着农村,然而农民人格的束缚,却是薄弱了。不过,在大多数场合,领有土地的农民,须对地主负担许多义务。如普通的用益税,收获的分配,对于僧侣的"什一税"①,以及与巴那太特结合的种种贡赋,虽不涉及国税,已足以成为无权利的农民肩头上极沉重的负担了。

寺院占有广大的领地。16世纪,全耕地的四分之一,都属于寺院。

工业,大部分是适应于法兰西人本身的需要,直至16世纪为止,还带着手工业的性质。但是,从16世纪以后,手工工场出现,矿山业开始发展;同时,对东方的贸易也盛行了。法兰西对外贸易的大部分(17世纪以来),是美洲殖民

---

① 什一税,是指起源于旧约时代,由欧洲基督教会向居民征收的一种主要用于神职人员薪俸和教堂日常经费以及赈济的宗教捐税,这种捐税要求信徒按照教会当局的规定或者法律的要求,捐纳本人收入的十分之一供宗教事业之用。——编者注

地。布尔乔亚的意义,随着这些事情的发展而扩大了。

例如商人兼银行家的加克尔,由于东方贸易而致富,后即改事矿山业。在矿山里,实行激烈的资本主义的剥削制度。加克尔占有四十以上的矿山,他成为国王的御用商人,而获得贵族的称号。

二、绝对主义的树立

商品＝货币经济的成长,在 14 世纪,已经形成了封建国家的新形态。那就是由于身份上的代表所限制的身份制王政。王权在对于保守的独立大诸侯的斗争上,常常获得国会方面和都市方面的拥护。这种封建领主,在 15 世纪后半叶,受了国王路易十一世的激烈的打击。他剿灭想保存封建的独立的大侯伯;同时奖励工商业的发达。

路易十一之子,因为要占领丰饶的意大利的土地和掌握东方贸易,而向意大利做了许多远征。

由于战争失败而来的荒废,及重税之进一步的加重,遂变为阶级矛盾之激烈的尖锐化的冲击。封建的门阀及一部分南部及西南部法兰西的许多都市的布尔乔亚——他们想保存着自治体的特权——就利用了这一点。至 16 世纪中叶,内乱开始了。

三、尤哥诺战争

在法兰西,同在其他国家一样,当时成为阶级斗争之观念的外披的,是宗教。不平等家,采用了加尔文的教义。法兰西的加尔文派,就叫做尤哥诺。

法兰西 16 世纪最后的三十年,充满了对加尔文派及尤哥诺派的不断的战争。在三十年间(1563—1593 年),发生十次战争。结果,引起极大的经济荒废。

当时有人写道:"如果谁要是睡四十年的觉,于内乱后睁眼看时,他也许以为不是法兰西,而是它的死尸了"。

尤哥诺的门阀家与都市的豪族,需要什么呢? 除了要求加尔文教的布教自由与其教会的独立之外,问题的核心在"为法兰西的各地方取回克洛得王(6 世纪)时代所享受的权利、特权及昔日的自由"。换言之,即要求当叛徒削弱专制的中央政府时，将法兰西分割为德意志式的诸侯国及自由市。同时，他们也如同德意志的封建领主一样，贪图教会的财富。

敌对的双方，不惜破坏休战条约，叛变的攻击非武装者，戮杀反对的首领。例如当1572年8月24日"圣巴特麦"纪念日的夜半时，虽在休战中，而尤哥诺派，在巴黎实行了大众的戮杀。在这有名的"圣巴特麦之夜"（Massacre de la saint-Barthélemy），戮杀了两千多人。当战争时，国王亨利三世及加特里派的首领盖斯（Guise）伯爵都被杀死了。

四、封建内乱的镇压

尤哥诺战争，随着布鲁奔族的亨利登位而告终。他以前是尤哥诺派的首领，后来转变为加特里派。

亨利四世，于1598年，发布所谓"南特敕令"（Nantes），表示许多的让步（承认加尔文教会的自由，及赐予尤哥诺派以许多都市和城塞），安慰自己的旧同盟者——尤哥诺派。

在亨利四世时代，于治理荒废的国内经济，及复活强力的王权上，有若干的成功。然而这并不能长久。至1610年，当他杀死一个加特里教的信徒时，在国内又发生了封建的纠纷。

当这次内乱时，于1614年，召集了最后的三部会。

在镇压封建的内乱上尽最大任务的，是枢机员罗休利（La Rochelle）。

17世纪前半，国王路易十三世的大臣罗休利，占领尤哥诺主要的要塞，命令撤回封建城塞的防备，判处许多反对的贵族以死刑。

当路易十四世幼年时代，即17世纪40年代，贵族企图实行反对国王的绝对主义的最后的反乱。当时的人们，把这种活动，叫作"博打"，但是，这种博打，忽然被镇压下去了。

由此以后，在法兰西树立了四十年的绝对王权。

演习题目

一、绝对主义，对于什么阶级有利？为什么？

二、哪种社会集团，企图同绝对主义斗争？

三、16 世纪后半叶,这种斗争开展为什么形态?

第二节　绝对主义的繁荣

一、身份制度

上面说过绝对王政之坚决的支柱是贵族。贵族是根据法律以获得许多权利而不负担任何义务的王国中的高级身份。贵族一方面剥削农民,但对国库不作任何支付,只享受一切权利。他们从属于国家的×××务①,同时把事实上的事务,转嫁于下层身份出身的中下级官吏。贵族企图接近宫庭。因为在那里可以食高级薪俸,获得国王的赐予。

贵族之外(有时比贵族的地位还高),第二的高级身份,是僧侣。一切高薪的僧侣的职位,都被贵族出身者占据。寺院不支付租税,但是,每年反倒从自己的领地中取得一亿佛郎以上的收入。

法兰西的加特里教会,与德意志不同,它已经从 16 世纪初叶起,事实上不从属于罗马,而从属于国王,同贵族一样,变成最忠实的臣仆。

"第三身份"的核心,是都市布尔乔亚。在某时期以前,拥护绝对王政,对于布尔乔亚是有利益的。然而这是"在某时期以前"才能如此。随着布尔乔亚的强化,××②的干涉对于布尔乔亚,不仅是一种多余,而且极端地感到压迫。布尔乔亚不满于自己比那些无为而食,荒废国内,及垄断利益之主要部分的"贵族"反被蔑视的事情。

布尔乔亚,尤其是不很富裕的布尔乔亚,不能从夸耀"高贵"出身的贵族手中获得裁判或政治。关于贵族的傲慢,可以由下面的事实看出来。在 1614 年的三部会中,某布尔乔亚的议员把国家比作"三个兄弟的家庭",他说:"这个家庭,因长子(贵族)而零落,由末子而恢复家运。"贵族的议员,以为这是一种侮辱,说道:"我们不愿意靴匠呼我们为兄弟,在我们彼此之间,隔有主仆的深沟。"

---

① 原文如此。——编者注
② 原文如此。——编者注

以后,法兰西的布尔乔亚,开始想掌握国家政权。但是,至17世纪,布尔乔亚因专政的国家让他们去剥削勤劳大众而表示满足。

处在完全无权利的最下层状态的,是农民、小手工业者及劳动者(形式上属于第三身份)。这些国内财富之真正的生产者,不能参加三部会,没有任何官职。其他各种身份,为掠夺他们而互相竞争。农民除直接支付于地主的物品外,还要将自己全收入的半数,支付于国家。

当国王带着许多的侍者旅行时,数千万的农民或劳动者,必须抛弃自己的工作,来填沟架桥,修筑国王的新道路。当舰队上需要水手时,国王的法庭宣告一切有罪的人们,被送到橹船中去(这是一种兵船,用帆和橹推行),用铁锁缚在船座上,在半裸体、半饥饿的状态中,往往一生都是在监督者的鞭挞之下作着辛苦的漕手劳动。

身份制度,把社会严重的区划为封锁的、孤立的、及具有各种权利义务的诸集团。当时,两个高级身份,几乎享有例外的权利,而不尽义务。对于第三身份的上层,则一部分直接用财力来补足其权利之不足。农村及都市的勤劳者,事实上居于身份制度之外部,而只知有义务。

二、国家制度

在路易十四世之长期(72年)统治时代达到繁荣的法兰西的专制国家,是怎样组织,怎样支配的呢?

中央政府,有"宫廷会议"。但是那种会议,随着国务大臣(Secretary of State)势力的增大,而失其意义。国务大臣,最初是专门(外交,军事等)服务于宫廷会议的官吏。以后,国务大臣,遂变为掌握全部国务的大臣。

在这种新大臣中,处理财政的总检察官,特别有势力。当时的人说,"财政是国家的灵魂"。所以"会计检察院,是用直接或间接的方法普及势力于国家及人民的福祉的官府"。

在地方上,由国王的政府所任命的官吏及经理监督(Interdant)都从属总检察院。他们统辖着支配较小地区的官吏。政府贩卖市行政上的职务(市长等)。甚至想出卖村长的职务,但是,没有购买者。

国内这样地被官吏的纲目蒙蔽着,其根本则在大臣尤其是总检察官的手中。于是,遂在绝对王政上,树立了特有的官僚制度。①

随着官僚制度的支配之发展,而贵族的门阀,并没有丧失使他们获得莫大收入的自己的职务。但是,这些职务,纯粹变为"虚饰的"东西了。地方的总知事,常在巴黎过活,如果想回到自己的地方时,必须向国王请假。

在行政上尽最大作用的,是作为官僚制度之可依赖的柱石的无数的军警。出版物除受教会的检阅外,还要受警察的监督。在法兰西王政史上,记明政府封锁一切印刷所和书店,禁止一切的出版,处犯者以死刑。自然,牢狱里是没有空间的。

路易十四世的王政,废止南特敕令,至在普鲁斯坦特的宗教自由的残滓上宣告终结。

政府干涉一切琐事。它规定某人能乘马车,并怎样去装饰它;某人可以带羽毛的帽子和宝剑,某人则不能。甚至注意到某种人应许购买某种食物。

三、租税

对勤劳大众的剥削,首先是借着庞大的租税制度来进行的。在路易十四时代,除加征本税"他里"之外,还有许多新税,例如"人头税"、"什一税"、"二十分之一税"等。"他里"的征收,不用武力的时候,是很少有的。这不仅说明了租税本身的过重,而且说明了征收时收税人员的暴虐。富农得用贿赂去减低税额。并且租税的重心,完全放在最贫穷的支付者的肩上。特权的身份,即贵族和僧侣,自然免除这些租税,那是不消说了。

间接税,即对于一切消费对象的课税的数量和范围,不断地增大。在法兰西,大部分人民之生业的造酒业,变成各种重税的标的。例如酒樽由法兰西南部运到巴黎时,价格要增大 10 倍。对于勤劳者一般的威胁,是盐税。因为盐价太高,所以贫民食物不能用盐。但是,不吃盐是不行的。即按照法律规定,7岁以上者,每年为了"壶与盐皿"(即食物的调理),必须购买 7 芬特以上的盐。人们为了盐渍肉、鱼等物,必须特别买盐。当破坏这些规定时,则有如刑法上

---

① "官僚制度",是从法兰西语的"尤洛"(事务机)及希腊语的"克拉特斯"(权力,支配)中出来的。

一切重罪一样地遭受处罚。

四、重商主义

专制王政,因为企图增加自己的收入,而施行所谓重商主义政策,这种政策,在路易十四世的首相克伯尔(Calbert)时代,达到发展的绝顶。

重商主义者,以为国家握有货币愈多,就愈富裕。国家为了尽力取得大量货币,必须用种种方法,增加制造品的输出,尽量减少外国商品的输入。在那种情形之下,对于国家获得有利的"平衡"(Balance),输出商品凌驾输入商品的价格。因此,必须发展祖国的工业,尤其是奢侈品的制造及军事工业。同样,必须发展商业,尤其是对外贸易,所以又不能不留意交通及海运业。为了防御外国商品的竞争,需要防止输入的极高额的关税。

当时,政府并不注意一般勤劳大众之状态的改善。政府需要使企业家富裕起来,以他们高额的租税,为自己的财源。企业家,对于劳动者、职工、家内工业者及勤劳农民之榨取愈深则愈富。

绝对王政,维持着无数华美的贵族,因为分给货币于贵族的寄食者,而需要极大量的货币。

布尔乔亚出身的伯克尔,非常热心地施行使企业家富裕化而勤劳者贫穷化的重商主义政策。他发展奢侈品、呢绒、线带、镜子等的生产。当时在里昂的呢绒工业上,有一万三千架织机。手工工场的规模,当时也很大(例如有一千七百个劳动者的完·罗伯的手工工场)。由外国招聘熟练的工匠。

同时,在手工工场经营者方面,召集必要的劳动者,在企业中,施行剥削劳动制度,在所谓"与懒惰斗争"的口实之下,取消纪念日,减低工资,破坏一切劳动者的组织。

克伯尔对于产业所抱的见解,是所谓"产业无杖不行"。即产业须受严格的、烦琐的干涉。用特别法令,规定织物之长宽及丝幅之厚薄。如有破坏这种规则者,必受严厉处罚。

租税之激烈的诛求及重商主义政策的结果,国王收入,急激增加。在路易十四世之初,其数额为5000万佛郎,至其末期,则达1亿6500万佛郎。然而,宫廷的支出,却常常超过收入。

五、路易十四及其虐政

路易十四本身及周围的一群人的生活,同军队一样,是一个虽有激烈搜刮来的国家的"收入"也不能填满的无底之桶。

路易十四以为一切权力,没有任何限制,一切都属于自己,傲然说"朕即国家"。当时有一个作家说过:"国王体现全国家,使人民的全意志,归属于自己的意志。他是坐在天上的王座上支配全世界的神像。"

路易十四,不满意旧来宫殿,而建造许多新宫殿,其中最奢华的,是凡尔赛宫(在巴黎郊外)。为了建设带有极广大精巧的庭园和喷水的凡尔赛宫殿,使用三万多劳动者,工作了二十年。劳动者是没有工资的。兵士或邻近的农民,虽然都被驱逐去做"无偿的劳役",而此种空前奢华的宫殿,依然消费了超过国家全年收入的金额。

贵族由国内各地云集于凡尔赛,用金群拱围着路易十四,一般宫廷的阿谀者,都呼之为"太阳王"。国王对于廷臣,不惜赠与一切物品。并且廷臣的生活,多消磨在不断的祭仪中。贵族们唯一的"义务",是出席围绕国王全生活的一切祝祭及宴会。"由梦到醒",由早晨的"穿衣服"到"上床脱衣",完全是仪式。几十个大官,站在国王旁边,他们一举一动(例如国王脱衣时,何人出右手,何人出左手),都预先受了慎重的决定。"国王的食事"及国王或宫廷的全生活,也同样是一种仪式。

总之,这些仪式的根本目的,在于使周围的人们觉得神性的表象之神圣不可侵犯,而表示"任何人都不能同国王比较"。

其他国家的王政,也用羡慕的眼光,眺望着路易十四的无限尊严及其宫廷的华美。他们也在各方面努力模仿"太阳王"。这种事情,遂助长了法兰西的兵力、法兰西文学、美术、法兰西宫廷的习惯及法兰西语等随着它那一面的而高度的文化普及于欧洲。

六、贫穷

都市及农村的勤劳大众之激烈的剥削,与为维持宫廷及一切寄生贵族之莫大的支出,发生了国内的急速的荒废,与勤劳大众的贫穷。在18世纪初期的文献中，我们可以看见下面一段文字。

"老查的结果，全人民约十分之一，是乞食，在其余的十分之九中，十分之五，是自身贫穷而不能施济于人的人们"。"耕地荒弃，都市和农村，几无人口。工业仅仅能继续存在，而不能多养劳动者"。贵族的政府，以为一点不需要改善农村农民的生活状态。刘西里写道："如使农民变为幸福，就不能使他们负担重务。农民是不能和国王相比较的，惯于负重的农民，如要长期休息时，比疲于工作的事还受害"。

七、对外政策

因为绝对主义所实行的不断的战争，显著地助长了荒废。战争是由于重商主义的政策所引起的，对于竞争的对方国家的布尔乔亚和贵族的钱囊，给了许多打击。例如法兰西的高额关税，破坏了荷兰及英吉利的对外贸易。

领地的扩大，及殖民地的获得，也入于王权的纲领中。新土地，尤其是殖民地，能供给原料，并增加贩卖市场。因此，遂发生出新战争的原因。

法兰西在路易十四时代，实行广泛的、精力的侵略政策。在路易十四独立统治的 54 年中，有 33 年在发生战争。这些战争，消耗了等于十年中的国家收入的金额。有约 150 万成年男子，死于战争。

绝对主义的战争，生出了"荒废"。"吃尽××①"——军事司令官发出这样的命令，并向平和的住民的××②示范。法兰西的陆军大臣，致书于某将军说："国王相信阁下在你统治的国土上，能作出相当的成绩，并且对你以后的工作，也甚为满意"。

法兰西，同商业国家荷兰、西班牙、奥大利及德意志诸公国作战。从 1780 年终起，开始新的战争时代，在战争中，法兰西的新敌人——英吉利，活动起来了。法兰西人获得了殖民地（加拿大）。美欧两洲——在欧洲是基于商业上的竞争——中的竞争，必然引起英法间的冲突。

不断的荒废的战争之结果，法兰西牺牲弱小邻国，以扩大自己的领地。但

---

① 原文如此。——编者注
② 原文如此。——编者注

是那种获物,自然不足补偿其所受的牺牲。

国内的完全的衰退——这就是"太阳王"留给自己子孙的遗产。

八、绝对主义胜利的条件

西欧绝对主义的胜利,根本上可以由工商业的发展来说明。与此相关联着,阶级关系,也发生了变化。投身商业的中小地主,以加强对贫农的剥削为利益。这些贵族的权力,彻底粉碎了独立的大诸侯的残余,扩大国境,助长交通、海运及手工工场,保证贵族榨取勤劳者的最大利益。

布尔乔亚拥护这种制度。因为愈创造自己的财富,自己愈充分有力。所以布尔乔亚满意贵族的绝对主义提供于自己的利益。

在西欧其他大多数国家,也由于同样的原因,在这个时代,同样引起了绝对主义的发展和强化。

演习题目

一、身份制之归着如何,各身份在那里占怎样的地位?

二、农村及都市的勤劳大众的状态如何?

三、绝对王政的中央及地方行政之组织如何?

四、何谓官僚制度,其意义如何?

五、18世纪末叶,法兰西的经济状态如何?

六、绝对主义之阶级的基础如何?

第十六章　16—17世纪科学之发展

第一节　布尔乔亚与科学的发展

16—17世纪,封建主义崩坏的过程,被促进和扩大了,如借用马克思的表现,当封建主义崩坏时,"解放了布尔乔亚社会的诸要素"。恩格斯写道:

> 随着布尔乔亚的成长,科学也用着异常的力量向前发展了。如星学、力学、物理学、解剖学、生理学等,均被研究了。布尔乔亚为了发展自己的工业生产,需要研究物体的属性及自然的活动的科学。以前,科学对于教会,是谦逊的臣仆。科学是不许超越教会所定的界限的。做一句话说,那时它还没有构成为一个东西,即还不成为科学。现在,科学向教会举起叛旗,布尔乔亚因为需要科学,于是这个叛徒合为一体了。

当时布尔乔亚,一方面对封建制度战争,同时,另一方面拥护为了自己阶级的利益所必要的科学知识,而对教会的权威斗争。这个斗争的先驱者是意大利。15—16世纪以来,布尔乔亚文化,始越过意大利国境,而普及于具有发展的工商业的其他国家。

一、军事技术

理论的知识之成长,与对于技术的要求,紧密地结合着。随着商品经济之成长同时急速成长出来的最初期的一件事是战争技术,这是最特征的东西。

在16—17世纪的绝对主义的大国家中,斗争问题含有非常重大的意义。我们已经知道像法兰西那样的国家,为扩张领土及殖民地,而在商业上的竞争中,进行了无数的战争。这些战争,是由于战争时所征收的骑士及代替市民军队的庞大的常备军来进行的。

17 世纪后半以前,常备军大部分是由雇佣兵士构成的,他们生活于"军事的熟练",只要给他们给养,随便什么国家都可以去服务的。以后,兵士之雇用,只限于各国的最贫民层,并且还有一定期间。如果当义勇兵不敷使用时,就开始招募贫民,即强制征兵的事,也是常有的。

常备军用火器武装起来,其技术非常进步。恩格斯写道:

> 在取得火药与火器上,产业和货币都是必要的,并且占有这两种东西的,是都市布尔乔亚。随着布尔乔亚的发展,步兵和炮兵,愈加成为决定的兵种。

14 世纪以前,唯一的武器,是枪剑及其他的"白兵"。至 14 世纪,在欧洲火药才出现①火器才普及。

最初的大炮,是打出石弹的铁炮(后改为青铜)。轻快的小枪尚未出现。小规模的大炮,须用特别的支柱支起来才能放射,需要许多的人。

冶金技术的发展,反映到火器的品质和型式。15 世纪,有一种小枪——Musket 出现。放射这种枪的,是特别的兵卒——Musketer(仍然须用支柱的助力来放射,这种武器,分量很重,操作非常不便)。现在全步兵的百分之十五,都是这样的小枪手。至 16 世纪,又发明了更轻便的武器——皮斯特尔,于是骑兵就改用这种枪了。至 18 世纪,使用火绳的旧式的 Musket,为射击速度很高的燧石枪所代替了。

同时,大炮也改良了,冶金工场利用水车,尽了极大的作用。借着这种助力,可以用特别的机械,来把大炮穿孔。石头炮弹,换为铁制的。以后,更采用充满火药与霰弹的炸弹。许多学者、数学家及力学家,研究改良武器,如意大利的学者他尔托里亚、加里欧(研究弹道)及其弟子特利捷里等。军需品的生

---

① 火药是中国人发明的。印度人和阿拉伯人,将火药用于火器。在欧洲,最初使用它的,是西班牙人。

产,无论从技术上说来,或从所需要的武器的量上说来,都不是出于手工业者或家内工业者之手。例如1652年,英国政府,急切需要1865门大炮及与此相当的炮弹。虽使特别的代理人,巡行全国,去"叩一切铁匠之门",亦不能满足这种突然的莫大的需要。那时完全依赖着手工工场的大生产。

二、印刷术

技术的发达,与科学的知识及文化的一般的昂扬,紧密地结合着。但是,这种昂扬,如果没有15世纪的一大发现,也是不可能的。那就是印刷术的发现。

15世纪以前,书籍是由特别的写字生用手写的,写字生多是修道士。当书写大量书籍,并要抄写数册时,就需要相当的劳力和时间。在书籍的需要甚少时,自然用手写就够了。但是,随着学校、科学知识及政治斗争的发展,而事态为之一变。对于书籍的需要,尤其是对于廉价书籍的需要,增大了数倍。

印刷术的先驱,是由10世纪起在中国所发达的木版,这在欧洲,至14世纪末叶才普及的。

绘画与文字,都是雕刻在木版上,涂以墨水,然后印在纸上。这样就发生了绘画和文字的印刷。但是,用这种方法去一页一页地雕刻大册书籍时,是很复杂并且有许多麻烦。至15世纪初叶,荷兰人素斯太尔及意大利人麦西诺,始获得决定的成功,他们发明了活字①。即一字一字都个别地雕刻,然后组成文章。用这种方法,借着极少的文字之助,就可以完全印刷一本书籍。

但是,木质活字很软,在印刷上很不便利。而可以看作是印刷术之真正端绪的,乃是德意志人约翰佛丁比的金属活字及特别的押印机械的发明。佛丁比最初出版用新方法印刷的书籍。

印刷书籍的印刷工场,开始急速地普及。1500年,只在纽伦堡就有20个印刷所。同时,对于纸的制造,也加以改良。所有这些事实,遂使书价大减。

我们已经知道在封建主义的崩坏及布尔乔亚社会的诞生时代,阶级斗争是尖锐化及深刻化了。用印刷术印行的书籍、广告及新闻,是为了扩张自己阶

---

① 中国北宋庆历年间(1041—1048年),毕昇发明了泥活字,标志着活字印刷术的开端。1440年左右,约翰内斯·古腾堡将当时欧洲已有的多项技术整合在一起,发明了铅字的活字印刷,很快在欧洲传播开来,实质上推进了印刷形成工业化。——编者注

级的利益、攻击自己的敌人及宣传自己的思想之有力的手段。

三、占星术

如上所述,封建主义的崩坏及资本的原始蓄积时代的科学的发展,是随着商业航海的成长而来的,所以在航海上及正确的时间计算上所必要的星学,在16—17世纪,遂有了极迅速的发展。占星术,就是星学的先驱者,也是它的长期间的竞争者。

当时一般人相信,人类的生活由于某种秘密的联络,而同天体的运动结合着。所以特别的"占星术者",由于星辰的位置,"预言"地上生活的一切事件。贵族和富豪,豢养这种占星术师,如无他的"预言",什么大事业也不许做。

自然,这完全是迷信、是欺骗,所以后来真正的科学——星学,乃同伪科学的占星术斗争。但是,无论如何,占星术是帮助了星辰的观察,促进关于天体运行之正确知识的蓄积及天文台的建设。

四、星学的大发现

星学首先要解决的最重要的问题,就是地球、太阳及行星的相互关系问题。16世纪以前,教会公认的意见,是普特列谟斯的见解,他说地球是宇宙的不动的中心,太阳及其他行星,则围绕地球以行。

拿这种见解去准备说明这些行星的轨道,是不可能的。听见这种"说明"的某××①所说的"如果上帝能作××②顾问,那就会相信上帝至少可以简单地创造宇宙"的话,并不是没有理由的。

波兰星学家哥白尼(Capernicus,1437—1543年)出来反对普特列谟斯的体系,证明地球的回转,及以太阳为中心的运行。哥白尼,长期地踌躇着发表自己的发现,他的著作,是在他死后才出版的。哥白尼的顾虑是对的。教会开始用暴力去攻击他的学说,这是当然的。哥白尼的理论,证明地球只是天体之一,破坏了教会认为地球是"宇宙的中心"的思想,人类是上帝"模仿自己的姿

---

① 原文如此。——编者注
② 原文如此。——编者注

态所创造出来的地上之王"。此外对于固守封建教会秩序不变的思想及地球本身不变的思想的陈旧的理论之一切攻击,都含有妨害教会权威的意味。"天上的革命",是对于地上秩序的攻击之先声。

哥白尼的著作,遭受罗马的禁止。此外,主张"地球运动"的一切其他书籍,在2世纪之间,也被当作"异端的并明显违背圣书的荒诞"而禁止出版。

意大利的思想家乔尔达诺·布纳(Giordano Bruno),从哥白尼的体系出发,得出许多与教会学说相冲突的一般哲学的结论。

布纳建立了宇宙空间的无限的学说,他说太阳并不是宇宙的中心,只是我们行星群——其他无数的世界体系之一——的中心。在宇宙的各部分(包含地球),都有同一的法则在支配着。因此,应该把全宇宙看作统一的合规律的全体。布纳否认存于自然外部的世界之创造主的神的表象。按照他的说法,神"充满于"全世界,而是与全世界不能分离的一种力量。自然,这也是宗教的教义,但是,同普通教会的教义相矛盾。

1600年,乔尔达诺·布纳,被教皇的宗教裁判的命令处以死刑。

哥白尼学说之进一步的发展和确证,我们可以在确定地球之正确的运动法则的德意志学者凯普拉(Kepler)与意大利人加里欧(Galileo)(1564—1642年)的著作中得到。

加里欧是一个学者,同时又是个艺术家。在许多方面,使我们想起列那德·达温奇。加里欧最后证明了关于世界构造的新意见的正确。他不是"仅仅用肉眼"而是用他自己造出的望远镜,去作自己的观察。许多星学家,在长期中不相信望远镜,认为它是使观察陷于错误的"恶魔"的工具,这种事情是很有兴味的。

加里欧老年时被宗教裁判所逮捕而投之狱中,于是,他被强制地放弃了自己的学说。

这样看来,科学知识之成长(不仅是星学),是在与教会的尖锐斗争中进行的,教会用种种方法,压迫并妨害新思想及其成果。

五、培根与科学新方法

星学上的新学说,随着地理的大发现,同时在当时社会的全世界观上,给予了极深刻的变革。

这个转换之最大的表现者,是英吉利的哲学家培根(Bacon)(1561—1626年)。他说:"在物质世界——陆地、海洋及行星——的领域无量地被扩大被认识的今日,如果智之世界还停止在古代的界限,那简直是人类的耻辱"。因此,人类不能不研究自然。培根说:"知识是一种力量"。但是,这种研究,需要正确的研究方法。培根用自己的主要的注意,去建立这种方法的基础。

培根主张用现实的正确的观察及有特别准备的实验,代替历来教会学者的抽象的无根据的考察。"用圆规去研究自然,是必要的"。不应当从他一概念中引出这一概念。应当从那种由于许多观察和实验所确证的事实中,缓慢地、一步一步地达到一般的结论。培根把这样的研究方法叫作演绎法。

六、自然科学

至17世纪,除星学之外,在物理学、化学、力学、兵学及有机科学(生物学)中,引出许多重要的发现。例如规定气体的弹性法则与物质之元素的性质的英吉利物理学家兼化学家波尔,及发现血液循环的法则的生理学家哈维。最大的发见,是出于英吉利的牛顿。

牛顿(Newton)(1643—1727年),建立物体运动的基本法则,并为科学的力学建立必要的基础。他发现了说明地球及其他天体回转的引力法则。牛顿从那种抛上的石头之下落的最简单的事实的解释出发,基于自己的法则,而说明复杂的"天体力学"。

牛顿在数学(微分学)及物理学(光的理论)领域中,有许多的大发现。

自然科学及数学的成功,准备了18世纪末叶及19世纪初叶的重要的技术的发明之可能性。

演习题目

一、根据什么去说明16—17世纪的科学知识的发展?

二、怎么样的社会的及技术的条件,助长了火器的完成?

三、说明阶级斗争中的印刷术的意义。

四、关于地球对于太阳的位置的何种见解,支配到16世纪中叶? 什么人排斥它？新见解的本质何在？教会对它采取什么态度？

　　五、为什么旧研究方法不适于科学的发展？

　　六、新的科学方法是什么？是谁提倡的？

第十七章　17世纪的英吉利革命

第一节　17世纪英吉利的资本主义
诸关系的发展

一、土地的圈围与农民的阶级分化

16世纪末及17世纪初,在英吉利的经济生活上,引起了深刻的变化。英吉利的地主,对于农民开始广泛的攻击。当时,羊毛的价格甚高,于是地主们遂企图尽量推广自己的牧场,饲养许多的羊。他们为了这种目的,而开始分割共有地。这种分割,并非按照普通共同体的户数、家族的人数或劳动能力者的数目来分,而是适应着共同体、参加者的分与地的大小来分的,地主也是共同体的一员,但是,他们一个人往往占有比其他农民所得之全部更多的土地。当分割时,共有地的大部分都归于地主,这是不足惊异的。此外,许多土地,被富农占有,入于中农及贫农之手的,是很少的部分,甚至有时完全一点都得不到。

无土地的农民,即只有小屋而完全没有自己的耕地的农民,陷于最残酷的状态。他们当分割时,常常连自己的宅地都被别人夺去。他们在没有分与地的口实之下,被逐出村,而失掉自己的小屋。

共有地的分割,对于英吉利的大部分农民,完全是一种灾难。

那时,在农村中,分出来富裕的富农层。他们占有更多的牧畜和农具,能够很好地对土地施肥和耕作。富农并非由于勤劳而是由榨取贫农而得到这些东西。种植时种子的缺乏,收获前食粮的不足,牛马的死亡,以及为购买农具和支付租税而需要货币等,遂使中农和贫农不得不求助于富农。富农向贫乏者贷款,这自然是附有债务劳动条件的。农民不断地把自己的劳动或生产物支付于富农,以偿还自己的负债。

旧的共同体秩序,无论对于富农,或是对于地主,同样是没有利益的。他们为强制的播种之转换及耕地的错杂所苦。同时却希望占领共有未耕地,分割共有地。分割的状态,通常因为地主本身指导分割,所以更加恶化。他们如何去分割土地,是不难想象的。他们不仅占据最好的土地,并且把农民土地的大部分都圈入自己的所有地。地主在占领的一切土地上设立栅栏,于是发生了所谓农民土地之强制的占领的土地"圈围"。地主不仅分割土地,并将很久以前耕作该土地的小佃农的大部分,由其土地中强制地驱逐出去。所有这些事情,都是为了扩大自己的所有地,尤其是为了扩大牧场才进行的。结果,羊开始驱逐了栽培谷物的农民。16世纪有名的英国作家托马斯曼,关于这种事情说是"羊吃尽人"。

在那里,温文柔和的羊,袭击人类,把人们从田野和家宅或村落中驱逐出来,它们变成凶恶而贪食了。……身份高贵的富翁或被人尊敬的僧侣,把地面据为己有,并集聚在能够在产柔软而高价的羊毛的一切场所。……他们夺取数里远的耕地,作为牧场。只留着建造教会和养羊的小屋的土地,从地上除去一切房屋和村落。

土地的"圈围",动摇了历来的封建秩序。现在生出了特别形态的地主。这就叫作"金特尔",他们是与市场有紧密关系而在新原理上经营事业的小土地所有者的贵族。他们以人工肥料或灌溉的形态,投资于土地。用益税和劳役——这些旧的封建的农民剥削形态,对他们是无利的。因为不自由的劳动,生产性低下,金特尔与其使用从属农民的无价劳动,毋宁对于雇农支付少许的工资。但是,劳役及用益税转换为雇农的工资劳动,含有什么意义呢? 就是意味着资本主义诸关系驱逐了农村中的封建诸关系。

二、工商业的发达

但是,资本主义诸关系,并非在英吉利各个地方,都以一样的速度而发展的。在西北部的伯爵领地,仍然长期地保存着许多封建旧制度;在东南部,封建制度,很快地被破坏了。这是因为在东南部的伯爵领地中,工业生产,尤其是羊毛及毛织物的制造,从很久以前就发达了。绒毛工业——纺织和织物,在农村中,比受旧来行会限制的都市还普及。在一切农民的小屋中,几乎都有手织机活动。这种织匠制作的织物,不需要都市手工业者所具有的熟练的复杂技术。在农村中制出的呢绒数量很大,不仅英吉利的国内市场,充满了这些呢绒,而且大量的织物,都被输出国外。

英吉利的对外贸易,这样很紧密地与国家的农业和工业结合着。

这就是英吉利的经济上最本质的特征。就在这一点上,英国对于自己的主要贸易竞争者,即荷兰与西班牙,握有极大优越性。因为后两国的贸易,差不多同生产没有结合。

英吉利进行广泛的殖民地贸易。为获得新市场,而设立特别的贸易公司。国家给它全面的援助——各种免除和特典。普通商业公司,由国家取得自己活动的地方的独占权。任何人不许在独占者获得的地方经营商业。

三、独占与财政危机

这些独占的普及,是为什么引起的呢? 因为英国王权政府,需要大量货币的缘故。

政府用种种方法,努力增大自己预算的收入项目。但是,在当时的英国,定期租税,差不多是没有的。国库收入,是从××①的领地、关税及许多第二义的收入源泉而成立的。如遇有临时必要时,政府则征收显示出目的的一时的直接税。例如当发生某项战争时,向人民征收人头税。但是,这种租税,每次都需要议会的特别承认。在这种情形之下,议会就把所谓"萨尔西奇",即临时税的征收权,给予国王。而使国王隶属于议会。于是,国王不能不用其他方法去充实国库。为了达到这种目的,国王出卖独占权、各种称呼和名号。

不仅是对外贸易权,连各种国内商业,也渐渐集中于独占者之手。至17世纪初叶,独占者几乎独占了各种大众需要品的买卖。例如,肥皂、盐、煤、铁、酒、皮革、糨糊、烟草、啤酒、鳕鱼、硝石、玻璃、砖、梳子、针等。

独占如何反映需要者的利益,是不难想象的。专卖人,当人民大多数苦于物价腾贵时,他们愈加提高价格,储蓄货币。但是,独占制度,对于布尔乔亚的

---

① 原文如此。——编者注

广泛阶层并非有利。独占者之数目并不甚多。独占对于大多数的布尔乔亚，成为商业或企业活动的发展之最重大的障碍。

但是，国家的财政状态越发苦穷。赤字和国债，急速增大。17世纪初叶，国家预算的赤字，达30万镑，国债已达百万镑以上；然而货币还是不足。尤其是严重的战争，越发把资金耗费尽了。于是政府乃不问议会愿意与否，不得不征收临时税。这种事情，首先使政府与议会的关系恶化。冲突迫切了。于是在反对国王——大封建地主的代表——的名义之下，议会活动起来，而成为小工业布尔乔亚及布尔乔亚的贵族层之中心。

四、教会改革问题

英国加特里教会，用种种方法向人民征税，而获得莫大的收入和财富。教会的首长是罗马教皇。在英国国王与教皇之间，因教会的收入问题，引起冲突。问题终至于完全分裂。并且正好找到了适当的口实。这种口实，是在亨利八世之世被发现的。这就是教皇否认国王与其妻的合法的离婚。本来，这种事情，看起来似乎是国王的私事，却被利用去和教皇断交。英国政府，实行稳和的宗教改革。1534年，国王宣布自己为教会的首长。于是新教会遂与加特里教会脱离，而改名为监督派。

这种和教皇的分离，引起修道院土地的没收，及大部分教皇的收入向私有财产的转化。天主教会，在拥护国王、地主、富家的贵族上，是很有效的工具。天主教僧侣，很熟练于"黑暗的民众"的"精神的监护人"的职务。因此，监督派的树立，并未含有与加特里教完全断交的意义。在与教皇断交的五六十年后，英国国王，再接近天主教僧侣。从那时起，国王的位置动摇，同布尔乔亚的冲突越加激烈，新的同盟者，对于英国国王是很重要的。天主教会，正是斗争中的可信赖的同盟者。

所以在布尔乔亚之间，对于教会问题，引起极大的不满。他们向其他欧洲国家要求决定地改革教会的全制度。在布尔乔亚之间，产生了要求教会自治、废止监督及完全变革教会仪式的"清净派"。清净派反对"旧日的活泼的英吉利"的封建奢侈。清净派是走入财富蓄积之道的真正的布尔乔亚，他们认为俗世生活与宗教生活的节约及"严格的道德"，是基本的生活原理。

五、议会与国王的冲突

议会在教会问题上,与国王也不一致。在议员中有许多清净派,教会生活的问题,常常成为同国王冲突的口实。但是,见解分歧的主要源泉,仍不外是财政问题。财政的困难,反映于一切生活中。工商业陷于紊混状态。在议会里,堆满了激烈地控诉经济衰落与"荒废"的请愿书。

英国政府与议会的关系,一年比一年尖锐化。议会否认新租税。政府不得不离开议会,另谋征集租税之道,并常常解散议会。但是,新召集的议会,每次都变成自己的反对派。最后到 1629 年,国王喀尔一世,完全停止召集议会,英国政府,遂于 11 年间,无议会存在,而由国王的敕令,去征集租税。

但是,至 1639 年时,在苏格兰发生反乱。英国政府热心地在那里实施自己的官僚制度,树立监督派的教会制度。然而清净派的人数,在苏格兰很多。叛乱成功地发展下去,苏格兰人侵入英吉利。于是就成为完全的战争,而需要新的大量军费,因之使财政完全陷于危机中。

王权的状态,陷于危机中了。因此,乃于 11 年间中断之后,再召集议会。然而这种议会(所谓"短期"议会),不仅夺取了国王为对抗苏格兰的"骚扰者"的临时税征收权,而且强迫国王承认自己的要求,与叛徒结成秘密的关系。议会不久被解散,再召集新议会,但是这新议会,更加强硬,它利用苏格兰人的胜利与国王的困穷,热心地主张自己的要求。

这时,伦敦的状态,极度地尖锐化了。无数的饥民,漂泊街头,放弃工作。"短期"议会的解散,已经唤起了激烈的运动。聚集的大众,解放政治人犯,几将大僧正罗德——他是关于教会问题的主要发言者,国王最亲近的官吏,明显的反动者——分尸。每一分钟,都可以听到真正的革命的气息。因此,国王再不敢解散议会,而表示让步。于是这个议会(所谓"长期"议会),在革命的全期间,始终未被解散。

六、"长期议会"

相信自己力量的"长期"议会,首先要求把国务大臣斯·特拉佛尔得(Strafford)伯爵托马斯·温德佛尔斯及大僧正罗德,引渡于议会的审判廷。

并处二人以死刑。议会实行特别的决议——"大抗议",历述官吏的主要罪恶,要求改革布尔乔亚制度。"大抗议",指出扰乱国内的犯人。据议会的意见,这种犯人,就是大部分的贵族、国王的顾问及廷臣。

议会要求排除上述那些人物,而代以议会本身能够信赖的人物。其后又决议,无论任何租税,如无议会协赞,不得征收。后来,议会更采用所谓"关于根与枝的法律",要求废止监督派的教会。在这种法律上说"必须把教长职从根和枝切断"。废弃以前最典型的封建的国家制度——"星院"(国王的最高法庭),"高等法院"(教会的最高法庭)及其他。

议会利用这些方策,从国王手中夺取民众的拥护。民众走上街头。劳动者、手工业职工及徒弟,站在前头。示威者的狂风般的群集,威逼国王,使他不能不承认议会的要求。

然而,国王是一面让步,一面准备抵抗。国王脱离伦敦,逃到封建制度仍然巩固而可信赖的北方。1642年8月,国王和议会宣战。

演习题目

一、在英国,农民土地的丧失,是经过什么道路而实现的?

二、诞生中的资本主义的工业与农业的关联,表现在什么地方?

三、英国什么地方最落后?在什么地方,资本主义的关系最普及?

四、独占制度,在资本主义诸关系的发展上,尽了什么作用?

五、在国王与议会的冲突中,财政问题含有什么意义?

六、16世纪中叶实行的宗教改革,其表现为何?

七、"长期"议会,是因为什么事情召集的?

八、内乱开始以前,由于"长期"议会的要求,而实施了什么方策?

第二节　内　乱

一、双方的势力

国内分为两个敌对的阵营:北部的全部、西部伯爵领的大部分及若干中部的伯爵领,做一句话说,即全王国的半数以上,站在国王方面;但是,这都是些落后的,人口稀少的、贫瘠的地方。富庶的人口众多的东南部、北部及中部的工业地方,则站在议会方面。一切港市及国内工商业之中心地,也拥护议会。最重要的,是伦敦的拥护。银行家、富裕的商人及手工工场的经营者——所有的伦敦西奇①,都拿着自己的财布来拥护议会。

王权的兵力,最初非常优越,国王的军队,是由落后的农民组成的,他们普遍对于封建贵族及清净派的新的宗教改革思想满含敌意。这种军队的指挥官,由完全的军事专家所组成,他们从自己的阶级利益出发,在对于议会的斗争上拥护国王。国王的军队,与议会的军队不同,它有雄壮的骑兵,训练纯熟,武装完备。

在反对方面,情形完全不同。在这里,缺乏这种阶级的统一。首先就议会本身来说吧。英国议会,分为二院——上院和下院。上院的大部分,属于世袭官职的大土地所有者阶级。上院是封建制度的支柱。在下院也有许多贵族,然而究竟是少数。国王的同志属于下院。但是,其他部分的土地所有者(布尔乔亚型的)、商人及农场经营者的代表,做一句话说,即议会的大部分,都是国王的反对派。此外,议会在最初期间,从农民、手工业者、徒弟、职工、农村及都市的普罗列达里亚②中获得拥护者。这些民主的大众,给予全运动以革命的色彩。但是,当时被压迫者集团,尚不能够握得指导权,并揭出主张自己阶级利益的明显的行动纲领。他们在布尔乔亚指导之下,揭出口号,去帮助布尔乔亚,并且给予运动以革命的精神及"平民的"斗争方法。

二、议会的活动

战争急速发展,并且这在议会的战线上,引起不可避免的分裂,议会不热心作战,企图在幕后同国王妥协,因为它要预先清算民众间的革命运动。同时,议会采行有利于布尔乔亚的方策以打击封建制度的地主。

在这种目的之下,首先没收和分卖教皇及僧正的土地,没收同情国王的封建领主的土地。这不仅使议会派的财政丰富起来,并且清算了封建的土地

---

① 西奇,是大银行及工商业事务所集中的伦敦的旧街市。
② 普罗列达里亚,即"Proletariat",意为"无产者、无产阶级"。

所有的残余。同时,廉价收买土地的议员们,也富裕化了。议会在土地的"圈围"上,大开门户,完全不采用足以防止"圈围"的任何法令。狭量的阶级政策,也反映在租税上。对于一般消费对象,征收高度的"间接税",这种"间接税",成为农民、普罗列达里亚及半普罗列达里亚的都市住民层的新担负。

阶级斗争,日益激化。又因为议会本身的军队反对议会的政策,而情况更加恶化。最初,军队对于议会并不是危险物,因为所有指挥官,都是"可以信赖的人"。议会军的指挥官,在战争中表示出自己力量的优越,因此企图向国王提出和议。但是,他们知道与其宽容具有革命气概的兵士——其中占压倒多数的是富裕的农民、手工业者,一部分是都市和农村的普罗列达里亚及半普罗列达里亚的出身者——毋宁与国王妥协。

三、议会派军队的改革

然而,军队的柔顺,乃是暂时的。最初,对于议会潜伏的愤懑,开始成长,现在人们已经不相信议会了。军队打了许多重大的败仗,并且增大了动摇。议会派军队的指挥,故意避免对于国王军队的决定的行动,已经渐渐变成明显了。现在,动摇已达极点,议会无论其愿意与否,不得不让步。1645年,在军队里,实行大改革。军队的社会的姿容为之一变。下层士官的大部分,都是由手工业者及小商人来充当。甚至连最高指挥官的职务,也被这些阶层的代表者占据了。

佛尔福克斯,指挥着军队,然而事实上的指挥权,却落在其副官克伦维尔(Oliver Cromwell)之手。

克伦维尔,是从进入资本主义关系中的小贵族出身,从他的出身说来,离军队的民主的下层很远。但是,他却热心地反对议会的温和政策,巧妙地指导作战,对于国王的军队,获得许多决定的胜利。因此,克伦维尔,大受欢迎,使他一时成为站在民众前锋的"指导者"。在此种场合中,克伦维尔,在教会问题上,与急进派合体,而尽了不少的作用。

这时,在教会改革派之间,有两个潮流。较急进的一派,叫作"独立派",温和派叫作"长老派"。议会中温和的多数派,就属于后者,长老派只要求废止监督,将教会的管理用选举的方法让渡于长老之手——仍然保存着教会的××①的性质。独立派要求教会脱离国家,要求宗教自由及创设独立的自治的宗教共同体。克伦维尔及大部分受改组的军队,都属于独立派。

革命胜利的影响,非常增大了。将长老派的人物逐出议会,在候补选举时,选出自己的同志——独立派进入议会。这样看来,似乎一时地使××②接近议会了,但是,在军队本身,改革只是表面的事情。军队中压倒的多数,是农民,手工业者和劳动者;并且在兵士之间,织匠很多。军队的下级指挥官,许多也是农民和劳动者。甚至在上级指挥官中,也有劳动者和农民。例如鞋匠休逊,铸锅匠福克斯,御者普莱德(Pride)及水手兰斯伯罗等。他们都是被改组的军队的联队长。军队的干部,大部分是不与勤劳大众结合,而与志在废止行会限制的工业资本家、不满意大商业公司之独占制度的商人及主张决定的清算封建土地制度的土地所有者相结合。以克伦维尔为首领的军队的最高指挥官,就是如此。

改革后不久,议会派的军队,对于国王的军队,取得许多的大胜利。国王出走苏格兰。但是,那里的人民,因为得了大量货币(40万镑),而将国王卖给议会。

四、水平派

在布尔乔亚及与之合体的贵族看来,革命似乎是告终了。国王的英勇军队,已经被打碎了,主要的封建残存物,也被破坏了。但是,民众却不满足,议会对于他们并未给些什么东西。他们期待改善自己的经济状态。他们志在获得政治的权利及广泛的宗教自由。不满逐渐增大了。所谓水平派,在农民之间,获得极大的成功。

这并不是新潮流。早在17世纪之初,反对"土地圈围"、破坏栅栏及主张均分土地的农民暴动,就叫作水平派。其后至革命时代,水平派的阶级构成,发生变化。现在,在他们中间,都市及农村的小布尔乔亚的代表者,占居优势。

---

① 原文如此。——编者注
② 原文如此。——编者注

于是,水平派早就不主张均分财产了。他们的要求,非常稳和。他们主张废止普通选举权(虽说是"普通",但仍有许多限制)的限制,树立一院制度①,及将地主"圈围"的土地归还于农村共同体。

五、水平派的革命运动

议会的大部分兵士,都属于水平派,水平派的兵士,选举自己的代表者——"××②者"。他们构成独特的×××××××③。变为××××××④宣言的摇篮。议会决定和这危险势力分手。因此,议会遂在某城与"作为俘虏"而被郑重监禁着的国王,开始秘密的会议。同时在所谓战事告终的口实之下,发出部分的解散军队的决议。军队的其他部分,则用去镇压爱尔兰的叛乱(为获得独立)。这个决议,在军队中,引起极大的动摇。他们不愿意解散,对于"格兰得"(兵士们这样轻蔑地称呼议会的独立派议员),要求决定的行动。克伦维尔把握着这个运动。他站在中间的立场,接受对议会的商议。但是,当议会坚决实行解散军队时,他不能不和兵士携手。此时,"格兰得"们,采用巧妙的战略,在展开的事情中,尽了指导的作用。确立了最高指挥官与兵士及兵士代表者(每联队二人)参加的士官会议。于是,兵士的组织,被统制起来了。现在为了完全清算议会的反对派,不得不等待适当的机会。但是,当时却需要把握着这种反对派,因此,继续着对议会的斗争。军队占领伦敦,事实上掌握了政权。

六、两个宪法案

这时,出现了两个宪法案,即是《人民协定》与士官的《由军队中发出的基本法令》。前者成为水平派纲领的模范,后者对于独立派是一种典型。

《人民协定》,要求议会给予充分的权利及改正选举区。此外还要求国家完全不要干涉宗教问题,反对强制的国债等。

---

① 即取消上院,只留下院。
② 原文如此。——编者注
③ 原文如此。——编者注
④ 原文如此。——编者注

独立派的纲领,是十分温和的。他们虽然也要求改正选举区,但主张选举时的财产资格。他们提议保存××①——但是须受很大的限制。水平派主张取消上院,而独立派却抹杀了这个问题。

独立派是新兴的布尔乔亚的代表者,他们要求自己的经济需要、工商业的自由及取消独立制度。

七、布尔乔亚权力的强化

以前,议会内见解的不一致,由于对共同敌人的斗争而被打消了。然而敌人是被粉碎了。现在,运动陷于危机中,议会与国内的矛盾,遂非常尖锐地显现出来,军队间的动摇,成为公开的了。在军队之外,也发生了革命运动。克伦维尔,采取决定的行动,摧毁一切革命活动的萌芽。他解散兵卒会议,而代以士官会议。

独立派,一面镇压革命运动,一面保护自己脱离封建的反革命的危险。1648 年春,长老派的反革命运动,在英吉利的各都市中勃发起来,但是被激烈地镇压下去。苏格兰的叛乱,已被镇压下去。以前,这里曾对国王作过斗争,而现在则成为长老派暴动的根据地。苏格兰的反革命的昂扬,是因为长老派看到独立派的强化,及恐怖革命之进一步的发展,所以,他们脱离革命初期的中立态度,公然站在反革命方面。

这就暴露出许多长老派的议员与国王通谋的事实,并造出反对独立派、依赖国王、驱逐反对派的议员出议会及与议会分手的机会。“清扫”后,留在议会中的,只是完全在国王的指导部之下的柔顺的少数议员。后来渐渐又设立审问叛徒的法庭。1649 年 5 月,英吉利宣布共和制,由议会及议会任命的内阁来支配。

这样,独立派取得完全的胜利。于是布尔乔亚独裁的时代开始了。

演习题目

一、王派的势力,集中在什么地方？什么地方是议会的支柱？

---

① 原文如此。——编者注

二、王派军队的阶级构成如何？

三、议会及其军队的阶级构成如何？

四、在内乱初期，议会实施了怎样的改革？

五、长老派与独立派之阶级的差异如何？

六、何谓水平派？其经济的政治的要求如何？

七、军队与议会的冲突，因何而起？

八、在这个冲突中，克伦维尔站在怎样的立场？

九、军队的兵卒部分及士官部分所起草的宪法案的主要差异何在？

第三节　布尔乔亚独裁

一、英吉利共和国

当英吉利在经济政治状态上陷于极度困难时代，布尔乔亚，把握了政权。内乱使经济紊乱，数年的灾荒，引起饥馑。疫病流行。生活费激急腾贵，但工资并未提高。而政府却年年增加租税。不久以前尚很繁荣的工业生产，因市场缩小而衰落。在国内占有贩路的生产，几全麻痹；又因为在大多数欧洲国家，绝对主义尚有势力，不承认英吉利共和制度，援助亡命的王党派，所以为国外的生产，也完全停顿。在这点上，首先表示愤激的，是法兰西王廷。它成为反革命阴谋的中心。英吉利殖民地，尤其是南美殖民地，也不承认英吉利共和制。

但是，最坏的是苏格兰及爱尔兰的状态。苏格兰（这里常常是长老派的根据地），自长老派公然与国王妥协以后，就成为反议会的反革命的参谋本部。×××××××①的儿子，在这里编成进攻英吉利的军队。爱尔兰于1641年叛乱，现在完全脱离英吉利，并且在欧洲大陆，与对共和的英吉利含有敌意的集团相联络。

二、泰哥②

经济的紊乱、大众的贫困、饥馑、恶疫等，使革命运动尖锐化了。在这里开

---

①　原文如此。——编者注

②　本书中亦译称为"太哥"。——编者注

始达到最大的开展。在国内出现了"真正水平派"或所谓"泰哥"的极端革命派。"'泰哥'认为勤劳大众耕作土地,定居于土地,不从任何人手中租借土地,对于任何人也不支付任何地租,生活于土地之上等事情,都是正当的"。他们占领并开垦荒地。

这种占据,主要的是追求煽动的目的,并没有很大的实践的意义。那时,泰哥们也不想做任何抵抗。他们只是采用和平的斗争方法,大半是依赖合法的力量。在那个飞檄上,他们极力说明他们的目的,是和平的,他们决无反抗政府的意志。这与其说是阶级思潮的一般,毋宁说是一种宗派。他们不反对一切土地所有,他们宣称要"为一般的幸福"而耕作共有地,绝不侵占小所有者的土地。

泰哥运动,并未广泛的普及。但是,这个运动的许多色彩,却给予政府以告发泰哥及一切水平派都是背犯"神圣"的所有权的机会。自然,水平派绝不如此,其本身是典型的所有者。这种挑拨所有本能的伪煽动,乃是由水平派中引离小所有者的农民大众的巧妙的手段。

三、布尔乔亚独裁

布尔乔亚把握着这个瞬间。这是同布尔乔亚革命过程中抬头的大众革命运动永远分手的时期来到了。一切革命的爆发,都被议会断然镇压下去,而树立了巩固的布尔乔亚制度。

为了镇压苏格兰与爱尔兰的暴动,而开始掠夺的远征。这个远征,在爱尔兰,表现出极酷烈的特征。爱尔兰牺牲几十万人的生命,丧失大众的土地,就以此为代价而被镇压下去。在国内实行殖民地的压制。爱尔兰人,一部分完全失掉土地,一部分则仅存恶劣的狭小的土地,并且,被夺取的土地,完全充用于久不发饷的军队之给养及承揽人的支付。除爱尔兰之外,苏格兰更被当作否认共和政府的殖民地来压制了。

布尔乔亚祝祷自己的胜利。这种胜利,终于恢复了国家的统一与国内的"安宁"。外国的国家,与英吉利恢复邦交及商业关系。

英吉利热心地同自己的竞争者斗争。于 1651 年,发布《航海条令》(*Navigation Acts*),规定凡输入英国的外国商品必须使用英国船舶,或生产该种输入商品的国家的船舶。于是,航海条例遂消灭了对英的中介贸易。这种政策,首先是为了对付英国的主要竞争对手方——荷兰(荷兰的贸易,几乎完全是中介贸易)。由于《航海条例》的颁布,而引起战争,结果,于二年后,还是英国获得胜利。荷兰承认《航海条例》,并支付赔款。同时,英国与葡萄牙结成非常有利的协约。英国商人,在对葡萄牙殖民地的贸易上,与葡萄牙人享有同等权利。此后,英国又同西班牙开战,并获得新的胜利。

四、克伦威尔的保护总督政治

对外政策的成功,革命运动的镇压,经济危机的清算——所有这些事实,在支配阶级看来,都是克伦维尔的功绩。于是克伦维尔,遂获得最大的势力。因此,企图加强克伦维尔的独裁的一切行动,遂受到布尔乔亚及极多数的地主(他们多是因为革命而才变为地主)的热烈欢迎。所以当1653年克伦维尔以××①为基础而解散"长期议会"时,这个变革并未受到任何方面的反抗。大众被压制下去,支配阶级欢迎树立巩固的独裁。

克伦维尔忽然掌握了无限的独裁权。这种独裁是在士官会议作成新宪法的1653年树立的,克伦维尔成为英吉利共和国的终身保护总督。宪法承认基于高度财产资格之上所选举的议会之存在。但是,这种议会,在某种程度上,须受个人独裁的限制。如经一度解散时,以后便不能再为召集,于是终身保护总督克伦维尔的无限的个人独裁时代开始了。

但是,克伦维尔已经完成了自己的任务。他终于镇压了封建的反动和革命运动。现在他已经不是必要的人物了。布尔乔亚和贵族,都苦于克氏的独裁政体,即共和派也同样表示不满。

五、王政复古

克伦维尔死于1658年。权力落在上层士官之手。布尔乔亚和贵族,除了恢复王政以外,没有别的出路。于是,斯加特家的喀尔二世登台了。1660年召集的议会,恢复旧宪法,承认喀尔二世为英吉利国王,喀尔二世给予拥戴自

---

① 原文如此。——编者注

已为国王的诸阶级以许多保证。他将革命时被分卖的土地保存于新所有者手中，严守宪法与宗教的自由，给予恩赦。

英吉利共和国变为王政，然而这并不含有封建制度复活的意义。

反对土地"圈围"的斗争，早已消沉了。资本主义诸关系，继续普及于一切经济领域，尤其是在资本急激增加上表现出来。当时经济学家估计 17 世纪后半叶，英吉利每年国富的增加，约为 200 万镑。在当时，这是一个极大的金额。布尔乔亚及贵族的富裕化，以空前的速度迈进。这种财富，是在对勤劳大众的剥削、农民的普罗列达里亚化、对殖民地的掠夺、及对诞生中的普罗列达里亚和完全丧失自己经济独立的家内工业者之惨酷的榨取之上获得的。

被蓄积的财富的大部分，是在殖民地获得的，尤其是由于奴隶贸易而获得的。仅在对东印度的贸易中，每年就有 60 万镑以上的收入。工业生产，也给了极大的财产，在这里，呢绒制造依然占据第一位，这时呢绒的每年输出，约达 200 万镑。农业也给了很大的收入。特别的谷物条例，制定英吉利谷物输出的自由，征收输入谷物的关税。对于肉类和屠杀用的家畜，也同样课税。生产物的价格，非常腾贵，因此，普罗列达里亚的需要者，感到痛苦，而土地所有者，却因而致富。他们的财富，是由于继续"圈围"土地及对于农业劳动者加以各种限制的法律而增加的。例如关于定住生活的特别法律之颁布，激烈地限制农业劳动者的移动，因此，使地主更容易剥削这些劳动者。

于是，资本主义诸关系，继续发展。封建的反动，也没有达到社会生活的深处，只在表面上显示着。封建的反动政治家，与国王接近。他们占据大量最重要的国家的职务。此外，加特里教又获得势力。教皇在外国阴谋与法兰西结成秘密联络。因为法兰西在当时是英吉利对外贸易上最危险的竞争者，所以这种事情，更加刺激了英吉利的工商业。

在布尔乔亚之间，不满更为增大。国王须受议会的限制，例如议会有要求与自己不一致的内阁辞职之权，此外，又颁布关于英吉利市民的人格权利的特别法律①；但是，布尔乔亚，还想进一步加以决定的限制。

① 这种法律，就叫作"Habeas act"，其本质在一切被逮捕者有要求即时在法庭审讯自己的事件或取减交纳保证金而得解放之权利。这种法律，虽然保留着限制其活动的若干事项，但是，也可以限制政府的任意妄为了。

六、"特里"与"维克"

对抗的双方,互称为"特里"及"维克"。这种分裂,开端于政党的创设,后来就成为现在仍然存续的保守及自由两大政党。特里主要是表现加入资本主义关系的少数大地主的利害。他们主张土地的优势。维克是银行家、大商人、及布尔乔亚化的土地所有的代表者。他们企图增大议会的意义及进一步的限制王权。他们提出自己的要求,而越发活泼地活动起来。在大众之间引起革命的动摇。但是,特里和维克,都恐怕重演革命和内乱,所以,在决定的瞬间,他们又都去拥护斯加特家。

七、1688 年的变革

1688 年,这两个政党协定,决定拥立新的承认《宣言》及《权利草案》的较适当的荷兰公爵威廉。这些文书,对议员宣言言论自由,承认向议会的请愿权。在特别的法律上,对于不属于支配的安格里干教会的宗派和人物,给以宗教的自由。国王受议会限制的国家制度,就叫作立宪王政。

于是,1688 年的事件,巩固了英吉利新布尔乔亚议会制度的基础。这议会是企业的贵族及布尔乔亚的集团。

演习题目

一、共和国制树立时英吉利的对内政策及国际情势如何?

二、太哥的战术及纲领如何?

三、为什么发生了王政的复活?

四、王政复古后开始的封建的反动,其表现如何?

五、特里与维克的差异何在?

六、怎样的国家制度叫作立宪王政?

第十八章　农奴制之发生及17世纪莫斯科的专制政治

第一节　16世纪商品经济之成长

一、16世纪俄国社会分业之成长

在俄国，手工业早已开始从农业渐次分离了。这种过程，继续到16世纪。都市手工业，依然发展甚缓，只在极少数都市中，产生了手工业街，然而农村工业，却显著前进了。尤其在窝瓦上部地方，分出许多工业农村，其制品，在极远地方，都有销路。随着对于农业生产物的需要之增加，农业也发展起来了。因为开垦新土地，而耕地总面积也增加了。在人口最多的地方，开始从采伐的转换的农业改为三圃耕作。随着农工业的发展，而交换也发展了。因为俄国在政治上统一于莫斯科权力之下，更促进了交换的发展。因而使各地的商业，也容易发展起来。从15世纪末叶以来，在莫斯科国家，树立了统一的货币制度（莫斯科的卢布是基本单位），取消诸侯"在各个领地铸造货币"的权利。

我们从16世纪以来因寻求新商品及新市场而努力走入莫斯科的外国人之记事中，很可以看出莫斯科经济之一般的情形。

二、16世纪的都市及定期市场

16世纪中叶，英国某商会为探求到达印度及中国的新道路，从北海乘船三只，想由北边绕至亚细亚，其中两只为冰所阻，不能前进，第三只船则漂泊在北都纳河口，该船船长（捷斯拉）走到莫斯科，受俄皇（宜完雷帝）之欢迎，并获得允许英人在莫斯科国家自由贸易之特别文书。

捷斯拉在他的旅行记中写道："俄罗斯是一个富于土地和人口的国家。住民中多为捕捉鲑鳕之渔夫，他们有许多鲸油，产量最多的，是在都纳河附近。在这个国家的北部，有猎获柔毛兽——黑貂、貂鼠、灰色熊、白狐、黑狐、赤狐、獭、貂、栗鼠、鹿等——的场所。在那里可以获得叫作海象的鱼牙。这些兽类的猎人，将获物都运到霍鲁莫古尔去，在那里，在尼克尔纪念日，开放大规模的定期市场。在西方，有诺弗哥罗市，其附近多产亚麻和麻，并富于蜜蜡及蜂蜜。在诺弗哥罗，同普斯可夫市一样，皮革甚多，在普斯可夫市，则有亚麻、麻、蜜蜡及蜂蜜。此外如瓦罗古达，其商品为脂肪、蜜蜡及亚麻，但不如诺弗哥罗之多。霍鲁莫古尔向诺弗哥罗、倭罗格达、莫斯科及其附近的地方，供给盐及咸鱼。从倭罗格达至亚罗斯拉夫远二百里，亚罗斯拉夫是一个最大的都市，其地产有皮革及脂肪，富于谷物，并产蜜蜡，但不如其他地方之多。"

捷斯拉的记事，证明国内商业之显著的发展。大规模经营商业的大都市，成长起来了。

定期市场在商业上也同样尽了显著的作用。16 世纪的德国旅行家关于某定期市场，曾经说过下面的话："普通是举行年中交易。在这里有土尔其人、波斯人、阿尔尼亚人、布哈拉人、雪玛罕人、克几尔巴西（波斯）人、西伯利亚人、契尔凯斯人、德意志人及荷兰人。俄罗斯 70 个都市的商人，都要到这里定期市场去登记。"

三、对外贸易的成长

上述的文书，不但说明国内商业的发展，而且说明对西欧及东方的对外贸易的发展。莫斯科国家的商业关系，在 16 世纪就已经充分扩大了。莫斯科年鉴，丰富地记载着外国使者或商人到达莫斯科的记录。关于缔结商约的请求和文书，多从雪玛（高加索）、布哈拉，萨玛尔干德，西瓦等地，送达莫斯科的领主。并且莫斯科的公主，也往东南西各方，有时往西瓦汗、沙利古兰得（君士但丁）、安多瓦堡、英吉利等处，遣送文书或使者。

16 世纪末叶，荷兰商人进入莫斯科国家，至 17 世纪，他们成为英吉利人的主要竞争者。

四、商人的成长

广泛的市场中商业之发展,生出小生产者及商人向专买人的隶属,这恰如西欧的情形一样。在大都市,在手工业者及小商人大众之上,富裕的商人层繁荣起来了。16 世纪开始显著发展的农村手工业,也隶属于商人了。

尽了专买人之作用的,不只是商人,封建领主——世俗的及寺院的——也来做这种事情。伊完雷帝的僧侣祭司长契斯特尔,就是个大专买人,他有许多的手工业者、造圣像者、写字生、银匠、铁匠、木匠、石匠、砖匠、壁师等各种职工为他作工。企业家的祭司长,贷给他们钱款,他们必须是用制造品或自己的劳动去偿还。

五、货币经济对农村的影响

16 世纪(尤其是后半),农业发生很大的变化。农业生产物的一部分,都变成了商品。国内外市场对农业生产物的需要也增加了。国内市场(人口增多的都市),日益需要多量的食粮,莫斯科是个最大的市场。捷斯拉说往莫斯科输送谷物和鱼类的橇,每天从七百架到八百架之多,国外市场需要亚麻、大麻,脂肪及皮革,这些物品,成为俄国的重要输出品。

国内商品货币经济之发达,表现出自然物用益税向货币用益税的改变。在政府编造的经济目录中,常常看见这样的文字:"不爱干酪,而改换两个货币;不爱谷物,而改换四个货币。"(自然这并不是说自然物用益税完全消灭了。)

货币用益税之采用,扩大剥削农民的可能性。首先将小农民的年贡改为货币,因为这样,地主就不必等待由农村取得生产物,可以用货币向市场去购买了。

此外还有更重要的变化,即是对于农业生产物之需要的增大,刺激地主去扩大自己的耕地。15 世纪,地主耕地还很少,至 16 世纪,便急激地增加了。这种耕地,往往达到全耕地百分之五十。修道院更先于其他地主去增加地主耕地。主人从农民手中夺取必要的土地。地主怎样去夺取农民的土地,我们只要看看属于某修道院的农民的愁诉,就可以知道。农民说:"修道院夺取最好的耕地和草地,作为修道院的土地。在某处的农民中,除谷物干草外,连住村都被夺去了。许多的房屋都毁坏了,由村里搬出来的农民,因为受到僧院长暴力的压迫,只好带着妻子去乞食,过其放浪生活。"

问题

一、16世纪社会的分业为什么强化?

二、怎样证明16世纪国民市场之形成?

三、在16世纪,莫斯科同哪些国家实行贸易?

四、指出最重要的商路。

五、手工业者何以会隶属于专买人?

六、自然物的用益税,至16世纪,何以被货币代替?

七、在16世纪,为什么要增加劳役?

八、地主怎样去增加地主土地?

第二节 新的占领——西伯利亚之征服

一、窝瓦河中流及下流地方之合并

地主的利害,驱使莫斯科国家去进一步的合并及对殖民地的掠夺。新兴的商人层,也拥护封建领主的合并政策。

莫斯科获得最大的成功的,是在东部。窝瓦河沿岸地方的土地(16世纪的俄罗斯某地主把这些地方叫作乐园之麓),成为了俄罗斯地主们憧憬的目标。对东方各国商业的发展,提高了作为商路的窝瓦的意义。

在长期战争之后,喀赞于1552年占领了阿斯达拉干。其后,为了彻底征服窝瓦沿岸地方的诸民族,而引起激烈的斗争。尤其是玛利人反抗莫斯科的压迫,同俄罗斯人作过坚决的斗争。但是,莫斯科的封建领主的势力却加强了。此外莫斯科的征服者,利用"草地"玛利人与"山地"玛利人之内乱,并得被莫斯科收买的一部土著封建领主之助,而击破玛利人的抵抗。

走出里海的莫斯科封建领主,西向而达波罗的海,想占领波罗的沿岸的港湾,但是,在这里,他们从荷兰及瑞典的封建领主方面,遇到顽固的抵抗。因此,他们遂停止前进,只好经由比较不便的白海,以与欧洲通商。反之,在东方却有极大的成功。至 16 世纪末叶,俄罗斯的征服者越乌拉尔而达西伯利亚。

二、乌拉尔的斯特罗干诺夫

莫斯科的殖民地之远征,追随诺弗哥罗人之足迹而东向前进。皮毛,银等自然财富,诱惑了贪恣无比的莫斯科的征服者。地方住民也没有任何抵抗。

在 16 世纪,这些企业家中最大的,是在乌拉尔占领极大土地的商人斯特罗干诺夫。斯氏取得伊完雷帝的特许状,占领喀马河沿岸的人口稀薄的广大土地。斯氏在这些土地上,建设小都市,招集住民。新来的住民,砍伐森林,开垦耕地。然而住民营业中最大的是采盐。他们安设高橹,从井中汲出盐水,用大锅煮盐。

对于斯特罗干诺夫,还有别种致富途径。在喀马河沿岸的森林中住有狩猎种族,可以从他们手中取得高价的羊毛。

为了压制被征服民族,斯特罗干诺夫组织军队,建筑城塞以大炮和火枪武装起来。

三、西伯利亚的隶属

人们寻求毛皮而甚至达到乌拉尔的东方。斯特罗干诺夫为了镇压西伯利亚土人,于 1581 年,编成克萨克部队(在叶鲁马克指挥之下),供给他们火药、枪弹、火枪①、长途的食粮、麦粉、碾磨、燕麦粉及砂糖等。

克萨克部队,沿乌拉尔河急流而越乌拉尔山脉。进至鄂毕河流域,而与西伯利亚的鞑靼人王国开始斗争。

克萨克部队(约八百人)对于西比鲁汗(克捷马)大量军队的胜利,可以由于 16 世纪之初,欧洲人在美洲容易胜利的同样理由来说明。用火枪武装起来的克萨克军,击散了鞑靼人的弓矢的大部队。于是西伯利亚遂变为隶属了。

四、西伯利亚殖民地之掠夺

最初的远征之后,又举行了许多其他的远征。16 世纪,莫斯科派遣的部

---

① 火器之输入莫斯科,是在 15 世纪。

队及各个克萨克集团,忽然占领了全部西伯利亚。地方土民遭受残酷的弹压。他们如果企图抵抗时,就要丧失生命。

征服者使被征服者缴纳皮毛,黑貂、貂鼠、黑狐、白狐、貂、海狸等物作为"贡纳"。平均的贡纳是 10 只黑牝貂和 5 只黑牡貂(黑貂在西伯利亚,当作货币使用)。除向领主纳贡以外,还要向僧侣纳贡(对于洗礼是 10 只至 20 只栗鼠,对于婚礼是两只黑貂)。地方住民说:"我们要支付两种贡纳:一种是给将军,一种是给僧侣。"

追随征服者之后而来的商人,在西伯利亚实行掠夺式的商业。不但常常没收财产,而且捕捉土人,使做奴隶。在雅库次克设立常设的奴隶市场。西伯利亚有名的征服者哈巴洛夫(哈巴洛夫斯克市即因此而得名),在攻击突斯人时,得到数百个奴隶。

西伯利亚对于莫斯科是个致富的源泉。在这个地方,很快就可以发大财。为服务而来到西伯利亚的莫斯科的官吏,来时带着四坛酒和酿酒具(以便灌醉住民),回去时则带着约值 5 万卢布的毛皮。

问题

一、新土地之占领,对于莫斯科住民的什么阶级有必要?

二、窝瓦河中下流地方,是被怎样征服的?

三、斯特罗干诺夫之经营乌拉尔,其情形如何?

四、西伯利亚之隶属,成功甚速,其故为何?

第三节　地主与贵族为土地及权力之斗争

一、修道院的土地所有

商品经济之发展,影响到各种俄罗斯土地所有者的集团的状态。最善于适应商品货币经济之新条件的是修道院。

修道院早在其他地主之前广泛适用劳役于自己的领地。修道院活泼地参加商业。据外国人的记载,"修道士在国家里是最熟练的商人,买卖各种商品。"托洛茨叶＝塞鲁几叶夫修道院,将成列的装满谷物的货车,送到莫斯科去。苏洛维次基修道院,每年出卖 13 万普特的盐。其他大修道院——基利罗=伯罗塞尔斯基,热心作盐买卖。他们都是"在都纳、特维利、古尔斯克、屋古利奇、基姆鲁、罗斯特夫、基耐夏、倭罗格达、伯罗兹罗及其附近的地方,当盐价一有高涨时"出卖它。

最后,修道院变成 16 世纪最大的"银行家"。他们从农业及商业上获得极大的收入。他们利用人们的迷信和文盲,而储蓄许多金钱。"信士"的捐赠及其他各种布施,使僧侣都富裕起来。僧侣用高利贷出蓄积的金钱。在无数的债务者中,我们不只看见农民,连莫斯科的旧家,对于"谨慎的僧侣"也为债务束缚了。

教会不仅是大封建地主,同时是大商人和高利贷者。当时的人们把它叫作"贪食的守财奴"。

二、贵族的贫穷

贵族的土地所有,不能很巧妙地适合新条件。在许多家臣的给养上所需要的支出,宫廷的滥费,以及随商业发展而来的需要之增加,都需要庞大的货币。大量货币,对于贵族是必要的。但是,他们的经济,不能供给他们许多货币。此外,贵族因为要在宫廷服务,所以很少有在靠近莫斯科的领地中过活的,至于远的领地,更几乎连看都不能了。

所以,许多贵族,都衰落下去,而受债务束缚(对于修道院或修道院以外的高利贷)。

三、"官人"的土地所有

最能适应商品货币经济之新条件的,是官人的土地所有。官人的数目,至 16 世纪,增加甚多。因为莫斯科举行大战争,而需要无数的军队。其兵力之中心,即是对于勤务而获得领地和薪俸的"官人"。官人在国家命令之下,率领二三个家臣,携带武器或俸给,而乘马出勤。

官人在其领地上(150—200 俄亩),驱使农奴和农民,实行掠夺的经营。地主为了扩大经营,常常需要土地和劳动者。关于土地,首先可以借战争而取得。上面说过,地主驱使政府去合并新土地。地主尤其想要南方及东南部

（窝瓦河沿岸）的黑土地带。他们可以用其他方法，即从修道院夺取土地，以增大自己的领土。官人非常羡慕在莫斯科附近占有最好土地的贵族的庞大领地。关于劳动力的问题，也同样使官人不能不嫉视贵族。贵族的领地，从官人手中夺取农民，妨害了官人的经济之发展，于是在他们中间，终于开始了为土地与农民的斗争。在16世纪的文学上，拥护官人的作家，把旧来的贵族叫作"怠惰的守财奴"，而加以激烈的攻击。

四、贵族的政治作用之衰弱

统一的莫斯科国家，是封建王政。被统一的各地的王公和贵族，各自占有自己的领地。无论是克鲁布斯基的王公，或是休邑斯基的王公，仍同昔日一样，都是克鲁毕茨和休邑的领主。不过在他们的地位上发生了变化，即他们现在变成莫斯科王公的家臣，须服从其命令，用"剑或言论"去服务。莫斯科的王公，借贵族之助，而支配着统一的国土。地方政权和中央政权，都落在他们手里了。

关于莫斯科国家的封建性质，可以由"地位之争"一事来证明。贵族的各门族，配置成一定的系统。每一族都注意其门第比别族是高是低。各门族当受任种种官职之时，要深切注意并监视是否考虑了自己的门第。从争地位者的见地看来，"门第"尤重于"职任"。

贵族执拗的主张地位的等级。如果任命与门第不当，例如使某贵族之位置小于比自己门第较低的贵族时，他为了"不伤门第"起见，会拒绝这种任命。

"地位之争"，也表现在贵族的生活之中。在俄皇或贵族的集会上，贵族都是按照门阀而定席位。如果某人占在与其门第不相当的席位时，他要惹起一次骚动，复杂的计算地位等级，至认为相当时始可。

15世纪以来，莫斯科的皇帝就开始限制封建门阀的权利。向贵族征求不许自由离去オトエズド①的誓约书。其本族或友人必须以货币为盾，保证贵族之忠诚。例如诺弗哥罗的保护者公爵伊完三世，向公爵霍尔莫斯基征求誓约书，并使七个贵族缴纳8000卢布的保证金。在伊完三世的儿子瓦西利时

---

① 原文如此。——编者注

代,贵族早已对于皇帝不同自己商议而只同家老或秘书去解决重要事件,表示不平。在中央机关,高级官吏的秘书,日益尽了极大作用。即在地方机关,贵族的任务也受了限制。

于是在 16 世纪的俄罗斯,开始形成了专制的官僚制度。

从 16 世纪中叶开始采用"沙皇"称号的莫斯科的专制者与门第高尚的封建家臣之间的关系,日趋恶化。沙皇为了和门阀的专横斗争,不得不依赖新兴地主的土地所有及新的商人层(这在西欧也见过)以及同市场有紧密关系的一部分大贵族。官人和商人,利在加强专制。因为巩固的权力,能够保证官人去支配农民并扩大其领土,能够使商人(及进步的封建领主)去获得他们所必要的国民市场。

五、奥普里捷那(特别领地)

官人与贵族间决定的冲突,起于 16 世纪后半叶,其直接原因,是因为莫斯科对里沃尼亚战争之失败。在窝瓦地方征服之后开始的对里沃尼亚的战争之目的,在于占领波罗的海诸港(那鲁瓦、列沃利、利牙)及合并新土地以便分与官人。

战争开始,对莫斯科颇形顺利。然于最初胜利之后,屡次均遭失败。在莫斯科,使贵族负失败的责任。据说是贵族叛变了,这是多少有根据的。俄罗斯大将军克鲁布斯基公爵,背叛莫斯科,跑到立陶宛去,在战争中实行"自由离去的权利"。

于是在 1665 年冬,沙皇实行彻底的国家的变革。将大部分的土地由贵族手中夺出,创立"特设领地"——奥普里捷那①,以支配之。王公贵族的世系领地的许多地方,以及国家的中央部,都划入奥普里捷那,最大的商业都市也划入了。

在划入特别领地的地方,贵族都被驱逐出去了。他们的土地,都被分给官人(奥普里奇尼克)。贵族世袭领地的都市(即属于贵族的都市),脱离领主的支配,直接受沙皇的支配了。

---

① 所谓奥普里捷那,是国家分与某人例如沙皇的近臣的特别领地。

奥普里捷那,打击了贵族的土地所有及其对地方的支配。王公也被从他们生活的旧巢中驱逐出去,在边境地方取得一点土地。

打击莫斯科社会的旧封建集团的奥普里捷那,不仅获得地主的拥护,而且获得大商人的拥护。因为商人利在消灭妨碍形成统一的国民市场的分散的封建障碍,所以他们拥护专制。一部分大贵族,特别是其经济与市场相结合的大贵族(在这样贵族中,有后来的沙皇波利斯·哥得诺夫),也变为奥普里捷那的同志了。

反之,封建寺院的上层,却起来拥护贵族。

贵族企图抵抗奥普里捷那结成同盟对抗地主的沙皇。沙皇毫无容赦地屠杀"叛变的贵族"及其同盟者,没收他们的土地。

奥普里捷那时代,是恐怖时代,沙皇伊完四世,因其执行死刑之故,同贵族结成极深的仇恨。奥普里捷那,为了同叛变者斗争,组成特别的部队。关于奥普里捷那的指导者特别是关于马留特斯克拉得夫的记忆,长久保存着。

奥普里捷那,是为地主=农奴所有者及大商人的利益的××××①的树立。

××××②是剥削农民大众的农奴所有=官人的执行委员会,是掠夺殖民地民族的大商人的×××××③

问题

一、寺院的土地所有,怎样去适应商品货币关系?

二、怎样说明 16 世纪贵族的经济之衰落?

三、地主与贵族的斗争,为什么尖锐化?

四、贵族何以要坚持"地位门阀"之习惯?

五、俄罗斯的××之××④的本质何在?

六、奥普里捷那为了什么人的利益而创设的?

---

① 原文如此。——编者注

② 原文如此。——编者注

③ 原文如此。——编者注

④ 原文如此。——编者注

第四节　新农奴制

一、农民负担之增加

地主政权之树立,很强烈地反映到农民的运命上。

16 世纪,尤其是 16 世纪后半叶,是国内中央及地方的农民的剥削最残酷的时代。地主为了增加耕地,常常夺取农民的土地。在地主的耕地增加的地方,出现了"无土地的农民"。在地主田地上劳动的,不仅是无地的农民,并且有农民。田地的劳役,急速地成长起来。

16 世纪在农民生活上所发生的变化之本质,从 16 世纪初叶及末叶地主获得的特许状看来,很可以明白。

16 世纪初叶,农民的义务,普通是这样:"你,农民,要向官人缴纳谷物和货币,并且照旧要缴纳一切年贡。他(官人),栽培你,管理一切事情。"

至 16 世纪末叶,在同样的特许状上,普通记载如下:"你,农民及无地的农民,要尊敬自己的官人,关于一切事情,都要听他的话,耕他的田地,向他缴纳课给你的一切用益税,他管理你,栽培你。"①16 世纪的劳役的增大,绝没有消灭或减少用益税,反之,用益税也随着增加了。于是,货币经济之发展,引起农民义务(用益税及劳役)的增加。

俄罗斯货币经济之发展,不仅引起农民义务的增加,而且引起农民激烈的奴隶化。在这一点上,俄罗斯的发展,与英法不同,而相当近似于都市生活及手工业尚未十分发展的东部德意志及东欧各国。俄罗斯的地主,在 16 世纪末叶,已经获得了农民对主人的"隶属"。

二、自由人的奴隶化

16 世纪的土地所有者之基本的关心,在于集中人工于自己的土地。他们为达到这种目的,用种种方法,企图获得奴隶,购买他们,使自由人奴隶化。他们借给自由人金钱,其条件是如不能偿还,即当奴隶(这种契约叫作

① 见 16 世纪诺弗哥罗的官人的特许状。

奴隶契约）。

往往用"暴力和责苦"，强制自由人在奴隶契约上署名。有时用酒麻醉自由人，等他们"喝二三杯之后"，精神恍惚时，叫他们在奴隶契约上署名。

三、16 世纪农民的移动

土地所有者，不仅使自由人奴隶化，并且用种种方法，去搜集土地和农民。他们有时用直接的暴力，有时利用关于农民"Otkaz"的法律，去收罗农民。因为夺取农民，而在土地所有者的各种集团之间，引起激烈的斗争。

在秋天的农奴解放纪念日，大地主（贵族与修道院）派遣自己的伙计（Ctkazchik），招募其他地主的农民，向他们征收 Foziloe，引诱到自己的地方来。旧主人不愿意失掉农民，常常拿着武器对抗"Ctkazchik"。由某请愿文的话看来，地主"逮捕和监禁 Ctkazchik，并且不愿意失去农民，而把他们监禁起来"。

四、农民的农奴化的方法

许多地主，利用货币或自然物的借贷。使可怜的农民更巩固地束缚于土地。这种借贷，以前特别在王公领地及修道院的土地上是见过的（Izdelynol Serebro），现在更多了。当农民定居在某地主的土地时，他们多半是没有家畜和农具，没有住房和堆房。甚至连为了播种和吃食的谷物都没有。于是就不能不向地主乞援，求借这些物品。地主遂和农民订立契约（Poryadnaya）。在契约上载明农民从地主取得的东西。例如"借给牛马、豚、两只羊、谷物、裸麦、燕麦等"。其次指出农民的义务，如缴纳用益税，及从事劳役等。这种借贷，往往都是使用货币。假如农民想要离开地主时，他们必须付高利以偿还借贷。他们除借钱之外，还要缴纳"Pozilol"。"Pozilol"的额数，法律规定甚多，而实际上，许多地主都征收到法律规定额以上，其额数之高，更可想见了。

五、官人与地主之争

为获得农民的一切斗争方法——奴隶契约、引诱、借贷，只有大贵族及富裕的修道院能够使用。因为他们能够派遣伙计去引诱农民，并且握有货币（尤其是修道院），足以用借贷的方法去紧缚农民。他们对于新住民可以免除租税。此外,修道院的农民,于 16 世纪末叶,从国家的课税之下解放出来。因此,在夺取农民的斗争上,中小地主比大地主自然处于不利的状态。所以,他们要求禁止农民的"Otkaz"。

在奥普里捷那时代,官人利用自己的特许权去吞并无数的贵族领地及其住民。至 16 世纪末叶,修道院的特权受了限制,修道院同官人一样,必须缴纳租税。

于是官人战胜自己的竞争者。在中央地方,出现了新的支配的主人,代替了大地主。

土地向官人手中的移动,招致农民大众的贫困。新主人夺取农民的土地和财产,增加租税和劳役。

六、农民的衰落

官人拼命的剥削,引起农民的衰落。据捷斯拉所说,16 世纪中叶充满人民的村落,现在完全空了。英人佛莱加,于 16 世纪末叶,在从倭罗格达到莫斯科的道上,看见了没有住民的大村落。

在 16 世纪的户籍簿上,很多像下面这样的文句:"因沙皇的租税而逃亡,行踪不明"。"大公奥波连斯基的领地,现在变成空地","房屋被烧毁了"。土地的百分之九十,往往都无人居住。在荒废的空农村中,再从三圃法回到使用休闲地的方法。在从事较好的经营上,感到劳动人口的不足。

七、禁断年

如果没有国家的援助,官人不能禁止农民离开自己逃向大领地去。莫斯科国家,为了防范农民离开官人,而逐渐禁止农民的"Otkaz"。最初发布法律,规定农民在一定期间内,不得脱离。禁止农民的脱离之年,叫作"禁断年"。最初的禁断年是 1581 年。后来规定了许多其他的禁断年。于禁断年脱离地主的农民,认为是犯罪者和逃亡者,他们要受一种搜索,被强制地带回去。

现在,农民连改换主人的权利也丧失了。Otkaz 的权利虽未完全撤废,然而事实上,于一个禁断年之后,连续设定别的禁断年,甚至在农奴解放的纪念日,都不能离开官人。

八、当作阶级斗争的特殊形态的农民的逃亡

现在,在农民看来,能够逃脱残酷的官人之经营的,只有逃亡之一途。农民逃亡,至 16 世纪末叶,日益激增了。农民逃到官人势力范围之外的边境地方,在那里生活虽然困难,甚至常有危险,然而总算没有劳役了。特别聚集许多逃亡者的地方,是因南部及东部的得尼热普尔、顿、窝瓦、乌拉尔。在这种边境地方(当时叫作那乌克兰那夫),生活状态完全两样。在这些新地方,移住者受了许多危险。他们遭受人迹未到的南部草原中残留的野兽的袭击,对于他们最大的危险,是侵入草原为贩卖奴隶而寻求俘虏的克里米亚的鞑靼人。所以南部的移住民,手里不能离开武器。

九、哥萨克

这些移住者哥萨克(他们当时叫这个名字),从事什么职业呢? 16 世纪的哥萨克的基本职业,是狩猎、渔业及养蜂。得尼热普尔及顿的哥萨克,创立组合而工作,过着半游牧半定住的生活。这些武装的渔业者及狩猎者,往往以海盗为生业。鞑靼人群的掠夺,常常是 16 世纪哥萨克的生业之一。哥萨克的部队,是很先进的,他们驾着小船,浮到黑海,去掠夺土耳其领的沿岸。

十、哥萨克长老

16 世纪的哥萨克,并不是完全一色的大众。其中有上层者——"长老","门第高"的哥萨克。富裕的哥萨克,独占比较优良的生业,给予贫民以渔具。他们普通也指导哥萨克的军事,并收得其大半的获物。"长老",为了自己的部落,而占据大草原,并定著其上。"长老"因为需要劳动力而收集逃亡者,用他们的劳力去实行经营。这样看来,他们已经算是地主了。不过这边境地方的地主,与中央地方的地主不同,还没有使用农奴劳动。

在莫斯科国家(和邻国荷兰),大众的状态恶化了。边境的运动也愈加激化。在 16 世纪的最末 10 年间,在乌克兰充满了由北方来的逃亡者。这些不满的人们,想对他们所憎恶的莫斯科举起反叛之旗。

问题

一、在 16 世纪,农民的义务有什么变化?

二、地主怎样去取得劳动力?

三、农民"Otkaz"的法令之发布,始于何时? 又其理由为何?

四、莫斯科地方的荒废,是因何引起的?

五、何谓"禁断年"?

六、农民怎样去对付农奴化?

七、"长老"是怎样从哥萨克中分出来的?

第五节 17 世纪的农民战争(斯姆他)

一、莫斯科国家的阶级矛盾的尖锐化

农民的贫困及农奴化,引起了反封建=农奴制度的斗争。

下层者的活动,由于贵族与官人之间的斗争而容易进行。关于贵族与地主之间为土地的斗争,我们已经说过了。

在 16 世纪末叶,他们中间的斗争更加尖锐化了。地主经济的危机,中央的人口减少,劳动力的需要等,说明了这种尖锐化。

至 17 世纪之初,政府依然继续实行伊完雷帝的地主政策。不满的贵族,企图夺回失去的权力,而在政府内团结阴谋。于是地主全体与农奴的农民之间的矛盾,由于地主本身间的矛盾而复杂化了。

连年的饥馑(1602—1604 年),使莫斯科国家的事态,更加尖锐化。这种饥馑,是地主的谷物投机、首都附近人口之丧失及淹死谷物的霪雨等复杂的结果。这是三年之久的凶年。谷物价格腾贵了。许多贵族及地主,不愿意用谷物去养活自己的奴隶,而把他们遗弃。这些奴隶,或南走,或进入山林而组成武装部队,时常去袭击莫斯科。

于是在莫斯科国家,开始了长期的农民战争(农奴把这种农民战争叫作扰乱时代)。

最初的大运动,起于 1604 年,是在西南边境地方。这种由下层民众推进的叛乱指导者,利用哥萨克及农民之间流行的传说,即认为莫斯科皇室之正统的继承者逃避波里斯·哥得诺夫之谋害的皇子得米特里隐匿于民间的那种传说①,而自称得米特里。

波兰及立陶宛的地主,都援助得米特里。他们想要利用得米特里的运动,去合并得尼热普尔上流地方,为了获得这个地方,他们以前常和莫斯科国家斗争。率领着由波兰人,哥萨克及边境的小地主所构成的少数部队(4000)的得米特里,侵入莫斯科国家。

得米特里的远征史,显然表示出在莫斯科国家内部对于现存秩序的不满者是怎样的多了。得米特里的贫弱的部队,其自身本来没有多大兵力,所以莫斯科的将军并没有费大困难,便把它击败了。但是,被击散的得米特里,由于抬头的农民运动的波浪而得到拥护。得米特里的军队,由叛乱的农民部队补充起来了。哥萨克组成数千的人群,从顿地及得尼热普尔向前推进。得米特里更获得边境地方的官人的拥护。在克罗姆附近,莫斯科国家的全部部队,都背叛政府,而归附得米特里。以后,远征节节胜利。在莫斯科,当得米特里尚未到达之前,由于都市的下层民众引起变革,驱逐波里斯之子彼得(波里斯已死于得米特里战争),而派遣使者,出迎新皇帝。

但是,新皇帝也不过只坐了一个月的莫斯科的皇座。他的政策,引起贵族和商人的反抗。他颁布的法令中有一条规定禁止地主要求找回在饥馑时所遗弃的农民或奴隶。"如果在饥馑之年,不能养活自己的农民,而现在即不得再要他们"。这种不利于中央大领主的方策,是适合了叛乱的农民及南部边境地方的小官人的利益。逃亡者的劳动力,对于南方是必要的。因为对于"贫困的战士"多量分给他们土地和货币,于是从得米特里中分出来富裕的莫斯科的郊外居住者(商人)。僧侣也受了莫斯科人的煽动,而变成得米特里的反对派。这是因为得米特里占领了修道院的一部分土地的缘故。阴谋者借着叛乱掌握了莫斯科的政权。得米特里被杀,阴谋的主导者贵族休斯基僭称皇帝(1603年5月17日)。贵族政府,颁发布告,令于1602—1603年逃亡的农民即时复归主人。

---

① 沙皇彼得(伊完雷帝之子)死后无子,其弟于七年前小儿时在乌古利奇宣称死亡,既非被杀,亦非因癫狂而自杀,旧来沙皇留利克之家统,虽告断绝,后来居于王位者,即为奥普里捷那时代特别抬头之大贵族波里斯哥得诺夫。

二、波罗尼考夫的叛乱

新的贵族的统治,忽然引起下层民众运动的强化。

年代记上关于在乌克兰再起的运动,这样的记载着:"贵族的农民结合起来,乌克兰都市的人们、兵士及哥萨克都参加在内,监禁各都市的市长,捣毁自己贵族的住宅,没收其财产。"这次运动的基础,是农民及贵族的奴隶。这次运动,首先捣毁贵族的住宅。运动的指导者,是伊完·波罗尼考夫。他是一个奴隶,脱离自己的主人逃亡到斯太普而变为哥萨克,他曾被土耳其人捕获,作过军船的水手,后来逃至威尼斯,走到波兰及乌克兰。对于贵族及商人休斯基政府不满的一切人们,在波罗尼考夫指导之下,都结合起来了。甚至连地主的若干阶层,如南方边境地方的小地主(在巴西考夫指挥之下)及中层的地主(利森的地主的大部队,在里牙普诺夫兄弟指导之下,由鄂喀河推进),都加入波罗尼考夫方面了。这种事态,使人联想起来打农民战争时在德国发生的事情——下级起兵的各个集团(基克根及伯利新根)往往拥护农民暴动。突然增加的波罗尼考夫的军队,节节胜利,逼近并包围了莫斯科。休斯基政府,眼看要颠覆了。然而休斯基终于利用叛徒本身的分裂,解脱了这种困难的状态而得救。

三、叛乱阵营的分裂

奴隶,农民哥萨克及地主的同盟,不能团结巩固。

恐怖农民战争之成长的贵族,渐次倾向休斯基了。最初是"利森人哥里古利、苏普洛夫及普罗克比、里牙普诺夫,以及许多利森的贵族及贵族之子叛乱了",后来小贵族也忽然追随大贵族之后而叛变。经过两周之后,巴西考夫也在战场上叛变了,他带领五百个贵族子弟投降沙皇瓦西里。于是,被击破的波罗尼考夫不得不退出莫斯科。

四、农民的失败及沙皇的镇压

当地主投降敌人之后,波罗尼考夫运动,变成了农民＝奴隶的运动。而斗争更加执拗而激烈了。当休斯基在莫斯科附近战胜波罗尼考夫时,获得了许多俘虏(达6000人)。当时的荷兰人记载着:"莫斯科的一切牢狱都充满了,俘虏们不能长期禁锢着,每夜在莫斯科,几百个俘虏,羊一般地被带到屠场,牛一样地束成一捆而被杀死,或是被塞入牙屋兹的冰层之下。"

叛徒顽强地抵抗着。

波罗尼考夫军队的残部,退入喀尔葛河,但为沙皇军队追击,而走入都拉,拟作长期抵抗。沙皇军队,在乌伯河上建筑土堤,用水灌入都拉,始占领该地。波罗尼考夫被送到北部,在那里剜去眼睛而溺死。捕获的奴隶和农民,一部分被溺死,一部分送给旧主人,或是分配给需要他们的新主人。

五、得西诺的皇帝

波罗尼考夫的镇压,绝不是内乱的告终。退却的哥萨克部队,得到波兰人的援助,再攻入莫斯科。其指导者是号称再度脱险的得米特里的新僭称者。哥萨克及波兰的部队,迫近莫斯科,置本营于莫斯科附近(十七基罗)的得西诺村约二年之久。在国内有两个皇帝:即得西诺的皇帝与莫斯科的皇帝。得西诺的皇帝(莫斯科的反对派把他叫作得西诺盗贼),获得农民,哥萨克及都市"平民"的拥护。一时的同盟者,脱走者,若干的贵族及地主,都加入了。莫斯科的"最良份子"(即富豪),都站在休斯基政府方面。在富裕的商业都市中,开始了"大"人与"小"人之间的激烈斗争。斗争在普斯考夫带着极尖锐的性质。在那里,"小"人们于1608年秋,掌握政权,监禁富豪,没收其财产,在普斯考夫占据数年。

恐怖社会下层民众之活跃的贵族与地主,看出借外国人的干涉,可以得救。

外国的干涉,在莫斯科以及在得西诺的阵营中,都计划实行了。休斯基求借瑞典的帮助,获得12000援兵。瑞典人向莫斯科国家领域内的侵入,引起了别人的干涉,即波兰人包围斯摩稜斯科(1609年)。在得西诺阵营的脱走者贵族及地主与莫斯科的贵族政府之间,成立了协定。休斯基于1610年退位,迎接波兰皇子继承俄罗斯王位。当时有一个作家①说过,贵族和地主以为与其

---

① 特罗埃＝塞鲁基瓦大寺院的会计师亚夫拉米·伯里温。

对自己的奴隶失败,而使自己苦于永久的劳役,不如效力于波兰王,所以他们招请波兰军进入莫斯科。对于阶级敌人的恐怖,使地主忘却了对于波兰王及封建领主的旧怨。然而,波兰的萨伯尔,并不能恢复"秩序",甚至在波兰军队占领的莫斯科,他们都不能镇压奴隶的叛乱。占领诺弗哥罗的瑞典的干涉,也未奏任何功效。

内乱的终结由于为哥萨克及农民的斗争的一切反动者之结合及国内反革命之组织,始告实现。除地主外,教会与北部及窝瓦地方大商业都市的商人,在镇压内乱上,都尽了很大作用。苦于商业之中断、反对都市及农村下层民众之运动、并不满于哥萨克及波兰人之掠夺的都市布尔乔亚,为镇压下层者的叛乱,编成许多军队。这些反革命义勇军之一,为大公波加斯基及大商人米宁统率的尼捷哥罗的军队,于 1612 年,占领莫斯科。尼捷哥罗义勇军的胜利,更加促成哥萨克内部的分裂。哥萨克的富裕阶层,转移到反革命方面去。

地主借着富裕商人的援助,得以在一切人们之间建立稳静即压制革命的爆发。

六、新王朝

为了组织新王朝,在莫斯科召集捷姆斯基苏波尔[①]。经过长期论争之后,苏波尔于 1613 年选出贵族米哈尔·罗马诺夫。16 岁的罗马诺夫,自然不能解决什么问题,当时演了最大作用的,是罗马诺夫之父,他是一个大而富的贵族,在波里斯时代当过僧侣,至休斯基时代,当过得西诺的大主教,后来做过波兰的使者,当时他是一个最大的法律通。他无论在哥萨克之间,或是在所有小领地的领主之间,以及在富裕的贵族之间,都把他认作自己的同志。

反革命胜利的结果所组成的新王朝,其本身的任务,在于恢复并巩固因内乱而动摇的农奴制。

七、第一次农民战争中莫斯科社会的诸阶级

17 世纪初叶(1605—1613 年)的莫斯科国家的内乱,是农奴制国家的农

---

①　捷姆斯基苏波尔,是莫斯科国家各种"身份"的代表者的集会。这使我们想起了法国的三部会。这种集会,是在 1586 年于奥普里捷那之后,开始召集的。

民＝奴隶运动。除基本的压迫阶级外，"下层群众"（农民的同盟者）与都市人民，都参加斗争。

在农民战争上尽了最显著作用的哥萨克，在农民与地主之间，占中间地位。并且在莫斯科附近的哥萨克大军队，当接近尼捷哥罗军时分裂为两部〔一部（上层）受土地的约束而被收买，一部走向南部，继续同农奴制国家斗争〕也不是偶然的。

最后，地主的各个集团，特别是小地主，常常加入斗争的农民方面，然而这不过是偶然的同伴者而已。因为他们并不是对于农奴制的秩序斗争，而是对于贵族本位的政策斗争，他们不是为了农民的自由，而是企图增加领地和给予。所以他们容易忽然背叛运动，而和支配集团握手。因此，他们同反动的基本势力大地主及商人资本一样，走入了反革命的阵营。

问题

一、17 世纪初叶的莫斯科国家主要的阶级矛盾之归着如何？

二、何种势力拥护僭称者得米特里？

三、休斯基政府依存于什么？

四、波罗尼考夫的军队，是由何组成的？

五、得西诺的政府，拥护什么人民集团的利益？

六、所有阶级，何以和波兰同盟？

七、什么阶级，在反革命上，尽了主要的作用？

第十九章　莫斯科国家的阶级矛盾之成长与 17 世纪的农民斗争

第一节　17 世纪的农村

一、农民之终局的束缚

17 世纪初叶农民运动之镇压,在俄国树立了更加严格的农奴制度。胜利的农奴所有主,早已不许农民出走,每年都变成了"禁断年"。农民在这种"秩序"之中,完全没有出头之日了。

农民只有逃亡,才能离开地主。逃亡者要受搜索,如果在一定期间里被发现时,还要捉回到地主去。搜索期间——期限之年——最初定为五年。然而期间过短,不能适合地主的意思,因为地主常常在五年中不能发现逃亡的农民。大地主比较处在良好的状态中,因为他们可以使特别地细作去搜索逃亡的农民。特别是富裕的得罗埃＝塞鲁葛夫修道院的搜索,可以说是一种模范。小地主没有这种力量。然而农民的逃亡,却是在小地主之下甚于大地主。正是由于这种理由,地主向政府最初要求延长"期限",后来要求撤废。最后至 1649 年,他们获得胜利。在苏伯尔法典中(1649 年塞姆斯基・苏伯尔发布的法典,叫作苏伯尔法典),规定可以"无限期"的引渡农民。于是农奴制度遂彻底形成了。

二、劳役

在许多地方,劳役耕作都增大了。这种劳役,有许多时候达到一周三日。即农奴用自己一半的时间为主人做工。这种劳役,往往有达到一周四日的。即使在繁忙期(耕作、播种、收获期),如在主人事务完全做完以前,绝不能回到自己的土地。

农民对于主人还要作耕作以外的事务。如掘地、造水车场、筑墙、割薪、制板等。特别重累的，是运送和土木工作。农民除缴纳主人家里"食用的物品"以外，还要缴纳薪草及各种建筑材料。

除农民居住的地方的劳役外，主人还将农民＝手工业者（例如木匠瓦匠），送到莫斯科的住宅或远方的领地，去给自己"做工"。

三、贵族工场的开始

当企业主人经营某种工业企业时，农民状态更加恶化了。例如俄皇亚列塞·米哈洛夫斯基所亲近的大贵族波利斯·莫洛索夫，在自己的庞大领土上（他占有约达 8000 户的 300 个村落），开始制造碳酸钾①。把它输出国外。作这种工作的，都是莫洛索夫的农民。他们为了锯木烧灰，将碳酸钾送至外国，而搬到尼基尼＝诺弗哥罗及倭罗格达。

劳动者偶然因细小过失常遭殴打。往往天气未明即开始工作，直至夜里始能放工。莫洛索夫的农民以为只要不入碳酸钾工场，无论做什么工作都好。

由此可以理解莫洛索夫的农民所以常常发生动摇了。他们向莫洛索夫和俄皇诉苦，然而一点功效也没有。有一个农民，因为作诉状被放逐到西伯利亚去。因此，当拉金叛乱发生时，据某外国人所说，"最大胆而勇敢的叛徒"，许多是出于莫洛索夫村。

四、用益税

农民义务，并不止是无数种类的劳役。在许多地方，农民还要支付所谓普通自然物的用益税。如各种兽肉，乳制品、品麻及毛织物、草鞋和席子、缰索和轭子，菌和果实，等等。

莫斯科俄皇的某村，每年缴纳 1833 普特猪肉、50 普特猪内藏物、305 普特猪油、1700 只鹅、800 只仔鸭、2444 只牝鸡，500 头仔羊。其他俄皇村落的农民，每年必须支付木制品的用益税：400 块菩提树板、100 颗菩提树杆、200 块

---

① 碳酸钾（即碳酸钾——编者注）是由木灰取得，用于制造石碱及织物的染色等。

橺板、200 块松板、400 个胡桃、枫树和梨板、400 颗各种树桿、500 个手桶、600 个桶、1000 个槽。

五、修道院土地中的农民

修道院对于农民的剥削,更超过世俗地主之上。在修道院的土地上,劳役是无限地增加了。僧侣为了增加自己的耕地而吞并农民土地。修道院掌握着草地、森林和渔场。

修道院经过自己之手去收买谷物,把它高价转卖,并热心地经营高利贷。用高利贷借给农民货币和谷物,其利率甚至有许多都是在五分以上。

六、农奴所有者对于新土地的占领

农奴所有者为了增加自己的收入,不仅加强已经实行农奴制的地方的农民之剥削,更进而在东方及南方占领新土地。南部的黑土地带(现在的中央黑土地带地方的南部),自然比起已由地主的惨淡经营所榨尽了的中央能给予更多的收入。

在占领的土地尚为无人之地的情形之下,有势力的农奴所有者,在那里招徕农民,有时用暴力由其他地主去夺取。例如在 17 世纪前半,在列伯金斯基及叶列茨基郡占稳地盘的大贵族伊・罗马诺夫,为了获得移殖于自己新领地的住民,用暴力夺取地主的农民。地主为了获得住民,时常从北方的领地去移殖自己的农民。

如果在占领的土地上已有农民居住时,则新主人就从他们手中夺取最好的耕地,使他们作自己的农奴。例如在 17 世纪,沿斯拉河的莫鲁得瓦的土地全被夺取了。修道院也是很活泼地参加农奴的殖民。因此,农奴制随着封建的农奴秩序之保存,在 17 世纪,深广地扩大了。

七、农民的逃亡与叛乱

农民对于剥削的加强,许多都答之以逃亡。他们出走于顿地、牙克(乌拉耳)的哥萨克之间。许多农民,对于地主实行暴动。尤其在 17 世纪的 50—60 年代,农民暴动更激化了。在 1658 年的法令中,据管理者的报告中记载着:

"奴隶和农民,杀死领主及一切官人,没收他们的财产,烧毁家宅,有时奸淫其妻女,脱离自己的地主而逃亡"。

虽然实行激烈的弹压,而农民运动并不停止。不过这种运动,在1670年以前,都是带着地方的性质,及到1670年,才爆发了新的农民战争。

问题

一、地主的那一集团特别企图废止"期限",其故为何?

二、17世纪,劳役及用益税之变化为何?

三、农民负担之增加,其原因为何?

四、试比较10世纪的农民义务与14世纪的农民状态。

五、农奴制范围之增大,其原因为何?

六、试证明地主(大地主亦然)经济多带有自然的性质之事实。

第二节　17世纪的都市及都市的叛乱

一、当作经济发展之障碍的农奴制

农奴制度之强化,抑制了农民经济之发展。农民大众,必须将自己剩余生产物之全部(有时连必要部分在内)给予主人。贫穷的农民,虽然将自己的生产物拿到市场去出卖,然而普通这并不是因为他们有生产物的剩余,而是因为要支付货币用益税及国家的租税,而需要货币的缘故。农民虽然生活在半饥饿的状态中,却不能不出卖自己的谷物和油类。

农民大众,在市场上是没有购买力的。他们除了食盐和铁制品以外,什么东西都不买。经济仍然是自足的。

受农奴所有者掠夺的农民之贫困,使国内的制品市场不能抬头,而抑制了手工业的发展,外国的一个观察者关于16世纪末叶的俄国农民写道:

"他们什么都不想,将自己的经济生产物卖给临近的都会人,但是自己同妻子们却是吃黑面包,穿粗呢绒衣服,自己用树皮做鞋,以节省鞋匠之劳"。这种特征,对于17世纪的农民,也可以完全通用。

二、17世纪农民的阶级分化

农民大众虽然贫穷化，继续着半饥饿的生活，可是也有剥削贫农借以提高自己经济的。17世纪，农民的阶级分化，甚至在纯农业的地方，都很显著。例如在中央地方的某地主之下，在农民之间又具有下方这些财产的。"4匹马和仔马、5匹牛、3匹仔牛、12只羊、1头猪、或是9匹马、5头牛、2头仔牛、20只羊及10头猪。但是，同时也有除了一头仔猪或者几只鸡以外连一点家畜都没有的农家。"

在工业地方，阶级分化更加强力地进展了。上层农民致富的源泉，主要的是农业。富裕的农民，拥有水车、货船及酒店等，此外还可以实行农业生产物的交换。在1649年的法令中，甚至有禁止农民在都市开设店铺及酒馆的条款。

但是，诞生中的农村资产阶级的成长，被农奴制度压抑着了。在没有领主的土地所有的地方（例如俄国北部），农民的状态很好。所以到17世纪时，在农民之间能够生出来相当大的商人，他们和辽远的地方（甚至同西伯利亚）结成商业关系。

三、农村手工业的成长

在投入国内市场及国外市场的农村商品之间，于17世纪占显著之地位的，是木制品。在莫斯科的定期市场里，出农村商品外，还有鲁斯考夫的布，凯鲁捷诺茨的木器、萨渥鲁加的帽子和长靴、穆拉西金的手袋及皮袋等。在中央地方的许多村落里，手工业发达了。许多村落都带着工业中心地的性质，将商品输送到远方市场。在巴洛夫村（尼捷哥罗地方），于18世纪初叶，有64座店铺。"巴洛夫的不耕作户数，达全户数的一半以上——56%"。

在17世纪，已经有了直至20世纪尚未失其意义的大家内工业地方。休斯基地方的织物、吉尔的靴工业、巴洛夫的锁钥和刀类、乌拉基米尔的木材加工、斯茨塔尔的圣像职工所作的圣像以及其他许多内工业部门，在莫斯科的经济上，都获得重大的意义。

四、都市手工业

都市手工业,发展比较缓慢。在大部分都市中,手工业者,只以狭隘的市场为活动的目标,常常是在受直接定买后才去制造。在都市手工业者之间占最多数的,是食粮部门的手工业者、面包工人、白面包制造人、汽水酿造人及肉铺等,这就是当时手工业的特征。

在都市的店铺中,普通不是都会的生产物占优越,而是农村的生产物占优越。

17世纪,仅仅在几个都市中,以广泛的市场为标的的手工业,达到显著的规模。祖拉的铁匠、哥斯得罗马及日罗斯拉夫的皮匠、利森的石碱制造人,都有远离生产地的贩卖市场。

五、走向大工业的第一步

在地方上出现了大工业。1632年,外国人维纽斯,在祖拉附近设立工场,从铁矿制造铣铁和铁、铸造大炮枪弹及大斧、制造铁板和铁棒等。1651年,有名的贵族莫洛索夫说过:"从外国进来的矿山事业的工匠,用水车的力量炼铁,现在我们在巴罗夫斯克也能这样做了。"

在俄皇的特村伊茨玛洛夫,设立玻璃工场、制纸用的"水车场"、天鹅绒、呢绒工场。北方边境地方及乌拉尔山麓的制盐场、也达到很大规模。

然而,这些企业,大部分都不是为出卖于市场而活动,是为国家或皇帝而活动(例如伊茨玛洛夫工场,专门制造宫廷的食器)。在这些企业中工作的,大部分是农奴。

六、17世纪商业的成长

工业的发展,引起莫斯科国家各地方的专门化。加强在16世纪已经被承认的各地间"地理的"分业。现在,大量商品,由莫斯科国家的某一地方,运至其他地方,有时被运至远离数千启罗的场所。

商业发展的结果,商人资本强化起来了。小专买人走入农村,由家内手工业者手里收买商品,这些家内手工业者,渐渐隶属于商人了。然而小专买人本身,也隶属于大商人。

批卖商业,都在富裕的商人——"高斯奇"手中。俄皇及其亲信的高官们,也经营商业。俄皇不仅是国内第一的农奴所有者,也是第一的商人。当时最大的"商人",就是俄皇的奸细。

成长中的对外贸易,也落在商人之手。

17 世纪,特别对于西欧两个先进国家(英国及荷兰)的贸易,强化起来了。在这种贸易中,差不多全是农民劳动的生产物。俄国输出石油、脂肪、谷物①、毛皮、西麻、布匹、木材、树油,大麻、席子、碳酸钾等,输入呢绒、天鹅绒、绷带、酒、殖民地商品及其他奢侈品(只适应社会上层的需要),以为输出的农村生产物的代价。

许多物品的贸易,都成为俄皇及商人的独占,例如波斯绸缎贸易的独占。据某外国人说,俄皇"经由自己的商人之手,去交换呢绒、赤铜、刀剑及金,从波斯取得绸缎专卖而获大利。禁止一切商人,同波斯交换这种商品。"此外,更以同样的目的,独占谷物和鱼卵的买卖。独占商业,对于"商人"是最大的致富源泉。许多"商人"的财产,都达到非常巨大的数额(以现在金额计算,约为数百万卢布)。"商人"古列夫,由于乌拉耳的渔业,而能在该地建设需要 20万以上银卢布的"石街"。在 27 年中,他向国库缴纳 50 万卢布的租税。

七、商人资本的意义

商人资本,当作人民大众直接的剥削者而活动。尤其在领主的土地所有尚不发展的北部及东部的边境更是如此。它剥夺欧俄北部的"黑色"农民及萨渥鲁加和西伯利亚的畜牧与狩猎民族。

商人资本的作用,不仅在于殖民地的掠夺,它在中央也有重大的意义。当农民将自己的谷物及手工业生产物拿到市场时,商人资本便去剥夺。当都市手工业者为广泛的市场而生产时,商人资本便君临其上。

商人资本,在国内经济上,虽然具有重大意义,但是,在 17 世纪的莫斯科国家中,却没有创造出新的生产样式。它止于剥削小生产者。所以商人资本

---

① 在西欧,因为 17 世纪中叶的长期战争(所谓三十年战争)引起荒废,所以需要谷物。

和农奴制度是互相依扶的。它在剥削劳动者及保存封建的＝农奴的诸关系的事业上，是农奴的所有者＝地主的忠实的同盟者。

于是，和旧来剥削者＝农奴所有者同时生出来的新的剥削者——商人＝独占者。

八、17 世纪的莫斯科

莫斯科国家最大的贸易中心地，是莫斯科。莫斯科集中了国内全部商品流通的约三分之一。莫斯科的富裕商人，掌握全国最重要物品的商业。随着商业及手工业的发展，莫斯科发达为大都市。

在莫斯科的中心，有高的石壁和塔的克莱姆林。克莱姆林的城塞，是有外国工人（主要的是意大利人）筑造的。并且在克莱姆林内部，还有宫廷、寺院、政府机关等石造建筑物。

在克莱姆林的周围，围绕着木造的都市。

铁匠、陶工及银匠的街，与菜园及牧场的大广场交错着。拥有庭院及无数使用人的贵族的房屋，占据市的极大部分。

在莫斯科的中心，实行着茂盛的商业生活。其主要中心地，是克莱姆林城壁直下的广场。在这里，店铺罗列，每种商品，各为一列。

赤色广场的商业，包含着小店铺和露店。某外国人说过："从一个阿姆斯特丹的店铺可以分成十个或十个以上的莫斯科店铺"。在这种商店里，往往看见一对独立的商人。但是，这些店铺、"半店铺"、"小屋店"、"台店"之中经营商业的大部分商人，都是大批卖商的代理人。

他们隶属于莫斯科的富裕商人和修道院。他们在莫斯科为出卖而从修道院的领地去运输各种商品。甚至连俄皇在物品陈列场也有自己的店铺。

九、都市的阶级矛盾之尖锐化

大商人资本激烈地剥夺小生产者及小商人。"富裕商人"利用独占的地位规定输入物品的价格。他们掌握对于都市的谷物的供给，实行谷物的投机，提高其价格。他们利用收买优先权，廉价购买必要的商品，压迫小商人。

所以，无论在都市或在郊外，"富裕商人"是受人憎恨的。一个外国人写道："假若在什么时候发生暴动的话，一切富裕的商人的头，恐怕要被农民砍掉的。"

十、权力者对于租税的征收

独占的商业，并不是剥削都市住民的唯一手段。城外人民贫穷化之最重要的一个原因，是直接税及间接税之空前的过重。租税是由城外人民的上层来分配，其全部负担都放在都市下层者身上，对于未缴纳者给以激烈的"Prabez"（用鞭毒打未支付租税者）。

都市住民，受到无数酒馆盘剥。政府卖酒（Bogka）以增加收入。住民都被"俄皇的酒馆"麻醉了，租税由莫斯科的富豪包揽，他们借此获得莫大利润。

在租税的负担上又加入当局者的供养。商人们问皇帝诉苦说："因为你的将军之故而衰弱了"。他们必须"奉养"为支配地方派来的军司令官。

所谓"奉养"是什么意思呢？这可以由下面一段长老的支出账来说明。"到将军处去，要奉送 2 个亚鲁茨（1 个亚鲁茨等于 3 个哥比）的面包和白面包、16 个亚鲁茨与小铜货（半哥比）、4 个牛背肉、1 个卢布的猪肉 2 份、13 个亚鲁茨的羊肉 2 份、3 卢布现金。外甥 1 卢布、别的外甥 10 个亚鲁茨、将军夫人 1 卢布、将军执事 21 个亚鲁茨、家里全员 21 个亚鲁茨、书记给面包和喀拉奇、现金 2 卢布半、书记之妻 16 个亚鲁茨、2 个外甥给 10 卢布"（此外还列记着得现金的一切使用人）。

在莫斯科的"行政部"（莫斯科王国的主要政府机关），假若没有贿赂，什么事都不能做。政府用严刑惩罚收贿虽然是事实，不过这只是表面上禁止，实际上仍然"通过妻子姑娘或儿子兄弟以及使用人等，由里面"盛行贿赂。

十一、17 世纪都市的叛乱

受独占商人的盘剥及重税的榨取而贫穷化的都市住民，常常发生叛乱。1648—1650 年，在许多都市中（莫斯科、哥茨洛夫、渥罗耐基、克鲁克、屋斯鸠古维里基、苏留捷克得斯克、普斯考夫、诺弗哥罗、特姆斯克等），都发生骚动。这些骚动，主要是因盐税增加四倍而对抗公爵、（官吏）及大商人而引起的。莫斯科的运动特别激烈。在这里，叛徒杀死许多他们憎恶的官吏。莫斯科人想要伤害占居政府首席藉少年皇帝（亚历克塞）之名而统治的贵族莫洛索夫。皇帝慢慢把他救出，送到离莫斯科很远的修道院去。

1650 年，叛乱的都市下层人民，在普斯考夫夺取政权，支配都市有数月之久。大部分由都市小布尔乔亚所组成的普斯考夫政府，没收领主所贮藏的谷物，抵抗莫斯科的军队有三个月。

17 世纪的 70 年代，在莫斯科爆发了更大的叛乱。这次叛乱，与对波兰的长期战争（为乌克兰而战）有关。政府因新战争之故需要货币，所以增加旧税，兴办新税。最后更采行发行铜货代替银货（即改恶铸货）的手段。铜货发行额过多，其价格因之下落。银货一卢布等于铜货 15 卢布。政府由人民手中收取银货而支出铜货。一切商品的价格都腾贵了。因此，都市的下层人民更加贫困。反之，与货币之改铸有关的人们却大发其财。皇帝的亲族，许多大贵族及富裕商人，将自己的铜拿到造币厂，在那里把烛台、锅釜等都变成了铸货。

1662 年夏，莫斯科发生了叛乱。在莫斯科各处，贴出反对大贵族及"富裕商人"的檄文。小布尔乔亚群集，杀到考洛曼斯克（莫斯科郊外的皇帝的特村）。最初，震惊的皇帝，宣誓要审议事件，使群众回到莫斯科。但是这些群集，在途中遇见了走向考洛曼斯克的新集团，于是他们又回到了考洛曼斯克，再同皇帝开始开涉，然而这次如借当时人的话说来，"是震怒了、是不合法，是威吓的"。据当时人的记载："皇帝知道狙击兵①来帮助他，命令杀戮这些叛徒，并逮捕生存者"。没有武器的群集四散了。有 7000 人被杀和被捕。在一天里有 100 人被判处死刑。其余的在夜里被沉入莫斯科河。许多人都被逐出了莫斯科。

17 世纪许多城市的叛乱，乃是都市中阶级矛盾的尖锐化之铁证。但是，叛乱的都市的下层人民，不能同其他都市结成同盟，同时农民也没有拥护这些运动，所以农奴所有者和大商人，能够无大困难的镇压了叛乱。

农民战争，对于农奴国家，比都市人民的叛乱还要危险。

---

① 狙击兵是由小城外住民构成的军队，他们从事小商业和手工业，同时服军务，取得薪俸。

问题

一、17 世纪莫斯科经济之自然的性质表现在何处？

二、17 世纪的对外贸易，其发展如何？

三、俄国都市手工业之发展甚缓，其故如何？

四、在 17 世纪的俄国，国内商业成长之原因何在？

五、莫斯科国家的大商业，握在何人之手？

六、都市的阶级矛盾何以尖锐化？

七、1648 年的叛乱因何引起？其所反对者又为何人？

八、哪些人民集团，参加了 1662 年的叛乱？

第三节　乌克兰的农民战争（1648—1654）

一、14—15 世纪的乌克兰的运命

13—14 世纪，在乌克兰也同东北地方一样，形成了封建制度。乌克兰的土地，最初是在俄国的公爵、其家臣及贵族的权力之下。

在 14 世纪，乌克兰的土地，一部分（西部）属于波兰一部分（东部）属于立陶宛。其后立陶宛及波兰统一为一个大而不十分巩固的大封建国家。由此以来，乌克兰的土地，遂完全成为波兰 = 立陶宛国的领土。

二、乌克兰农奴制之发展

16 世纪在波兰 = 立陶宛国形成的制度，在许多点上，使人想起 16 世纪的莫斯科国家。波兰 = 立陶宛国，是统一的封建国家。支配阶级藉剥削农民而生活。13 世纪以来，在这里，农业生产物的商品化开始发展，驼载货物的牡牛群向西方（德国）运输，更利用河川，将谷物输出到波罗的海港，由此分送到英国、尼德兰及西班牙。木材的需要也发生了。这是藉河流输送，更烧成碳酸钾，输出外国。

波兰及立陶宛的对外贸易及国内商业的发展，同莫斯科国家的情形一样，生出了主人耕地之增加，及地主对于农民土地之激急的占领。劳役急速成长起来，比莫斯科的劳役的成长还快。至 15 世纪，到处每日都有劳役。农民对

于主人的隶属,在这里比 16 世纪的莫斯科国家还要激烈。农民早已被紧缚于地主的领地了。地主变成了农民的生活及财产之完全的支配者。

三、东南乌克兰的殖民

农民解脱过重劳役及地主的剥夺,而逃到东南地方的草原。16 世纪,在得尼热普尔沿岸的草原,开始急激的移住。首先在这里出现了从事渔业及狩猎的哥萨克共同体。

哥萨克的职业组合,同时也是军队。关于这一点,在得尼热普尔哥萨克的大中心地——"萨波罗加"的例子上可以知道。萨波罗加的塞基的萌芽,是在得尼热普尔下流经营失业的哥萨克的大自由协同组合。在某一岛上,建设哥萨克的军事中心地及阵营,围以木栅(因此才叫作"塞基")。塞基有从鞑靼人及土耳其人夺来的大炮。塞基的哥萨克,生活在以马皮为屋顶用干树枝编成的小屋中。他们的职业是不同的,大部分是做强盗,以战争的分捕品生活,有的从事渔业和狩猎。

以后在这里又来了农业者,耕种土地,及从事养蜂和栽培菜园。因为旧鞑靼人的往还而发生了新都市,旧都市也呈现出活泼的气象。

由国王获得对于广大土地的下赐状的地主,也追踪农民的移住而走入这新的边境地方。在得尼热普尔两岸,形成了维西渥茨基、波特茨基等地主的广大领地。在先时野马群草原繁茂的地方,树立了波兰的制度。农舍、养蜂场及渔场的自由的所有者,都有了主人。在地主与农民之间,忽然爆发了执拗的武装斗争。哥萨克同这个斗争有很大的关系。

四、乌克兰的哥萨克

在 17 世纪初叶,乌克兰的哥萨克是一种很大的军事势力。对鞑靼人及土耳其人的不断战争,使哥萨克组成为很有组织的军队。哥萨克与波兰政府的关系是复杂的。在政府看来,哥萨克作为对克里米亚及莫斯科斗争的兵力是必要的;然而他方面,波兰的地主政府,又怕哥萨克强化。所以政府采用一方面施恩于哥萨克的"长老",另一方面限制哥萨克的军队的方法。

哥萨克的一部分,被载于特别的名簿(Deeatrui),服务于波兰政府。这些富裕的被登录的哥萨克,遂变为哥萨克的上层,支配哥萨克及农民下层。他们本身是地主,但是认为侵入乌克兰的波兰地主是自己剥削农民的竞争者。

波兰地主,在乌克兰不仅剥削农民大众,而且夺取富裕的哥萨克的耕地、草地和水车场。

政府的剥削及压迫哥萨克的政策,促使哥萨克常常发生叛乱。

哥萨克的叛乱,自 16 世纪波兰政府在得尼热普尔的萨波罗加附近修筑城塞,增加波兰驻乌克兰的守备兵以来,更加时常发动了(在由 1630—1638 年的八年中,有过五次叛乱)。哥萨克被镇压下去,他们的指导者被处极刑。哥萨克军队减少为六千人。废除“长老”选举制,最高“长老”,由波兰任命。哥萨克的一部分,同政府妥协;最顽强的部分,集中在萨波罗加附近,再度发动叛乱。

五、克麦尔尼基

叛乱的指导者,是包古丹·克麦尔尼基。他是一个富裕的农民,是哥萨克的百人队长,因为土地被波兰贵族侵占,受了凌辱,跑到萨波罗加。1648 年与克里米亚汗订约,要求恢复哥萨克的自由而发生叛乱。哥萨克全部所拥护的克麦尔尼基,曾经两次大败波兰。

克麦尔尼基的胜利,引起了大众革命情绪的高涨。乌克兰全部农民崛起,占领地主的领地,打倒主人。萨波罗加及基辅附近的全部,在数周间都入于农民部队之手。

在农民部队中,马克西姆·克里包斯是特出的人才,他攻击波兰地主。在克麦尔尼基的军队中,充满了农民,其数达数十万。

这次运动,取得乌克兰都市市民的拥护。

但是农民运动的展开及其反农奴的性质,使哥萨克的“长老”开始惊吓。农民大众与哥萨克上层的目的,当然是不相同的。

农民是想要从一切主人解放出来,反之,“长老”的目的,是受自己来支配乌克兰的农民,不使波兰地主染指。

所以,哥萨克“长老”的指导者克麦尔尼基,折止农民战争的展开,急与波兰妥协,在对波兰地主获得新的胜之后,缔结了 1649 年的条约(斯鲍洛夫斯基条约），按照该项条约，使哥萨克军队增加到四万人。划入列斯特鲁的哥萨克，既不隶属于地主，也不隶属于波兰的官吏。哥萨克的凯特曼，在乌克兰得到极大的势力。然而斯鲍洛夫斯基条约，关于农民大众的利益，丝毫没有顾到，他们仍然回到自己的旧主人去。

斯鲍洛夫斯基条约，是以农民作牺牲的哥萨克的"长老"与波兰地主之间的明了的反动的妥协。波兰地主取回乌克兰的领地。克麦尔尼基保证拥护哥萨克的"长老"及回来的地主。克麦尔尼基的部队，甚至去帮助镇压农民运动。叛变农民的哥萨克"长老"，对继续斗争的农民处以极刑。只有一个农民指导者（奈杰），获得巨大的成功。

六、哥萨克的上层与莫斯科的妥协

斯鲍洛夫斯基条约，并没有维持多久。因失败而订约的波兰人不愿意履行此项条约。

1651年开始的克麦尔尼基与波兰人之间的新战争，使哥萨克的"长老"再接近农民。但是，这种同盟，此次亦未继续长远。当大冲突（在伯列斯杰喀附近）之时，哥萨克的上层和克麦尔尼基一同逃出战场。因此，波兰军打破了数千农民。

在克麦尔尼基与地主之间，于伯列斯杰喀附近的战斗之后缔结的新协定，撤废斯波洛夫斯基条约上的一切让步。甚至连哥萨克的"长老"，对于新状态都表示不满。

哥萨克上层的一部分，既不欲完全服从波兰，可是又惧怕农民运动，所以他们求援于外国国王（克里米亚、莫大瓦、莫斯科）。1654年，以克麦尔尼基为首的哥萨克"长老"，决定依赖莫斯科。其交换条件，是增加哥萨克军队为六万，乌克兰受选举出来的凯特曼支配，在莫斯科主权之下，变成了半称立国。

然而，乌克兰并不能保持着独立。因为不久在这里便出现了莫斯科的将军和军队。

波兰地主，不愿意将乌克兰让与莫斯科。哥萨克的"长老"，分为两个基本的部分：一部分留在波兰地主的权力之下，一部分依赖莫斯科。莫斯科与乌克兰的长期战争，结局是将乌克兰左岸地方移归莫斯科管辖，而右岸留在波兰的支配之下。

哥萨克的"长老",逐渐占有土地,而变为支配乌克兰农民的乌克兰支配阶级。俄罗斯的地主也来到这里,由莫斯科政府取得土地。

于是,乌克兰的农民,自农民战争失败后,渐渐由波兰地主的束缚,陷于俄罗斯的农奴所有者及哥萨克的"长老"的束缚。

问题

一、波兰及立陶宛农奴制之发展,因何引起?

二、16—17 世纪的哥萨克叛乱,因何引起?

三、克麦尔尼基运动达到极大规模,其故为何?

四、农民战争失败之原因何在?

五、自移于莫斯科权力下之后,在乌克兰树立了什么制度?

第四节　1670—1671 年巴渥鲁加的农民战争(拉金斯基)

莫斯科国家的阶级矛盾,强烈的表现在 17 世纪后半的最大革命运动——拉金斯基——之中。

拉金斯基,主要的是起于 17 世纪被莫斯科国家激烈压榨的地方之中部及下都巴渥罗加。俄罗斯的地主及官吏对于巴渥罗加农民的剥夺,也是农民叛乱的根本原因。在这个地方占最大多数的芬人及鞑靼民族,完全处于殖民地的奴隶状态。俄罗斯的殖民者,夺取鸠瓦西人及莫鲁得瓦人的土地,使他们从事建设都市及防御的激烈劳役,向他们征收"树干货币"和"木材货币",把他们束缚于渥特基的工场(碳酸钾工场)。

叛乱的其他原因,是巴渥鲁加诸都市中商人资本剥削的强化。窝瓦河对于莫斯科商人,是和东方(波斯)实行贸易的最大通路。在这里,大商人资本驱逐了城外市民和商业农民而活跃起来。因此,这次的叛乱,在都市下层民众方面也得到拥护。

农民战争的第一声,是顿哥萨克的下层人民运动。从顿哥萨克之间生出来叛乱的指导者斯太普·拉金。

一、顿地的两种哥萨克

在 17 世纪，顿哥萨克，也同得尼热普尔哥萨克一样，多从事于渔业、狩猎和养蜂。他们往往驾小船驶至黑海，去攻击土耳其人及鞑靼人。他们饱载许多获物(包含着奴隶)而归，出卖于莫斯科国家。当顿哥萨克同土耳其人及鞑靼人斗争时，莫斯科政府，常帮助他们。哥萨克的上层，也以与莫斯科妥协为有利。顿地在经济上隶属于莫斯科。假如没有莫斯科的枪弹火药，尤其是谷物，在顿地就不能生活。哥萨克本身不能栽种谷物。所以"自由的顿"，不能不使自己的哥萨克服务于莫斯科。

然而，并不是所有的哥萨克都亲近莫斯科。在顿地，于 16 世纪中叶，哥萨克显然分为两层——富裕的"Domovitui"与贫穷的"Golutvennui"。

"Domovitui"拥有渔场、渔具、草地及家畜，并且在那里有"Goluityba"在劳动。从事掠夺事业的，普通都是贫民。然而，为了出外掠夺，就需要小船、武器和食粮，这些东西都是由"Domovitui"供给，因之从掠夺归来时获物的大部分也都入于"Domovitui"之手。

在 17 世纪 60 年代，贫民数目大增。许多逃亡者，都聚集在顿地，尤其是"上流"(顿河上流)的诸都市。他们都是逃避农奴束缚的强化、租税的增加及地主和将军的棒笞的农民或城外市民。乌克兰的农民和劳动者，也因对抗波兰地主而逃到这里。因为逃亡者的流入，"Golutvennui"哥萨克，压倒了"Domovitui"。贫穷的哥萨克和富裕的哥萨克不同，他们同以修道院为先驱而进入上部顿地的莫斯科完全不相一致。"Golutvennui"恐怕和顿地的占领同时被引渡于旧主人——封建领主，他们反抗"Domovitui"的首领，而拥立自己的指导者。

贫民的最大指导者，是哥萨克的斯太普·奇莫维支·拉金。他将贫民组成远征军。"Domovitui"的哥萨克并未妨碍这次远征准备。他们想借此免去充满顿地的贫民对于自己所含的敌意。

二、拉金最初的掠夺远征

顿地贫穷的哥萨克，普通是向南方远征。至 17 世纪 50 年代，这条哥萨克熟知的通路闭塞了。土耳其人建设的亚速大城塞,使哥萨克的船不能入海。于是,拉金遂采取他路,而走向东方。当时,拉金就抱着同莫斯科斗争的计划。但是,以直对莫斯科的远征去开始两方的斗争,那是不可能的。

拉金最初命令自己的部队远征窝瓦——当时最大的商路。在那里,拉金军攻击属于皇帝、哈特利夫①及莫斯科最大商人(萧林)的大商船队,而开始自己的活动。哥萨克分获商品,杀戮商人的伙计,将船员合并于哥萨克。在打败由阿斯达拉干派来的小部队之后,拉金遂出海而达塞克(在地图上可以看出他的足迹)。

至 1668 年,拉金继续自己的掠夺远征,此次走向波斯海岸。拉金满载许多获物而归。阿斯达拉干的政府,不愿意同拉金军斗争,因为不仅不相信自己的力量,同时还受了拉金带回来的财产的诱惑。拉金在拉斯达拉干附近出卖自己的货物。本地商人及远来商人争向哥萨克廉价购买波斯商品。

这次的波斯远征,在拉金以后的活动上,有很大的意义。拉金的胜利,加强他在哥萨克之间的势力。巨大的掠夺物,使他能够准备去作更大的事业。

三、莫斯科的远征

拉金在建设自己"首都"的顿地小都市喀利尼克,聚集了拥护这有名声的首领的许多民众。"Domovitui"哥萨克,没有反对贫民指导者的勇气大。现在,拉金对于莫斯科的农奴所有者公然准备决战。拉金军杀死莫斯科派来顿地的使者,在哥萨克集会上,决定攻击贵族。

拉金的第二次远征,起于 1670 年春。然而在向莫斯科的远征中,拉金没有选择直接向北的最短通路(经过克鲁克及都拉),他们决定走沿窝瓦河及鄂喀河的曲线路。因为他们很知道这条道路,而且在这些土地上住有巴渥罗加的居民,他们是一声号令即可背叛主人而崛起的。拉金率领数千军队,达到察里胜(斯达林兰德),该地住民自动开城欢迎。只有带领少数部队的军官企图抵抗,然而都被哥萨克打破了。拉金由察里胜到阿斯达拉干。途中,遇见狙击兵的两个部队,前者毫无困难的被拉金打败,余者均自动投降了。

----

① 哈特利夫是全格罗斯教会的首长,和皇帝一样的去经营大商业。

在阿斯达拉干,情形也是一样,假如不是在那里有许多同志,拉金决不能攻陷这个有坚固城塞的都市。当拉金开始攻击时,阿斯达拉干的狙击兵,由都市的城壁向里灌入温汤。

在察里胜,抵抗的只是率领贵族小部队的军官同外国商人。旧权力被粉碎了。被占领的败北者的财产,分配于拥护按哥萨克惯例选出的首领、百人长、十人长的千人、百人和十人。任命拉金信赖的助手(瓦西里·维斯)为市长。

四、窝瓦的叛乱

当占领阿斯达拉干而后方巩固之后,拉金于七月走向窝瓦上流。他达到的地方,是比较最近被俄罗斯人占领的地方。在 17 世纪初叶以前,在这里住有许多自由农民(逃亡的俄罗斯人及俄罗斯人以外的土民)。但是,至 17 世纪时,追随农民的移住之后,在这里建立了地主的国家。在这里建设城塞和修道院,将巴渥鲁加的富庶的黑土地带分配于地主。由 17 世纪中叶以来,在巴渥鲁加地方就产生了比莫斯科地方尤为激烈的农奴的剥削。这里,在拉金达到以前,便常发生反抗地主的农民叛乱。所以拉金在这里取得了农民大众的拥护。手执"檄文"的拉金的使者,使农民背叛了贵族和司令官。在许多地方,当拉金尚未到达以前,叛乱便发生了。农民占领地主的家宅。据某外国人说:"在路上遇见的,只有走去加入拉金军的奴隶和农民的群集。都是说要扫灭地主。所有农民和奴隶,杀死自己的主人,把头带到拉金去。拉金为了奖励从地主扫清这种怪物(他这样称呼地主),而称颂并赏赐他们。于是许多领地都荒废了。地主为了保存生命,不得不穿上奴隶的衣服逃去都市"。

此外,巴渥罗加的无数被压迫民族(鞑靼人、莫特瓦人、鸠瓦西人)都参加运动。有时连俄罗斯人以外的民族的小贵族也加入叛乱了(鞑靼的穆鲁茨、"改宗"官人)。

最后,运动在都市下层人民中获得热烈的拥护。于工业者、小商人、无数的巴渥鲁加 Burlak(住在窝瓦河畔的劳动者)、码头脚夫以及狙击兵,都背叛自己的压迫者(商人、高利贷、军司令官),加入拉金军队的阵营。

五、拉金的成功

萨勒德夫及萨玛拉,都无抵抗地投降拉金。至九月初,拉金到达森比尔斯克。在一个半月里,占领了从阿斯达拉干到达森比尔斯克的巴渥鲁加的整个下部地方。在森比尔斯克,最初也发生了同察里胜及阿斯达拉干一样的事情。森比尔斯克的住民,帮助哥萨克占领都市,和他们一同攻击政府方面的人员。但是,森比尔斯克的军司令官,能够守住内部的"小市"(城塞),所以拉金军不得不继续包围。

当主力包围森比尔斯克时,各个农民部队,远进到西方和北方。

奔萨的都市,相继被拉金军占领。在西方,叛乱普及到当波佛及鄂喀沿岸地方。

在北方的尼捷哥罗地方,大部队聚集在两个商业村落(鲁斯考夫及穆拉西金)。在这种军队中,除莫德瓦人及杰瓦西人外,还有"普特尼基"(在碳酸钾工场做工的农民)。叛徒杀到马喀列夫修道院。最初他们被击退了,后来拉金军的第二队,始占领这个地方,即占领这个最大商业中心地的寺院。

拉金军的诸部队,越窝瓦河走向玛里。驾小船沿窝瓦的北方支流、窝尔斯克、温萨而前进,占领沿道的都市,烧毁地主和贵族的宅第。在拉金的煽动者中,有的更进入北方,而达维特喀及乌索利,更有走入大乌斯捷克者。至 1670 年秋止,国内的大部分都陷入叛徒之手。俄皇政府,不得不设法挽救莫斯科。

六、拉金军的败北

农民叛乱的昂扬,使农奴的政府,不得不倾注全力来镇压,一切官人,依国家的命令,被编成自己的联队。不参加者处死刑或没收财产。由 9 月 30 日起,俄皇亚列塞集中六万地主于莫斯科,阅兵八日。对于拉金,动员了"被西欧教师训练的外国制度"的联队及俄罗斯军的精锐部分。

拉金军对方的兵力,绝不似容易投降拉金军的狙击兵部队。在公爵巴列捷斯基指挥之下去援助森比尔斯克的军队,主要是由视拉金军为最恶的阶级敌人的地主编成的。巴列捷斯基截断走向森比尔斯克的道路,在 10 月和拉金的主力相遇。

俄皇的军队，比拉金军训练纯熟，武装完备。拉金军中没有小抢和大炮。他们大部分，都是以投棒、大镰、和铁熊手为武器。在对巴列捷斯基的战斗中，拉金军失败了。负伤的拉金，和哥萨克一同由森比尔斯克退至顿地。他在这里征募新军队，计划继续斗争。1671年春，"Domovitui"的哥萨克逮捕拉金，加上刑具，送至莫斯科，经过严峻的审问之后被处死刑。据某外国人说：死刑场"用最忠实的三列士兵包围着，只有外国人允许进入刑场内部。在市街的十字路上到处站满军队"，"这是为了预防逃避的阴谋者方面的动乱"。

七、俄皇的镇压

农民在森比尔斯克败北之后，并未放弃武器。尤其鞑靼人和莫德瓦人更是坚决地拿着武器。但是，政府的军队，无大困难地平定了各个农民部队。运动的无组织及其相互隔离，使政府容易平定。只有阿斯达拉干比其他地方较长的支持下去(直至1671年之末)。

惩罚队在全窝瓦地方简直是疯狂了。……镇压的中心是亚尔萨玛斯市。俄皇的绞刑吏长公爵哥利，得鲁哥斯基，在这里活跃起来了。某外国人亲睹当时的情况说道："看见亚尔萨玛斯就害怕。街外是全个的死尸。到处设立着绞刑台，那一架也要绞死四五十人。在那里，人头乱转，血腥的风吹来。他们拷问叛徒，用木棒毒打，有时使他活到三天，坐受其苦"。想推翻农奴制的俄罗斯农民第二次大企图，就这样结束了。

八、农民战争(拉金斯基)的特征

拉金斯基的基础，和俄罗斯的第一次农民战争(1605—1613年)一样，是已被农奴化及将被农奴化的农民对抗农奴政府的斗争，是为获得自由土地中自由生产者之道的斗争。在拉金运动中，国内诸民族的农民都很活泼的参加了。

拉金斯基，比较"斯姆达"是一个农民革命斗争的更高度阶段。拉金斯基的指导，不是哥萨克全体，而是哥萨克的贫民层、逃亡的农民、无家的农夫、逃亡的狙击兵及捕获的奴隶等。他们和都市的下层民众，窝瓦的 Burlak、船员、水手及"普特尼基",同为运动的革命的核心,使运动广泛地开展了。

在运动的指导者之下,不仅有其革命的性质,而且有一定的行动的计划和巧妙的战术。拉金军正确的认定攻击方向,用极大的精力去唤起广泛的人民大众。深切的注意口头和文字(檄文)的煽动。他们利用农民、逃亡的僧侣和市民作煽动者,有时变作商人或僧侣去遂行自己的活动。在煽动者之中也有女的。例如亚尔萨玛斯的女子亚列娜,拿着"强盗的信"被捕,受了严刑拷问后被杀而死。

叛乱的指导部,在军事行动的指导上,也表示出相当的手段。特别注意武装和炮兵。在全部叛军中,因为枪械不足,连徒手兵士都调用了。据俄皇军司令官的报告,相传在森比尔斯克,"斯坦克使各种身份的人员,连夜制作战斧"。为了阻止政府军的进袭,用二轮马车和树杆建筑砦堡。

九、1670—1671 年的农民战争失败之原因

拉金军的失败,其根本原因,是因为在 17 世纪的俄罗斯,尚没有能够指导农民斗争的阶级。

哥萨克的下层人民,不能阻止农民运动。各种村落虽能反抗自己的压迫者,但是,不能把斗争推进到自己的地方以上,所以政府才能个别地击破叛徒。其次地主军队对于农民部队之技术的优越性,也有重大意义。

拉金军及哥萨克的贫民层所犯的许多错误,也是失败的一种原因。其最大的错误,是停止向莫斯科的进击,而集中主力于森比尔斯克。

最后,在非俄罗斯人的地方,运动的成功,由于缺乏对于地方地主的彻底的阶级政策而削弱。拉金军虽然尽量攻击莫斯科的农奴所有者,而最初之间却与异民族的支配者妥协了。并且非俄罗斯人之间的反农奴运动之自然发生的成长,使拉金在森比尔斯克附近揭出了"攻击阻碍农民的穆鲁赞和达达尔"的口号。

问题

一、1670—1671 年的农民战争之根本原因何在?

二、在 17 世纪 60 年代,向顿地的逃亡者之增多,其故为何?

三、哪些人民集团加入农民运动？

四、拉金军之要求为何？在占领的都市中，树立了何种制度？

五、农民运动失败之原因为何？

第二十章　俄罗斯帝国之形成与普哥乔夫以前的农民战争

第一节　18世纪初期的俄罗斯帝国

一、18世纪的战术与合并

巴渥鲁加的农民战争云平定,对于莫斯科的农奴所有者打开了走向南方及东方、黑海沿岸的草原、萨渥鲁加及南乌拉耳的道路。顿哥萨克的地方,喀伦克人及巴西尔人的居住地,变为莫斯科国家的领有。

合并继续达到东方及西伯利亚。在西伯利亚,俄罗斯的入侵者,于18世纪中叶达到了阿穆鲁(中国的国境)。莫斯科国家的领土,在一个世纪内,增加一倍以上。

16—18世纪俄罗斯领土的增加

年次	领土(平方里)
1590 年	130132
1682 年	268078
1726 年	282454
1796 年	352472

领土的增加,主要的是因为向东方的侵略。在西方,莫斯科的农奴所有者虽然努力很大,但是没有成功。

自16世纪以来,莫斯科国家即为了黑海及波罗的海的出口而开始斗争。黑海及波罗的海,对于俄罗斯的地主和商人,在代替不便的白海而与西欧结成较容易而有独立性的联络上是必要的。

斗争继续了17世纪的一个世纪之久。有时是在南方,那里遇见土尔其人及波兰人的抵抗;有时是在西北方,那里瑞典作了俄罗斯的竞争对手。对于波兰及瑞典的战争,概归失败。在17世纪初期,波兰及瑞典,在经济上和技术上,都比莫斯科国家达到高度,所以能够打击了落后的俄罗斯。在17世纪之初,当俄罗斯内乱时,波兰和瑞典的封建领主,企图侵占弱小化的莫斯科。波兰人占领摩尔稜斯科(曾经一时占领莫斯科),瑞典人驱逐俄罗斯人出芬兰湾。

在17世纪中叶,莫斯科袭击因农民战争而衰落的波兰。长期战争的结果,莫斯科对于波兰获得胜利。

二、大北方战争

此后,对于莫斯科的最危险的敌人,只是瑞典了。当时瑞典在铁的采掘及军事工业上是最大国之一。17世纪,瑞典占领了挪威和芬兰。在17世纪初叶,瑞典从芬兰湾逐出了俄罗斯人,在现在的爱沙尼亚及拉多维亚立稳地步,而占据波罗的海的南岸(当三十年战争之际)。

对于震惊于瑞典之强化的波罗的海之其他要求者(莫斯科王国、波兰及丹麦),于17世纪末叶,结成同盟,开始和瑞典斗争。

战争的开始,俄罗斯大大失败。1700年,少数而组织完备的瑞典军,在那瓦附近,全部打破了迟钝的莫斯科军。因为瑞典认为东方问题已经完结而移向波兰,俄罗斯才侥幸得免全灭。莫斯科政府(彼得大帝之世),利用瑞典人给予的一息时间来改造军队。于17世纪,在莫斯科早已出现了"外国制"的联队。现在运队的基本部队改良武装,急急建设照外国式编成的海军。

彼得政府倾注国内的全部势力,对于人民增加无数赋税,于继续十年的战争之后,终于成为胜利者(尤其在波鲁达瓦附近大胜瑞典军)。1721年,和瑞典缔结和约,由此俄罗斯由瑞典获得波罗的海沿岸与从威波格到利牙的港湾。

北方战争的胜利,规于俄罗斯帝国实有重大意义。这两个旧竞争对手——瑞典与波兰,至18世纪时,完全失去昔日的力量。在18世纪末叶,波兰因苦于国内的阶级斗争,变成比较幸运的掠夺者(俄罗斯、普鲁士、奥大利亚①)的获物而被分割。瑞典也渐渐变成了第二义的国家了。

三、为里海的斗争

在 17 世纪及 18 世纪初期,俄罗斯政府,为黑海沿岸实行坚决的斗争。但是,对于克里米亚及亚速海的 17 世纪末叶的远征,及对于普鲁特的 18 世纪初期的远征,虽然支出了大批用费,结果都失败了。至 18 世纪末叶,俄罗斯始占据了黑海北岸。

在里海也有过斗争。在 16 世纪后半叶,俄罗斯的领土已经达到了特勒克、高加索山麓,与喀巴尔达的封建领主结成紧密关系。由此以来,莫斯科国家与乔鲁加的关系就发生了。乔鲁加为土尔其及波斯所逐,求同盟于莫斯科国家;后者也因得乔鲁加之援助,而在高加索占据地步。莫斯科国家在 17 世纪中,深切地注意到高加索问题,但是,军事的合并还是采取谨慎和平的手段,而努力去做一个对波斯及欧洲的贸易的介绍人(尤其波斯的绸缎,在当时有很大的意义)。

至 18 世纪,俄罗斯始改用直接的合并政策。北方战争刚一告终,立刻开始了对波斯的战争(1722 年)。俄罗斯军占领德奔特、巴库及里海南岸。波斯不能不割让这些土地。但是俄罗斯的成功并不巩固。十年后,这些地方又离开了俄罗斯之手。

所有这些战争,对于俄罗斯的农奴所有者及成长中的商人资本都是有利益的,并且在俄罗斯专制的发展上,也给了很大影响。

四、17 世纪俄罗斯的专制

如上所述,莫斯科的专制,是在 16 世纪开始形成的。巩固的专制政府,对于农奴所有去者剥削被压迫民众及合并新土地是必要的。

在 17 世纪,俄罗斯的专制强化了,创立支配国内的庞大机关。官僚、军队、财政及教会,成为俄罗斯专制的最重要的工具。

---

① 应为前文所说的"奥大利",即奥地利。——编者注

至17世纪时,次第改造军队,在这里面,常备军——狙击兵及"外国制"的联队,渐渐获得重大的意义,而各个封建领主统率的部队失去意义了。"外国制"的联队,在镇压拉金斯基上尽了极重要而伟大的作用。

莫斯科的专制官僚机关,也成长起来,并且复杂化了。其上层是五十个"普利加"(会、部之义)。普利加并不是由于详密的计划而发生,乃是偶然发生的。其中任务上有严格的区分。他们有些(外国使臣的、领地的、狙击兵的、武器的、商人的、矿山掠夺的、农奴的等)掌管种种全国家的事业,有的掌管一定地方(喀森宫殿的普利加、西伯利亚的普利加等)。许多普利加,都是为了皇帝的支配的必要而活动。其中有大普利加(例如管理皇帝领地的大宫殿普利加),也有小普利加,如药种商普利加。各个普利加都各有自己的任务。

在普利加的长官中,普通有贵族。实际上指导它的,不是门阀的封建领主,而是官吏——秘书和书记。只有秘书可以作最重要的普利加(如秘密事件的普利加)。

地方行政也渐渐移入官吏之手。由莫斯科派来的军司令官和书记,代替了旧封建权力及由选举组织的地方机关。旧门阀家政治意义的衰退,在17世纪末叶的"地位之争"之撤废上表现出来。

无数的官吏群、组织法庭,维持"治安,征收租税,并实行裁判"。

在17世纪,莫斯科国家变成一个拥有强大陆军的法制王国。

教会是专制政府压制人民的先锋,是激烈剥削农民的最大地主。我们只要指出特罗叶·塞鲁捷夫斯基修道院是使自己农民农奴化的最初的地主的例子就够了。修道院在被压迫民族的奴隶化及剥夺的事业上,绝不弱于封建领主=地主。所以教会把专制政府在剥削农奴的农民及被压迫民族的事业上的一切行为都神圣化了。因此,教会遂加强了俄罗斯的专制统治。

五、18世纪初期农奴制国家的改革

一方面1670—1671年的农民战争及都市中不断的叛乱;另一方面17世纪初期的屡次不断的战争,使政府对于统治组织加以许多大变革,以便加强地主的独裁。这次改革,普及到统治的各方面。当北方战争时,实行改造陆军,

编成按欧式武装的常备军。

当拉金斯基及 17 世纪的都市暴动之时暴露其动摇性的狙击兵的军队,在彼得一世时代被解散了。

新军队由中央政府维持,供给食粮、被服和武装。陆军是由农民来的"征兵",兵卒入伍后便终身服务。陆军士官,由地主中采用。大部分由地主中的青年所补充的首府联队(所谓近卫军),在陆军里获得特别的意义。

对于国内统治组织也加以改造。模仿瑞典设立十个"考列加"(部、局之义),代替莫斯科时代的无数普利加。将国政的各方面,分配于考列加之间。管理军事的,是陆军及海军考列加,外交有对外考列加,裁判与警察从许多普利加之手移入司法考列加之手。国家的收入支出及监督,委托于三个考列加。最后,在管理矿业(伯尔古＝考列加)和工场(手工工场考列加)上有考列加,在商业的经营上(考麦尔＝考列加)也有考列加。在教会的统治上也设立考列加(西诺得),废止总主教制度。在西诺得中,除教会权力外,还加入皇帝的官吏,去监督教会的活动。于是,教会完全隶属政府了。

最高的政府机关,是代替贵族会议的"元老院"。元老院是有照样实行皇帝命令之义务的官吏的集会。从封建贵族的旧层中,只有少数分子残留在最高的国家职务中。他们被由各种人民层选出的比较敏活的柔顺的活动家驱逐了。"亚列萨加"门西考夫,成为彼得最亲信的助手。他是一个小职工的儿子,由彼得的随从,高升为"赫赫有名的公爵"。门西考夫是"新门阀家"的典型的代表者,他以一身兼为地主、独占商人及国家的官吏,而统治了 18 世纪的俄罗斯。

18 世纪初期的改革,整备了国家机关。但是,国家的封建的本质并未变化。在欧化的军队及新而巩固并富于柔软性的统治组织中,国家获得了剥夺大众及合并殖民地的新手段。

地主讴歌 18 世纪初期的改革,他们对于实行此种改革的彼得皇帝,加以"彼得大帝"的称号。

六、勤劳大众的掠夺

然而,新俄罗斯帝国之成功,所得的代价就是勤劳者的荒废。被征募于新军队的,约有 20 万农民。其一半都战死或病死了。许多民众,都由于建设道路、造船所及新首都等的强制劳动而累死。不断的战争,消费了极大量的货币。

皇帝命令元老院道:"尽量搜集货币啊! 货币是战争的动脉"。用一切方法寻求货币。在银里渗入大量的铜(即本质上赝造铸币)而行改铸。用尽一切智慧去发见课税的对象,以便施行新税(连墓场都被课税)。地主及僧侣以外的一切人民,都要登记,向"各个男子"——从初生的小儿至垂死的老人——征收人头税。奴隶也登记在内,在支付租税上一点,是参照对于农奴的征税办理。历来"自由的无拘束"的人们都被登记了。对于军队的一切支出额,照人数分配,这样去决定租税额。租税对于贫穷的农民是极重的负担。征税吏不客气地处罚未纳税者。但是,也往往向政府报告,"因为农民明白的贫穷,不能全部征收人头税了"。

18 世纪俄罗斯的专制,仍然是在改革后与商人层结成紧密同盟而统治国内的农奴所有者的专制。

七、新首府

在对瑞典的战争中,当瑞典人集中主力于波兰时,俄罗斯军队占领了耐瓦河沿岸,在耐瓦河口的三角洲上设立了新首府(1703 年)。为了建设首府,由国内各地召集数万劳动者。他们开掘运河、打坑、修筑城塞,为皇帝及高等官吏修造大宫殿。为了不健康的气候、饥馑和激烈的劳动之故,彼得格勒变成了许多劳动者的墓场。死亡的劳动者再由新劳动者来补充。在彼得格勒的建设上,是不惜牺牲人命和金钱的。

自对于瑞典得胜之后,新都市遂成为俄罗斯的首府。而为俄罗斯最大的商港,这是"走向欧洲的门户"。

八、新生活

不仅陆军、财政和行政等都按欧式改造,在一切生活上,都受了欧洲的强烈影响(尤其是荷兰及法兰西)。俄罗斯人旅行外国,日益频繁,皇帝也曾经旅行荷兰两月。

外国商人、军事教官及技术家,多数都来到俄罗斯。

俄罗斯的贵族和宫廷,争相吸取西欧诸国的贵族文化。男子穿欧洲式的衣服,剃颊须或颚须,造假发,使自己的住宅都变成欧洲的风味。

问题

一、在地图上指出 16—17 世纪,莫斯科国家向西方和东方发展的历史。

二、怎样说明大北方战争中的俄罗斯的胜利。

三、大北方战争的意义何在?

四、为黑海及里海沿岸的斗争是怎样进行的?

五、在 18 世纪初期,统治组织之变化如何?

六、贵族国家怎样由人民取得资金?

第二节　18 世纪农业之发达与农奴制的农村

一、18 世纪商业之成长

18 世纪,无论在国内市场或国外市场,对于农业生产物的需要都增大了。空前活泼的商业,经过被占领的诸港湾,与西欧相联结。现在可以在西欧出卖极大的农业生产物了。这种事情,在以前因为要经过极远的白海,所以是很困难的。

彼得格勒变成一个特出的商业港,而忽然超过了亚尔干日尔,1726 年,在彼得格勒停泊有 240 只船舶,而在亚尔干日尔只有 12 只。商业经由波罗的海的其他新占领的港(那瓦、勒佛尔、威波格、利牙)也发展起来了。关于 18 世纪对外贸易的发展,有如下表。

18 世纪对外贸易之发展

年次	输出(单位百万卢布)	输入(同)
1727 年	4.2	2.1
1762 年	12.8	8.2
1796 年	67.7	41.9

18 世纪俄罗斯的输出品①

1749 年	1749（单位：卢布）	1790—1792 年（单位：卢布）
大麻	1377	5882
亚麻	1071	335
兽油	347	2959
木材	202	1297
铁及铣铁	418	3338
裸麦	2	413
小麦		294

谷物，肉类及其他生产物的对内商业也发展了。关于这一点，由定期市场的发展可以证明（在大俄罗斯，1744 年，定期市场是 24 个，至 18 世纪 70 年代中，达到 700 以上）。国内关税的废止，助长了国内商业的抬头。

二、农民阶级分化之发展

地主和农民都向市场供给农业生产物。地主想将农民劳动的生产物换成货币，以乞满足增大的对于输入商品的要求。农民不仅是因有剩余而出卖，为了"缴纳人头税及其他租税"，不得不出卖必要生产物。将自己生产物的剩余拿入市场的上层农民，在商业上尽了极大作用。

商业的发展，在许多地方引起了农民布尔乔亚（富农）的发生，他们用借贷束缚贫农。例如据的威尔的某地主的谈话，家族多而家产富裕的农民，饲养许多家畜，不仅拿它们出卖，而且收买他人的家畜而转卖。他们有的饲养家畜，宰杀后运至彼得格勒或卖给肉商而得利。这样的富农，因为自家没有充分的饲料，不得不借用草地和谷田，以饲养许多家畜。

由手工业向家内资本主义工业的推移，引起农村的阶级分化，发生农奴的布尔乔亚（企业家及专买人）。

经营商业或企业的农民布尔乔亚之分出，是自然的农民经济之崩溃及农

---

① 18 世纪初期的 1 卢布，等于 20 世纪的 8—9 个金卢布。18 世纪，卢布激急跌价，结果 1 卢布等于 20 世纪的 23 卢布。

民的阶级分化之开始的征候。

三、农民出外做工的发达

自然经济的崩溃之其他征候,是地方的工业之发达,尤其是因农民出外做工而引起的农民工业之发达。农民的极贫层,为了获得食物,不得不被雇于船场或工场,或走入莫斯科等都市去作木匠,暖炉匠或泥匠。18 世纪,在南部人口稀薄的地方,出现了出外做工的农业劳动者。关于出外做工的人数,就亚洛斯拉夫斯加县,在 1778 年,发出 53000 张旅券于出外做工的农民一事看来,即可了然。

农民出外做工的发达,是由于国税及地主的用益税之极度增大引起的。地主藉高额的用益税,使贫弱的农民不得不去做小工的工作。

四、18 世纪的地主经济之发展

地主经济,用两种方法去适应新状态,第一是增加农民的用益税,尤其是货币用益税。在 18 世纪,每人普通是 1 个卢布的用益税,至 1770 年,每人是二卢布五十哥贝,至 1780 年,达到 4 卢布。在某领地中,用益税腾贵到 20 卢布。

然而,到谷物及其他农业生产物的价格开始腾贵的 18 世纪后半叶,地主便改用了第二种方法,即是增加自己的地主耕地,同时增加劳役。从用益税向劳役的推移及农民土地一部分的荒废,对于 18 世纪末叶的农奴经济是特征的现象。

拉基斯捷夫(他是 18 世纪末叶的革命作家,在他的《由彼得格勒到莫斯科的旅行》一书中,露骨地写出农奴和农民的状态,因此他被放逐到西伯利亚去)曾经写过下面一段插话:

> 在离开道路数步的地方,我看见耕作中的农民。这正是中夏的天气。我看见表,是十二点四十分。我是在星期日外出。耕作中的农民,自然是隶属于向他征收用益税的地主。农民尽全力地耕作着。田地自然不是地主的。"辛苦啦,——我一面说一面走近农夫,他一点也没休息,仍然在

作垄——你是在一周里没劳动吧,所以在星期日还不能闲着?这样热的天气。"先生,一星期,六日。我六天都要给地主服务,到日暮时,将装好的枯草运到地主先生的屋里去,天气好啊。老婆和女儿,在休息日要上山去采取菌和杨梅。""在休息日你都不能闲着,那么,怎样去耕作谷物呢?""不仅休息日不能闲着,连夜里都要做工,因为一怠惰就会饿死的。看吧,马在休息着,这一匹累了,可以使用别的。""你在主人处是那样工作吗?""先生,那样的工作,简直是罪过,在地主那里,是一呼百诺,我们只有两双手,却要养活七口人,计算看吧。地主的事情无论做得怎样好,可是对我们又有什么益处。地主不缴纳人头税,反而征收羊、布、牝鸡和牛酪。"

在某地方,地主进而把农民当作农奴的农业劳动者,由地主出钱雇用。18世纪60年代,有一个奥连堡的农业经营者说道:"这样的地主也有,使农民整天给自己做工,给他们一个月的面包作为食粮"。这种"Plantation"制度①,并未以其纯粹形式广泛推行,因为在地主看来,将农民置于外表上的"自由",仍然接近 Plantation。

五、农奴的无权利

随着农民的压迫之强化,而增进了农民的无权利的状态。18世纪的地主国家,扩大地主对于自己农奴的压制。1760年的法令,给予地主以流放农奴到西伯利亚从事苦役的权利。1767年的法令,加强农民对自己地主的服从,用鞭打和终身逐放去威胁向皇帝呈诉地主的农民。

农民变成了奴隶和物品,变成了 Trump 赌博的对象,同狗相交换。在定期市场里,农民同家畜一样的被买卖。在彼得格勒,用几只小船装运农民来贩卖。价格有种种,有专门技术的农民,常常可以卖到几百卢布,没有技术素养的,价格特别低廉。儿童只值1—2哥比。例如在因负债而出卖的某领地的记录中写道:"农民列基·尼基佛洛夫,40岁,价格20卢布,其妻玛莉,25岁,10

---

① Plantation 是使用奴隶劳动的领地。

布,其子,1 岁,50 哥比,2 岁,1 卢布 50 哥比"。

六、地主的野蛮

惩罚农民的主要手段是棍棒。农民常因极小的过失遭受激烈的毒打。棍棒之外,发明了许多的惩罚。例如在萨拉特夫县,实行如下的惩罚方法:棍棒、割去半头、削去半发、手枷、足枷、颈枷、带钉的铁颈轮、用牡牛筋的鞭子抽打等。在利森县,更有"宾达器",这是一种为了"使地主之手不触下仆之面"而毒打姑娘和老婆的面颊的木质工具。在皇帝(叶喀得利纳二世)的日记中写道:"没有铁颈轮、锁及其他各种惩罚器具的人家恐怕是没有吧?"

在某地主之下,甚至设立带有凶狠的惩罚器具及许多惩罚执行人的真正的牢房。

女地主萨尔考瓦,对于 75 个农奴,加以最残酷的惩罚。

七、农奴制的普及

这样看来,18 世纪的俄罗斯,是农奴制的繁荣时代。农奴制广泛的扩大了。它普及到俄罗斯占领的许多土地。

例如 18 世纪末叶农民尚未完全农奴化的乌克兰,树立了农奴制。农奴制甚至普及到萨渥鲁加地方。在俄罗斯本身,生活在国有地(即地主占领土地)的许多农民,都转化为地主的农民了。皇帝将这些农民赏给值得受特别赏赐的人们。在女帝叶喀得利纳二世时代(1762—1796 年),有 80 万农民被分赏,其大部分都分给无数宠臣。

问题

一、俄罗斯的对内对外贸易之发展如何?

二、18 世纪的农民的义务有何变化?

三、因何引起劳役经济之发展?

四、农奴制被树立在哪些新地方?

第三节　18 世纪的农奴手工工场之发展

一、18 世纪初期的工业之发展

我们在 17 世纪的俄罗斯国家,早已见到手工业的发达(尤其是在农村)与大工业的萌芽。18 世纪,工业的发展速度极快,当时在国内市场和国外市场对于工业的需要都增加了。在外国市场,俄罗斯的半原料品是必要的,如做帆的布料、做船纲的大纲及半加工的皮革——俄罗斯皮革等。国家也需要大量工业制品。例如做陆军制服的呢绒。地主国家,保护大工业的发展(如像西欧政府一样)。对外国工业商品征课高额关税,给予本国工业以特惠,自己设立工场,雇用外国工匠,招徕外国资本家。政府尤其注意有关军事的工业部门(大炮、火药、大纲、布匹、兵卒用的粗呢绒)。在莫斯科、新首府彼得格勒、都拉附近及奥洛诺地方,设立工场,开发乌拉耳的大富源。最旧的乌拉耳工场(耐瓦河畔)设立于 1699 年,在 1723 年创设乌拉耳矿山业中心地的热喀特林不尔厄(现在的瑞鲁多洛夫斯克)。17 世纪,在莫斯科只有一两个"工场",至 1725 年,已经有 233 个了,其中更有在当时算是很大的企业。在莫斯科的官营帆布工场,有1162 个劳动者,在莫斯科的外国人达麦斯的制布工场,有 841 个劳动者。

二、18 世纪初期的都市大手工工场

18 世纪初期的工场是怎样呢?

外国的参观者,关于彼得时代的一个大工场,曾经写过下面一段话:

　　我们乘橇到街中一个石造的大工场去参观,到达之后,我们看见一切都有秩序地进行着。工场主人(达麦斯)说他完全没有想到在这里设立工场会有这样兴盛。工场中有 150 个织机,差不多全是由俄罗斯人运转,生产出制布工场应有的一切物品,即各种布料(厚的和薄的)、食桌布、Napkin① 的用布、厚薄的垫子、布褥(宽的和狭的)、背心用布、带色的手

①　Napkin,即餐巾。——编者注

巾及其他各种物品。

在吃饭之后,达麦斯最初同我们到妇女部。在这里做工的是十年以上有时因终身惩役而做纺织女工的妇女。其中有的连鼻子都被割断了。有30个左右的最年轻的工人的第一部房间非常清洁。在这里靠壁并坐的一切女工,都是穿着一样衣服。

以后,我们又走到别的工场。那里空气太不清洁,那种臭气我们简直受不住了。最后,达麦斯领我们到有二三十个因得货币而纺织的自由劳动者的地方。然而他们的工银低到几乎不能超过囚人的给养所需要的程度。

18世纪后半的工场手工业,是完成品工场与支给家内工作而从家内工业者收买半制品的制度之结合。

三、波塞萧奴的劳动者

手工工场的所有者,用种种方法搜集劳动者。在手工工场里,连被处惩役的囚人都使用了。甚至往来街头乞怜的"病人和幼年人",都被召去做工。这种"乞丐"和"浮浪者",在16—17世纪的英吉利就很多,而在18世纪的俄罗斯亦复不少。关于俄罗斯乞丐的增加,可以由18世纪发布的关于逃亡者、乞丐、浮浪者的无数法令来说明。但是,工场主还不满足。他们希望自己的企业获得农奴。1721年,政府容纳工场主的要求,允许"商人"给工场收买农村。据1721年的法令,买得的农民,只能用于工场劳动,不许由工场出卖。因此,他们不是被束缚于所有主,而是被束缚于工场了。这种被束缚在工场的农民,就叫作波塞萧奴的农民。这样看来,在农奴制的俄罗斯,连商人的工场都使用农奴劳动了。

四、地主手工工场与商人手工工场的斗争

18世纪中叶,商人手工工场,遇见了成长中的地主手工工场的强力的竞争者。地主为了增加自己的收入,不仅扩大自己的地主耕地,而且驱逐了多余的农民。他们在许多地方设立工场,在这些工场里,对农业生产物实行加工,

从谷物采取酒精，制造呢绒和布料。经营者利用自己的农奴做劳动者。农民不服田地的劳役，而来在工场为主人做工了。

17 世纪，地主的企业家尚不多见，而现在，许多的地主都变成工场主了。

地主为了保障自己去对商人手工工场竞争，强迫政府禁止商人为工场收买农民（1726 年），他们主张占有农奴的权利是地主的特权。至 18 世纪末叶，地主的农奴工场，驱逐了商人工场。

五、乌拉耳的工场

农奴的工场（手工工场），于 18 世纪，多发生在乌拉耳。对于金属（铜铁）需要的增大，在乌拉耳招来了许多大企业家。自 18 世纪初以来，在这里设立了乌拉耳最大的工场主得米特夫的工场。在 18 世纪中叶，由国家和私人企业家渐渐设立了新工场。

乌拉耳工场数目的增加

年次	私营工场开设数目
1701 到 1723 年	11
1724 到 1733 年	19
1734 到 1743 年	11
1744 到 1753 年	27
1754 到 1763 年	68

在 18 世纪初期，铣铁的平均采掘额约为二百万普特，至 18 世纪之末，达到 700 万普特。

富于铜铁矿的乌拉耳的西面全部，在比较的短期间里，覆满了工场网。工场所有者往往都是大贵族。例如伊捷夫斯基及渥特金斯基工场，属于与宫廷有切近关系的雪瓦洛夫伯爵。有势力的农奴所有者，为工场而占有庞大的土地。因为向工场供给劳动者，有数千国有农民，都被束缚于工场了（雪瓦洛夫，在他的土地上，束缚着 25000 个农民）。

乌拉耳矿山业的发达，使 18 世纪的俄罗斯成为金属采掘上的第一等国。18 世纪的俄罗斯，不输入铁，而输出铁了。然而，乌拉耳工场的繁荣，不能由于技术的高度去说明,只能由于劳动者剥削的激化及生产费的低廉(薪炭价贱,矿质优良)去说明。

六、18 世纪的矿山技术

廉价的农奴劳动的存在,使工场主不必使用复杂的机械就可以成功。用"水力"的都很少。

有能力的发明家所完成的技术的改善,不见应用。力学家波鲁诺夫发明了蒸汽机,这比当时英国用去抽水的机器还完全。然而,他的发明,不能被利用,因为这种机器在俄罗斯的农奴工场中是不必要的。

在许多场合中,工场的工作都是使用手力。在矿石的加工上,都不用煤而用木炭。所以在制炼场附近的乌拉耳的密林中,农奴的农民的"烧炭",都是砍倒大树,覆土燃烧。农奴的农民大众,都被驱使去从事烧炭事业,及煤矿和矿石的采掘了。

七、冶金劳动者的状态

冶金劳动者,过着怎样的生活呢? 他们一部分最熟练的劳动者,得到比较高额的工资。因为熟练劳动者为数甚少,所以非常需要。但是,他们只不过占工场劳动者的一小部分(在渥特金斯基工场,15474 人中,只有 586 个是熟练劳动者)。其余一切大众,都处在可怜的状态。远离工场数百启罗的村落的农民,都跑到工场里来了。工场的劳役,如加上往复时间计算,要在 200 日以上。农民经济荒废了。农民往往完全脱离自己的经济,而移入工场。工场的劳动条件非常苛酷。妇女和儿童的劳动,都用在冶金工场了。

劳动者稍有过失,便要遭受激烈的惩罚。鞭棒等物,在农奴工场,如同在农奴领地一样地被频繁使用着。对于企图从工场逃亡的劳动者,用锁子锁起,把脖颈填在铁角里,使他不能睡眠。在一个最大的工场主(得米特夫)之下,设立地下牢狱,在若干年月之后,在那里发现了带锁的死尸。得米特夫秘密铸造货币。当政府检阅时,他为了隐匿自己犯罪的痕迹,命令在地下为自己的主人铸造货币的劳动者向池子里注水。

八、18 世纪工场农民的斗争

农民对于工场劳动如像惩役一样的可怕。劳动者只有用逃亡的方法免除工作的重负和命令的严酷,他们往往组成队伍逃亡。例如在 1763 年,有 200 个农民,从渥诺森斯克工场逃走了。叛乱更是不断地发生。工场的共通劳动,教训劳动者要组织起来共同斗争。1760 年,得米特夫两个工场的农民,占领了工场的城塞(乌拉耳的工场当时是城塞)。他们在那里同派来的军队作过坚决的抵抗。包围军用大炮和炸弹才打破叛徒的抵抗。而且这种情形并不只一次。政府常常派遣惩罚队,去惩治农民,使他们变为"当然的奴隶一般的柔顺"。

问题

一、18 世纪俄罗斯工业之发展较 16 世纪为快,其原因为何?

二、国家采用什么方法去保护大工业?

三、在大企业上,怎样去保证劳动力?

四、18 世纪末叶的地主手工工场何以要驱逐商人?

五、乌拉耳工业成长之起因为何?

六、俄罗斯冶金工业技术之发展甚缓,其故如何?

七、乌拉耳的铜铁行销于何处?

八、试述冶金劳动者的状态。

第四节 布喀乔夫以前的 18 世纪的农民暴动

一、农奴的逃亡与叛乱

农民要想免除农奴压迫的强化,重赋和工场的苦役劳动及重税,只有两条道路,即逃亡和叛乱。在 18 世纪,他们是两者并用。许多农民都想求救于逃亡。

18 世纪,农民暴动屡次发生。在远达加姆喀克的庞大的帝国全部,到处是时常发生农民武器暴动。在这些农民暴动中,其规模最大的运动,是 18 世纪初期布拉温指导的大运动及巴西基尔人的许多叛乱。

二、布拉温运动

18 世纪初期,农民运动的策源地是顿地。

顿地的运动,在拉金斯基之后并未停止。17 世纪末,顿河及其支流的上流(霍普拉及麦都基),变成了由中央地方来的逃亡者的居住地。17 世纪 80 年代,在顿地发生了数次叛乱,都被借助"下层"哥萨克之力的莫斯科政府镇压下去。18 世纪初期的战争,农奴的剥削及租税义务之增加,更形加多了顿地的逃亡者。

18 世纪初期,彼得一世政府,要求将一切逃亡农民驱出顿地,而向顿地进攻。开往顿地征剿逃亡者的部队(在公爵尤里·得鲁哥尔基指挥之下),对哥萨克加以激烈的弹压。烧毁哥萨克的村落,鞭打哥萨克,割去逃亡者的鼻子和嘴唇。

得鲁哥尔基的野蛮,促成了巴康特斯基的首领,康得拉支·布拉温指导下的顿河上流地方都市的逃亡农民的叛乱之勃发。叛徒粉碎俄皇的军队,得鲁哥尔基自杀而死(1707 年),布拉温及其部队,在萨波罗加过冬,至 1708 年 2 月,再出现于上流地方的诸都市。叛徒的中心地,是充满数千逃亡农民及小郊外市民的普里斯坦的小都市。叛乱成功地展开了。布拉温占领了"下层"哥萨克的中心地——捷鲁加斯克。莫斯科政府的汉奸亚达曼和长老相继授首,顿地的权力,遂移于哥萨克的贫民会。

自杀的尤里·得鲁哥尔基兄弟瓦西里·得鲁哥尔基指挥之下的 32000 大军,向布拉温军出动了。

但是,叛徒得到萨波罗加哥萨克的援助,他们组成大部队去援助布拉温。萨波罗加以外,布拉温人更努力将克巴尼的哥萨克及克里米亚的他尔也引入对莫斯科的斗争。

顿地贫民的运动,在临接地方的农民中也引起了反响。"连夜"武装起来的农民部队,从达姆包夫斯基、克兹罗夫斯基、波利苏古列布斯基等地方来到顿地。在顿乱的村落中,实施哥萨克的自治制,在压迫民族克姆克人、巴西尔人、他尔人、莫鲁得瓦人、渥加克人等之间,也发生了动摇。

布拉温军,和叛乱的殖民地民族结成联络。布拉温更和克巴尼的奥尔达、及土尔其的萨尔坦提携起来。照叛徒的话说,布拉温的叛乱,真是"震动了全国家"。布拉温军出现在乌克兰及顿河沿岸的一切地方。全部住民都从亚波里市加入叛徒了。在顿河沿岸,占领了许多都市(波利苏古列布斯基、比鸠古等)。

在窝瓦,布拉温军当作解放者而大受欢迎。布拉温军的首领诺克拉苏夫,取得地方人民的拥护,而占领克姆新及沙里温。布拉温军向萨勒德夫的进攻,失败了。布拉温本人在顿地继续斗争,但是,在亚速附近失败(1708年7月),因恐被敌人所获而自杀。

其他首领、哥洛姆及得拉诺姆,也随着布拉温的失败而相继败北。只有克拉苏夫得将自己军队的一部分带进克巴尼。

在中央的许多地方,特别在窝瓦及鄂喀河沿岸,出现了大众的农民运动(屠杀地主、烧毁房屋、荒弃田地)。

农奴所有者(地主),激烈的镇压叛乱,在顿河及窝瓦等河川中发现了被俘虏者的筏子。

顿河上流地方的都市——运动的中心地,被动员的贵族和兵士占领了。顿地遂失掉自己的独立。农奴制度在这里忽然发展起来。布拉温斯基,是平民要素(劳动者,Burlak,亚鲁西①等)尽最大作用的强大的农民战争。

布拉温叛乱被平定之后,农民运动的中心遂移到东方。

三、18世纪俄罗斯人对于萨渥鲁加及乌拉耳的掠夺

在萨渥鲁加及乌拉耳,地主及商人的占领,激烈的恶化了住在这些地方的诸民族(基鲁斯、巴西基尔、加姆克等)的状态。俄罗斯的官吏,用种种方法榨取他们。向他们课征人头税,使他们从事过重的军事勤务。俄罗斯的僧侣,强制他们信奉斯拉夫正教。关于18世纪俄罗斯的僧侣在巴渥鲁加诸民族之间的活动,据当时的文献所载,有如下一段记述:"传教师及其助手,不去传教,把神的话都抛弃了。用棒打人,而不加以恩惠,此外还有这样的事情,即'僧

---

① 亚鲁西是巴特拉克。

侣'在不能吃肉的斋戒日带着仆人来到改信者家里,走到厨房去,看见做好的牛酪、火腿、昨天剩下的肉等,全都拿去,一点不留。"

四、巴西基尔人的土地的掠夺

地主、官吏及僧侣的掠夺,在被压迫民族中屡次引起动摇。尤其是巴西基尔人,更常常采取武器斗争。在大部分都从事畜牧业的巴西基尔人之间,阶级的分化非常激烈。分出来拥有大家畜群的富裕的上层。但是,真正的农奴制度,在他们那里尚未存在。

巴西基尔地方的丰富的矿物(伯拉河及乌哈河沿岸),引起俄罗斯的掠夺者的注目。巴西基尔人,尤其苦于工场的建设。工场所有者,占有巴西基尔的土地,强制的砍伐森林。土地往往公然被工场占领,或无价购买。例如亚渥加诺·伯得洛夫斯基工场,每年用 20 个卢布"借用"18 万俄亩土地。某俄罗斯商人,用 400 卢布收买 20 万俄亩土地。

五、18 世纪前半巴西基尔人的斗争

在征服者与巴西基尔人之间,屡次发生武装冲突,往往激成大叛乱。在一百年中(由 17 世纪中叶到 18 世纪中叶),有过十次叛乱。由激急强占巴西基尔的土地而引起的 1735 年的叛乱,最为执拗。巴西基尔人对抗俄罗斯军队有五年之久。游牧民的巴西基尔人是很好的军人。当对于俄罗斯斗争时,巴西基尔的贫民和富裕的长老一时连合一起。至 1741 年,巴西基尔地方才渐告"平稳"。

叛乱很严酷被镇压下去。俄罗斯人没收巴西基尔土地的一部,赠与其他民族(麦西捷利牙克),企图借此得到好的同盟者,以便和巴西基尔人斗争。禁止巴西基尔人熔炼金属和使用火器。

六、1755 年巴西基尔人的叛乱

巴西基尔人虽然受了激烈的弹压,于 1755 年,再度发生叛乱。叛乱的指导者穆拉(土耳古的长官)巴鲁茨夏,说明叛乱的原因,而指出压在巴西基尔民族之肩上的三个新的"赘瘤"。第一个"赘瘤"是强制巴西基尔人信奉斯拉

夫正教。第二个是新租税及其他的负担，如纳贡增加，被驱使于战争，为建设都市而搬运木材及为驿递（为了政府的必要）而提供马匹等。第三个"赘瘤"是禁止巴西基尔做盐及强制购买政府盐（一普特二十五哥比）。第三个"赘瘤"，使叛乱冲激起来了。更因为新货币重税而扩大叛乱。巴西基尔人最初得到基鲁斯人的援助。巴茨鲁夏想要联合所有乌拉耳的回教徒去斗争。他在檄文上写道："一切信教者（回教）不得与非信教者妥协。不能为他们建造都市，用我们的马车搬运，缴纳重贡及粮秣，建造城塞和工场，及服其他的勤务。"

但是，疴伦堡的总督（疴伦堡是乌拉耳的军事中心地），使叛徒分裂了。他嗾使基鲁斯人反对巴西基尔人。利用两者之间由游牧而起的旧怨。当巴西基尔人最顽强的一部分，不肯作耻辱的降服，而走向乌拉耳的东方时，俄罗斯政府给予基鲁斯汗特许状，准许将逃亡的巴西基尔人的妻子作为基鲁斯人的奴隶。基鲁斯人把巴西基尔人逐到他们的旧居住地。在那里，巴西基尔人得到俄罗斯政府的许可，引起对于基鲁斯人的复仇战，而杀死数千基鲁斯人。这样，俄皇政府，嗾使一民族反对他民族，而得以镇压这些叛乱。然而，在巴茨鲁夏的叛乱之后，巴西基尔的被压迫大众，仍然是一有机会便发动反政府的斗争。只有富族的长老，从俄罗斯政府得到许多特权，而与俄罗斯人步调一致。

问题

一、怎样说明18世纪农民运动的强化？

二、什么人参加了布拉温的叛乱？

三、何种势力同叛徒对抗？

四、叛乱的镇压，对于顿地有何意义？

五、18世纪乌拉耳的非俄罗斯民族的状态之恶化，其原因何在？

六、教会在抑压非俄罗斯民族上，尽了什么任务？

七、怎样去说明18世纪的巴西基尔人的叛乱？

八、巴西基尔人的叛乱，其失败之原因为何？

第 六 编

18 世纪的欧美与 19 世纪前半期的
欧洲劳动运动

第二十一章　18 世纪的欧洲和美洲

以布尔乔亚作支配阶级的近代资本主义社会,是由于两个革命的结果而发生的。第一是所谓产业革命,即社会生产的革命;将手工业生产变为机械生产的技术上的革命,是产业革命的基础。这种革命,最初于 18 世纪起于英国,后来普及到欧美大陆的一切国家。第二是 18 世纪末叶的法国大革命,这使布尔乔亚站在了权力者的地位。

本章是研究 19—20 世纪的资本主义社会的发展的出发点;根据达到各种经济发展阶段的四个国家的材料,以指出 18 世纪欧美的社会经济及政治状态的特征。同时说明英国产业革命,北美革命及作为法国大革命之前提的法国"旧秩序"以及俄国农奴经济和农奴国家的发达。

研究本章时,应说明下列各基本问题:

(一)在英国,促进工业资本主义发达的条件为何?

(二)北美英领殖民地离英独立而建设合众国,对于该殖民地的经济发达有何意义?

(三)法国旧秩序,只有用革命方法始能扫灭,其故为何?

(四)18 世纪俄国农奴经济及农奴国家之发达的路线如何?

(五)18 世纪俄国农民革命的社会经济前提及其失败之原因为何?

第一节　英国产业革命(Industrial revolution)

一、产业革命前的英国

18 世纪初期,英国人口的大部分,都从事农业。结果,在地味丰沃的东南部,人口非常稠密。当时农业尚未有工业的性质,其生产物的大部分,都为农民自身所消费。土地则属于领主(Lord)、地主(Squire)及自由农民

（Freeholder）所有。比较富裕的农民，叫作约曼农（Yeoman）。此外，终身或永佃人（Copy holder）——这是旧农奴的子孙，亦占有土地；他们对地主负担种种义务。最后，土地所有者中最隶属的阶层，是 Cottager 或雇农；他们在自己小屋（Cottage）附近，有很少的土地，主要的是给地主做工。此外，寺院和王族，也占有极大的土地。

在农村，到处还保守着旧农业形态；主要的是实行需要农作物之交替耕种的三圃制（Three Field System——即每年有一块耕地作为休闲地，在其他两块耕地，栽种小麦和大麦）。地主和农民，加入一定的农村共同体。地主的土地，并不是一个连接的地面，是细分而介于农民土地之间。因为土地所有的这种错杂性，所以各个经营者，必须用一样的方法去耕种土地，并且要确定农业上事务的分配期间。当收获完了时，各人所有地之间的境界，完全撤去而作为放牧地。这种开放地（Open field）为一切所有者所使用，和草地森林一样，作为共同体的采地。

工业和商业，集中于人口不甚多的都市。17 世纪末叶，利物浦（Liverpool）、北明翰（Birmingham）、设佛尔德（Sheffield），各有人口 4000，曼彻斯特（Manchester）有人口 6000。当时，各都市的手工业已经组成了强有力的同业组合。政府与同业组合设立规约，规定各种物品的生产阶段、制品的数量、材料的色彩、手工场中的劳动者人数，行东（Master）职工（Journey man）及徒弟（Apprentice）的关系，同时又统制交换，并决定商品的装运标准和数量。由于货币经济的发达，同业组合不能再统制生产和交换，于是同业组合外的企业遂开始发生，处在同业组合压迫外的农村家内工业发达了。因此，在机械出现以前，农村便成为工业的中心。当时没有土地而需要副业的工资的农民之存在，更加促进农村工业强烈的发达。家内工业普及全英。其一部分是制造金属器具（例如在设佛尔德和北明翰等地方），而大部分是从事纺丝和制造毛织物。家内工业者处在特别不健康的状态之下，在自己小屋中，全日地劳动着，其情况非常悲惨。

英国布尔乔亚政治家兼新闻记者和作家的达尼尔·台佛（1661—1731年），在他的著作《大不列颠旅行记》中，描写小规模的呢绒制造业者所居住的哈勒法（Halifax）郊外。工作场像猫眉似的栉比相连，每家都有木杆，杆上挂着呢绒等手织物。一切呢绒职工，至少有一匹马，每当星期六日，用马驮着呢绒到市场去。家里还有一匹牝牛,用它的乳饲养家族。谷物仅够供给一家人食用。全家人口都要工作;有的染色,有的织绒,有的晒绒。妇女和小孩要梳纺毛丝。商人和他的买办,来到呢绒织工出卖物品的市场、巡视放置物品的货台,以选择所买的货物。

最初,家内工业者是本人亲自到市场去贩卖自己制造的呢绒;但是,后来因为没有余暇时间,无力组织自己物品的贩路,于是遂陷入为批发商工作的状态,而批发商就成为当时的特征人物。拥有资本的批发商,比较容易收买大量物品,运往远方市场,以高价转卖。批发商利用家内工业者的困难状态,贷给他们现金或原料,以其生产要具作抵押。于是家内工业者便逐渐完全隶属于其债权者了。批发商遂渐渐变成了企业家。他们任意规定报酬额,使隶属自己的家内工业者在工作上日趋专门化,同时并组织生产。他们更利用自己的地位、渐次提高对家内工业者的榨取,而聚集了大量资本。

关于18世纪后半毛织物工业的状态,有如下述。

产业完全是家内工业,其各种部门广布国中。制造人最初是骑着马旅行到农家(Farmer)或大市场——这些大市场以前是他们所说的旧都市中的羊毛"仓库"——去寻求自己的原料。

他们将买来的羊毛全部配于分类者,分类者严格规定羊毛的必要长度,凡是不足毛织工业所用的长度的羊毛,便被不客气地用铗刀切断,长的羊毛便交给刷毛人梳刷,刷好以后,就小心地包装起来,载在强壮的马背上,送到纺织的田舍去。

在各村中,住有制造人的代表者,他们接受羊毛,分给农民,同时收集纺成的制品。夏天在乡村的草地上,可以看见做工的妇女。……当自己交付的东西完全收回时,制造人便来找寻自己的织手,最后,织手将卖给商人的或交给染房的织物,都交给制造人。

18世纪中叶,批发商渐渐在生产上尽了重大的作用,收集原料和生产要具,支配着许多工匠,而成为大工业企业的主人。但是,企业各部分的分散以及家内工业者工作时间的延长,均不利于批发商。以前,批发商将作家内劳动的工匠集中在一个工作场。于是遂发生了手工业工场(Manufacture)——用手劳动的大资本主义企业。手工业工场对于家内工业制度的优越性,因其利于技术的分业及对于劳动者的监督,而显著提高了劳动生产性。"以前散在各村的纺织机和织物机,现在随着劳动者本身和原料一同集中于许多大劳动市场。然而,因为无论纺织机、织物机和原料,本是保证纺织工人和织物工人独立生活的手段,但现在这些东西却是保证了对于纺织工人和织物工人的支配,而变为榨取工人无偿劳动的手段。"

产业革命时代有名的英国经济学家亚当·斯密,描写造针的手工业工场。这种工场的劳动过程的特征,在于比家内劳动有更快的速度和更大的生产性。工作情形是有许多家内工业劳动者聚集在一间房子里,一个人碾长针铁,另一个人将它敲直,第三个人将它切断,第四个人削尖,第五个人穿孔和磨尖。因为这种分业,在手工业工厂里,十个劳动者一天可以造出 12 磅针,约为 49000根。这样,一个劳动者,平均一天可以造出 4800 根,而孤立的家内劳动者,每天只能造出 20 根。

手工业工场,加速并增大商品的生产,形成机械出现的必要条件。引起作业简单化的细密的分业,促进了生产的机械化。

发达的家内工业,投入大量商品于市场,助长都市和农村的商业关系及对于外国的商品输出。

在 18 世纪初期的英国,由于外国贸易而引起大量资本的蓄积。这是产出完全欺骗性质的各种股份公司(例如采银公司)的时代。这种公司的成立,不消说是因为资本丰富和热烈希望用这些资本以获得高利的缘故。国债的成立,也可以由此说明。政府借助国债,而得以整理国家的财政状态。

但是,这种异常富裕化的原因,并非只是由于国内蓄积。现代德国经济学家桑巴特(Sombart)写道:"葡萄牙、西班牙、荷兰、法兰西、英吉利等国之富,引起非洲的掠夺、南亚及其各岛以及丰饶的东印度和中美各国的贫穷化,这是我们不能不承认的"。原始蓄积时代的殖民地掠夺,形成了欧洲资本主义发达的基础。美洲及印度航路的发见,扩大了国际商业的领域。致富心、贪欲和利得热,生出欺诈的商人、海贼和强盗,去掠夺无防御的土住民族。企业兴盛的实业家,组织强盗的远征队。所谓王公贵族①,都不惜作这种远征队的股东。贵族的海贼,常常掠夺自己的商人。"美洲金银产地的发见,土住民族的剿

①　海贼佛兰西斯得列克的远征主要股东,是伊利萨伯女皇(1533—1603 年)。

灭、奴隶化及被埋没于矿山,东印度之征服及其掠夺的开始,以及将非洲转化为捕获黑人的狩猎场等,所有这些事实,正是显示着资本制生产时代的曙光。这种牧歌的进程,即成为原始蓄积的主要原因。"

英国商人,为了进行殖民地贸易,而组织"旅行商人"公司。16、17 世纪,出现了许多贸易公司(Company),由政府取得商业独占的特许。如 1554 年的莫斯科公司,1575 年的马拉甲公司,1588 年的基尼公司,1581 年有的来曼特公司,与地中海东部通商,1600 年有东印度公司(The East India Company),1606 年的威基尼(Virginia)公司。美洲的殖民,就是由 Virginia 公司开始的。这个公司,拥有庞大资本及组织国家的权利和特权,在各地开设自己的商馆(Factary),任命自己的总督和支配人。掠夺及黑人贸易,是蓄积的主要原因。一年中黑人输入数目达 30 万人。因为黑人贸易非常有利,所以英国政府于 18 世纪初期,给予本国商人以黑人贸易的独占权,以作对法战争的分获品。此种权利,以前是属于西班牙人、荷兰人及法兰西人。"奴隶和机械或信用一样,是布尔乔亚工业的基石。如果没有奴隶,便不会有棉花,没有棉花,便没有近代工业。奴隶给予近代殖民以唯一的意义,殖民地引起了世界贸易。世界贸易是大工业的必要条件。"

利物浦和波斯顿,都是因为奴隶贸易而繁荣起来的。这些都市向西非输出金属制品,以交换黑人,从这里将他们送到巴西或西印度群岛的农园。同黑人交换来的商品,输送到英国去。奴隶被关在棉花、谷物、烟草、咖啡、砂糖和米等农园中作工。这些被监禁者的身金,常常在两年里就可以完全偿还的。

殖民地贸易,予以极大利润,有时达到五倍或五倍以上。商人出卖殖民地的商品于欧洲市场,同时输出欧洲的物品,因以致富。商人用暴力或欺诈卖给土民毫不值钱的玩具等物,而和他们交换宝石。哈得孙湾(Hadson Bay)公司,于 18 世纪初期,在殖民地"卖出"有 20 倍利润的商品。

　　所有这些体制,促进了封建生产方法向资本主义生产方法的转化过程,为了缩短这个过程的阶段,必须使用××①权力,即集中的有组织

----

① 原文如此。——编者注

的××①。当旧社会孕育新社会时,革命是一切旧社会的产婆。

二、农业革命

在欧洲,尤其在尼德兰发达了的绒毛工业,对于品质良好的英国羊毛,引起非常的需要。

羊的价格增高数倍。因此,土地所有者遂想牺牲耕地,以扩大自己的牧场。所以他们废除土地的错杂状况,而将自己的领地用围墙圈起,以与别人土地相区别。大地主因为想努力扩大由农业生产物的高价所引起的自己的经营,而由土地上"扫荡"了农民。向牧畜经营的移行,引起农民的破灭,使他变成了无土地者。农村崩溃初期时代的英国作家,即 16 世纪的托马斯曼,在他的著作《乌托邦》一书中,说明"羊是怎样将农田由他们永久居住的土地驱逐出去"。他写道:"羊变得非常能吃了,变成袭人的样子,把人作食物,人的姿态从田野家屋和街道中消失去了,一切都空了"。"王公贵族","从地上扫去了家屋和农村全部,留下的只有寺院。但是在寺院里,也仍然有养羊的小屋"。在 15 世纪开始的这种圈围(Enclosure),乃是公开牧场制度对于农民(他们是经营的必要条件)的掠夺。在地主看来,从自己的土地中驱逐住于其上的永佃人和 Cottager,并不困难。至于自由农民,情形就比较复杂了。但是,代表地主利害的议会,是会来帮助地主的。按照法律规定,只要有议会的决定,就可以改革土地[即所谓墙围法(Enclosure act)]。因此常有被改革的土地的地主四分之一署名的法案提出议会。但是,因为地方的大部分土地是属于领主,地方权力亦集中在他们之手,所以这样法案是一定会通过的。自1700 年至 1760 年,颁布了 280 条关于 812000 亩(Acre)②以上宽广的各自教区全部的或部分的墙围的法律。自 1760 年至 1810 年,颁布了 2000 条法律,圈围了 300 亩以上的土地。土地圈围的强化,是由于急激成长的都市对于农业生产物的需要增大所唤起的。不仅牧羊有利,即从事农业,亦有利可图。于是在谷物的输出上,遂发生了 Premium③。从 1697 年至 1767 年,这种

---

① 原文如此。——编者注
② 实为英亩。——编者注
③ Premium,指附加费。——编者注

Premium 达到 600 万磅。于是颁布谷物条例，由此，英国在 18 世纪后半止，在相当程度内变成谷物输出国。恰巧这时英国农业家都关心到农学上的问题，即提高收获与农业经营的集约化。由于圈围田地次第的增加，而可以实行二毛耕地和轮耕，栽培根块类、苜蓿、豌豆等，并实行改良耕地——沼池的干拓、辟荒及排水设备，同时注意石灰及泥土石灰的人工肥料。

"用木锄耕地"及刈取生于早春的羊毛的野蛮习惯，为会议的法律禁止了。土地的圈围，引起农民土地空前的扫荡，促进资本主义的发达。境界的决定，由议会任命的领主的党羽特别委员会来实行。结果，由农民手中夺取最好的土地，而换给坏的土地。假若没有特别的牧场，就完全不能经营这些土地。农民破产了，放弃了自己的土地。照马克思所说，"法律成为掠夺农民土地的武器"。当土地所有者基于"私有财产"和以夺取农民土地时，法律就成为夺取的手段。《共有地墙围法》——收夺农民的法律，是这种掠夺的议会的形态。

于是领地增大，生出出类农业生产物于市场的完全的资本主义的企业家。耕种土地的人类虽然减少，而土地却能和从前一样的或超过以前的出产生产物。……一方面，农业工资劳动者提高了劳动强度；另一方面，他们为自身而劳动的生产领域，却日益缩小了。于是，随着农业人口一部分的解放，同时他们以前的生活手段也被解放了。这些生活手段，现在变成了可变资本的物质要素。介于天地之间的农民，不得不以工资的形态，从自己的新主人即产业资本家手中购买生活手段的价值。

英国的封建土地所有，能够适应这种新条件，所以英国地主遂变为布尔乔亚的土地所有者。他们用超经济的强制方法，压迫创造剩余生产物或剩余价值的阶级的抵抗，坚决的从土地上"扫荡"农业小生产者，使他们从生产手段"解放"出来，而增加工资劳动者的预备队。

于是农业革命完成了，由人口中的一个全阶级中夺去了土地。当作阶级看的农民，在 18 世纪中叶，已经不存在了。据产业革命史家德殷毕所说，在 15 世纪末叶的英国有 18 万自由农民。但是，经过百年之后，当时评论家们所谈的乃是当作事实上死灭的现象看的小所有者了。关于英国议会的占有爱尔兰土地的政策，是有特别记载的必要。爱尔兰是英国资本家经营的土地。那里的一切土地,都落在英国大地主之手。他们将土地细分,以极苛酷的租借条件,租给爱尔兰的佃户。大佃户则减少自己的租地,以更高的价格转租于贫农。爱尔兰的这种苛酷状态,正是爱尔兰人对英国的压迫者发动部分的反乱的原因。这些爱尔兰人的反乱,都被英国人残酷的镇压下去。因法国革命战争所引起的1798年"统一爱尔兰人"协会的对英叛乱,更被特别惨酷地镇压下去。爱尔兰的自治取消,被强制合并于英国,而成为"大不列颠及爱尔兰合众王国"(United Kingdom of Great Britain and Ireland)(1801年)的一部。

农业革命的结束,庞大面积的土地,都变为大地主所有了。他们常常将这些土地租给拥有适于合理的经营组织之大资本的资本家。这些租地农业者(Farmer),和以前的Yeoman或Copy holder,自然是似是而非的。他们多数是因投机、外国贸易以及殖民地的掠夺而致富的商人。他们是"新耕作"的担当者、农业集约化的主张者、畜舍内的畜产业的经营者,他们是养成种品优良的英国家畜的人们。使用工资劳动力(雇农和破产的农民)的改良的经营形态之实施,给予企业家以庞大利益。对农民的收夺,造出无数的劳动力。他方面牧羊和农业的发达,为工业养成了丰富的原料资源。丧失财产和生产手段的普罗列达里亚化的农民,大部分跑到都市去,出卖廉价的劳力于发达的工业。这种事实,和资本的大量蓄积、原料的贮藏、庞大的贩卖市场及国内顺利的自然条件等等共同形成了工业上大变化(产业革命)的基本前提。

三、技术革命

工业发达上所必要的一切材料,即资本劳力和市场,都齐备了。为满足日渐增大的需要所必要的生产机械化,成为问题了。这种机械化,首先实现于由印度传来的棉花工业部门。由印度传入的棉织物,广泛地普及了。棉织物的制造,给予资本家以极大财富。棉布手工业工场,急速发生(里其门得、叶金巴拉等)。印花棉布之急激的普及,引起呢绒制造人的骚动。印花棉布驱逐了旧来的绒毛工业。毛织物职工,在街上阻害印花棉布的搬运,而将其烧毁。将穿印花棉布的人投入水里。但是,棉织物价格低廉,大众乐于穿用,所以容易占领市场。手工业生产,不能满足市场的庞大要求,于是技术革命、机械发明的时代到来了。"大机械工业,给予资本主义的农业以巩固的基础,彻底收夺大多数的农业人口,切断农业的家内工业、纺织和机织的根干,完成农业与农业的家内工业的分化。因此,大机械工业,开始为工业资本获得了全国市场。"

促进生产过程的最初的发明,是 1733 年时织工凯易发明的飞梭之应用于织物业。这样遂将织物的制造提高了 2 倍。这种新方法的采用,对于纺织方面引起很大的需要。在织物手工业工场,非常感到原料的缺乏。"棉丝饥荒",驱使发明家去研究促进棉丝生产的方法。1765 年,织物织工兼木匠的哈格利渥斯,发明手动机,代替纺车。他取自己女儿的名字,命名这种织机为"珍妮"。使用这种织机,一个工人可以运转几个轴,一小时可以纺八卷丝。棉丝生产的速度,增高了 200 倍。后来一架织机可以装置 10 个或 10 个以上的纺锤。曾经做过理发匠的阿克拉得,于 1769 年发明了水力运转机(水力机)。他是头一个开设聚集数百劳动者的大纺织工场的人。"珍妮"机用于织细丝,水力机于织粗丝。1779 年,纺织业者伦普顿利用哈格利渥斯及阿克拉得的发明,加以改造,制成纺绩机"米尔珍妮"(混合机)。这种机械,纺绩速度甚快,可并用于织粗丝和细丝。然而织物方面却赶不上了。于是引起极大的"织物饥荒",结果,牧师喀特拉得发明机械织机(1785 年),因此生产速度增加了 40 倍。

这些机械,最初都是用人力、动物力或水力来运转。以水力作动力,在提高生产上,给予非常重大的影响。在河川沿岸,建设了许多工场。但是,场所的限制、对自然条件的依赖以及气候的影响等,限制了生产的可能性。直至1765 年,化学家瓦特发明了蒸汽机,在技术和工业上,才引起决定性的革命。瓦特将冷却器和气筒区分出来,不用空气,而使蒸汽力运转活塞。气筒变冷后,就不必再使之变热了。瓦特蒸汽机的开始设置,是 1774 年在北明翰近郊的普鲁顿工场。

机械技术的发达,同时更引起了金属工业的革命。因为各企业要装设机械和动力机,所以特别需要铸铁、铁和钢铁。英国虽富于煤矿和铁矿,但是,由铁矿制铁,直至 18 世纪末叶,还是使用木炭。因此,在英国就感到有完全丧失了森林的危险,所以议会颁布禁止采伐木材的法令。但是,在当时的英国,用煤制铁是不可能的,于是不得不由俄国瑞典输入铁和铸铁。至 18 世纪 80 年代,才渐渐使用焦煤(Coke)或混合着硫黄的煤,以代替木炭。这时才应用铁

的制炼法——用焦煤制铁时,只能制炼铸铁,以后使用普通火炉式的特别锅炉
(制铁用),就可以制炼展铁了。在这里不能不述及具有高度品质的钢铁(所
谓坩埚钢铁)制炼方法。188 年,在约克什尔(Yorkshire)装设最初的铁桥,
1790 年,发明了钢铁制炼法。因为机械的铁制支柱之需要、瓦斯灯以及最初
铁道的发明,使对于铁的需要增大十几倍。这时,瓦特发明了蒸汽锤以代替手
力锤,而铁的生产,在八年里增加两倍。机械制造之发展甚速,铁的加工机械
之形式日大,力量日强,并且都迅速地改良了。

当时的人们,就手工场主所害的热病说出下面的话:"新种族的工场主,
由于蒸汽的应用,而不必选择场所,在什么地方都可以建设工场。小屋、积物
室以及成为废物的田舍建筑物,都被加以整顿,在旧墙上装置窗户,便可以在
那里作新工作"。

瓦特蒸汽机的应用,对于工业具有非常重大的意义。有一个产业革命史
家说道:"因为使用蒸汽力代替了水力,所以在任何都市或其他场所都可以集
中了许多工场,只要那里有生产蒸汽所必要的水和煤。蒸汽机是工业之母。"

据马克思所说,大动力机,"因为要胜过自身的抵抗,所以比人类的动力
需要更强大的动力——大动力机是发动均等的无间断的运动的手段,在这一
点上,人力是不能行的。人力只能作单纯的动力使用,人力器具被机械代替
了,现在是以自然力作动力,代替了人的位置。"

四、产业革命后的英国

产业革命,给予英国的各方面生活以深刻影响。离开古老田舍的人口,都
跑进都会,投身于新发生的工场。在煤的产地附近,发生了用煤的工业。住在
这些地方的少数人口忽然增加,而变为大都市。英国的人口,从地味丰富的东
南部移到煤层丰富的西北部。在英国棉花输入港利物浦附近的包括着棉花工
业大中心地曼彻斯特的兰加什尔(Lancashire)地方,发达起来了。北明翰成为
金属工业的中心。绒毛工业集中于赫斯。苏格兰及南威尔斯(South Wales),
都变成了工业地带。因国内商业的必要,而引起交通的改善。铺装道路,代替
了非铺装道路。无数的船舶航路,都由于联结国内中心部与伦敦、利物浦、赫
尔、布里斯托(Bristol)各港的运河全系统结合起来了。

机械技术,极度扩大了生产,减低商品的价格。使用旧器具做工的家内工业,不堪与工场业竞争了。无论如何延长时间,他们终不免于完全的没落。结果,他们只好向自己的竞争者工场主求事,因而增加了普罗列达里亚的数目。

恩格斯描写英国产业革命的结果说道:

> 工业急速的发展,引起对劳动者的需要。于是劳动工资腾贵了。结果,劳动者成群的由农业地方移至都会。人口急激地增加。然而这种增加,可以说几乎完全是普罗列达里亚的增加。加之在爱尔兰,自 18 世纪初期以来,渐渐达到有秩序的状态了。在这个地方,当以前骚动时被野蛮的英国人杀死了十分之一以上的人口,现在急激增加了。但是,以后工业的发展,将多数的爱尔兰人都引到英格兰去。这样,大不列颠帝国的大工场及商业都市就发生了,可是它的人口有四分之三是属于劳动者阶级,构成小布尔乔亚的,只是小卖商人和极少数的手工业者。
>
> 新工业将器具变为机械,将作坊变为工场,因而将中间阶级的劳动分子变为劳动的普罗列达里亚,将从来的大商人变为工场主。它驱逐了小布尔乔亚,将一切人口分成两个对立的阵营——劳动者与资本家。
>
> 近代社会的这两个基本阶级——普罗列达里亚与布尔乔亚——的斗争,是以前一切历史时代的内容。

五、布尔乔亚的意德沃罗基

急速获得支配的经济地位的英国工商业阶段,在 18 世纪末叶,在议会中尚未取得议席。依然为地主利益所左右的英国国家组织,成为工商业上活动的枷锁。政府的政策,不仅给予布尔乔亚以经济的障碍,并且违反了他们所说为了一般的利益而需要给工商业家以自由的确信。在当时人们的眼中,这种起于数百年间的大变化,似乎是基于个人的精力和企业的精神。在自由竞争中,一个人发财,别人失败,由此可以得到进步,并创造出财富。所谓经济关系完全自由的布尔乔亚的理念,在"经济学鼻祖"亚当·斯密(1723—1790 年)的著作中,明显地表现出来。在《原富》中,他主张经济发达的基础是在竞争中战胜的个人的关心。他说最好是个人独立去从事最有利益的活动,这样就可以增进一般的幸福。他主张一切财富的源泉，结局是人类的劳动，这种劳动，由于专门化而成为最生产的东西。亚氏所述自由贸易的思想，成为后来自由贸易主义运动的基础。

当时对于布尔乔亚成问题的，就是取得议会的议席，以便用立法的方法实现自己的理想。

资本主义的发达，引起农民及劳动者大众空前的贫困化和失业的增大。出来辩护这种状态的，是英国经济学家马尔萨斯（1766—1834 年）。马尔萨斯是代表布尔乔亚的利益，他在有名的《人口论》中，证明民众的贫困不是一定的社会组织的结果，而是内在于贫困者本身的自然的"不变的永久法则"。他以为资本主义对于贫困并没有罪恶；有罪恶的是增加迅速的人口，因为这种增加，远过于生活手段的增大，所以才引起贫困。他说人口（出生率）以等比级数（12、4、8、16……）增加，生活手段以等差级数（1、2、3、4、5、6……）增加。这种不均衡，只有由于许多预防的手段、产儿限制及恋爱限制等来调整；不然就是发生战争、疾病等来人工地消灭人口。照马氏所说，贫困是人类早婚及对于性生活不能节制的结果，所以资本家对于社会的贫困是没有罪的，罪是在于制造人口过剩的贫困者。马尔萨斯对贫困者宣传节育，而将恋爱、出产及人生快乐完全给了有资产者。

马尔萨斯的理论（马尔萨斯主义），指示劳动者说他们解脱痛苦状态的唯一出路不是政治斗争和对资本家的斗争或同盟罢工，而是禁欲和节制。

马克思反驳这种布尔乔亚的理论。他证明劳动者的贫困是资本主义的产物；贫困的原因，在于劳动者的劳动生产物不是属于劳动者本人，而是属于资本家，资本家从生产物中只拿出一部分作为劳动工资，给予劳动者，其余的部分，作为剩余价值留在资本家手里；并且资本主义之必然产物的产业恐慌，更增大失业者大众，因而增大了劳动者的贫困。

第二节　北美合众国的出现

一、18 世纪初期英国的美洲殖民地

英国人向北美殖民，是始于 17 世纪。最初的殖民者，是本国的政治上或

宗教上的被压迫者。这些被压迫者，在17世纪的英国，人数很多。北美的英国殖民者，发现温和的气候、广大的草原、处女林、便利舟航的河川、水源丰富的湖水（如密西失必河及森特洛稜斯河，以及北部的许多湖水）。北美的东海岸，有许多港湾。英国殖民者在这里遇见的，只是分为各敌对种族的少数半游牧民（印第安）。这些半游牧民，因为彼此敌对的关系，而对于征服者只能作较小的抵抗。殖民者利用国内各种自然的富源，促进该地农工商各业的发达。于是形成了许多相互独立的殖民地，举其主要者有纽约、马萨朱塞次（Massachusetts）、维尔吉尼亚（Virginia）、宾西尔法尼亚（Pennsylvania）、南北加罗林（South & North Carolina）、佐治亚（Georgia）。

英国政府，最初差不多不干涉殖民地的内政问题，而以英国政府任命的总督去统治，总督的权力受国民代表的意见的限制。这殖民地的人口，急速成长起来（照当时计算，人口每二十年几乎增加一倍）。殖民者占有的地域也扩大了。18世纪中叶，英国人占领了远达密西失必河流域的法兰西殖民地（路易加那）及加拿大。

二、美洲革命

英国想将美洲殖民地置于自己权力之下，作为本国的商品的贩卖市场和原料资源地，抑制殖民地工商业发达的可能性，以免对本国工商业竞争。美洲殖民地工商业的成长，对英国的利益是个极大的障碍。英国不愿意和解，而颁布许多法律，将美洲殖民地置于英国的直接隶属之下。依照该项法律，殖民地只能收取用英国船运来的英国商品。美洲出产的原料（皮毛、家畜、金属之类），也只能输出到英国。

此外，在殖民地禁止原料的工业上的加工。英国方面的这种保护，对于殖民地是不稳当的、不合法的。最初殖民地对于英国的经济斗争，表现为对西印度、西班牙及葡萄牙的激烈的秘密贸易。后来，斗争更非常尖锐化了。英国因为对法国的多次战争的结果，而于18世纪中叶，陷入财政上的困难状态，所以不得不提高对殖民地的压迫。而殖民地便以不买英货来对付。英国对此只有扩大总督的权力，派遣军队到北美去。殖民地为了和英国斗争而决定团结起来。1774年，因为双方让步，而在非勒特尔非亚（Philadelphia）召开想对英协定的各殖民地代表的大陆会议。英国不让步,并且认为和平的殖民地人民不能抵抗英国的常备军,而在各殖民地宣布戒严令。现在各殖民地只有一条唯一的道路,就是为独立而斗争。1775 年,在非勒特尔非亚开第二次会议,决定和英国彻底断交,自己发行货币,组织优良的军队。只有供给英国工业棉花的南部殖民地的布尔乔亚反对和英国断交。1776 年,各殖民地宣言离英独立,并发出《独立宣言》,大意是说"人类生而平等",所以有推翻基于滥用和暴力的政府的权利。于是开始独立战争,其间互有胜负,直继续到 1783 年。反乱者方面的状态,因为用临时组成的军队,抵抗训练有素而惯于战争的英军,所以极感困难。但是,殖民地人民直接在战场上学得军事技术,而表示出非常的英勇。表示这种活泼英勇气概的,主要的是属于小商人、小佃农、职人的平民大众出身的兵士。在工商业上和英国联结着的布尔乔亚和地主,愿意同英国妥协,用种种方法防止革命大众的压迫。全欧洲人都同情反乱者,而参加数千义勇军,其中加入人数最多的是法国,因为他们想借此对屡次打败自己的敌人复仇。在法国义勇军中有后来作为法国大革命的活动家的青年侯爵拉发特和空想社会主义者圣西蒙。经过顽强的战争之后,英国不得已承认美洲殖民地的独立。用伊里奇的话说,美洲殖民地的解放战争,"是在国王地主资本家们为争夺占领的土地和掠夺的利润所引起的许多战争中极少有的、伟大的、真正解放的、真正革命的战争。这是美洲民众反对压迫美洲使陷于殖民地的奴隶状态的英国强盗的战争"。因为这次战争建设了经济上独立的共和国,所以它的意义对于欧洲各国是很大的。马克思写道:"18 世纪的美洲独立战争,是对于欧洲中间阶级的警钟。"

三、合众国的国家组织

被解放的各殖民地,在决定宪法的基本条款上,发生了困难。因为在各殖民地之间有两种主张:一种是统一国家的主张者,一种是各州独立的主张者。至 1789 年,才制出合众国——新国家的名称——的宪法。按照此项宪法规定,各州在地方问题上,有各自的选举机关,由二院——元老院与代议院——组成议会,是全国的中央机关。元老院由各州选举代表二人组织之,代议院由各州按照人口比例选举代表组织之。前者代表各州的利害,后者代表国家的利害。合众国的首脑,是每四年用一般投票选出的大总统。大总统不受议会的限制,可以自由任免各大臣。第一任大总统,是独立战争的指导者华盛顿。

合众国这样的国家组织,直到现在,还没有多大的变更。

第三节　法国的旧秩序(Ancient Regime)

一、18 世纪法国的经济状态

当英国已经获得产业革命的结果时,在法国,产业革命方才开始。18 世纪末叶,法国还是一个农业国。全国人口约 90%,都住在农村。10 万人以上的大城市只有 2 个,即巴黎和里昂。其他城市,都是很小的。

各种经济部门中最发达的,是对外贸易。法国虽然失去了许多殖民地,但是,对外贸易仍能确实成长起来。在 1720 年至 1789 年之间,对外贸易约增加 5 倍。马赛(Marseilles)、波尔多(Bordeaux)、南特斯(Nantes)等港市,都变为世界的贸易中心地。法国的输出物,主要是农业生产物和奢侈品。法国的国内商业,陷于极端恶劣的状态。国中因国税的障壁而分为许多互相分离的部分,因此妨害了商品的移动,致使物价腾贵起来。为了顾及地方的荒歉,所以要特别抑制谷物的买卖。政府规定谷物的贩卖期间、场所、价格、重量、对于输送及收囊的税额。谷物输出,大半是受禁止的。这些方策的实施,引起荒年的谷物投机,发生对于人民的一切否定的结果。

在工业领域,农村的家内工业及都市的不满十个劳动者的小生产,占据优势,大工业多集中于港市,这表示着商业资本与工业资本之传统的联系。主要的工业都市,是绢织物的生产中心地的里昂。

18 世纪末叶,法国才由英国输入机械技术,所以直至 19 世纪初期,法国的机械数目还是很少。中级的手工业工场,最占优势。然而在这些手工业工场中尽重大作用的,是混合式的企业。这种企业,是有一部分劳动者在手工业工场内部做工,而大部分劳动者,是在自己家里做工,手工业生产,很快的发达起来,并且也和从前一样,其内部分裂为同业组合(Corporation)与行东组合(Jurande)。在行东方面有职工(Compagno)和徒弟。同业组合生产,由于极度压迫职工地位的一定规约结合着。职工组织组合,以便对行东保护自己的利害。这种组合,称为"同志",他们有采用同盟罢工的手段。国家的干涉,非常妨害了工业的急速发达。国家规定织物的品质,色彩和长短。不适合政府要求的织物,完全被抛弃了。

能够避免这种压迫的保护的,只有家内工业。并且家内工业可以给予多数农民以副收入。家内工业盛行于土地贫瘠而不能供养多数人口的法国北部。

法国和英国不同,至18世纪末叶,还残留着农民的土地所有,同时也有大土地所有的存在。其特征在属于一个所有者的土地,都被细分为小块;因之遂成为农业经济之合理经营的障碍。大部分地主,将自己土地细分而租与农民。租地条件,非常苛酷。纳租最多的,是"山分",即提供收获的一半。农业技术的水准甚低。三圃制与二交代制并行。耕作器具为木犁,家畜很少,结果,对于土地的施肥情况也很坏,有些地方,完全不能施肥。因此,土地枯竭,饥荒屡起。荒年的数目,从1700年至1780年之间,计达30次之多。

关于农业的不幸,可以由于束缚18世纪农民的许多租税来说明。大部分农民虽说是已经脱离了农奴的隶属状态,他们耕种的土地,对地主(Seigneur)仍然陷于隶属地位。这些农奴制度的残余,表现在许多的农民义务上。此种义务的发生,为时甚早,但至18世纪中叶,已经失掉意义了。关于农民的义务是:用地主的磨粉场磨粉和大锅烧面包时要给费用,通行地主的桥梁或道路要交纳通行税(Péage),使用土地要支付一定金额的货币税(Cens)等。这种支付,有时可以用自然形态,支付收获物的一部分(现物税 Champart)。所有这些对于农民的过重负担,常常因为有多数地主不住在自己的领地,以致缺乏磨粉场、烧面包锅以及桥梁道路等,而更加困难。假若地主来到自己的领地时,情形就更坏了。贵族最爱好的是狩猎,因此他们常常不客气地踏毁栽种作物的农民田地。并且他们为了狩猎而养活许多兔子、鹧鸪和鸠鸟,这些东西,任意的吃荒了农民田地的作物,而毁坏了耕地。

这些事实,在希望打破农奴制枷锁的法国农村,是一种落后的旧秩序的残余。然而这种枷锁,反而更加束缚的巩固了。18世纪70年代,当资本主义侵入农村时,地主想利用 Senor 制度,以更新其权利。农民对此只好以日益强烈的暴动来回答了。

二、身份（Etats）

法国的正式人民，分为三个身份，在这三个身份中，包含着各种社会集团。

僧侣是第一身份。他们免除一切租税和义务，占有收入甚多地味肥沃的广大土地。此外，他们还收取"什一税"——这是从很久以前就由教会向人民征取收入十分之一的一种租税。这种租税，主要是由农民负担。这种极大的收入，是属于"教会的侯爵"，即普通贵族出身的僧正。大半由小布尔乔亚的代表构成的教区的僧侣，都是过着比较清贫的生活，他们一部分和农村大众过着同样的生活。

第二身份是贵族。贵族的生活状态，非常缺乏安定性。贵族中门阀层的大部分，都抛弃收入很少的领地，而聚集于巴黎王宫。政府给以不负何等任务的高贵官职，而安插这些没落的身份。在这种官职的支付下，消耗了国家收入的极大部分。此外，门阀贵族，占据军队内薪水很高的高级官职。所以无论高级僧侣或门阀贵族，都是寄生虫，他们是人数较少而极度受优待的阶层。

第二身份的第二个集团，是仍然住在自己旧居的有领地的贵族。他们过着贫困的生活，在生活的质素上，有时和立于隶属地位的农民一样。然而他们夸耀自己的出身，不能同周围的住民融合，以为无论做什么工作都是卑贱的。同时他们抱着羡慕和愤懑的情绪，眺望着耽于奢侈的宫廷贵族。

第三个贵族集团，是官僚贵族，即所谓"曼特"（Mantle）贵族（这种名称，是由裁判官当执行职务时有穿曼特的习惯而起的）。这种贵族集团，是出席国会及十五个巴力门的最高官吏。巴力门早已就有加国王的新敕令于法律表之权利，而是一个常常对抗国王的绝对主义的地方裁判机关。但是，对抗国王绝对主义的企图并未成功。后来，政府因为国家财政枯竭，以至将过国家的许多职务作世袭权而贩卖。购买者就得到贵族的称号。以前羡慕贵族特权的富裕的布尔乔亚，就利用了这一点。他们变成终身的世系的要职（尤其在巴力门的职位）所有者之后，感到有脱离王权独立的必要。

其他人民，属于第三身份。其中人数最多的阶层，是农民。这些农民，除向贵族和僧侣作种种支付外，还要负担许多间接的租税。间接税中最重要的是盐税。政府独占盐的买卖，课以重税，而提高盐的实际价格到十倍或十五倍。但是,政府负有强使人民购买一定盐数——其定额超过通常需要——的义务。所以最吃苦的是贫穷的农民。然而农民并不是一样的阶层,其中除富农和中农阶层外,还有贫农大众。

第三身份的主要的经济势力,是布尔乔亚。然而它的构成,也不是一样的。其最高阶层是大资本家,他们用高利贷给国家现金,包办国家的租税收入,而加数倍的租税于人民。旧秩序对于这些人是便利的。但是因为破产的国家有不能偿其债务的危险,所以他们企图改造国家权力。

此外还有地方的工商业布尔乔亚。他们因为旧秩序极度抑压国内资本主义的发达而反对它。尤其1786年缔结的对英通商条约,对于布尔乔亚的这一部分的利益,更是相反的。此项条约,以自由贸易为原则,因此对于廉价的英国商品不能征收关税。这样,主要是用手工劳动做成的高价的法国商品,便不能同英国商品竞争,因而引起许多法国企业的破产。

最后,布尔乔亚的知识阶级(律师医生等)、小店主、手工业者的小布尔乔亚以及萌芽的普罗列达里亚,均属于第三身份。

三、国家组织

法国的国家组织,是绝对王政。这种王政的首脑,是世袭国王,他住在极端华丽的宫廷。国家的支配的基础,是无数的官僚、军队和警察。国家的收支,完全不相平衡。政府的债务超出法外,其偿还数,在18世纪末叶,约达全支出的5%。路易十四——谄谀他的大臣们,呼他为"太阳王"——以来,国王常常住在距离首府十七基罗的凡尔赛。那是一个极尽奢侈的郊外宫殿,其中有许多喷水、用雕像装饰的壮丽庭园。在邻近的森林中,可以举行大规模的狩猎;在不狩猎时,便举行跳舞、音乐、花火等华美的宴会。这种奢侈,耗尽了大量的民众的金钱,尤其使勤劳者和农民大众沦于贫穷之渊。最后,农民大众和都市勤劳者,只有使用革命权力以作经济外的强制武器了。

资本主义与大众革命运动的成短,加强产业布尔乔亚与绝对主义的矛盾,失去布尔乔亚拥护的绝对主义,成为封建地主的反动的武器。革命高涨起来,终于推翻了绝对主义。

四、布尔乔亚的意德沃罗基

不满意旧秩序的布尔乔亚,抱着反对派的情绪。从他们中间产生出许多反映布尔乔亚各阶层的各种倾向的思想家。

18世纪最有名的作家是福禄特尔(Voltaire)(1694—1778年)。他具有非常的知识与文学天才。他用自己的才能去批评社会组织和国家组织,对于封建和宗教的偏见,加以激烈的攻击。他主要主张打倒教会。他说:"要铲除这种毒虫"。他极端重视理性和教育,他是一个当时最大的合理主义的哲学家。福禄特尔虽然是个经验哲学的主张者及宗教的热烈反对者,可是他却是个理神论者,他并不否定当作创造力的神。他的政治理想,是由倾听思想家=哲学家的论旨的国王所统治的王政。他尊重布尔乔亚的文化,对勤劳大众抱着蔑视和憎恶的观念。他写道:"民众常常是粗野和愚钝。他们是需要缰绳、御者和粮草的家畜"。勤劳大众反对者的福禄特尔,是具有表现堕落的封建贵族的稳和见解的贵族的=资本主义的布尔乔亚上层社会的思想家。新兴的布尔乔亚,志在改造社会。但是,他们蔑视勤劳大众对于富裕人们的憎恶,而对勤劳大众抱着戒心。

《法意》的著者孟得斯鸠(1689—1755年),则抱着不同的见解。当他著书时,英法文化,正在非常接近。苦于王政压迫的法国知识阶级的代表者,注意英国的国家组织,羡慕英国布尔乔亚的立宪王政。孟得斯鸠就是这种见解的最明显的代表者。他以为政治的自由只有在王权受制定法律的国民代表会议的限制时才有可能。同样,法官也要由民众选举,由不隶属于国王的人来执行裁判。国王只有统治权,即法律适用权,军队及财政的支配权。但是,这也要在议会的严格监督之下去实行。这种"分权论"(立法、行政、司法)的理论,大受布尔乔亚的欢迎,而反映着反对绝对主义的工业布尔乔亚的运动。

小布尔乔亚的代表者卢梭(1712—1778年),是民主主义的主张者。他和福禄特尔不同,他尊敬具有自然质朴的勤劳大众。他主张奢侈与文化的都市生活只不过使人类堕落而已。他认为在没有私有财产和由此发生的不公平的原始时代,人类过着最好的生活。他关于私有财产写道:"因划分土地而发生'这是我的'的思想的第一个人,是布尔乔亚社会的真正创立者。在墙根掘壕而叫自己的近邻'相信这种欺骗'的人，或者可以免除罪恶、战争、杀戮、不行和悲惨吧！如果忘掉土地的果实是属于全人类，土地不为任何人私有，人类也许要绝灭吧！"由此可见，卢梭是表现着小布尔乔亚的情绪，即断然主张废除贵族特权的"第三身份"中一部分人们的观念。卢梭以为将来的国家是一种当作自由小生产者的"契约"（Contract）的结果而发生的组织。这种国家的目的，在于个人幸福即小财产所有者的利益的保护。

布尔乔亚阶层的见解就是如此。但是，反映社会最下层阶级利害的共产主义思想，也同时发生了。例如麦利叶（生于1660年，死于1729年）是个织匠的儿子和贫穷教区的僧侣，他长年的生涯是同农民住在一起，在他的《遗言》中，他以为主要的罪恶在于土地私有和身分制的不平等。基督教会用种种手段欺骗和麻醉勤劳大众，来制造那些罪恶。他和布尔乔亚作家不同，以为希望富者施恩来转换自己的境遇，是完全无用的，而号召贫民来背叛一切的压迫者和榨取者。麦利叶用下面的话表现自己的共产主义理想："人类应该共同而且平等的领有地上的一切幸福和财富。一个都市或一个教区的所有人民，要应该像一个家族一样。他们要吃一样的食物，穿同样衣服，住一样的住宅，而共同生活。"

18世纪的另一个共产主义者莫列利（Worelly）以为人类的主要错误，是最初分割共同所有物及由此而确立的私有财产制。要想纠正这种错误，只有批判现存社会组织及宣传共产主义思想。假使人们能够理解共产主义的优越性，那么他们也许可以很快地在新基础上改变了全生活。莫列利说明新共产主义的计划有三个基本法则的形式：第一，私有财产的废除；第二，一切市民由社会提供生活资料；第三，一切市民为社会而劳动。莫列利以为移动到新组织所采用的手段，是启蒙运动。所以当时最特征的，就是"百科辞典派"（百科全书派）的文笔活动。其中主要者有狄德罗（1713—1784年）、达阿兰伯尔（1717—1783年）、狄尔巴克（1723—1789年）、伊尔伯雪斯（1715—1771年）等人。他们想普及最新的科学知识，著作人们必备的书籍。于是他们企图出版《科学艺术工学大百科辞典》。这种计划，遭受政府检查的压迫。法国的唯物论者，尽了破坏"旧秩序"的思想家的任务，而是科学及技术的各种部门的布尔乔亚革命的表现者。百科辞典派，是充满确信的无神论者，在他们的著作上述说唯物论思潮,而主张一切存在的基础,是物质的运动。因此他们得出的结论是:人类的性质,不依存于生得的资性,而依存于周围的环境。这样,知识便具有非常重大的意义。所以有普及大众知识的必要。18世纪的法国唯物论者,将化学、物理学及生命现象归之于力学现象。他们否定自然及社会的发展过程。他们不能充分重视历史过程中生产力的作用,而认为人类知识的成果和教化等是历史的基本推进力。

布尔乔亚哲学家及政治著述家的这些活动,在对于到来的革命之知识的准备上,具有非常的意义。他们借助自己的著述,以动摇王权、僧侣、贵族身份及旧秩序(在这种秩序中布尔乔亚没有政治权利)的基础。同时,他们更普及实证知识,传述后来法国大革命的活动家们所依为指针的思想。

第四节　农奴制的俄国

一、农奴经济

18世纪的俄国,是典型的农业国家。人口的绝大多数(90%以上)是农民。失去个人自由的农民,被束缚于自己耕种的土地。因为土地的所有者是国家、地主和修道院,所以农民遂分为三个集团,即国家的农民、地主的农民(即农奴)和修道院的农民。1764年,修道院的土地被没收为国家所有,由特别机关——经济部管理。从此以后,修道院的农民,遂取得"经济的"农民之名。一切农民,都要向国家缴纳人头税。人头税的征收,不分任何男子,亦不论幼年或老人。征收农奴人头税的是地主。地主是对于自己农民的完全权力者。18世纪,俄国支配阶级的贵族,获得占有领地的特别权利。但是,在彼得一世(1689—1725年)支配的18世纪初叶,贵族同其他身份一样,尚未取得完全的自由。他们负有烦恼的义务:作武官或文官。当时无论都市住民或郊外住民,都带着农奴的性质。他们也和农民一样,要缴纳人头税。彼得一世时代,都市住民分为商人、职工和下层劳动者。那是,职工组成同业组合。僧侣对于国家所负之义务最轻。他们为政府祈祷,因而便可以免除一切负担和义务。

18世纪农奴制的俄国,经济上非常落后。因为远离世界商业的中心地及大西洋,所以不能参加海岸地方殖民地的掠夺。俄国的农奴所有者及商业资本,不能不殖民于邻近各地——西伯利亚、东南部及南部俄国。然而,对外贸易的发展,最先要寻求出海海口,即获取海岸。俄国具有西欧必要的丰富的原料资源。其输出品为发展的造船业所必要的木材、锚钢、大麻和麻布以及鞋皮、食料品、铁等。然而因为波兰及瑞典领地的阻隔,使俄国对于自己的雇主的贸易,首先对于英国,不能直走最近的海路——波罗的海。俄国经过阿斯达拉干直接和英国通商,本是事实,然而这种曲折的道路,因为酷寒的缘故,每年要闭锁数月不能通行。彼得一世,为了商业资本的利益,而和瑞典开战,以企占领波罗的海海岸。这次的北方大战役,继续 21 年(1700—1721 年),牺牲了极多的人命和金钱。结果,俄国打通芬兰湾及利格湾的路线。在芬兰湾对面的耐瓦河畔,建设了新俄国首府——彼得格勒(这含有彼得大帝之都的意义,1703 年)。

俄国的国内商业,一部分集中在都市,一部分在定期市场举行。这种定期市场,是定期在地方的都市或乡村于地方寺院纪念日举行。所买卖的为食料品或家内工业的生产品。外国商品,主要是奢侈品,只在都市的商店买卖,其买主是贵族。

农业尚不发达。聚在北部各县的国家的农民,作成农村共同体。在这些实行自治的共同体内部,三顺耕作法、木犁以及换种制等,还占在支配的地位。贵族领地的农业,比较好些。它多半是在俄国的中部。普通在地主经营中,一切土地,都分为两个不等的部分。好的部分留为地主自己经营,坏的部分给予农民。农民用这块土地不仅要养活自己的家族,而且要向国家缴纳人头税。同时,农民还必须用自己的农具去耕种地主的土地。农奴为地主支出的劳动,叫做劳役。这种劳役,不限于农业方面,而且采取其他的劳动形态,例如建筑、蘑菇或果实的采集等形态。并且对于这种劳役,常常加税。这就是说农民要支付一定额的货币或自己收获物的一定部分。但是,因为农民的经营很小,所以要支付许多税收,是非常困难的。因此,只有地主减少地主的耕地时,才能加税。

二、工业的发达

18 世纪初期,俄国的工业尚不十分发达。生产大半带着家族的性质。在都市中,手工业即为定户制物的工业,占优势。在彼得一世时代的彼得格勒,除以前的手工业即制靴、缝衣、制皮等之外,还有新工业即制造马车,钟表和书籍等。在农村,家内工业非常发达。农民的极大部分,都从事家内工业的生产。因为只有农业是不能饱食足衣的。许多地方,在18世纪就已经成为某种家内工业品的制造中心地。例如伊党诺瓦,渥兹耐塞斯克及西亚等村,以布的生产出名,巴渥罗加(尼捷哥罗特斯加县),以金属器具闻名。

大工业企业,至18世纪末叶才发生。然而这只是个别的现象而已。这就是外国人创立的或是在地主的经营内发生的许手工业工场。在彼得一世时代,才热心扶植这种手工业工场。当时的人们将这种手工业工场误认为工场。手工业工场之强力的发达,一部分是因为家内工业生产不能满足的国家的增大的需要。国家最初为了制造呢绒、船布、武器、琉璃等物,而自己经营手工业工场或工场,因此在那里束缚着许多农民去做工。关于这些工场的生产规模,可以由下面的材料来说明。白尔摩(Perm)的9个冶金工场,束缚着25000个农民。在塞斯特列兹的金属工业中,有683个工人做工。在莫斯科的帆布工场,有1162个工人做工。不过这些企业的建设,因为它的大部分不是集中劳动者于一个工场,最好的场合,也只是采用小屋制度,其大部分是利用各家内工业的家庭劳动,所以它是建立在旧的家庭手工劳动的基础之上。

官营工场=手工业工场,发达未久,便趋于没落了,为私人企业所代替。有些工场,免除租税,而让与俄国商人或外国商人以及贵族。商人们使用逃亡农民、免役兵士、乞丐、放浪者的自由劳动。但是,因为俄国农奴制性质的关系,自由劳动者为数极少。至1721年,为了商人的利益,允许商人有所谓私有的农奴的工场,以束缚农民。

于是出现了新种类的农民,即私有的农民,他们不是被束缚于工场所有者个人(好像农奴被束缚于地主个人一样),而是被束缚于工场,如果离开工场,便无处出卖劳动力。当时除私有的商人工场外,同时出现了使用自己农奴劳动的贵族或地主的工场。关于地主工场之出现,可以由于农奴间有许多家内工业存在一事来说明。此外,地主本身还常常制造满足布匹,或其他的自己经济必要的物品。

为了助长工业的发达,在彼得一世时代,对于与俄国内部制造之物同种的外国商品,课以高额关税。一部分因为政府的支持,而在彼得一世统治终了时,俄国已经有 200 个以上的工场了。

三、地主经济

资本主义的发达与贵族方面需要的增大,在农奴经济上,显示出激烈的反映。为了满足增大的需要,而要求货币。以前,因为道路恶劣,所以劳役的经营,只能生产不赔欠送往远方市场的费用的物品(谷物和燕麦)。地主为得货币计,而缩少自己的耕地,课农民以货币税。结果,不但家内工业发达起来,农奴为取得工资而暂时的离开土地的事实也加多了。许多地主开始制造酒类,大麻或麻布等物,部分的置其经济基础于工业之上。而谷物的栽培,遂认为次要的事了。

至 18 世纪末叶,英国产业革命的结果,而对于俄国谷物的需要因之增加了。于是使地主经济非常活跃。在地主眼中,南部及东南部黑土地带的意义很大。占领含有谷物贩卖港的黑海岸,有非常的意义。这时,俄国贵族,开始图谋自己经济的发展。苦于勤务的贵族,随着在国家机关中自己势力的增大,渐次免除勤务,而将多数时间用于自己收入资源的领地。18 世纪 30 年代,义务的勤务期间,限制为 25 年(由 20 岁至 45 岁);然而 1762 年,他们便完全免除这种义务了。另一方面,贵族努力图谋自己攫取国家的土地。地主的土地所有,机会扩大到全俄。在 18 世纪的最后 39 年,地主由国家夺取了占有 140万农民的土地。俄国因贵族所迫,而于 18 世纪,与土尔其开战数次,以便占领黑海的北部海岸。俄国费了很大的牺牲,终得达到黑海海岸。同时在南部黑土地带及克里米亚半岛,也立下基础。然而殖民却不限于南部,而普及到东南部丰富的加尔姆克、乌拉尔的斯太普及高加索。在高加索,于彼得一世时代,征服了佐治亚(1801 年),佐治亚是一个分为许多王国和公国的封建国家。因为内部纷争以及对波斯人、土尔其人、列茨基斯人的不断的战争,而削弱了国力。佐治亚的支配层想求俄国"保护",以便获得自己的权力和国家的独立。但是,"和平的合并",对于俄国的专政含有使佐治亚变为殖民地而在黑海及里海沿岸建立基础的意思。佐治亚事实上已为俄帝占领,后者夺取佐治亚一切的独立,而使它作为恬不知耻的殖民地掠夺的舞台。在佐治亚制定的秩序、强制采用不能懂的俄语的新法律之强制实施、佐治亚的压迫、民族文化的迫害、大部分由内地各县放逐来的俄国官吏的粗野和放纵等,从占领的第一天起,便唤起了动摇和公然的叛乱。殖民地征服者,用种种方法,利用佐治亚的农民和地主贵族的阶级斗争,以坐收渔人之利。他们依赖佐治亚的地主贵族,用种种赠物收买,给予小贵族以侯爵或警察官吏和第一级武官之职位,同时常常监视他们的政治的忠实性如何。佐治亚的农民,苦痛尤甚,他们的土地被夺取了,但是还要缴纳军队的兵粮。对于不肯服从的,派遣惩罚队,不客气地加以弹压,甚至剿灭全村。农民运动,带着大众的性质。佐治亚的山民对于殖民地征服者的最初叛乱,勃发于 1804 年,至 1805 年,遭受了激烈的弹压。在 19世纪前 25 年中,屡次发生农民叛乱。

俄国的殖民,因其完全没有触及佐治亚的农奴制,而加速其封建制度的解体。贵族对于农民的榨取,自入于俄国权力下之后,不唯不减弱,反而加强。

19 世纪前半亚历山大一世尼古拉一世统治时代,帝俄扩大自己的占领地域到萨高加索,占领隶属波斯的亚尔美尼亚地方(喀拉巴夫、叶利班、那捷曼汗国)。

俄国的地主,为了尽量获得大量利润,而采用比较容易的手段,加强农民的榨取,即加强农奴制。在土地贫瘠远离黑海对面海港的中央各县,劳役耕地,次第缩少,租税激急增加。在 18 世纪的最后 40 年中,税量加至 5 倍以上。这同该地工业的发达有连带关系。反之,在利于栽培谷物的南部及东南部的黑土地带,仍然使用劳役制度,往往农民有全周时间都费在劳役上,以致完全不能经营自己的农业。在许多领地上,所有农民的土地,几乎全成为地主的耕地,而农民只领取每月的生活维持费。

18 世纪后半叶,国内市场的谷物价格,急速腾贵。这是因为产业革命的结果以致俄国谷物向需要购买外国谷物的英国输出的缘故。同时,在俄国非黑土带的中央地带,对于南部及东南部的黑土带地方,也引起了激烈的谷物需要。谷物价格,在 60—80 年代,约腾贵 5 倍。因此,生产谷物比从事其他工业活动都有利。结果,地主极力从事谷物的生产。他们缩少农民的耕地,增加自己的耕地,并且向农民征收劳役。对于农民的榨取,很多达到非常酷烈的程度,因而引起农民的叛乱。在农民间,增大了对于地主的憎恶。贵族为了压服农民,在叶加利那二世时代,获得流放自己农奴到西伯比亚的权利和投入牢狱的权利。此外,贵族还可以激烈地用鞭拷问。

四、贵族的俄国

18 世纪,贵族渐次占领了国家机构。在彼得一世时代,贵族对国家负担强制的勤务的结果,以致贵族身份,都带有被义务的性质。彼得一世,使贵族要普遍的读书,他禁止未经过文法、算术及几何数等试验的贵族结婚。在彼得一世时代,贵族的地主权也受了限制。彼得一世规定贵族领地只能让给一个儿子(单子继承权)。一般来说,彼得很少依赖门阀贵族,而将国家的高级职务,一部分由平民即各种身份的出身者,一部分由外国人来充当。他将元老院作为最高政府机关。在这种构成中,也有平民参加。彼得死后,旧门阀贵族因争王位而发生斗争。这种斗争,遂成为 18 世纪的宫廷革命。因此,贵族驱逐了未得贵族同意而想独立统治的××①。在这些变革中演决定作用的是近卫军。这是直接留在王宫而全部官兵均由贵族构成的一种军队。所以近卫军是为了削弱发达的布尔乔亚而使贵族的候补者得以高登王位的纯粹贵族的组织。这时的俄国对外政策,完全以地主阶级的利益为转移。

在因贵族拥护而即王位的彼得一世的女儿伊利沙白(1741—1761 年)统治时代,贵族势力显然地反映到政府的上层中央机关——元老院。在这个统治时代元老院实行的许多改革,全是适应着贵族的利益。据伊利沙白的宠臣西瓦洛夫的提议,减轻地主由各农民夺取而支付的人头税。然而这并没有改善农民的状态,农民并不少给自己的地主,而且在大多数的场合,反而支付更多的税。可是这样一来,贵族的钱袋里却流入了更多的金钱。在这个统治时代,贵族养成了一种习惯,即当自己的儿子出生时,立即登录于军队勤务的名簿。儿童们逐年进级,实际上当服勤务时,已经变成将校了。

在彼得三世时代(1761—1762 年),贵族达到了多年来的宿志。即他们由于"贵族自由"的宣言,而免除义务的勤务,变成自由的(没有任何负担的义务)身份。在即位后立刻为奥鲁洛夫领导的将校所杀的彼得三世废位后而在近卫军拥护之下即位的伊加利那二世的统治时代(1762—1796 年),贵族获得

---

① 原文如此。——编者注

了最大的权力。受贵族出身的宠臣们(其中最有势力的是达布利捷斯基公爵波乔姆金)包围的伊加利那二世,借用法国哲学家或评论家(孟得斯鸠、福禄特尔、狄德罗)的空辞,来粉饰自己颁布的适合于贵族利害的法律。她和福禄特尔及狄德罗常常通信。她为了编纂新法典,而主张召集协议集会——代表委员会(大半由贵族组成)。但是,因为这个委员会暴露出限制专政的倾向,所以在期前便被解散了。然而贵族在这个会议主张的许多希望,后来都实现了。改革的事项,主要是关于地方的统治。这些统治全部移入贵族之手。各县的统治,属于总督,各郡的警察权,属于地方裁判所长。这些二等的职务,也全被贵族占据了。在1785年对于贵族发布的"下赐状"中,伊加利那确立了很久以前为贵族所获得的财产自由处分权(单一继承制在以前已经被废止了)及义务的勤务免除权。贵族免除了各种个人的负担。如发生特别事情,则可以根据贵族法庭的裁判取消其称号。最后,他们免除了体罚。贵族所有农奴的权利,也同样特别确立了。假若完全实行"贵族下赐状",则贵族甚至可有在选出贵族长的县或郡的贵族会议上组织身份制的团体的权利。

贵族呼为伊加利那二世大王的伊加利那二世时代,是贵族支配的黄金时代。

伊加利那统治时代的大部分时间,是消磨在对波兰及土尔其的战争。对波兰战争的结果,完全消灭了波兰国家政治的独立性。自1772年到1795年,波兰为俄、普、奥三国分割。俄国从以前波兰的领土中获得白俄罗斯、屋鲁尼、波多利亚及立陶瓦。对土尔其的战争,表面上是为了从土尔其的压迫中解放巴尔干半岛的斯拉夫人,而实际上,是为了占领能输出地主小麦的黑海出口的波斯霍拉斯及达尔达耐尔斯海峡,战争的结果,使俄国合并了诺威俄罗斯的草原及克里米亚地方。

五、布哥乔夫的叛乱

劳役的强化及农奴制激化的结果,增大农奴对于地主的憎恶。各处发生农民叛乱,往往杀死地主。带着大众性质的农民向边境地方的脱走极度加多。脱走的农民,在边境地方,结成哥萨克团体,满含不平之气去服从政府的殖民地政策。政府允许他们自由,而以他们服从国境地方草原的军务为条件。哥萨克取得自治权,选举长老和队长。住在牙克(现在的乌拉尔)河流域的哥萨克,多从事渔业。他们用盐渍鱼,卖给俄国商人。他们时常遭受巴西基尔人或其他游牧民的侵寇。经过相当期间,在哥萨克中,发生阶级的分化。因买盐卖鱼的商业行为而致富的长老,显然都变成了富翁。贫穷的哥萨克,负担许多税金,对于富裕者陷入经济的隶属状态。

受异邦人之蔑称的边境诸民族,对于贵族的国家,抱着许多的反感。鞑靼人、莫鲁得瓦人、捷列米斯人、加尔穆克人、巴西基尔人等人种,有许多推翻俄国压制的理由。他们的土地,受俄国的殖民,其方法和他们异国兄弟所受的一样。边境地方的人民,被强制的信仰基督教,被收夺自己祖先历代的土地,负担极端苛酷的重税。在 17、18 世纪之间,巴西基尔人,屡次企图反抗俄国的殖民地压迫者。但是,俄皇政府极惨酷的镇压这些叛徒,处数千叛乱参加者以死刑,没收其财产,而使之荒废。

在乌拉尔冶金工场中,农民大众在极苛酷的条件之下劳动,他们离开自己的家族,被强制的束缚于工场。

因为这些事实,在边境地方,引起极险恶的情势。叛乱的气势,扩大到全农民大众,甚至连农民的榨取不似东南部和东部地方那样激烈的非黑土地带的农民都卷入了。农民除了想免除贵族的义务勤务外,并期待自己从农奴的隶属状态解放出来。农民大众,对于很小谣言都倾耳细听。现在只要有一个火花便可以燃起叛乱的火灾。燃烧材料已经很多了。作这个火灾的导火线的,是对抗政府的压迫而起的牙克哥萨克中贫民层之间的运动。

1773 年,在全牙克广布着彼得三世出现于哥萨克的谣传(实际上他已经在 1762 年由于其妻伊加那的命令被杀害了)。顿哥萨克的布哥乔夫,便利用这种谣言发动起来,1773 年,他用彼得之女之名发出最初的敕令,给予哥萨克以"河川、土地、牧草、江海、金钱的俸禄、谷物粮食、铅、火药及永久的自由"。允许巴西基尔人自由使用土地、森林、河水、渔场,给以金钱和食物,并保证信仰的不可侵犯。贫穷的哥萨克、巴西基尔人、马利人、莫鲁得瓦人、加尔穆人等,都起来响应布哥乔夫的号召。

布哥乔夫率领这些军队,到处散布敕令,而进军北方。当布哥乔夫进军时,持有新式武器的哥萨克及农民大众,都来加入了。讨伐布哥乔夫的政府军队,也很多变成布哥乔夫的同志。冶金工场的劳动者,给予布哥乔夫以本质的援助。他们携带乌拉尔工场制造的大炮去投入布哥乔夫。布哥乔夫立刻变成了持有各种武器的大军首领。但是,这种军队是没有训练的。其主要的支柱,是农奴大众。布哥乔夫在1774年的敕令上向农民喊出剿灭贵族的口号:"我们是权力的反对者,是皇帝的敌人,我们要逮捕压迫农民的分子,处以死刑,或削首"。这个敕令,使农民脱离地主,免除兵役义务,废除租税,同时无偿的(没有代价或租税)给予农民以土地,宅邸及附属的菜园、渔场、盐田等。乌拉尔河及伏尔加河畔的全体农民,随着这种号召,都起而叛乱了。农民大众一听到布哥乔夫到来的谣传,便起来驱逐自己的地主,烧其宅第,而投入布哥乔夫的军队。甚至在政府军队中都发生了叛乱。

结合包围着布哥乔夫的各种大众的口号和他们要实现的目的,布哥乔夫没有一贯的完全的政治纲领。布哥乔夫在敕令上主张满足一切被压迫人民层的本质的利益,推翻榨取他们的地主和政府的压制。

布哥乔夫叛乱的基本特征是这样:起于牙克河的这种反乱,卷入乌拉尔,渐次扩大到北部及东北部。其后,布哥乔夫又转入西方的伏尔加,更进而走向俄罗斯的中央部,那里的农民大众视布哥乔夫为救主似地期待着。伏尔加地方及乌拉尔地方的叛乱,无疑地变成全俄罗斯的叛乱,由于场所的不同,也许引起与实际上发生的完全不同的结果。但是,布哥乔夫企图包围奥连堡,而给予政府集中大军征讨自己的可能性。在布哥乔夫采取走向伏尔加方面的路线(Course)之后,因其远离乌拉尔工场,屡次失败,不能进入中央俄罗斯,渐次从伏尔加河向南部退却。这种退却,引起叛徒阵营的解体,继之便全军覆灭。布哥乔夫在沙利森附近被全部打败了,走入哥萨克,但是,他们叛变了,把他送到莫斯科,于1775年被处死刑。布哥乔夫死后,农民动摇仍未停止,伊加利那政府用极大努力,才压服了这次运动。

布哥乔夫叛乱的失败原因,自然不是作战上的失败,而在于运动的自然发生性与无组织性。因为阶级构成的庞杂及参加运动的社会层——哥萨克、农民、土住人民、冶金工场的劳动者——的种类繁多,所以各阶层各集团,都是为自己地方的利害斗争,而不能同其他社会层的利害联系起来。他们没有叛乱的权力主持者和大众指导者,缺乏充分显明的运动纲领。巴西基尔人的叛徒,把工场看做自己的敌人而加以破坏,因此,割断了供给布哥乔夫军队的武器的地盘。杀死自己地主的农民,不能和布哥乔夫同时进军。布哥乔夫运动,虽然变成农民运动,而真正威胁了农奴制度和农奴国家,而上述种种事实确是这次运动的失败原因。

叛乱遭受政府极度残酷的镇压。受拷问和被处死刑者,不下数千人,许多村落连人影都没有了。

布哥乔夫骚动,对于贵族的俄罗斯,是威胁的种子。这种骚动的重演,威胁了地主和政府;对于以后的革命运动,这是一种历史的教训。

六、18 世纪的概括

布哥乔夫叛乱,并未减轻农民肩上繁重的农奴的负担。农奴关系虽然仍旧存在,并且扩大了面积,但是,18 世纪末叶的俄罗斯与彼得时代的俄罗斯已经不一样了。资本主义诸要素,这时更加发达了。都市显著的成长了。许多农民,因为地主课税而离开农村,走入都市的工场,结果,增大了自由工资劳动者的数量。工业非常发达。18 世纪末叶,工厂数达到三千。这时,贵族工场只占商人工场的五分之一。国内市场也成长起来了。于是在 1754 年,国家不得不同法国一样完全废止极端压迫商业的国内关税。18 世纪末叶,布尔乔亚显然巩固了基础,并且成长起来。伊加利那二世,在给各都市的"下赐状"(1785 年)中,允许各都市中最富裕阶层的自治权。布尔乔亚及知识阶级的上层,免除了人头税和兵役义务。

18 世纪,教育也进步了。1755 年,除贵族学校外,在莫斯科设立第一个俄罗斯大学。这个大学,分为两部:一部是贵族,一部是平民。此外,在莫斯科和喀赞,更设立中等学校。外国书物也输入俄国了。布尔乔夫及贵族的先进阶层,显然意识到俄国有沿着西欧国家的道路前进的必要。技术的落后,农奴制度及教育的不发达,抑制了俄国资本主义的发达。英国技术的发明,对于使用廉价的或无偿的农民劳动的俄罗斯是无缘的。

七、布尔乔亚的意德沃罗基

在伊加利那委员会,早已有人高唱亚当斯密的自由贸易论了。从贵族先进阶层出身的布尔乔亚旗帜最鲜明的代表者,是诺维考夫(1744—1818年)及拉几斯捷夫(1749—1802年)。诺维考夫出版讽刺杂志,反对农奴制。他在自己设立的书店里,贩卖自己出版的、俄国的以及俄译的外国书籍。此外,他直接去挽救为饥寒所迫的农民。为了这种活动,他在休里塞堡要塞过了好几年。

布尔乔亚简介的另一个伟大代表者拉基斯捷夫,和许多贵族的儿女一样,是在外国(拉普奇大学)受的最高等教育。那个时代,德国学生都热烈地酷爱法国的、孕育革命的文学及启蒙哲学。拉基斯捷夫归国服务后,便开始文学的活动。在他的作品中最值得注目的,是《自由》的诗和《由大彼得堡到莫斯科的旅行记》等书。他使作为一切伟大事业之源泉的自由与专制对置起来,在《自由》诗中,极力攻击专制。旅行记一书,完全充满了法兰西大革命的精神。在这本书上,拉基斯捷夫反对专制和农奴制。他简略地描写出许多地主的压迫的明显图案:在这里有使农民整周为自己做工的地主,有农民的人身买卖和对于农民的拷问以及地主无限放荡的种种姿态。拉基斯捷夫写道:"给饥饿的奴隶和农民留下了什么呢? 没被夺取的,只有空气了。"他这本书是匿名发表的,后来,忽然被发掘他是本书的著者,于是遂被逮捕了,并烧毁他的书籍。他在伯特罗巴夫洛夫斯克要塞被捕后,被送到西伯利亚,在那里过了六年。后来到亚历山大一世统治时代(1801—1825年),他被赦回来,但是,因为不能和围绕他的现实妥协,终于自杀了。自由主义的布尔乔亚思想与农奴俄罗斯的最初斗争,就这样结束了。

重要事件年表

1733—1785年,英国最初的技术发明时代。

1733年,凯易飞梭。

1765年,巴克利渥斯的"珍妮"机。

1769年,亚克拉得的水力机与瓦特蒸汽机。

1779年,克伦普顿的"米尔珍妮"机。

1785年,加特拉得的机械织机。

1776—1789年,北美合众国的建国。

1774年,非勒特尔非亚会议。

1775 年,非勒特尔非亚第二次会议。

1775—1783 年,独立战争:

1776 年,独立宣言。

1785 年,英国承认美洲殖民地独立。

1789 年,合众国的联邦宪法。

农奴制的俄罗斯:

1771 年,允许商人领有私有的工场。

1755 年,莫斯科最初设立大学。

1762 年,贵族的自由宣言。

1772—1795 年,波兰的瓜分。

1773—1775 年,布哥乔夫叛乱。

1785 年,贵族的下赐状。

演习题目

一、美洲殖民地之脱离英国,因何引起?

二、英国农业革命发生之原因何在? 又此种革命对谁有利,是怎样实现的?

三、英国技术发明的原因为何? 又何以最初只行于纺织产业部门?

四、英国工业资本主义的胜利,引起怎样的社会经济的结果?

五、法国资本主义的发达较迟,其原因为何?

六、法国的新兴资本主义与封建秩序残余的对立表现于何处?

七、法国大革命前阶级势力的配置如何?

八、在俄罗斯的地主经营中,何以一种是盛行劳役制度,其他则实行征税? 试言其故。

九、何以伊加利那二世统治时代,是贵族的支配时代?

十、何种社会阶层参加了布哥乔夫运动? 并且对于运动的命运有怎样的反映?

第二十二章　19世纪前半叶的
欧洲劳动运动

法兰西大革命,扫除了封建残余,使法国很顺利地踏上了以前英国所走上了的资本主义发展的道路。本章所要讨论的,是19世纪前半叶两大阶级——资产阶级与无产阶级——间的相互关系。从那时起的两个阶级间的倾轧,一直继续到今日,尚未停止。

本章必须阐明下列各问题。

(一)无产阶级的地位及其构成,如何反映到19世纪前半叶的劳动运动之上?

(二)当时,无产阶级斗争失败的原因何在?

(三)当时著名的社会学理论,是想怎样去解决主要的矛盾? 在个别的理论中,有过如何的积极方面? 他们的乌托邦,在于何处?

第一节　英国资本主义之发展
及其劳动运动之成长

一、19世纪初期的欧洲

拿破仑帝国的崩溃,使战胜的各强国,着手局部地结束法国革命的胜利。1814年在维也纳举行的欧洲各国代表的国际大会、是一个反动集团,它企图恢复革命时代变革的旧关系和界限,且此项工作,直继续到1815年。这种种计划,毕竟没有完全实现,因为当时的客观环境,与革命前有些改变,如封建余孽,已经扫除;封建社会,让位于资本主义社会。因此,维也纳大会,虽然把奥大利国王之弟流多维克,拥上宝位,但在法兰西,仍必须保持资产阶级的宪法。

此后开始重划欧洲地图。最初,打算解决民族问题,但结果,却变成一种卑污的破坏行动。已往曾称捷克的波兰,又重新被德、奥、俄三国瓜分了。比利时、荷兰两国,归并成一个荷兰国家,德意志帝国,由 38 个独立联邦的小国组成,意大利那时也分成好几个小国。

二、欧洲的反动

德、奥、俄三国,当时站在反动的第一线,这几个国王,遵奉俄皇亚历山大第一的意旨,订立"神圣同盟",维持没落的专制制度。同盟者负有互相援助的义务,尤其负有帮助同盟者反革命的责任。"神圣同盟",被称为拥护博爱、宗教、和平及公理的同盟,其目的在保护欧洲不受革命的污秽。西班牙与葡萄牙的宪法,曾假法国军权给废除了。奥大利也假军权,而与义大利分离了。

波哈镑朝,在法国各处都表示拿破仑死后出现的反动的胜利。受革命震荡的皇室与僧侣,与资产阶级结合起来,因为后者还记忆着夹格宾派对它的专政,皇室与僧侣的特权,在德、意、俄、西、葡等国大加扩充。农民被榨取的程度加深了,专制主义的压迫强化了。而对于第三阀的意识,也开始在铲除。

无论是反动也好,神圣同盟也好,都不能维持欧洲的现存制度或均势体系不动摇:一方,资本主义之风驰电掣般的发展;一方,无产阶级的窘状,引起了新的骚动和不安,于是各国又需要经济上的合作。

19 世纪初,许多新的技术上的发明,可为它的表征,这些新发明的技术,促进了资本主义的发展,瓦特之发明蒸汽机及其在运输上的使用,推进了铁路的修筑与轮船的建造,而且,增高了运输的速度,在这些资本主义国家中,当时英国是坐第一把交椅。法国有些地方,也使用机器做工,唯有德、俄两国,比较落后,虽然前者(如在莱因区域),也有工厂的设立,资本主义的发展,它的不可分离的伴侣——无产阶级,也随之出现了。

一部分资产阶级,起来反抗反动,这是因他们认识了法国革命对他们的意义和专制反动的危险性。与这种意识上反抗的同时,发生了小资产阶级和手工业无产阶级的革命的反抗。他们现在身受着两层压迫,一为封建的专制,一为产业革命后经济上的破坏。因而组织秘密团体,策划种种阴谋,准备暴动,这类的暴动,于 20 年代,不断地在西班牙、葡萄牙诸国发生,这几个国家,于

1791年也依照法兰西的宪法,公布了类似的宪法,俄国十二月党的暴动,也是这种自由主义革命运动的表现。

三、19世纪前半叶的英国的劳资情况

反法兰西革命的战争,虽然英国也曾积极参与,但却不曾抑制住英国资本主义的发展,因战费支出而发的国债,反增加了资本家的势力,因为他们要最高的利息贷款于国库,机器一进步,也就促进产业迅速地发展,与此相并行的,就是无产阶级状况的日形恶化。19世纪初,农民已完全普罗化了。家内手工业,也受到机器的压迫,无产阶级,为免去不饿毙起见,他们唯一的活路,就是到工厂里去工作,但是工人在那里所得到的,却是失望,每一种新机器的发明,把生产简单化了,并把工人大批地抛置街头;另一方面,有许多机器,不需要熟练劳动,厂方便利用这个"优点"雇佣妇女儿童劳动,代替男子劳动,因此,男子的失业数目增加了。被雇佣的妇女和儿童,在特别艰难的条件之下做工,被厂方雇佣的儿童,是从6岁起码,每日做12小时至16小时的工作,成年人的工作,每日当然还要延长,利润的追求,迫使厂主添加夜班,最重要的,是破坏了工人的健康,所有这些条件,招致提前丧失了劳动能力,增加死亡率尤其是儿童,和无产阶级人数之增加,与失业及工资减低以俱来的,是站在饥饿线上的人数之增加,而且犯罪的人数,也依样照加,1825年的犯罪数目,几乎比1815年增加了4倍。

陷于惨境的工人,把机器看做是自己的仇敌和竞争者,所以,常把自己满腔的愤怒,向机器上发泄。18世纪末与19世纪初,常发生工人焚毁工厂和捣毁机器的罢工事件,这种破坏机器的运动,渐渐广泛,后来具有很普遍的性质,因此,议会曾制定一种破坏机器要处死刑的法律(1769年),后来,无产阶级,渐采和平方法,就是"和平"斗争的方法,例如他们向国家最高机关的议会递请愿书,要求禁止使用机器,但是议会对工人的请求,乃是置之不理,于是,工人便知道,所谓议会,是代表参与其中的那部分人的利益的机关,因而,他们企图打进议会,而斗争的目标,也集中于普选。

工人和企业家的斗争,在19世纪初叶,已经开始了。工人的最初的团结(职工会),也就在此时出现。每逢工人罢工的时候,职工会总是遭到政府的

惨酷迫逐。惊慌万状的资产阶级,最后采取一种手段,就是完全废弃结社的法律,此后,工人为生存的斗争、迫使他们放弃以往那种不良的,实质上是反动的破坏机器的暴动,而设法做夺取政权和组织工会的斗争,工人要求废弃禁止结社法律的企图,终于 1824 年实现了。从此时起,工会的组织,亦获得普遍的发展。

四、改革议会的斗争

扩大选举权的思潮,不仅惊动了工人,而且也提醒了资产阶级,因为后者当时尚未能将议会的大门,完全打开,以任他自由出入。英国的选举法,到 19 世纪初叶,就显示不适用了。最后的一次改革,是在 17 世纪中叶,但从那时起,以后又有几次的改革。有富丽堂皇的宫城、茂盛山林、农民占人口多数和蕞尔小城的英国,现在已经大大地改变了。它现在是有繁华都市、成千累万的工厂和穷奢极欲的城市生活的英国,以往选举区的划分,与目前的社会情形,已经不适合了。农业革命,使居民从东南移到西北,因此"贫民窟"的数目增加了。从然,英国向把这种过着腐化生活的地方,叫作旧区,但这些地方,却有选举议员的权利。那些区域之一,只有五所住宅,十二个居民,另一区已全做勋爵的公园,第三区因自然低于海面,而被海吞没,但这并不能阻止该区的四位选举人,乘小船渡海来到以前的选举地点,完成选举的程序。在一区里,常有选举人只一个的情形,但是他自己一个人,也欢欣鼓舞地开会,来通过自己做该区的议员。但大多数的选举区,因有勋爵居住其间,就有直接推举后者做议员的事情。而且比较大的几个城市,如皮尔孟,曼撒斯特、里渥濮里,却完全没有选举权,资产阶级,在议会既占势力,所以,便大批地收买"独立"议员。

在这时,议会已有很大的权力,下院已得到一种权力,可让国王从属于最有势力的政党中,选择议员任部长。下院通过不信任各部的议案,各部长得同时引退,被称为议会主义的这种制度,把一切的实际权力,多让于下院,而留给国王的,只是"否决权",即否决议会所通过的立法草案的权利。国王以后逐渐丧失它在议会中的权力;另一方面,议会主义,让下院对上院处于优势的地位。

议会内部之阶级政策的最显明的例子,是英国和法国战争(1815 年)结束后所施行的"五谷"法。与法国战争时,因禁止五谷输入致五谷价格高涨,从中得到额外利润的地主,唯恐此时俄国五谷输入,致五谷价低落,有损及它的额外利润,于是,议会便制定了一种法律,规定要国外五谷输入,只在地方五谷价格超过特定的限度,而法律所规定五谷的价格,是特别的高,这对于地主是非常有利的,这么一来,直接影响劳动阶级,间接又与资产阶级不利,后者因五谷价格提高,必须增加工人的工资。

因此,19世纪初叶,英国资产阶级,也准备做扩大选举权的政治斗争。英国当时有两个最大的政党,各代表两大阶级的利益,一个是保守党,代表地主利益;一个是自由党,代表产业资本家的利益,老实说,这两个阶段,业已融合,因为他们组成一个中间阶层。后者是由从事产业的地主和购买土地的资本家形成的,这个中间层,总看这两个阶级究竟谁占优势,而决定它对某个阶级表示亲善。后来,先进的资产阶级的知识分子,又组成一个第三党——急还党,与未来的劳动运动相结纳。

在英国议会改革斗争的初期,就有那样的几个政治集团,这种斗争,与1815年的产业危机及五谷法的施行,有很密切的关系,产业资产阶级,利用工人不满的情绪,拉拢工人到自己这边来。最能表现出当时斗争的情形的,是许多的露天大会,此项集会,布满了整个的英国,并向议会,提出请愿书。所提出的请愿书,都被议会批驳,国家对这类集会的回答,常带有威胁的性质,如在此类集会中最大的一个曼萨斯特的露会[1]大会,曾被武力驱散,结果,被打死的有十五人,而受伤者,几达四百。不满情绪的发泄,让政府有许多压迫民众的议案,取消集会结社的法律,因而,人民给这类议案,起一个诨号,叫"禁言律",在聚会中最活跃的,是跟在资产阶级背后作议会改革斗争的无产阶级。

斗争继续数年之久,每次总有立法草案提出于议会,但不是被上院否决,就是被下院驳斥,在英国有时也与法国的情形相似,应当经过革命。

多年的议会改革斗争,终由产业资产阶级得到胜利才结束了。议会最后不得已接受参加议会中大中资产阶级代表所提出的改革案,已往限定的腐化的选举区,被此次新法废除了。选举权普及到全国人民,凡每年有十镑进款的

---

① "露会"疑为"露天"。——编者注

人,都有选举权。在议会斗争中,因担负政治斗争受到严重压迫的无产阶级,现在仍是没有选举权。与地主平分政权的资产阶级,现在却满足了。议会宣言,"英国的国家组织已达尽善尽美的地步,国家不再需要改造,改良算告完结"。

五、社会立法

贫民继续不断地增加,唤起资产阶级政府的注意,赤贫可以领到补助金,根据 16 世纪中叶公布的法律,政府机关,对于鳏寡孤独应给予救济金,但是,这种救济金的来源,还是老百姓,最初,这笔救济费的支出,并不曾烦累富人,因为受救济者,为数尚少。但到 18 世纪末叶 19 世纪初叶,情形就有些改变。由于农民普罗化及大批工人失业的结果,现出许多的赤贫与失去工作能力的人,这批人简直没有维持生活的能力,这样,一方有大批赤贫者,需要救济,而一方资本家受利润的诱饵,又必须把自己全部现金置诸流通之中,资产阶级,一想还是利润要紧,便索性不支出这笔救济费用。但这么一来,社会上也就愈现不安。1834 年又制定了一种工厂法,在此项法律颁布以前,社会上曾有一种流行的话,说救济贫人,损及资本家福利的这种办法,容易使人懒惰,并造出一批寄生者,这种法律,旨在叫民众勤奋,但是,达到这种目的的表现,是建立了许多的"特殊的工厂",有劳动能力的,可以进去工作,但不给工资。为免去工人不再沾得资本家的福利起见,"工厂"内生活程度,非常恶劣,即法律起草者本人,也承认法律所收到的效果,是设立一些像监狱的工厂。在里工作的劳动者,穿着犯人的衣服,受到严酷纪律的束缚,食的更不用说,也是照样恶劣,但是工作却非常繁重。然而,资产阶级,却说无产阶级好闲偷懒,所以才招致这样的恶劣生活,做它的辩护口实。

六、欧文及其学说

关于工人的贫苦境过及其救济办法,先进资产阶级的代表,可为它费了不少的思索,最明显的例子,可拿欧文为其代表,他曾是苏格兰牛林纳耳城制纸厂的共有者,他是小资产阶级出身,最初就列于厂主之林,他知道工人的痛苦。他的工厂对工人的待遇,在当时算是最好的,工人的笨重工作,恶劣的境况及不到工作年龄儿童在厂工作,这一切一切,使欧文感觉痛楚,他深深探寻这种现象的原因,最后,他得到一个结论,认为人类之所以如此,是因为教育和环境的影响,应该特别注意儿童教育,一般的惩罚条约,不但不能使犯人悔过,反推动他们做其他的坏事,复遭惩罚。因此,人类应当长置于较良好的条件之下,可以感动他生道德的心理,欧文的这种思想,终在它的工厂中实现了。虽然工厂共有者最初对他表示反对,和工人视他的为厂主,而表示惊奇。后来事实的表现,却给欧文的预想,做个很辉煌的辩护。经过九年之后,他的工厂,很少有人认为还是个工厂。他不让儿童工作,给他们开设学校,请教员教课,给成年工人,开夜班,授以功课,缩短工时,增加工资,开办工人食堂和工人宿舍,此外,工人也分红利。结果,劳动生产性和工人数目,却增加了。而厂方的收入,也加多了,欧文因试验自己之预想,得到成功,便想让其他企业家,也信任他的见解,但在这方面,他却失败了。

欧文思想的继续推演,逼他具有根本改革整个社会组织的缺点的思想,照他的意见,社会组织必须根本改造,废除私有土地与生产手段的制度。新的社会,应建立在合作的原则上,组织小的土地公社,而在这种公社中,工业应居于次要地位。择适当的中心地点,设立较大的"交换"银行,劳动者在他帮助之下,可以不用媒介彼此实行交换生产物。

实际上,欧文企图实行消费合作,从那时起,在英国工人中,就创立许多的消费合作社,并有的消费社,取欧文之名叫"合作社"。而且,欧文的实际活动,也不只限于消费合作社,他还同情职工运动,以它做和平的基础。30 年代,在欧文领导之下,职工会组织一个大规模的团体,并推选欧文做该团体之代表。

欧文的思想,是注重教育,并建设以社会主义作原则的社会,即生产手段社会化的社会。但是,欧文却犯了最大的错误,因为他信任可以和平的没有阻碍的过度到社会主义社会,和希望在资本主义的大海中,建立社会主义的孤岛。这种社会主义,都称之为空想的社会主义。这是取名于 16 世纪英国著名作家的文集之中,因为此人描写建立在虚构的岛上的社会主义组织。此后,凡不靠边际的和不基于科学原则的设想,统称之为空想的。

七、大宪章运动

英国劳动阶级所陷于的那种可悲的命运,必然要引起普遍的劳动运动,劳动阶级,希望改善自己的地位,便千方百计要打进议会,于是他们和产业无产阶级携手,共同作改革议会的斗争,但是 1832 年借无产阶级之力所实现的改革,只是替资产阶级敲开了议会的大门。资产阶级利用穷人得到胜利。但是他对于无产阶级的报酬,只是似监狱般的工厂。这对于劳动者是最大的政治教训。

虽然无产阶级的严重罢工和职工运动,逼资产阶级于 19 世纪 30 年代,奠定了保护劳动的工厂立法的最初基础,设立工厂监察委员会,禁止儿童做夜工,而儿童白天只限定做 8 小时工作等,但这对于劳苦群众,只是杯水车薪,勿济于事。他们的悲惨生活,因不断重演的恐慌,愈形恶化。而且这种恐慌,使多数工厂关门大吉,工人多遭失业的命运。19 世纪末叶,那种每隔十年来一次的正常恐慌,可算是划时代的表征。恐慌的由来,是起于商品生产的过剩。资本家拼命追求利润,只尽量生产,很少顾及市场上的需要,商品充满市场,而销不下去的结果,是价格的低落和工厂的停工,于是,无产阶级,又踏入受饥饿遭失业的时期。这样过了不久,产业又现好况,工厂重新开张,而在街头陋巷徘徊的多数失业工人,也就回到工厂工作。因商品价格的提高,工资多少也就增加了一点。上面说的恐慌,这对劳动者是个休止时期,他们此时受着饥寒的煎迫。但是在这种恐慌的背后,便爆发了 30 年代至 40 年代的劳动运动,1836 年的恐慌,引起了劳动运动的抬头,它在各处作经济方面的要求,并又转变为政治运动。

远在 1836 年,在伦敦就组织了一个贵族劳动者的团体,称为伦敦工人协会。它的领袖,是一个木匠罗维特,他是欧文的一位信徒。这个协会,企图以"合法的手段,得到与社会其他阶级同样的权利"。它认为递给议会的请愿书和在工人中的宣传工作,是"合法的手段"。幻想普选权的罗维特,草就了递给议会的请愿书,他便召集附近的工人,来听他宣读请愿书的主旨,工人相信经过议会,可以达到自己状况的改善。1837 年春季起,露天的集会,罩满了全英国,齐向议会要求批准他们的请愿书。这种"民众请愿书",按英语为茶儿特(Charter),后来就称为宪章运动。

这种运动,把整个英国,全部卷入旋涡,在北方的产业区,同样也发生大规模的示威运动和集会,出席的人数,亦到二三百人。当场通过请愿书。罗维特的请愿书,包括基本六项,它要求普选,废除财产上的限制,选举区数目要按人数划分,不记名投票,议员每年改选一次,议员得支薪(否则,工人无力参加议会,但资产阶级议员,因属富翁,应不支薪)。请愿书中,却没有社会经济方面的要求。抱着满腹希望的工人,因请愿书签名,又召集一次集会,当时往请愿书上签名者,计达1238000人。请愿书乃于1839年6月由宪章运动的十二位代表,交给议会。但是,宪章运动者的希望,变成了失望。议会以大多数批驳了请愿书。工人的领袖们,不以暴力支持自己的要求,却在各处推动个别的骚动,但政府当局,对此类举动早有准备,于是许多的宪章运动的领袖,有的被捕,有的下狱。而风靡一时的宪章运动,不久就这样的被压伏下去。

宪章运动第一次所以失败,是因为这次运动,包括着有不同利益和对于斗争有不同见解的各种集团。参加者有:中小资产阶级的团体,资本主义初期的无产阶级和各色各样的团体。

农业与手工业虽然并存的英国,把新破产的农民和手工业者,推动到产业的中心地。同时,在资本主义发展的过程中,产生了产业无产阶级的干部人才,而且也形成了劳动阶级的熟练阶层,这就是在经济上比较有多量收入的工人贵族。工人贵族和与它接近的急进党及中小资产阶级的代表,形成了宪章运动的右翼。急进分子的代表奥特渥和普列斯,抛开社会问题不谈。工人贵族,要求废除似监狱的工厂,宪章运动右翼的最后目的,是实现普选,在策略问题方面,他们是决绝行动的反对者,而且主张"和平奋斗"。因此,他们是以集会和请愿书的方法,对议会作"道德的反抗行为"的摊护者。

宪章运动右翼中,也有不一致的见解。关于纲领问题,左翼和右翼不同,它不把自己的任务,限于政治斗争,还提出许多的社会=经济方面的要求,如减税,废除关于穷人的法律,允许职工会以自由活动权,其中又有几位领袖,曾提出比较更彻底的要求:国家脱离教会,普及教育,八小时工作制,取消常备军等。

关于运动之最后目的的问题,在左翼中也有不同的见解。

工场劳动者,同意布拉音的见解,后者提倡土地国有化废除私有生产手段的思想,他认为这样可以把社会组织,改造一下,纺织工人,则赞同孔诺耳的意见,后者是宪章运动最有名的领袖之一。孔诺耳所以要求普选,是因为藉它可以颠覆资本主义,和复兴农业经济,即使工人可以领有土地。孔诺耳是共产主义的死对头,他是私有制度的坚决拥护者,所以,主张给工人购买小块的土地,让他们在这块土地上组织利用集体农业工具的私人经济。

产业工人的革命集团,正确地认识了本阶级的目的,而同意哈拉涅和姚斯的见解。

手工业和农业的劳动者陷于破产的状态,赞同彻底破坏资本主义和返回农业的英国的见解。宪章运动的积极的干部人物,是曾做过神父的斯蒂芬斯,他极端憎恶资本主义的英国,但为什么还要同情此项运动,旨在他认为后者是反资产阶级的。在破坏资本主义的新英国的革命旗帜之下,他赞同保守的纲领,俾使英国归到服从宗教和专制的"旧英国"。他以响亮的演说、对现制度的憎恶,拉拢许多的堕落分子到自己的身边来。

关于策略方面,同情左翼的,拥护决绝的手段,即革命的斗争方法,宣称自己是暴动和放火的拥护者。孔诺耳,主张采决绝的手段。"我们手持火柴和草捆,看看政府是否敢用大兵来反抗我们这种武器。"但是,斯蒂芬斯却高叫,"拿起武器来!持着火炬,纵火烧尽宫院"。

宪章运动第二次骚动的发生,是因为1841—1842年的经济恐慌。当时成千上万的劳动者,没有工作,而有工作的,工资比过去却低落了百分之五十五,连年的饥荒,是招致运动的信号,急进党党员都相继离去的宪章运动的零散团体,组成一个"国民宪章运动协会"。它的领袖,是孔诺耳。这个协会又拟就一个请愿书,把第一次请愿书的六项要点,重加申明,而它的色彩,却比第一次显明。它把无产阶级的困苦境遇与富人的情况对立起来。请愿书中提出工人每日十小时工作的要求,取消关于贫民的立法和改善工厂法。运动的范围,更见扩大,笼罩北方的工业区和南方的农业区。1842年5月2日,由300万人署名的请愿书,又递到议会。但这次又和第一次一样,复被批驳了。

产业的繁荣及由此而来的失业人数的减少,妨碍了协会实现"神圣月"的思想,工人通称"神圣月"为总罢工的纪念月。

从1843年到1846年这几年的萧条时期,它最大的表征,是工人合作社运动的发生。如1844年成立的称为"开路先锋"的合作社。它是由城市里的几个工人发起的,奠定了第一个合作社的基础。它是基于欧文的思想成立的,但已抛弃了空想的色彩。从此时起,英国的合作社运动,就开始高涨起来。工人在工厂立法方面,获得了最大的胜利。如在 1843 年,禁止妇女在地下室里工作,而 10 岁的儿童,也是一样。1847 年议会通过了在纺织工作中的妇女和儿童,每日工作 10 小时的立法。关于妇女和儿童每日 10 小时工作的立法,实际上也适用于男工。劳动阶级状况之局部的改良,削弱了宪章运动。

随着 1847 年的新的恐慌,又发生了最后一次的宪章运动。

继续一个冬季的劳动运动,因为得到 1848 年法国革命的消息,而且趋严重。1848 年 4 月 2 日,在伦敦举行的宪章会议,于 4 月 10 日又拟就一个长篇宣言,作第三次的请愿书,预备交给议会。但未能公表,因为政府为制止骚动起见,事先已调来大批的军队。这个请愿书,后由一位孔诺耳主义者交给议会,他声称该请愿书有 570 万人署名。后来检查这些署名的人,知道宪章运动者,作了他人的牺牲品。因为多数的署名者,是自己的敌对者。他们想借此达到破坏宪章运动的目的。此次请愿书,几遭全数议员的反对。因为工厂立法改善了劳动阶级的状况和恐慌的过去,又阻碍了宪章运动,使它中断。宪章运动者,只好失败了。

宪章运动之所以失败,一因参与的集团,特别复杂;一因缺乏统一的党,可以团结所有的无产阶级的力量,和使他们按着预定的步骤进行活动。宪章运动的主要特征,是希望达到自己物质状况改善的工人,不仅提出经济方面的要求,而且也有政治方面的。他们希望达到他们所要求的一切,开放议会的大门。但是,因为采了和平斗争方法,所以,他们以全力注意在由资产阶级递到议会的和平请愿书上,而他们所犯的错误,恰巧也就在这一点。因产业恐慌发生的宪章运动,始终是让他们抱着幻想。在 1848 年后来到的经济繁荣时代,也不能奠定宪章运动的基础。本来,宪章的意义,是在它不是为夺政权的工人群众运动。它很明显地指出,它的不彻底性,使资产阶级与无产阶级分离。它虽然有许多错误,但却帮助了劳动阶级阐明他自己的任务。

第二节 法国产业革命的完成

一、法国的复兴时期

波哈王朝复兴后,把亡命国外希望有这次复兴机会的封建特权阶层,召回国来。他们希望革命时所发生的一切变化，都要从此完结。要求恢复封建制度，从新的所有者方面，把他们昔日被没收的分与别人的财产，补偿地收回来。僧侣又重新把教会财产收回来。法国革命所产生的深刻的社会变革，使法国的反动，不能长期继续下去，但这种反动，却浸延了欧洲大陆。此外，革命铲除了妨害法国产业发展的障碍。这无疑增加了资产阶级的比重。

法国当时产业及商业的成长，可由下面的数字看出来。法国对外贸易的总额，从1815年的62100万法郎，增到1829年的122400万法郎，即增加了97%。铣铁产量，从1811年的99000吨，增加到1830年的26.7万吨，煤的产量，在同一时期，从60万吨增加到170万吨，蒸汽机关，1815年才被采用，但到1830年却使用625架了。这种种条件，使重新登台的皇室，不得不和资产阶级上层妥协（相互让步）。不曾卖出的贵族土地，又归还给他们。土地所有者，复可免缴直接税。五谷输入的关税，和英国一样，提高国内市场的五谷价格，以保障地主的利润。同时对输入法国的铁及原料，也课以重税。政府所发行的内债，给予金融资产阶级以最大的利润。妥协在政治方面也实现了。幻想恢复专制制度的皇室亡命者，不得已也只好承认宪法，遵循宪法所设立的两个立法议会，没有立法的动议权（自动起草法律权）。代议制度中的最高财产限制，对于大资产阶级和地主，是一种保护。

在这种妥协中，有不可调和的矛盾。皇室企图恢复已往的特权地位。而资产阶级，为自己前途着想，需要统一的制度。提高五谷价格的五谷法，引起了工资的增加。这无疑的，是损及了资产阶级的利益。而且地主，也不满意因保护贸易所产生的生活必需品价格的提高。平分政权的两个阶级间的矛盾，因国内有其他阶级的存在，更加强化了。一部分工商业资产阶级，因受财产上的限制，不能走上政治舞台，要求降低这种资格上的限制。完全被摒斥于政治舞台以外的小资产阶级，因资本主义之发展而破产，所以组织秘密团体，幻想着1793年的共和国。

机器在生产上的使用，对于产业无产阶级和手工业者，也造成了像英国产业革命时所发生了的那种惨酷条件。劳动者和手工业者的状况，由于复兴时代的金融政策，而益恶化了。为顾及有产阶级的利益起见，直接税，几乎在同一的水平线上。而间接税，可是增加了。使无产阶级生活状况恶化的间接税，在 19 世纪 20 年代,几乎增加四倍。

下层民众状况之恶化,发生了由许多秘密团体所主持的暴动阴谋和企图。而个别的暗杀行为,也不断地发生。政府对这种行为的回答,是禁止自由出版,并组织特别法庭,审问暗杀的主导者,因此,资产阶级,愈表不满。把握政权两个阶级之不稳定的妥协,本由其他阶级的愤怒和骚动造成的,但现在因为皇室企图恢复旧制度,所以也就分裂了。

二、七月革命

自路易十八死后,亡命者国王阿拉图称加尔第十登基时起,一切的坚决步骤就决定了。他对过去亡命者从国库中拨给一亿法郎,理由是补偿他们在革命时所受的损失。反对这种措施的举动,一经爆发,政府马上检查读物及迫逐凌辱宗教和皇室的人。斗争爆发了。反革命的威胁及不满情绪的高涨,让资产阶级在议会中占了优势。在革命前面发抖的反对者,又和加尔第十勾结,并向他建议,要在不顾及"民族利益,没有信仰"的与为民族解放者的二者之间,选择一条路线。于是,加尔决定选择一条路线,就是在这种建议的第二日解散议会。

不管政府的如何压迫,1830 年的选举,又产生许多的反对政府的行动,当时,加尔第十,决定促成政变。他宣布命令,解散成立不久的立法会议,变更有益于大地主的选举法,恢复不久被取消的检查令。

十一家资产阶级报馆,对皇室的命令,表示反对。在宣言中,声称"出版界的代表,应当给民众做个反抗的表率"。其中只有两家报馆,刊载了这篇宣言。

于是,巴黎大街上,出现了许多的小资产阶级的青年。而被封闭的报馆排字工人,手工业者和工场工人,与他们联合起来。游行示威,和军警时有冲突情事,于是民众都武装起来,抢了武器的商店,工人住宅区的穷街僻巷,都堆满了防御物,工厂主决定尽力参加革命暴动,并声明如果工人参与反皇室的斗争,厂方允许在停工时照常发给工资。巷战继续了三天。暴动范围,逐渐扩大,把皇室的军队包围了。第三天因为占了秋里宫,战争算是结束了。胜利的代价,是受伤的和被击毙的 6000 暴动者。当巷战尚未停止时,一部分资产阶级,已经组成团体。金融贵族的代表,与他们结纳的知识分子,银行家、律师、记者和教授等,商议制造一种条件,使胜利的结果,完全落在他们的手里。即他们组织了"维持治安,保护财产"的临时政府,恢复了他们的国民近卫兵,并把新被推翻的路易王朝的亲戚阿尔兰基斯,拥上宝座。

站在堡垒中的胜利者,自己没有组织,卸除了武装,对于有组织的资产阶级,不能作任何的反对行为。台耳教授(未来巴黎公社的刽子手)对于共和主义的领袖所发表的声明,即"不要王权",他表示:"共和国不能成立,因为它对我们是一种压迫,是一种耻辱"。结果,路易非力浦做了国王。对一切公民都得参加选举议员的要求,它的答复是制定一种新选举法,使政权集中到金融资产阶级的手里。马克思说:"当自由主义的银行家拉非特,在七月革命后欢迎自己的神父时,已经指示出,此后,是银行家的世界。拉非特揭发了革命的密秘"。

实际上,七月后的专别制度(1830—1848 年),是金融贵族支配的时代。七月后的专制装置,只是吸收法国民众财富的股份公司。"股份公司",是由金融贵族组成的。如 3000 万法国公民,只有 20 万即等于全数百分之六点六,有选举权。

三、法国产业的发展

法国除被金融资产阶级暴敛之外,产业本身的发展,加速了小资产阶级的破产和加强了无产阶级的榨取。

铣铁的产量,从 1833 年的 71.4 万吨增加到 1847 年的 165.8 万吨。即增加了一倍多。同期煤的产量,从 200 万吨,增加到 700 万吨,即三倍又二分之一。

1825 年总共有铁路 23 公里,而且运输货物,不用火车,常使用马匹。但到 1848 年,全国铁路,就有 1837 公里,此外还有 2870 公里,尚在建筑之中。对外贸易总额,从 1829 年的 122400 万法郎,增加到 243700 万法郎,即几乎增加了一倍。最后,蒸汽机关,在 1830 年原有 625 架,但到 1847 年,却有 4853 架,即几乎增架了七倍半。都市人口也增加了。

四、资本主义诸关系的发展与无产阶级的状况

法国无产阶级的状况,在19世纪初,和英国一样的恶劣。法国资本主义已经发展了。纵然它是迟缓和动摇的。从英国引进的机器,也得到了效果。伴随它而来的,是手工业者和家内手工业的破产,他们为不饿起见,只得把自己的妻子和小孩,送到工场去工作。他们在工场里所遭过的,和在英国一样,也是低廉的工资和沈长无比的工作时间,工人的破产和穷困,往往更有足以令人发怔的情形。他们之中,有些是睡在地窖里,床是谈不到,只有一捆草把,在身底下铺着,穷街陋巷,是他们的住宅区,充满了阿姆尼亚气,真是十足的肮脏,在半饥饿状态中过活的儿童,他的身体与精神的发展,总是枯弱的。

但是,这些不过是资本主义发展中的初步情形,农民在1793年,本已是国有土地的所有者和免去了封建赋役的人,现在亦无产阶级化了。

在都市里,小手工业者生产,仍占据优越地位,大工场比较起来还算不多,他们只雇佣了工人的一小部分。

因为用器械生产的发展,对于熟练工人的要求,也减少了,工场中也和英国一样,雇佣百分之五的妇女和儿童。

"穿着褴褛不堪的衣服的失业者,在都市里空场子来回地踱着,机器的使用,夺去了他们的工作。"工资是降低了,而工作时间,每日却达到18小时。七月革命中受人欺骗的胜利者,又开始暴动(里昂,巴黎等处),与小资产阶级组织许多的密秘团体,谋害"银行家的国王"。政府对于此举,是枪杀了几千工人,和逮捕了运动的首领。

法国工人,当时组成了工会,即徒弟会,带有互济会的性质。但实际上,这种组织,渐渐变为职工会,即领导罢工运动的团体。罢工笼罩了整个法国,而且愈演愈烈。例如从1831年到1832年,罢工次数才五十次,但到1833年,却有九十次。暴动工人的要求,多数带有纯经济的性质,而且限于增加工资和缩减工时(每日十小时)。

五、里昂暴动

19世纪最大的两次暴动,都是在里昂,一个是在1831年,一个是在1834

年。里昂的丝业，是该时期最典型的产业。那里没有大工厂。居民的上层，是几个商业资本家，他们从国外买进生丝，卖给每家有五六架织机的手工业主。每厂有三十来个徒弟工作。总共工作的徒弟，已近 3 万人。这样的厂主，也被企业资本家榨取，和他的徒弟没有什么分别，他和徒弟都是工人，同样憎恨工厂主和商人。

1826 年发生了严重的产业恐慌，结果，使 50 架纺织机停止工作和工资的锐减。工人的不满，变成确定工资水准的要求，1831 年，工人和资本家组织了一个委会员。在严重的示威运动的逼迫之下，资本家接受工人提出的要求，但是，后来厂方又不履行自己的诺言，而从国外雇来工人，被欺骗的工人，又骚动起来了。3 万纺织工人，手执旗帜，充满了街头，旗子上写着："要生活，要工作，或者等死，等饿毙"。由街上的骚动，变成了暴动，且范围，渐渐扩大。经过三天的流血战争，国民近卫军不得已退却，而城市，也就落在工人的手中。此次胜利，是出于暴动者意料之外的。因为他压根就没有打算夺取政权。他们没有更动城市里高级官吏的位置，只在上面委派几个监督者。城市在暴动者手里的十天期间，并没有什么改变，只是尽力维持社会秩序。他们对于派来镇压的军队，没有表示反抗，并且，声明信任政府，但是要反对工厂主。

暴动于 1834 年又开始了。当时在里昂产业无产阶级中又组织了互济会。1834 年又公布一种法令，取缔这样的团体。这种法令，招致工人的愤懑。工人报纸《工厂回声》报说："新法是一个火把，燃起了内战的火焰，政府还在煽风，正确说，是坐着观火"。暴动起来了。巷战开始了。妇女和男人共同作战。第六天早晨，政府的军队显占优势，而工人的抵抗，渐渐微弱，暴动被惨酷地压伏下去，即几百工人，遭枪杀了。但是，暴动在其他的城市中，得到了响应，就是工人亦起来暴动。指挥与民众斗争的首领，是台耳，他向军队发出一道命令，"对任何人不要宽恕"。这个命令，曾经施行。

里昂几次暴动的意义，是在它是先英国宪章运动的初次的纯粹劳动运动。工人的要求，始终没超出满足日常生活的范围。同时，小资产阶级分子——手工业厂主——参与这种运动，表现出运动的复杂性。

六、法国的空想社会主义：圣西门与傅利叶

在法兰西和在英国一样，也因资本主义的发展与劳动运动的成长，发生了根据新原则改造社会的社会主义思想。这种学说赫赫有名的代表，是圣西门和傅利叶，他们二人是资产阶级出身。

圣西门(1760—1825 年)的学说，表现在他的许多作品之中。他的著作，给现制度以严厉的批判，认为它的主要缺点，是劳动分配的不均和不会使用劳动力。

圣西门企图根据新原则改造社会和创立一种社会制度，在这种社会制度之中，"有充分力量去统制社会的产业阶级，应当团结起来，这时他可不用暴力的方法，就能够比较容易地抛掉福祉的军事的，全利的，法律家的和形而上学的生活"。圣西门说：如果法兰西在一个光辉灿烂之日取消皇室，宰相，官吏，神父和寄生的富人，那么，它由此并没有损失什么。如果法国不要自己的优良的学者，诗人，艺术□之人和企业家，那么，这个国家，在精神方面是死掉的，而且生活，也就顽冥不灵了。对社会没有一点裨益的人，榨取国家。为一切财富之泉源的劳动，不仅不受人尊重，反而遭富人的鄙视。所以，圣西门认为把社会的统制权，应换在产业阶级的手里，据他的意见，产业阶级，是由唯一的参加生产的企业家和工人组成的。他们都受寄生阶层(贵族，官僚和银行家)的剥削。

圣西门的社会主义思想，表现在愿意把生产纳于国家的手中，但却保存私有制财产制度，虽然他不曾认为私产制度，是一成不变的，财产的形态，按他的意见，即社会现象，应当是变化的。

因此，他企图消除生产的无政府性质，除掉社会中的寄生分子，且根据计划及中央集权原则，创造国家内所有的一切生产力集中和合作的制度。关于自己思想的实现，他不希望革命，不，他反对革命，而希望于诱导国王和银行家的个别行动。圣西门对新社会的生产的基本细胞产业家，赋予最大的意义。

圣西门把工人和产业家混称谓产业阶级，这是他不理解劳资利益的对立。资产阶级和无产阶级共同作反对当时把握政权的大地主的政治斗争，造成了两个阶级的利益，是共同的幻想，实际上，他们是互相敌对的两个阶级。

我们在圣西门的作品中,可以寻到他关于社会发展的几个重要意见。他观察社会的发展时,规定了社会发展的法则性,指出社会现象的变革和财产形态变革的联系,而且也指出阶级斗争的任务,是历史过程的推动力。圣西门暴露出在人类社会发展的各阶段中,都有阶级斗争的存在,指出一个剥削形态之被另一个剥削形态的代替。唯独在资本主义社会中,他忽视了产业家与无产阶级之间的斗争。因此,在圣西门对于社会发展及历史的见解中所孕育的社会主义思想,后来在科学社会主义的历史中,又往前发展了一步。

圣西门的学说,受 19 世纪产业进步的影响。当时产业风驰电掣般的发展,是因为产业资产阶级在政治经济方面的势力的成长和科学及技术的发达。不消说,圣西门因迷于科学及产业之发达,他没有看出产业恐慌和竞争的因素。按他的意见,指导社会的政权,应当属于产业阶级。

资本主义社会的分析及其批判,社会进步之本质的阐明及其原动力:阶级斗争问题,以及其他种种的圣西门的学说,马克思都加以利用,并在科学社会主义的历史中,都给加以改造。

圣西门的继承者,纵然把圣氏的学说,都加以发展,但继承他的学说,仍带有空想社会主义的色彩,在集团的作品(圣西门学说之诠释)中,圣西门的门徒阿芳唐(1796—1864 年)和巴节儿(1791—1832 年),坚持把生产从人的管理改变为一般物的管理的思想。

"一般合作社,这就是未来的社会组织。各尽所能,各取所需——这就是新的法律。它代替劫夺的法律"。人类不应榨取同类,人类应当互相协助,开发自然,这是他们应有的权利,圣西门主义者提出有计划的有组织的生产的思想。就是说,这种生产,计算社会的需要,避免生产的无政府性,产业恐慌及其他种种缺陷。处在指导地位的中央集权,调节生产,用统一的力量,开发外在自然界并彻底消灭人对人的剥削行为。

至于怎样达到这样的合作组织,圣西门主义者,认为应采取宣传"博爱"的方法,并组织特殊的教会团体。

圣西门主义的发源地,是与产业发达及银行业发展有密切联系的智诚阶层的集团。它提供未来的社会主义理论,以许多的新材料。超出这个集团的视线之外,评价无产阶级不仅是历史的推动力,而且是受剥削的群众——这是圣西门本质上所不能的。因此,他的学说的和平性质,他的观念论和神权论及其种无力的表现,自然不能吸收群众。

傅利叶(1772—1837 年),对资本主义制度,也给以深刻的批判。按傅利叶的意见,资本主义的主要缺陷,是缺乏统一的劳动组织,且生产力的分散,招致了无政府的生产和不自然的状态,所以,个别的人们,总是担负其他一部分人(医生,律师等)的生活费。因为生产的无政府性和缺乏统一组织的缘故,有许多的生产力,都白费了。于是,整个寄生阶层,也就出现了。傅利叶把寄生阶层分为家内的和社会上的两类。他把大部分的妇女和儿童看作第一类,他们的劳动,还可有利于社会;第二类包括军队,官吏,商人,仆人和失业者。

傅利叶想解决社会问题,所以,他对于欧文和圣西门,比较接近前者。他幻想着集团的组织,或以 1500 人至 2000 人的一个结合。参加这种集团的,是各种劳动的代表,他们在其中又可组织不同的团体。傅利叶所提倡的"集团组织",和欧文的公社一样,也是在改造农村经济。"集团组织",有公共宿舍,设立许多的会社和合作社。参加的人,有出人力的和资本的等。"集团组织"分配给会员的东西,在个别团体中,都有适当的规定,出劳力的,得全生产品十二分之五,出资本的,得全生产品十二分之四,出技能的,得全生产品十二分之三。

圣傅二氏的学说及其继承者,都带有纯空想的色彩。二氏学说的意义,在对于资本主义制度,给以深刻的批判和给马克思做了向导的角色。企图解决社会问题的两氏学说,不仅在法国就在国外,也同样被人拿去作解决社会问题的工具。圣傅二氏学说的继承者,开办了许多学校,对二氏之思想及学说,作更深一层的研讨。

七、布朗葵及其主义

法国工人和小资产阶最贫困的阶层共同的英勇斗争,在当时造出了一个最伟大的革命领袖,这就是 19 世纪初叶巴黎几次暴动的活跃参加者布朗葵(1805—1881 年)。他在一生 76 年中,有 37 年坐牢。他曾两次被处死刑,在里昂的九次暴动中,他是"穷人与富人战争"的拥护者,据他的意见,富人是喝了穷人的血汗而肥胖了的人,他与老耄的朋那罗齐(巴比塞的死对头)认识的结果,使他作了巴不维主义的信徒。1837 年他组织了一个秘密团体,叫"四季团",组织份子,主要的是工厂的和手工业的无产阶级,这个团体的主要任务,是准备暴动和急进的社会革命。虽然参加的分子,将近千人,但它却不曾与民众发生关系。所以,1839 年 5 月 12 日,该团体在巴黎实行夺取政权时,这种壮举曾没有得到任何人的援助,归于失败,暴动的领袖,布朗葵也在内,全被逮捕。

布朗葵是共产主义者,所以他认为社会革命,是资本主义制度的矛盾和不平等的必然结果。按他的意见,共产主义制度,是劳动(少数革命工人)阶级夺取政权的一个归宿。只有用武装斗争夺取政权的办法,才能达到这种新制度。革命政府,让工人武装起来,以阶级性质的军队,代替常备军,铲除资产阶级的官僚机关,如议会,自治等,封闭资产阶级的报馆,铲除资产阶级的意识形态,取缔僧侣,及教会及宗教团体的一切财产,罢免官吏,实行直接的统治,为调节产业起见,设立特别委员会,监督企业家不停止生产。

用布朗葵的话说,组织新政权,第一要顾虑的是:组织革命力量,用可能的手段提高民众对平等的热情,压迫在斗争中没有打倒的仇敌。据布朗葵的意见,社会革命,不是劳苦大众运动爆发的结果,而是夺取政权的几个极端革命分子团体的动议。这个团体,用阴谋手段,反对现在制度,最后以暴动方法吸收劳动群众。布朗葵把所有活动集中在暴动和阴谋上,所以他不考顾当时的情势,他忽略了不依靠劳苦大众运动的暴动,会成为脆弱的不彻底的暴动,并易为反动压伏下去。布朗葵对劳苦大众运动过低的评价,是布朗葵主义在 60 年代革命情绪高涨中,没有推动劳动运动的基本原因。布朗葵终其一生,也没有组织过范围大的工人运动,而只组织了许多的,但都是分散的团体。这些团体的份子,是手工业和工人中拥护布朗葵主义的人。

布朗葵只是对个人的行为和思维在历史中的作用,赋予决定的意义。所以,布氏采取与民众运动相孤立的政策,忽视政治情状及阶级力量的相互关系,对依靠大规模劳动阶级组织的政党,予以过低的评价,忽视了自在的无产阶级,在资本主义社会中,使无产阶级离开政治斗争,认为革命的智识分子,有最大的意义——这一切一切,都是因为布氏把个人的行为和思想在历史中的作用,看得太重的缘故。

但是,布朗葵的许多原则——无产阶级夺取政权,历史的必然与无产阶级专政,少数革命者的任务等——也都批判地引入马克思主义的策略中,所以,马克思因为布氏在 1848 年革命中所尽的任务,非常重大,特称他为"无产阶级唯一的和真正的领袖"。

八、路易布朗

工厂的和手工业的无产阶级的运动,因与小资产阶级的运动携手共进,所以,给空想社会主义的未来发展,奠定了基础。1839 年暴动后第二年,路易布朗出版了一本著作,叫《劳动的组织》。他和一切的空想社会主义者一样,也把个人主义的经济制度,作了一番批判。在这种制度下,使资本家互相斗争的竞争,引起了对劳动阶级的惨酷的榨取,招致内战,并毁灭了文化,使社会从这种人造成的困苦状况脱离的出路,只有一个,即是"劳动的组织"。这种组织的进行,应由国家负责。但这个国家,必须是人民经过自己全权代表所统制的民主主义国家。所以,"人民"应当掌握国家政权。这样的"全民国家",应当是"生产最高的统制者"。这样的国家,根据劳动的人,都有"劳动权"。个人的资本主义企业,不能与集体经营相抗衡,因为国家机构,不支持前者,所以,竞争消灭别的竞争时,也就是引到社会革命的路上。路易布朗,反对以革命方法夺取政权。

他说:"社会革命,是可能的,但用和平方法,比较容易达到"。他所说的和平方法,是劳资的协作。按布氏的意见,要组织民主主义政府,得实行普选。

此外,路易布朗,在工人中也极力传播社会主义的思想。

九、卡柏

卡柏的共产主义小说"义加利亚的旅行",在无产阶级中传播空想社会主义,更有重大的意义。劳动阶级为这种幻想的小说所吸引,后来其中许多都成了他的信徒,他在自己的小说中,极细腻地描写他头脑中所虚构的共产主义国家义加利亚的幸福生活。在那里没有私产制,而且依靠大多数民众的政府:尤很周密地注意到国内人民的生活,每个国民,从 18 岁到 65 岁,是劳动者,执行公社所指定的一切工作。每人从公社可以得到住宿权,领到衣服和食物。严格规定睡眠及饮食的时间。但是,卡柏认为达到这种共产主义制度的道路,只有一条和平的路线。他说:"如果我赞成的革命,是需要格斗的,那么我也不想伸开拳头和人角逐,纵然是受驱逐逃亡的威胁"。马恩两氏,认为卡柏所以会给"无产阶级以过低的评价",主要的是因为他希望工人本身去实行共产主义。但是他们二人,认为"在卡氏头脑中所想象的实现共产主义的方法,是对共产主义一个极大的障碍"。马恩两氏说:"如果在某一个国家,人民受着惨酷的压迫和榨取……那么,每一个角力者,为主持公理和维持道德起见,也应当停留在那个国家……以便打下新社会组织的基础"。他们二人预见了卡柏企图的失败。"在这种殖民式的公社中,必然遇到反抗和纷援……要实行共有财产制,没有民主主义的过渡期,是不可能的……"

十、节芝墨

卡柏的空想社会主义,满充着宗教的情绪。卡氏为实现乌托邦,也跟圣傅二氏学者利用宗教,但法兰西的又一个空想主义者(四季社社员)节芝墨,却有不同的意见。节氏与卡波不同,他主张无神论和唯物论,1842年,他出版了一本书,叫《公有财产法大全》,是专为向工人宣传的一本书籍。他在这本书中和在其他的著作中一样,发展了暴力社会革命的思想和无产阶级专政,反对资本在新社会的组织中,还演着积极的任务。节芝墨是站在阶级斗争的立场。他认为精神生活只是物质生活的反映,即电子和运动,组成了一切。土地和生产手段的公有,全体参加劳动,都市与乡村对立之消灭,据节氏的意见,是得采取下述办法,即产业得平均分布各地,得普及社会教育,设立职工会(个人的和集体的),取消强役制,创立平等的自治联邦公社。

十一、空想社会主义的错误

伴随着继续不断的恐慌而来的社会矛盾,生活贫化和失业,给在劳动阶级中传播社会主义思想的,造成了绝好的地盘。

宣传社会主义思想的,如傅利叶、卡柏等,当描写社会主义的或共产主义的制度时,他们深信在资本主义社会中,可以用渐进的方法实现共产主义。他们所以反对为变革现社会唯一方法的革命,是因为他们认为新社会的创造,是依靠他们的思想和他们个人的行动。此外,还有几个社会主义者,如路易布朗及其拥护者,则是国家社会主义的支持者。他们因为不理解国家的阶级性质,所以希望社会的根本改革需要资产阶级和民主主义国家的帮助。

最后,还有第三个集团,这个集团,人数不多,是以布朗葵做首领的革命共产主义者组成的。布朗葵正确地理解了夺取政权的必然性,但是他所犯的错误,是在他认为夺取政权虽属可能,但不依靠群众。因此,这一切理论,都是空想的,虽然有程度之不同。

练习课题

一、为什么英国劳动阶级,在最初认为机器是自己的主要敌人?

二、为什么英国资产阶级,推动改革选举的斗争?

三、为什么分布工场法?

四、什么是欧文学说之积极方面?

五、宪章运动的原因为何?

六、关于运动纲领及策略问题,宪章运动之左右两翼,各有怎样的见解?

七、为什么宪章运动失败了?

八、法国当时,哪几个阶级把握政权?而且,他们之间有怎样的矛盾存在?

九、空想社会主义的特征是什么?

十、布朗葵怎样预想从资本主义社会到社会主义社会的过渡方法?而且,他的错误在哪里?

第 七 编

19 世纪中叶的欧美与第一及第二国际

第二十三章　19世纪50年代至70年代的西欧与北美合众国

　　在19世纪中叶的欧洲诸国,胜利的资产阶级,如何地运用激烈的,革命的骚动去取得政权,这一点在前册里已经被阐明了。本章的任务,是探讨资产阶级在50年代至70年代中间之支配的结果。因此,首先对于主要诸国之资本主义的发展及其发展的自然结果——各国转向一个世界经济统一的过程——必须加以研究,阐明了这个过程的原因之后,在德意志的与意大利的国民统一的例证上,就容易理解分散诸国的国民统一中之资产阶级的作用。同时,对于招致北美合众国之经济迅速成长的原因,必须要加以研究。

第一节　19世纪50年代至70年代之西欧政治的与经济的发展

一、50年代至70年代之西欧主要诸国的经济成长

　　1848年革命失败以后的最初十年之特征,是西欧之主要诸国之一般的经济昂扬,生产力之急速的成长与资本主义的繁荣。在19世纪50年代至70年代之间,资本主义的生产方法,获得了莫大的成功,次第地占领了各工业部门并取得了胜利;同时,它在自己的进程中,破坏了一切前资本主义的生产形态,即破坏了手工业与家庭工业的制度。

　　在此十年间,都市人口,都是牺牲农村人口而增加的;世界贸易的流通额,增长了教倍;机器,在轻工业上,特别是在重工业上,开始取得了胜利;火车与汽船,把边陲的地带联结为一个完整的经济体系。由1750年至1875年这25年以来,煤的世界产额,几乎增了3倍;钢的产额,增添7倍;海、河中所用的船

舶之吨数,增加了3倍。在工农业两方面之技术的改良与发明(例如,在50年代为美国技师别谢米耳所发明的由铣铁改造铁的方法、产钢的新法与农业化学成功等),促进了生产力的急剧昂扬;若用《共产党宣言》的话来说,它又促进了"以世界精神"为中心的一切国家生产与消费的彻底改造。实际上,在19世纪50年代至70年代,"原来的民族闭锁性",彻底地让位于"一切民族的多方面交换与多方面互相的依存性"。

这国际联系的发展,一方面促成了,完全取消排他关税或者极端降低它的许多条约之缔结;另一方面促成了东方诸国——日本与中国——参与国际交换的强制引诱;于是,这两个国家,不得已为欧洲商人去开辟自己的商港。

19世纪50年代至70年代,资本主义之急速的发展,不能不伴随着许多深刻的经济恐慌,即伴随着生产的无政府状态与资本主义固有的内在矛盾之结果。但是,在当时,这恐慌也不过是个暂时地破坏了欧洲各国资本主义发展的急速成长着的恐慌。

欧洲诸国,在政治与经济的两方面,是不均等地发展着。19世纪50年代至70年代,英国的产业资本主义,在一切的、没有例外的经济生活的领域内,变成支配的制度。英国,先于其他国家而踏进产业革命之路,变成了真正的资本主义的"世界工场";它在世界市场上又获得了巩固的支配与垄断。而且,在50年代初,奥大利的沙金发现,对于后者予以很大的帮助。

资本的新流入,对于比较达到高度发展的英国工业,予以新的动力。

英国,在纺织工业方面,依然居于首位;但同时,五金产业,不仅成长,而且还被扩大。如制造机器的工厂,尚不能满足定户的购买;这些定户之中,不仅有英国的,而且还有其他比较不发达的工业国的。在农业方面,同样也显露出急速的,而且胜利的资本之进击。如土地集中于少数的大地主的手里,把它分成部分的而租于资本主义的企业家。在各处,都采取着新改良的耕作法与新被发明了的农业机械。在英国,小的独立劳动的农人已早不出现了。

倘若没有英国资产阶级之殖民地支配的强大发展,则大英之资本主义迅速的繁荣,是完全不可能的。如在资本原始蓄积的远古时代,遥而隔海之国家的剥夺与奴役,为了确立与巩固英国之富及威力起见,是必要的前提。在19世纪50年代至70年代,英国的资本,还是顺利地继续那对于东方诸国老早已实行的进击;它,不仅在加拿大,澳大利与南非洲,即在印度与中国,也想确立自己的支配。在1857年,所谓印度土兵流血暴动的镇压,完结了印人脱离大英羁绊的长期的许多企图。后来,失掉了血气的印度大众的长期运动(至20世纪初),曾几乎陷于停止。在征服者面前,又发现了劫夺与致富的新机缘。就是从此时起,成为"大英殖民地之冠上珍珠"的印度,已变成了兰卡西腊纺织工业原料的主要泉源;西印度农民的土地,则变成了英国资本家的金穴。

在50年代末,由于武力的压迫,中国不仅为英国工业生产品的输入,即为鸦片①的输入,也同样去开辟自己的商港。然而,这鸦片的贸易,给予伦敦市民以莫大的利益。

当时,法国与德国的经济发展,则是循着不同的道路。在法国,资本主义,获得了莫大的成功,在产业各部门渐渐地奠定了新的根基。在这里,纺织工业与几个重工业部门是发展了;铣铁与钢的生产,量增加了。虽然如此,但大量的生产,尚未演着支配的角色。例如,在60年代的巴黎,有十个工人以上的企业之数目,只是百分之七;但大多数的企业,还是有一个工人的淳朴的制作厂。在1871年前夜的巴黎,大的资本主义典型的诸企业,才雇佣了5万工人乃至6万工人;其余的无产阶级大众(400万),还是在小手工业与家庭工厂内工作。煤、铁的产额与机器的制造,在法国的工业方面,还是尽于较微小的地位。虽然,在农业的领域内,资本主义获得了相当的成功;但,站在支配地位的,还是小农经济。

比英法二国较后而踏进资本主义发展路程的德国,在19世纪50年代至70年代,继续完成了产业革命的过程。并且,大量的机器生产,与家庭工业、手工业发生了坚决的斗争。工业的集中,在德意志已收获了显著的成功;有几个工业部门,特别是产煤铁之富,已追及上了法国。

在意大利的诸国里,资本主义的关系,比较在法国,尤其比较在德国,更是途缓地发展。这些国家,在1848年革命以后,继续栖息于异地的,奥大利王权的,奴隶政权的与封建遗制的抑压之下。在这里与同在德国一样,成为生产力

---

① 鸦片,是未成熟之罂粟的液汁与麻醉剂。吸鸦片会损害健康,若食用多量的场合中,可以使人死亡。英人把印度出产的大部分鸦片输出到中国。

发展之最大的障碍,是国家政权之无生气的分散与国民统一的缺乏。但在意大利北部的撒见全王国的皮穸门特,在 19 世纪 50 年代,还表现出能新生产方法的稳固与发展的方面之显著的推移。在王国京城土林与其他的城市中,曾现出了首次的庞大企业,即现出了工厂与制造厂。同时,无产阶级的数目,已显著的增加了。

二、50 年代的反动与资产阶级专政的形成

资本主义的成长与巩固,在西欧主要的国家里,不能不招致资产阶级专政的形成。在 19 世纪 50 年代至 70 年代的欧洲诸国,如像马克思在《共产党宣言》中所说过的一样,国家变成了"管理资产阶级社会事务的委员会"。国家政权,无论在英国、法国,或在德国,现实地变成了支配与压制的强力装置。倘若没有这强力的装置,胜利的资产阶级,对于投于生产的与已经为自己解放而开始斗争的无产阶级,不能实行狰狞与毫无羞耻的榨取。

在英国的宪章运动与德,法 1848 年革命流血的镇压以后,在欧洲来到了社会的与政治的反动时代。对于共产主义之赤色探记的恐怖,即对于劳动阶级的恐怖,消灭了资产阶级以往革命性之最后的与卑鄙的残余,迫使已往互相敌视的私有者的各阶层绵密的妥协起来。

在英国,贵族=土地所有者(王党)的政党,积极适合于新时代的要求。于是,它在实际上变成了资产阶级的第二政党(保守党)。在这期间,依存于政权之下的自由主义者的党,曾保证英国的资产阶级,能彻底实行在 19 世纪前半叶所提出来的改革。在 50 年代,英国的经济政策,极力倾向于自由贸易的原则;但,在 60 年代末与新选举法第二次被改革以后,"民主主义化"的议会,彻头彻尾地变成了资产阶级的御用工具。

在 50 年代至 60 年代的法国,实际上,是资产阶级的上层(银行家与交易所)支配着。注意于他们利益的拿破仑·波拿巴儿特大总统,实行了 1851 年 12 月 2 日的国家改革,恢复了帝制,以尼阔喇矢第三名义隆登王座。在国内,整个的政治反动帝王化了。"僧服与利刃的政权",照马克思的意见,是代替了民主主义的自由与共和主义的制度,而确立了完全行政自由的制度。银行的与交易所的黑暗事业,在残暴的帝制政权保护之下,可以毫无忌惮地去剥夺

法国社会的下层——农民与工人；它又可以剥夺法国的中小资产阶级的广泛阶层。

反动，在欧洲中部诸国，特别加强地残暴起来。在1848年至1849年，无论在意大利或在德意志，如我们所知道的一样，资产阶级革命的基本任务，未被彻底地执行；未曾斩绝封建遗制的根株，未完成国民的统一。在德国，革命，不但没有成功，而且还引导所有者的一切阶层——封建地主与工业资产阶级——的和谐，去反对那大胆地抬起自己头颅的劳动阶级。意大利的国民解放运动，被奥大利的反革命压溃了。虽然如此，但1848年的革命，对于这孤立诸国的资产阶级从甜睡中苏醒过来，给予强有力的刺激。"随着商业，农业与工业的发展以及由此而发生的资产阶级势力之扩大，国民的情感也增长起来。于是，分散的与被压迫的民族，亦要求独立与统一。"（恩格斯）商人与工厂主，不能安于缺乏国民中央集权的国家。这是因为后者，能免除外国商人对于本国商人的竞争，能为商人与工厂主的利益，去实行夺取新市场的斗争。

当恩格斯论及在德国所施行的与在意大利曾行过的那种没有若何差异的专制制度时，曾这样说着："每行数里，就有相异的票据法与新的手工业之工作的条件；随时随地都有发生障碍的可能性……甚至于官方承认的特许状，亦不能反驳的那种行会的限制，更容易在各处显其障碍的国技。加之，各地的立法与居住权的限制，不能让资本家在充分的数量上使他们所支配的劳动力投到互相的地点；所谓相当的地点，是为企业建设有利的矿，煤，水力与天然条件的地方。再，无论在任何一个国家及狭隘的地方，都有其相异的货币与相异的度、量、衡；甚而在一个国家，度、量、衡要有两三种之多。"

于是，国民急速统一的必要，变成了意大利的与德意志的资产阶级之生死关头的问题。

在19世纪60年代至70年代，国民急速统一的热望，在坚决的斗争与殊死战之后被实现了；而且，它最后实现了自己的企图，在封建排外性与分散性的废墟上，创造了"带有统一政府，统一立法，统一的国民阶级利益与统一关税方针的一个民族"。

在1848年流血革命之抑压之后，欧洲的反动，无论是如何的胜利；但它终未能延续多久。这是因为资本主义之深一层发展的利益，曾以武力要求取消专制主义,把整个政权转移到在各处握有指挥经济大权的资产阶级的手里的缘故。

克雷穆的战役——英法与土耳其同盟反对尼阔拉矣时代的俄国(1853—1855年)——给了苏甦欧洲社会的与政治的生活以新的刺激。后来,1857年的经济恐慌,次之,许多巨大的政治骚动,特别是1859年的奥法意战争,1866年的普奥战争与1870—1871年的普法战争——这些战争,是在意德国民统一完成的以前——最后还有在北美合众国之长期的内战(1861—1865年),以上种种事件,促成了革命运动与劳动运动之新的昂扬,唤醒了欧洲的大众,同时为国际第一次劳动团体——第一国际——之创立,准备了地盘。

三、意大利的统一

我们已经知道,在1848年,在国内要肃清封建主义的残余,抛掉在罗不巴儿金与维聂之奥大利支配的抛锁,完结罗马教皇的俗权与创造统一国家之意大利诸国民众的种种企图,都失败了。意大利北部的暴动,消沉于奥大利反革命军队的血泊之中;教皇的俗权,由于法国军队的帮助,而又复活起来;南部的革命运动,被新坡利滩王与意大利的封建地主双方军队的抑压,而受到了崩溃的遭遇。

但是,能够抑制意大利国民解放运动之发展的那种力量未曾存在。在50年代,意大利的民众与资产阶级之反对奥大利的,反对和统一背道而驰的意大利俗权,僧侣与反对封建地主的种种斗争,曾继续下去;这种斗争,后来酿成了,1859年撒儿全王权与法国拿破仑第三同盟去反对奥大利的战争。拿破仑第三,由于帮助意大利去反对奥大利人,因而,从意大利方面得到了两个省区。现在,英索里尼,还在做那想从法国夺回这两个省区的美梦。

撒儿金王国,在50年代,变成了反政府运动与国民解放运动的中心,它,在经济方面,是意大利之最先进的区域。为了意大利的统一,强而有力与中央集权的斗争,而重新举起的旗帜,这是自然不足奇的。民众之所以不满意于意大利之斗争的结果,是因为:它不但未能达到国民的统一,而且还被法国占去了意大利的两个省区。于是,运动又延续下去;革命的浪波,由上而下地膨胀起来。如1860年,在隶属于新波利滩王国版图的西剌利牙,曾揭起了叛乱;继之,在意大利的许多小国里,民众推倒了自己的统治者。

意大利革命运动的领袖戈利巴利吉——普通的一个水手——带少许勇士

（挑选一千有名的），从新波利滩王国登举,驱逐了地方当局,并且把意大利的整个南部与撒儿金王国联系起来。

在这里,缺乏比较显著的劳动运动,尤其是缺乏无产阶级的政党,于是,农民运动与城市小资产阶级运动的无组织性及其散漫性,未曾给予国民解放及创造统一共和国的可能性。意大利的资产阶级,急忙去利用这胜利的结果。例如,在1861年,在撒儿金王国的首都士利,创立了意大利之最初的议会。但是,这种议会,是根据最高选举资格而被产生的。于是,这议会,就宣布撒儿金王乃穆马矣奴拉为统一的意大利国王。只有在1866年,奥大利与普鲁斯开衅失败之后,意大利才夺回了被奥大利所占领的维尼剌区域;而且也只有在1870年,坚持教皇俗权的法拿破仑第三败北及其被普鲁斯打败之后,意大利的军队,才占据了罗马的区域。罗马,从此时起,即变成了新意大利王国的都城。教皇,只能支配罗马的一个小区域瓦齐堪;因之,意大利的统一,在根本上是被彻底地完成了。

四、德意志的统一

一方面,在世界市场上促使斗争尖锐化的1857年经济恐慌;另一方面,意大利的解放战争,二者在德意志的资产阶级面前,以新的力量提出了必须创造强而有力的与统一的德意志国家的要求。于是,德意志的资产阶级,就不能再沉默地观望着欧洲的国间战争。它为了参与这个斗争与在远近的市场上给德意志的商品开辟一条新道路起见,却感觉自己已有充分的力量;因之,它惶恐地步着毗邻法国资产阶级之急速强力化的后尘。法国的资产阶级,好久以前不仅想占有柔懦的意大利民族的土地,并且,还想占有位于莱茵河左岸的与引起他们注意的露儿斯基及撒儿斯基的产煤区域。

自1815—1818年的解放战争与关税同盟(1834年)的组织以来,德意志的资产阶级,企图用全力把小农经济的德意志,改造为一个强而有力的与统一的资产阶级议会主义的国家;而且,这种改造,是可以走着三条道路。

第一条道路:这条道路,是自下而上的,民众革命斗争的道路;它曾把意大利推到统一的道路之上。它对于卑懦的、小胆的与尤其在1848民众革命运动之狂飙之后,感觉惶恐的德意志的资产阶级,是完全不能被接受的。

第二条道路:这条道路,是在奥大利的主权下之自上而下的统一。它对于德意志的资产阶级,特别是对于普鲁斯的资产阶级,也是不能被接受的;因为他们认为天主教的势力与在经济方面比较落后的奥大利之势力,与德意志自由主义的统一运动是无关的。

只有第三条路线——在普鲁斯地主的支配下之德意志诸小国的统一——才能为德意志的资产阶级消灭革命爆发的可能性。并且主要的是:它不仅保护而且还能巩固在工业资产阶级于政经两方面有势力的富农之间的同盟。这个同盟,是在 1848 年至 1849 年的革命之后被缔结的。根据列宁的意见,德意志的资产阶级,认为除却普鲁斯的路线——以渐渐变成资产阶级的富农经济为首的资本主义之发展的路线——以外,是不会完成国民解放的运动。所以,德意志的资产阶级,在 60 年代毫不动摇地去拥戴普鲁斯的富农政府的首领俾斯麦。俾斯麦,想不用民众革命,"演讲与投票",而用铁血主义去实现德意志之自上而下的统一。普鲁斯,首先以武力去制止奥大利在德意志的支配。于 1866 年,为俾斯麦所支配的普鲁斯政府,在对于法、俄守中立与意大利同盟之后,就和奥大利宣战了。有很好训练的与精锐武装的普鲁斯军队,很迅速地制服敌对者。它不仅打败了与奥大利同盟的德意志的南部诸国(巴瓦利亚、刘儿切木步儿阁与巴金等国)的军队,而且还击败了奥大利的主力军。在靠近撒多瓦亚村庄的博阁米亚地方,决定了战事的命运。根据和约,失败的奥大利,放弃了德意志诸国。有几个德意志的南部国家(巴瓦利亚、刘儿切木步儿阁等国),被承认为独立的国家;其他的德意志诸国,必须在普鲁斯的支配之下去组织所谓北德意志的同盟。

于是,统一的第一步,在 60 年代已被完成。但是,还有一个最大的障碍,尚横在普鲁斯的道路之上。这个最大的障碍,就是帝制的法兰西。后者,非常恐惧在自己东边出现新的有力的敌对者与竞争者;所以它常常妨害了德意志国民统一的完成。

五、普法战争与德意志统一的完成

在 60 年代末,于莱茵河的两岸上,很显然地感触到战争的迫切。在俾斯麦指导之下的普鲁斯政府,对于不可避免的战争,做了充分的准备。而且,德意志的资产阶级,在战胜奥大利之后,坚决地信任俾斯麦,因而对于军备的设置费,不加以吝惜。

俾斯麦策略,是在引诱法国开衅,使普鲁斯不能成为攻击者,而是防卫者。希望从许久以前与普鲁斯战争过的南德意志诸国方面得到援助的拿破仑第三,陷了为俾斯麦用巧妙的策划所准备了的圈套。在 1870 年夏季,法国借口于一点微末的口实,首先与普鲁斯宣战。日后者,曾促成了普鲁斯在整个德意志之广泛的居民层间,激起爱国情绪的高涨。整个资产阶级与小资产阶级的德意志,在反对外人侵袭普鲁斯的旗帜之下团结起来。

只有以韦利阁利木与利不克聂特为首领的德意志工人,才做了反对新的战争而且受到了失败的企图。

德意志的军队,侵入了法境,包围了并禁锢了在巴金指挥之下的一部分法国军队。在要塞闵斯地方,击破了已退到本国腹部巴黎的法国主力军。自命为法国军队领袖并迎救巴金的法拿破仑第三的企图,曾遭到了空前未有的惨败。法国皇帝的八万大军,在西坦被包围了。并且,在殊死战之后,自己的武装被解除了。法皇随自己的军队一同遭受捕虏。

后来,巴黎的被占与耻辱的和平,完结了法国的败北。法国不仅不能妨碍德意志的统一,而且还失掉了产铁丰富的洛驼林铁矿①,并且对于战胜者,又支付了五亿的大赔款。

德意志,由于战争而成为一个强而有力的与统一的国家。在 1871 年 1 月 18 日与世界大战后 1919 年,在对于德国签订极苛酷的凡尔赛和约的同一的凡尔赛的水晶宫里,德皇之凯歌被制成了。普鲁斯王,是德意志的第一个皇帝。于是,在德意志统一中之普鲁斯的支配,也因而被保证了。

第二节 北美之政治的与经济的发展

一、19 世纪北美之社会经济的发展

对于北美合众国之将来的发达与西欧的劳动革命运动之发展,给予很大

---

① 应为"洛林铁矿"。——编者注

影响的北美内战,是南北诸州间之长期斗争的结果。这里斗争的原因,是基于诸洲之社会经济发展的差异。从 18 世纪末叶,分布于大西洋沿岸的英人殖民地,在为独立之长期斗争之后,得到了自由的时期起,特别是从 18 世纪末与 19 世纪初,革命的拿破仑战争时起,北美合众国之经济的发展,以迅速的步骤而向前迈进。在 19 世纪前半期,诸州的领土,是很显著地扩大。在 18 世纪,几乎未踏进啊勒列干山陆地深邃的美人,在北美的西部与南部,创设了许多新的合众国。耕地,被扩大了;一切新的领土,被耕垦了;工业,成长起来;对外与对内的贸易流通额,以及美洲的商船之吨数,皆被增加。

并且,在 19 世纪初叶,与自然及地理条件相照应的个别领域内之经济的专门化,亦显露出来。工、农业经济,在西部与北部诸洲内迅速地发达起来。在 19 世纪初叶,北美的产业革命,创立了许多的大工业中心。在 18 世纪,所谓殖民经济,被普及于南部诸洲;同时,在这里,也有从亚非利亚移来的黑奴,在监督者的鞭笞之下,为奴隶所有者去做那米的、烟草的,以及棉花的沉重工作。

南部诸州,在经济方面是较北部落后。从产业革命时起,南部的棉花栽培,已排挤了其他工业的耕作法。欧洲与北美诸州之棉花消费的急剧增大,在 19 世纪 20 年代至 40 年代间,促进了殖民经济之迅速的发达,同时,又帮助了奴隶所有制之急进的发展。奴隶所有说者:"为要获得大量的棉花",就需要较多的黑人;为要购买较多的黑人,就必须大量地去播种棉花。

专从事于这种事业的工业家,每年派遣远征的商旅到亚非利亚。远征的商旅,在亚非利亚,获得了黑人;把他们运到美洲的商港,然后把他们在这里卖掉。在南部诸洲的新富列干、茶儿利斯顿与其他的都会中,曾有过奴隶的市场。直到 19 世纪中叶,美洲的与英国的船主=资本家,在黑奴贸易上,还储藏了大量的黑奴。现代的资本家,向我们不断地呐喊着那在苏联存在的"强制劳动",就在世界先进的"民主主义的国家里",也实际实行过(现在,在殖民地,还是继续地实行着强制劳动)。

二、1861 年至 1865 年的内战

老实说来,奴隶所有制,本曾引起北部资产阶级的反对。反之,黑人的买

卖,对于许多北部的商人,却是有利益的。在北部,只有随着私有企业之发达的开端,利益的冲突,才被暴露出来。例如,自由贸易,对于生产原料的,并且把它输出到欧洲去的南部诸州,是有利益的;保护制度与关税政策,对于想避免先进英国工业之竞争的北部工业区,是有利益的。此外,在其他的领域内,南部与北部的利益,也是相冲突的。殖民地,即棉花的生产者,为了土地,与北部农民曾不断地发生执拗的斗争。但是,在西部,还有许多空间的土地,于是,小农经济的农民,就从北部的,稠密居民的诸洲,向西部突进。"农民,带着家眷,握着锄铲,用车载着赤贫的家具,向前突进。他们在那里遇着了地主,即遇着了他们的统治者。这些统治者们,把常被羁绊的与在背上负着鞭笞伤痕的黑人群,当作家畜,而加以迫逐。"

殖民者=奴隶所有者,虽然在数目上是比较微小,但自合众国成立以来,在其中却演着支配的角色。大多数的首领,皆是从拥护奴隶所有制利益的民主主义的党员中被选出来的。到 19 世纪中叶,奴隶所有制的拥护者,实际上把北美合众国之国家政权的整个装置握在自己的手里。

根据社会经济制度互相被区别的奴隶所有制的南部诸州,与工业化的北部诸州是不可免的要发生战争。工人,手工业者,农民与北部的大部分资产阶级,不能与南部诸州的经济独立性相和谐,不能与国内之奴隶所有者,对于政权的要求相和谐。若不消灭奴隶制,在国内也就不会击破南部奴隶所有者的势力;这点,除却与棉花栽培及奴隶买卖相关联的少数资本家以外,对于北部的人,则已是很明白的事体。在东北诸洲与西部诸州里,在农民与工人的居民之间,以及都市的小资产阶级间,解放运动或叫作取消奴隶制主义,开始成长着。

带有革命情绪的奴隶废止论者,不仅做了积极解放奴隶的斗争,而且还援助黑奴去脱离他们的主人。为了这点,前者,曾创设了所谓"地下铁道"的地下组织。地下铁道的车长——奴隶废止论者,不顾拥护南部人的政府之迫害,秘密地援助了黑奴。他们,在从南部到没有奴隶制度的加拿大的这样长期的与危险的路程中,给予黑人以避难之所。奴隶废止论者的地下组织,到内乱衅之前,已放跑了五万多的黑奴。

不彻底的,自由解放的反对奴隶制的运动,与在北部资产阶级间之革命的与积极的废止论者并肩发展。这运动的拥护者,企图与南部人妥协,只用自由主义的名义及口头上的宣传,去与南部人实行斗争。他们,想用渐渐改良风尚及和平的方法,去清算奴隶制。已博得美名的美洲女作家斯特屋之的作品《特马婶母的草庐》①,是反对奴隶运动之拥护者的自由主义活动的典型。

在 1831 年,在土耳聂耳领导下的黑奴,曾做过脱离自己主人的运动。在维儿根,举行暴动,而结果,是失败了。后来,黑奴,白人的农夫以及工人(住居于临近南部边境的人)之反对奴隶所有者的个别革命斗争,几乎无时无之。在内乱开端前夜的 1859 年,想带少数队伍,在维儿根占领兵器库的与引起黑奴暴动的老者步拉开,与其子同受绞罪的处分。北部人,在 1861 年,当进击南部的殖民者之际,曾唱过下面的进军曲:"虽然,步拉开的尸首,睡眠墓地里,但,他的灵魂,还是与我们同赴战场"。

奴隶所有者理解了,若没有内战,他们不能发展自己的经济制度。他们,首先退出南部诸州的同盟。于是,在 1861 年 4 月,开始了反北部人的军事行动。南部地主与北部诸州的民主主义的居民之战争,继续了四年之久。北部诸州的首领,是民主共和国的大总统②林肯。只有在殊死战之后,北部人,才结束了奴隶所有者的支配,同时,更铲除了横在资本主义之国内发展路程上的最后障碍。在 1865 年,迫使南部军队降服的哥滚托大将。结束了这次的战争。合众国之统一,重被恢复;奴隶制度,为特别的法律所废止。北美合众国,在此次战争中,失去了数亿的金元,牺牲了数百万人的生命。

被战争所招致来的国内经济生活之一时的混乱,曾很迅速地被清算了。奴隶所有制的废止,给予国内经济发展以强力的刺激。"赋有无限的自然之富源,多数的文明民族与辽阔的国内市场的合众国,迈进了技术进步与经济发达的途径。并且,在 19 世纪末叶,滨大西洋沿岸的共和国,已变成了世界上最强大的资本主义国家。"

欧洲的资产阶级与无产阶级,对于北美 60 年代所发生的事件,曾予以特

---

① 此处当指美国作家哈里特·比彻·斯托(斯托夫人)于 1852 年发表的反奴隶制的作品《汤姆叔叔的小屋》(*Uncle Tom's Cobin*)。——编者注

② 林肯,傍内战终了之时,被暗杀。

别的注意与惊恐。资产阶级,特别是想从美国得到较贱的棉花,以之代替其他工业品的英法资产阶级,是同情于南部的奴隶所有者。反之,欧洲先进的劳动阶级,不顾美国的内战,在欧洲引起棉花的缺乏,因之有许多的纺织工厂倒闭,使许多工人失业与饥寒,而反同情于北部的人民。

美国的事情,给予欧洲无产阶级以巩固国际联系的刺激,促进了他们政治活动的加强。例如,在美国内战开始之后,在法、英二国,为救济当地纺织工厂的失业工人与遭受饥饿的工人起见,曾组织了一个特别的委员会。在这个委员会中,活泼的联系被保持着;另一方面,为反对英国资产阶级,想把英国卷于南部诸州战争的斗争之必要,引起了无产阶级之国际联系的扩大,引起了他的阶级觉悟与政治活动的成长。

重要事件年表

意大利的统一

1859 年	奥、法、意战争
1860 年	在西剌利义与聂啊波列的啊利巴利纪(意大利的革命家——译者)。
1861 年	土领的议会与意大利王国的形成。
1870 年	占领罗马

德意志的统一

1866 年	普奥战争与北德意志联盟的形成。
1870 年	普法战争。
1870 年 9 月 1 日	谢达一役与法兰西军队的投降。
1870 年 9 月 19 日	巴黎被包围的开端。
1871 年 1 月 28 日	巴黎投降。
1871 年 1 月 18 日	德意志帝国,在凡尔赛发表宣言。

北美合众国

1812 年至 1815 年	与英国第二次战争。
1861 年至 1865 年	南北战争。

演习题目

一、什么,抑制了德意志的与意大利的资本主义之发展?

二、为什么意大利的资产阶级,要在撒儿金王国的指导之下,去把意大利统一起来?

三、什么原因,在 19 世纪 60 年代,加强了德意志资产阶级向国民统一的追求?

四、国民的统一运动,在德意志曾走着什么样的道路?

五、什么原因,促使德意志的资产阶级从统一的一切可能的路线之中,单选择了为俾斯麦所倡导的路线?

六、1870 年至 1871 年的普法战争之原因为何?

七、什么条件,促进了北美合众国之资本主义的迅速发达?

八、什么原因,招致了北美合众国的内战?

自习课题

一、根据《傅立郎德与斯卢斯的选文集》第七章第一期,制成 1850 年至 1870 年的北美合众国的,德意志的与法、英诸国的贸易成长表。

二、利用下面的书籍——《美洲史之社会的力》(撒衣是斯著)137—181 页;《北美合众国之经济强盛的基础》三、四、五章(列维著);《美洲的帝国》(诺林格著)第 47—52 页——以《美国的经济》为题目,编成报告。

论据文书

傅立郎德与斯卢斯合著:《西欧革命运动史》第五版,1928 年在莫斯科国家出版部出版。

在选文集里,没有关于这个题目的特殊篇幅,可以采用的,只是第七章(第一、第二、第三、第二十二与第二十四期)的文件。

参考书

恩格斯:《在德意志帝国形成中的经济与强力(遗稿)》,译者是巴儿哈斯,莫斯科出版。

拉衣斯基:《北美合众国的近世史(从内战以后起,到世界帝国主义大战止)》。1930年在列宁格勒出版。

拉衣斯基:《合众国的内战》。

波格儿特:《北美合众国的经济史》。

加斯拉夫斯基:《北美合众国的内战》。

西曼诺夫:《北美合众国的劳资斗争》,在这部书里,可借用第六、第八两章。

拉衣曼斯:《美洲历史之社会的力》,1926年由国家出版部出版。

文艺作品

左拉、克立叶耳丛书:《被获得了的物》、《金钱》、《陷阱》、《毁灭》(这些小说,除《毁灭》以外,都是描写法国第二帝国之风尚及生活的没落情形,最后一本小说《毁灭》,是描写普法战争事件的);辛克来:《南与北》(该书,曾再版数次,是以南北战争时代的事体作为它描写的对象);哥儿特:《探金者》(这本小说,是描写50年代至60年代的克利佛耳的风尚与生活的),1925年出版,著者系美国有名的作家;史及利那根:《一个人不会打起来》,1924年出版,作者系德国小说家,描写了19世纪70年代之情况。

第二十四章　第一国际时代

产业资本主义的急剧发达,国际经济关系的成长与世界贸易的发展,是19世纪中叶欧洲的一般经济情况。这个时代,在政治方面,完成了国民统一的过程,展开了无产者之新阶级斗争史的一页。资本主义,在各国之间树立了严密的经济联系。并且,在这个时代,资产阶级诸国,企图一致地镇压劳动阶级的革命运动。经济斗争,把劳动阶级引到国际团结的路程之上。

第一国际,为了劳动阶级向资本之革命攻击的准备,奠定了他们国际组织的基础,即奠定了国际无产阶级为社会主义斗争的基础。

在第一国际内部,为马克思主义者所主张的,关于在从资本主义转到社会主义的过渡期的无产阶级专政时代必须保留国家的理论命题,在巴黎公社的经验中,是它第一次的实现。巴黎公社,是劳动阶级之最初的政府。

在俄国,特别是在农奴改革以后,资本主义,是向前发达了。但是,因有农奴残余之存在,60年代至70年代的资本主义,是很迟缓地发展。国内经济的矛盾,反映于民粹派的,反资本主义的与空想的意识形态之上。民粹派的各种潮流,是受了西欧的空想社会主义者之思想的影响。民粹派,在第一国际时代,是代表小资产阶级的潮流,即代表农民国家之式微的潮流。

研究这个时代,必须阐明下列各点:

(一)马克思主义,是怎样形成的? 而且,它的泉源与其基本理论是什么?

(二)在各国的劳动运动中(俄国的民粹派,也在其内)曾发生过什么样的潮流? 诸潮流之社会根源及其基本原理是什么?

(三)马克思主义,与普鲁东主义,布朗葵主义,巴枯宁主义,及俄国民粹派等小资产阶级的空想学说的基本见解的不一致,在于何处?

(四)巴黎公社,是怎样被造成的? 它想怎样去实现劳动阶级的基本任务? 而且,它何故成为政权之新形式?

(五)第一国际,对于巴黎公社的态度如何?

(六)俄国民粹主义运动失败之原因,在于哪点?

第一节　第一国际时代的欧洲劳动运动

一、英国的劳动运动。运动组合与劳动贵族

在 50 年代至 70 年代的英国经济繁荣与在世界经济方面它的独占地位,规定了这个时代的劳动运动之状况。在大宪章运动被清算以后,劳动组合运动的英国劳动运动,是发展了。为 50 年代至 70 年代之特征的,是零乱的与分散的劳动组合之形成。只有在伯爵的领地内,或在一个城市内,才发生仅把一小部分熟练工人与得到较高薪俸的工人,团结起来的劳动组合。每个会员的入会金,曾达到低级薪俸工人,没有物质能力可以成为劳动组合之会员的程度。于是,发生了所谓劳动贵族的与薪金较优的工人的劳动组合。得较优工资的工人之经济状况,与 30 年代至 40 年代的工人状况比较起来,是有很显著的改善。但是,这些劳动组合,只包括了劳动阶级的上层,与没有参加劳动组合的普通工人、不熟练工人与农村的无产阶级是隔离的。英国无产者的诸集团,受到了失业的遭遇。参与劳动组合的熟练工人与参加职工会的非熟练工人,是立于相反的地位。当劳动组合,要举行罢工之际,劳动组合的领袖们,则拣选与资本家调和的方法或仲裁的方法,去稳健地调剂了冲突。劳动组合的领袖,虽然,没有完全拒绝政治;但是,他们对于政治的旨趣,只是止于为工人组织得到较良的法律之宿愿。所谓在自己的组织上是狭隘的,对于广泛政治任务是无关的与在自己的要求上是和平的"陈腐的劳动组合",使劳动阶级从属于资产阶级,而且在数十年的过程中,是实行了资产阶级的政策。组织的孤立化及劳动组合之为每日之渺小利益的斗争,使英国的劳动组合运动与劳动运动之一般的任务脱离了。

在 1847 年的经济恐慌之后,有几个工业部门的昂扬,曾给英国家以高度的利润。这些利润的屑饵,以提高工资的形式,转渡给熟练工人的几个集团。

由于资本家的这种让步,劳动组合的领袖,就以为可以用经济的和平方法,达到从资本的压迫之下解放出来的幻想。

为棉花缺乏所招致来的 1857 年的经济恐慌,以及 60 年代的经济恐慌,破坏了广泛的工人之福利,引起了罢工斗争的尖锐化,引起了大量工人团结的形成。这种团结,采取了劳动组合联合会的会议形态,后来,就采取了团结为中央会议的形态。

二、英国的议会改革

劳动组合的中央机关与急进的资产阶级,共同地走进了为扩大选举权斗争的新时代。集会与示威运动,普遍了全国。政府,不得已而开始让步。依据 1867 年的法律,选举权是被扩大了。如果能够独立成为一户的劳动者与有整个权利的公民,皆有选举权。但是,即在这次改革之后,而选举权,仍然是抛弃了一切妇女的选举,抛弃了住居于他人屋舍里的城市工人与整个农村工人的选举。

三、法国的劳动运动。普鲁东主义与布朗葵主义

在 1848 年的流血大屠杀以后,法兰西的无产阶级,踏过了政治反动的困厄时期。经济学者普鲁东(1809—1865 年)之小资产阶级的学说,在法兰西无产阶级中间得到了普遍的发展。普鲁东,否定了为无产阶级解放手段的政治革命。据普鲁东的意见,经济革命,应当先于政治的革命。经济革命的任务,完全不是暴力式的去没收资产阶级的财产,而是把一切生产者变为小的所有者。普鲁东,希望以劳动阶级的经济独立性,对于贫困生产者的无偿信用与生产物的直接交换的方法,达到小资产阶级的理想。于是,普鲁东,看见资本主义世界之不公平,不在生产范围之内,反之,而是在交换领域之中。这小商品生产者之形成的过程,引到了下面的一个结论。这个结论是:资产阶级,因为是多余无用的,而会自形灭亡的。国家,让位于合意的公社的自由同盟,让位于基于消费到生产物中的劳动数量,实行公平交易的,而被组成的社会。于是,国家变为无用的废物。它之灭亡,是用和平的方法,而不是用暴力的与强制的方法。

基于互助与无偿信用之劳动社会的组织、互相服役的交换、消费的社会之宣传、拒绝政治斗争、希冀用经济的方法去改善自己的地位与不反对整个资本

主义的制度等——以上诸点,就是当时普鲁东纲领之基本的特征。

普鲁东,反对劳动运动,政治斗争与排斥罢工。他,曾是生产手段共有的反对者,并且,还认为共产主义是"贫困者的宗教"。

在 60 年代的法国,普鲁东主义,是梦想恢复自己经济独立的与破产的手工业者的热望之反映,是主要地从事于奢侈品生产的最熟练工人之情绪反映。

在法兰西无产大众中获得广泛发展的另一潮流,就是布朗葵主义。

普鲁东主义者,曾实行过反对布朗葵主义的斗争。按诸基本问题说来①,布朗葵主义,根本上是与普鲁东主义不同的。布朗葵主义者,宣传革命的暴力,只有革命,才能铲除资本的支配,才能消除一切"犯罪式的占有他人财物的成果"。只有用突击的方法与有组织的叛变,革命才能胜利。而且,也唯有无产者与知识分子之力量,才能实现共产主义。布朗葵主义,过低地估价了无产者与农民间革命准备的预先组织的力量,轻视了无产者的任务。并且,把知识分子、没落分子与无产阶级做同样地看待。劳动运动的懦弱性,对于阶级目的及工作正确方法的无理解,反映于这样的估价之中。

布朗葵与普鲁东不同,他否定了互助的金库、合作社、劳动组合、储蓄金库与在第二帝国时代已获得普遍性的这种制度的其他许多的方法。他非常注意于政治斗争。反之,宣扬拿破仑为救世主的普鲁东,曾做过一种幻想。这种幻想,是以为拿破仑全取消政治,以经济去代替政治的幻想。结果,则是幸福的专制。满足了无产者之经济的贫困,普鲁东,宣布共产主义为"一般没有被矫正过的褊狭性"与"疯狂般的,迟钝的单独性"。普鲁东与其门徒,变成了共产主义的敌人。但是,布朗葵,则是否定了在资本主义中之共产主义的和平成长的革命共产主义者,是认为资产阶级政权的消灭,成为无产阶级专政之基本任务的革命共产主义者。

四、劳动组合的形成

拿破仑第三,企图依据各种的社会阶层,去实施种种的方策。这些方策的目的,是使劳动者与政治问题脱离关系,用小的让步,以便从工人方面得到拥

---

① 参看前第三章与第四章(应为第二十二章第二节——编者注)。

护。关于互助金库、仲裁所与工厂监督的设置之拿破仑的立法,不拘关于禁止一切同盟的旧法还继续有效,却引起了工人小团体的组织,即引起了,所谓把工人按职业之区分,而团结起来的劳动组合。

劳动组合,在 50 年代发生,很快地普及起来,而且还把各种职业的工人——制帽工人、青铜工人、制铜工人与造马车工人等——团结起来。他们有中央金库去襄助得病的会员及其家属,并且,还给予失业者以补助金额。劳动组合的意义,不限于一个狭隘的职业的任务。劳动组合,变成了劳动阶级的组织中心,做了反对减低工资与延长劳动时间的斗争,趋向罢工。而且,罢工的成长,已探取了最高的程度。劳动阶级的斗争,迫使政府在 1864 年创制了一种新法。根据这种新法,劳动组合可以得到合法存在的权利。政府以为在警察的监督之下,而实行活动的与合法的劳动组合,可以减少危险;并且,还有新法禁止自由结社,这当然还可以减少危险性。但是,劳动组合的活动,在 1864 年这样新法的被创制以后,却特别地加强起来。在 1869 年,所有的劳动组合,已经结成了一个统一的劳动组合。劳动组合,在自己临发生之际,就是立足于拥护自己经济利益的立场,与在将来占有生产工具及指挥它的组织之个别的资本家,是立于反对的地位。由于法国的经济状况及"合法的"劳动组合之形成,罢工的事件,笼罩了全国。在各处,有时,被组织了的劳动组合,领导了罢工;有时,从这些罢工中,又产生了劳动组合。

经济斗争的尖锐化,在法国的工人中,对于政治问题引到了走独立道路的企图。在 1863 年开始的议会选举席上,劳动阶级,曾独立地选举了自己的候补者。在 1864 年的选举以前,曾发表了为 60 个工人所写的著名宣言。在这个宣言中,特别指示出无产阶级与资产阶级间的经济的与社会的矛盾之存在。于是,造成了选送劳动阶级之独立的代表,到议会中去的结论。

五、德国的劳动运动。拉撒里与拉撒里主义

40 年代至 50 年代至反动后的德意志无产阶级的觉悟,是与 1857 年的经济恐慌而发生的劳动运动之一般的昂扬相关联的。德意志的劳动阶级,必须实行两个战线上的斗争。一方面,他们必须脱离,想利用劳动阶级当作自己与自由主义资产阶级斗争的工具之俾斯麦的反动政府;另一方面,他们必须从宣

扬工人"自助"的伪宣传的自由主义资产阶级的政治影响之下解放出来。自由主义的资产阶级,当与地主政府斗争之际,在劳动阶级的队伍中找到了自己的同盟者。但是,在他被三月革命惊恐以后,却又极力使劳动阶级脱离政治的斗争。德意志资产阶级之所以要积极参加劳动阶级的独立组织的团体、各种启蒙团体、合作社及信用等团体的目的,也就在于这一点。在德意志的劳动运动中,60年代的特征,是为阶级的立场与独立的政治路线之形成的斗争。此时,在劳动阶级中,有两个潮流激荡着。

一个最有权威的潮流之首领,是拉撒里(1825—1864年)。拉撒里,是最初的德意志工人的独立政党(全德意志劳动者同盟)的创立者,是许多辉煌的政治小册子(《劳动者的纲领》、公开状及其他等等)的著作者。

在《劳动者纲领》里,拉撒里发展了劳动阶级必须组成一个独立政党的思想。不消说,这个政党,是脱离急进的资产阶级之团体。劳动阶级的利益,与其他阶级的利益是对立的。劳动阶级,但成了第四身份。劳动阶级是"社会最穷困、最后的一个身份;他的事业,是全人类的事业;他的自由,是全人类的自由;他的威权,是全人类的威权。"

撒克逊的工人,致力于政党的创立。于是,宣布了召集德意志工人大会的提案。召集这个大会的预备工作,曾委托于在列衣蒲被组成了的特别委员会。拉撒里,根据这委员会的委托,在《公开状》中指示出劳动阶级运动的基本特征。当拉撒里指出劳动阶级,必然要有自己的,反对进步者(自由主义者)的政党的思想之后,他曾认为党的主要要求,是用和平的斗争,普及的煽动与引诱舆论向自己方面的同情,去获得普选权。据拉撒里的意见,选举权,可以给予劳动阶级去获得国家装置的可能性。而且,也唯有借助于国家的装置,才能实行取消"工资铁则"的社会之基本的改革。根据这个"铁则","工资约平均额,常久等于为维持与蓄殖人民的习惯所要求的必须费用额"。在资产阶级国家的支配之下,绝不会把工资提高到特定的,最小的限度以上。于是,国家,在拉撒里看来,是唯一的力量。占有这个力量之后,才能保证满是劳动阶级之一切经济的要求。拉撒里,过轻地评价之国家之阶级的性质。因之,他以为由多数国民而组织的贫困阶级,只要活到普选权,就可握到政权。

"国家是什么? 它是诸君,它是贫困阶级之伟大的结合"——拉撒里那样地说。

但是,为了夺取政权,一般的与直接的选举权是必要的。"一般的与直接的选举权,不仅是诸君的政治原理,而且还是诸君的基本社会原理,是一切社会改良的根本条件与改善劳动阶级的物质状况之唯一的手段。"

在1863年,为拉撒里所创立的独立政党(全德意志工人同盟),是以取得普选权为自己的任务。拉撒里,对于关于工人借助于消费合作社,可以改良自己地位的进步者之提案,予以惨酷的批判与嘲笑。拉撒里,驳斥了资产阶级的消费合作的思想之后,他曾发展了,借助国家,专为劳动阶级创立生产者合作的思想。虽然,拉撒里的纲领,也接受了《共产党宣言》的许多思想;但是,他的这个纲领,却包含着许多的矛盾;它是空想的,错误的与被小资本阶级的意识形态所贯透的纲领。

在1864年,马克思给恩格斯写过如次的言辞:"拉撒里,在个人本身的,文学的与科学的诸方面,无论如何曾是德意志之最负盛名的政治家之一。但是,现在,我以为他是不能依靠的同盟者;在将来,他会变成我们的敌人。"

采取议会改革的方法与和平地渐渐转到社会主义可能性的拉撒里之理论,完全是空想的与错误的。这点,也就使他过量地评价议会之意义。次之,拉撒里,过轻地估计了国家之阶级的性质。因之,他认为借助国家信用能够组织生产的组合。他想:劳动阶级,可以不必先夺取政权,就能实行生产手段的社会化。他的理论之小资产阶级的性质,表现于过轻地估价了无产阶级的经济斗争之中,表现于关于劳动组合之无补益的旧空想错误的重复之中,它又暴露于为社会运动的基础的国际之否定。

拉撒里与拉撒里主义者,为实现自己的纲领,曾认为向地主政府,因而得到政府的保障是可能的。拉撒里,只站在产业工人的立场去攻击资产阶级,而忘掉了农村劳动者,被封建贵族之家长式的"鞭笞下的榨取"。

六、爱义节那和派

在此时期,德意志工人队伍中的另一派,是以雕刻工人倍倍尔(1840—1913年)与评论家利不克斯特(1826—1900年)为领袖的团体。倍倍尔,参加了为自由主义的知识分子所创立的与在进步党的强力影响之下的工人的启蒙团体。他是把分散的团体组织成一个统一团体的组织者。并且,这个统一的团体,在 1863 年,规定了德意志工人同盟的组织原则。1848 年革命的参加者利不克聂和特,从接近马克思与恩格斯,以及从接受了他们的思想的止命地返回以后,曾给予倍倍尔以强烈的影响。在 1865 年,倍倍尔与利不克聂和特一同参加了国际劳动者协会。

1868 年,在爱义节那和,曾成立了德意志工人团体的同盟大会。在这大会席上,曾组成了一个接受国际纲领的全德意志的社会民主党。

数年以来,在拉撒里派与爱义节那和派——倍倍尔与利不克聂和特派的拥护者——之间,为了获得德意志无产阶级的势力,曾实行过坚决的斗争。他们见解之不同的基本点,是关于德意志统一的问题。爱义节那和派,反对在普鲁斯的指导之下(拉撒里派的主张)的德意志的统一,认为那样的决定,是以普鲁斯为首领的反革命之企图,是自上而下地解决了问题。于是,他们主张了:依据南德意志诸国的工人与小资产阶级的革命层,用革命的方法,去解决德国当前的历史任务,即是在基于自决及普选权而被树立的德意志诸小国的自治形态上,去解决德国的当前问题。

列宁说:"在 1864—1870 年——彼时正是德意志资产阶级的民主主义革命近于完结的时代,并且,也是普鲁斯的与奥大利的榨取阶级,为自上而下革命的某种方法而实行斗争的完结时代——马克思不仅责难了给俾斯麦送秋波的拉撒里,而且,还匡正了陷于亲奥大利的与派别主义的利不克聂和特。马克思要求了,与俾斯麦及亲奥大利派,做同样的、坚决的斗争的革命战术,要求不是与'战胜者——普鲁斯的地主——相适合的战术',而是要求在被普鲁斯战争胜利所创立的基础上,渐渐恢复那与战胜者作革命斗争的战术。"

见解的不一致,在其间的问题上,也被显现出来。当拉撒里派,由于议会的经验,主张参加议会立法的活动之际,爱义节那和派,则把议会看作煽动的机关。关于劳动组合运动问题的见解不一致,更是特别地加强。

60 年代的恐慌,引起了劳动者间的贫困。这种贫困,随着 1864 年与 1866 年的普鲁斯与丹麦、奥大利的战争,而被强化。恐慌,引起了失业者的骚动,而且,还是许多劳动组合(机械工人、裁衣工人、排字工人与木工等)的组织的推动力。劳动组合,为了改善自己的劳动条件,实行过坚强的斗争,暴露了女工与工人被榨取的法外形态,领导了正在成长着的罢工运动。

所有这些情形,对于劳动运动,显示以革命化的影响,激荡了各地的人心,使劳动阶级脱离自由主义的资产阶级的加强。右翼的拉撒里主义者,公开地反对罢工的与劳动组合的运动,反对参加第一国际。但是同时,倍倍尔主义者、利不克聂和特主义者与少数的拉撒里主义者(民主主义劳动者同盟),却接近第一国际,而且,还接受了社会主义的纲领。

罢工运动,对于自身引起了各种各样的态度。1868 年,在克伦不尔格所举行的拉撒里派的大会,不愿意参加罢工的指导,认为"罢工不能长期地改善劳动者的情况"。拉撒里派,倡导了把一切的生产者,结成为一个"单一的"劳动组合的组织的思想;他们的反对者,则是主张,按着个别的生产部门,而组织劳动组合。

在这时期组织的劳动组合,把工人团结起来,加强了他们的阶级意识,是与企业者组织对立的与战斗的无产阶级团体。企业家,想用在自己的监督与指导之下,组织劳动组合的方法,去减杀无产阶级之组织的力量。在这些组合之中,最负盛名的格儿不冬克儿斯基的组合,也未有得到预期的结果,未曾达到自己的目的——"劳资协调"。

确定了纲领的与在全德社会民主党名称之下团结起来的爱义节那和大会,对于在德意志劳动运动中的两个潮流之见解的分歧,做了个总结。

关于原则上的设定,则没有什么不可融合的异见。在这两个潮流的主张中,有许多的共同点与相似之点:如"人民国家的创立"、大众运动之和平的性质、革命的否定以及为夺取政权之手段与过程的普选权等。但是,关于战术的与组织的问题之异见,一时却采取了尖锐的形态。

在普法战争完结以后,除掉警察迫害的加强,推动了广泛的无产者之阶级的战线,作反对资产阶级的敌对者以外,还有战术的见解不一致,也同样地削弱了自己的尖锐性。所有这些,很清晰地说明两党——全德意志劳动者同盟与社会民主劳工党——之融合的倾向。1875 年,在哥德的统一大会上,实现了两党间单一的、社会主义劳工党的融合。

由于在劳动运动中之马克思主义派与拉撒里主义派之协和的结果,以《哥德纲领》著名的新纲领出现了。这个纲领之初期的基本理论,是如次第论述着:"劳动,是一切财富与整个文化的泉源。劳动,唯有在劳动生产物的综合,所属于的那个社会中,才是有益处的。社会的所有成员,负有劳动的义务,有平等的权利,而且,从社会的财产中,还能得到个人的,相当的与被规定的需要;……劳动的解放,是劳动阶级的事业。与劳动阶级立于反对地位的其他阶级,只是反动的大众。"

拉撒里主义的思想,在这个纲领中得到了充分的表现。"德意志,希望达到自由人民的国家与社会主义的社会;它希望用取消雇佣劳动制度的方法,去克服工资的铁则……德国社会民主主义的劳动党,为了设置解决社会问题的路程,要求树立带有国家政权之帮助的,在劳务人民之民主义监督之下的社会主义生产者团体"。

这个纲领,确定:通过资产阶级国家的帮助而被组织的生产者团体,社会问题,才被解决,一切形态的榨取,才被消灭,工资的铁则,才被克服。所以,这个纲领,是较马克思主义退后了一步。

最低纲领的要求如下:(一)普通平等的直接选举权。(二)由人民去解决战争与和平的问题。(三)一般的军事义务与人民的后备军。(四)取消关于出版,集会与结社等的其他特别法律。(五)由国家推行普遍的与平等的国民教育。(六)单一的累进税。(七)无限制的同盟权。(八)废止幼年劳动等。

马克思与恩格斯,认为哥达纲领是向拉撒里主义表示让步。所以,他们对于哥达纲领予以深刻的批判。例如,在这纲领中,把国家让渡与生产者团体的要求。因为后者,没有窥透国家之阶级的本质,所以,这个要求,是被对于国家之"忠诚信仰"所规定的拉撒里主义的口号。人民之直接立法的要求,是自由主义关于"人民国家"之自由的主张。哥德纲领,极不正确地传授了《共产党宣言》的思想。此外,在这个纲领中,我们将指出对于国际社会主义原则的游离与小资产阶级革命任务之不正确的否定,我们还要暴露出,该纲领之反映机会主义倾向的几个条款。

第二节　第一国际的组织及其活动

一、工人组织之国际联系的成长

随着在欧洲诸国的资产阶间的联系之扩大,欧洲的,特别是英、法、德的劳动阶级间的日趋密切的联系,也被扩大了。资本主义的发展,使劳动阶级遭遇的那种新的条件,在国际的规模上,把劳动阶级自己的势力团结起来。从资本剥削的方面看来,保护自己政治的与经济的利益之必要,引起了各国工人之团结的倾向。各国工人之向团结的诸趋势,从资产阶级方面遇到了凶猛的抵抗。

向国际团结之最初企图的创立者,是 40 年代亡命于法、英两国的德意志的手工业工人。在当时,国际团结的企图,主要的是被表现在各种秘密团体的组织之中,这秘密的团体,包括了共产党同盟。后者,是 1847 年在伦敦被创立了的与把各国革命的止令者团结于自己队伍中的同盟。秘密团体之基础,是国际合作的思想。但是,所有这些团体,因了尚未有扩大的劳动运动之基础,所以,它是小的集团与同盟。然而,随着无产阶级之渐次的成长与加强,秘密团体之活动范围也被扩大了。无产阶级合作之思想,给劳动阶级创设了新的路线。

1857 年的经济恐慌,是使劳动阶级团结之最有利的刺激。恐慌,把千斤的重担,首先放在劳动阶级的肩头。在英国,失业工人达到了很大的数目;尤其是在因为美洲的南北战争而缺乏原料的纺织工业方面,失业人的数目,更是例外地加多。由于此种情形,曾发生了很普及的罢工。英国劳动阶级,对于不使贱价的劳动力从国外进入以及在罢工期内,不令罢工的破坏者做工,是特别关心的。于是,经济上的利害,推着劳动阶级走向国际的团结。

在法国也是一样,因为经济恐慌以及工资之逐渐减低的缘故,生活程度的提高与失业者的数目,也是特别的显著。

二、劳动者之国际团体的创立

由于劳动阶级之经济状况的恶化,在英、法、德及其他国家所招致来的革命运动之成长,很显明地被表现于国际团结的倾向之中。这样团结的动机之一,是在伦敦被开展了的万国博览会与在俄国 1863 年的波兰举动。英国工人,柬请法国工人出席 1862 年在伦敦被开展的国际博览会。法国工人代表,这次到伦敦的旅行,在英、法两国的工人间,巩固了劳动阶级之国际团结的思想。在 1863 年,英、法两国工人,在为反对专制政府,向暴动叛徒之流血大屠杀所召集的大会席上,又重得会晤。于是"劳动者之国际联络的临时委员会"

被组成了。从此时起,英、法、德三国工人之间的联络,没有中断地继续下去。有益于国际同盟的煽动,直接地扑向工场去。

在 1864 年 9 月间,法国的代表团又到伦敦。英人,为了欢迎法国代表团起见,在伦敦的山特、马尔勒斯和勒大礼堂,特召集了一个国际大会。在这次的大会席上,英、法两国工人,交换了演说。在诸演说辞中,指示了,劳动者,若不起来反抗,则资本主义之渐次的发展,必以新奴隶制,去威胁着人类;又指出:只有全世界的劳动者之团结,才能把工人从资本主义制度的诸结果中解放出来。这次集会,一致地通过了,关于劳动者国际组织之创立,以伦敦为中心的议决案,选出了起草劳动者国际团体规约的二十一人的委员会。参加者委员会的代表,有英国的劳动者同盟的代表,以及法、意、德诸国的代表。为国际指导者的马克思,也是委员会之被选的委员之一。在同年 10 月 5 日,委员会,又把其他国家的代表,也编入自己的组织之中,于是,组织了以五十人为其构成的总评议会。委员会的构成,曾包含着各样不同的分子。参加这构成的,有劳动组合主义者,欧文主义者,茶儿基斯主义者,普鲁东主义者,布朗葵主义者,德意志的,波兰的与意大利的革命者以及带有各种不同的政治见解的分子。

三、国际的宣言与规约

在国际的宣言及其规约里,决定了它的基本目的与任务。

为各国代表团所提出的规约的与纲领的四个草案,其中被全场一致通过的,只是为马克思所提出的草案,为马克思所作的开会辞(所谓《国际宣言》),曾指示出,无产阶级,为自己阶级目的的斗争所应走的道路。在资产阶级财富的急剧增大的情形之下,劳动阶级状况之渐次的恶化,使他们夺取政权,已变成必要的事情。开会辞,指出劳动运动的成功。这种成功,表现在美国工人获得十小时工作制之中。而且,这种成功,是原理的胜利,是无产阶级经济学对于资产阶级经济学的胜利。同时,消费合作社,也获得了莫大的成功。消费合作社,证明了大量的生产组织之可能性,证实了没有资产阶级,也可以管理生产的可能性。开会辞指示出,消费合作社,在资本主义社会的条件之下,既不能变革这个社会,又不能把无产阶级从它的抑压之下解放出来。所以,开会辞,未曾过分地评价了这些成功。

只有无产阶级夺取了政权,指导无产阶级之强力的与毫不畏怯的政党之创立,无产者之所有力量的国际团结以及反对基本压迫与抢夺(它,招致了抢夺的战争与劳动阶级的分化)的资产阶级的国际政策之国际团体的创立等,才能保证劳动阶级之解放的成功。

为马克思可提出的临时规约与宣言,共同地被总评议会一致地通过了。规约指示出:劳动阶级的解放,是劳动阶级本身的事业;劳动阶级,为了自己解放的斗争,不能创设新的特权,必须规定权利与义务的平等,取消一切阶级的支配。规约曾说:"劳动阶级的经济解放,是最后的目的。而且,政治运动,应当被作为手段而从属于前者"。次之,规约阐明了,劳动者,为自己经济解放而斗争的努力,为何遭受了失败的原因。这次失败的原因,首先是:"在每个国家中,在各种的劳动部门间之劳动阶级感情的缺乏与各国工人间之友爱团结的乌有"。规约记录着:"劳动阶级的解放,不是局部的或者一国的问题,而是覆在一切国家之上的社会问题。这个问题,只有最先进国之理论与实践的协力,才能被解决的"。

表现马克思主义原理之规约的纲领的诸条款,是国际活动的基础。次之,规约,说明了国际组织的基础。

四、国际的构成(组织的构造)

国际之地方的国民支部,称谓谢克刺牙(支部——译者)。

因为在每一国内有无数支部的缘故,所以,国民支部的统一是必要的。每个国家的支部,选出自己的中央委员会。最后,后者被称为联合评议会。此外,各支部,按各地与各州统一起来,有自己的州评议会。

在每个国家内,劳动运动之直接领导,完全委托于地方支部。支部,关于在其活动中所发生的问题,有直接与总评议会发生关系的权利。支部,虽然享有充分的独立性,但是,它同时必须要实行与大会命令相符合的自己工作,必须执行大会的议决。

虽然如此,但是可不能说,国际,是严格中央集权的与周密构造的组织。国民支部,不是永远有组织地被形成了的;关于他们的行动,总评议会不必常常加以指导;会费,是不确定;总评议会,没有计算为国际所结成的会员之数目的可能性。在 1869 年,国际,把围绕自己附近的欧美十一国的劳动阶级之政治的与经济的组织结合起来。在英,法,瑞士诸国,有自由主义者,参加了国际支部的组织。很明显的,在这样的条件之下,国际,只能是领导国际无产阶级运动之思想的中心。国际,是依照民主中央集权主义的原则而被构成的。这就是说,支部,一方面有参加劳动运动之一切问题的解决权,另一方面又必须执行总评议会的与国际大会的命令与决议。国际的上部机关,即每年被召集的国际大会①,审查了无产者之阶级斗争的最主要问题与选出国际的总评议会。

在华会以后,下次开会以前之间的劳动运动的领导,则集中于总评议会。总评议会的常驻地,是选为伦敦。总评议会的义务,是召集国际大会,为大会准备必需的资料与执行物质的活动。

马克思,在国际内部演着指导的角色。他把许多的时间、精力与劳动,投在总评议会的与国际大会的工作上。马克思,在 1870 年 9 月 14 日,在给他朋友库格曼的信中曾如次地写着:"我的时间,完全被国际的工作占去;我总不能在夜里三点以前就寝。"

五、国际内部的见解不一致

因了国际组织的构造,多少具备了显明的雏形,于是,组织之构造的问题,遂退到第二意义的问题;在国际前面,发生了纲领的与战术的问题。但是,关于这类问题,从国际活动的第一步起,在它的各集团间就现出了在原则上之极不一致的见解。这些见解的不一致,首先被个别国家之劳动运动的发展水准的差异与由此而发生的各国无产者之阶级意识的水准所规定。加入国际构成的,除产业的无产阶级以外,还有手工业的与少数资产阶级分子的代表。倘然,从国际活动的开端时起,前者的意识形态,是马克思主义;那么,后者的意识形态,终究会变成普鲁东主义与巴枯宁主义。在召集代表大会的伦敦的预

---

① 第一国际的几次大会如下:日内瓦(1866 年),洛桑(1867 年),布鲁舍(1868 年),巴节耳(1869 年),葛冈(1872 年),日内瓦(1873 年)。除了这些大会以外,还有几次其他会议:伦敦预备会议(1865 年),伦敦会议(1871 年),菲拉节义菲会议(1876 年)。

备会议以后,在国际内部,有两个基本的潮流(马克思主义的潮流与普鲁东主义的潮流)被暴露出来。

六、马克思主义

马克思与恩格斯,首先把无产阶级与资产阶级的斗争,提到科学的基础上,清晰地规定了这个斗争的最后目的,指示了无产阶级达到这个目的,所应使用的方法与应走的道路,于是,又创造了科学社会主义的理论。

列宁说:"马克思,是属于人类之三个最先进国家的19世纪主要思想潮流的继承者与天才的完成者。这三个主要的思想潮流:是德意志的古典哲学,英国的古典经济学,以及与法兰西大革命学说有关联的法国的社会主义。"在这些问题内所蕴育的博学,让马克思以辩证法去研究社会的现象,发现资本主义发展的法则与把理论变为劳动者斗争的指导。

在与空想社会主义者不同的马克思看来,一切社会变革的基本原因,以及一切政治革命的基本原因,不应在人类的头脑中去探求,也不应当在历史上交替着的道德观与正义观中去探求,反之,而应当在生产方法与交换方法的变革中去追求。而且,这些原因,又不能在哲学中去探求,而应当在特定时代的经济中去追求。

历史上的一切斗争,有时隐约于政治的、宗教的、哲学的,或其他的意识形态的领域之中。但是,实际上,它只是社会阶级之互相斗争的表现。并且,这诸阶级的生活,相互的冲突,每一个阶级的教育本身,他在阶级斗争中的胜利,以及他将来的任务等,都为生产力的发展所规定,都为在生产中与被生产所制约的交换中之阶级的作用所规定。

马克思,从德意志的观念论哲学家黑格儿(1770—1831年)方面所借来的辩证法,帮助他在资本主义刚要开始发展的条件下与还未意识到劳动运动的条件下,创造了科学社会主义的理论。这个方法的本质,是表现在下面的一点上,即,一切现象,不要与其他现象的总链相孤立地被考察着,而是要与在普遍运动中的其他一联现象相关联地被考察着。因为,一切都是不断地流动着,发展着与变革着的。这种发展,不是均等发展的过程,它是充满着矛盾与斗争。在自然与人类社会里,不断发展着的过程,是伴随着内在矛盾之成长。这内在矛盾之蓄积,引起了爆裂,引起了革命与形态之显著的变革。

恩格斯说:"世界,不是由既成的与完结的物体组成的,反之,而是代表着诸过程的综合。在这过程的综合中,仿佛是不变的物体与被头脑所造成的它的影响,即所谓概念,是存在于不断地变化中,时而发生,时而灭亡——这种伟大的基本思想,从黑格儿时代起,它深入一般认识中的程度已达到了,任何人在一般的考察上,所不能否定它的地步。但是,某一个事体,在口头上接受了它,另一的事体,确在个别的情况下与特定研究的领域中,适用了它。"在辩证法的哲学看来,无论时期久暂,是没有穷极的,绝对的与神圣的东西。辩证法的哲学,透视了一切东西之不可避免没落的影子。在它的前面,除掉发生与消灭,从低级无限的升到高级的,不间断的过程以外,没有什么静止的东西。它本身,只是这个过程在思维的脑髓中之单纯的反映。于是,辩证法,照马克思的话说来,是"关于外在世界与人类思维之一般发展法则的学问"。

在黑格儿看来,辩证法的方法,是与观念的表象及内容相关联着的。黑格儿教给了:在世界上之万物的本质,是精神(观念);在物质的自然界中与人类本身中所发生的一切,只是这独立存在的观念与其自发发展的观念之反映及化身。马克思,当借用辩证法的方法之际,他曾使辩证法脱离了黑格儿哲学之观念论的内容。马克思,把辩证法的方法,适用于唯物论的哲学。唯物论哲学,认为首次存在的东西,是物质的世界,把观念看作是物质发展到特定阶段上所发生的一种属性,把观念看作为物质世界之在人类的脑髓中的反映与再造。

好像返复着被已经过的阶段之发展,但是,在实际上却迫后着在另一的,较高的基础上按着螺线而非按着直线的发展。发展,是突变的、冲突的与革命的。连续性的中断,量变质。在特定的社会内部,或特定的现象之中,作用于特定事体的各种力与趋间的矛盾及冲突,给予了内在发展之冲突;每个现象之各方面的相互依存与及密切的,不间断的联结(而且,历史发现了更新的方面);后者,给予统一的、合法则的世界运动的过

程——以上诸点,是关于发展比较更有内容(与平常的相比)的学说之辩证的诸特征。(列宁)

辩证法的唯物论,让马克思在资本主义发展中去研究资本主义的社会,去发现矛盾的成长。并且,它还让马克思证明了矛盾的蓄积与冲突,不可避免地要引到崩溃与以社会主义的形态去代替资本主义社会形态的革命。

马克思与恩格斯,在《共产党宣言》里,已经奠定了科学的共产主义诸原则及该诸原则的物质基础。科学性,无产阶级的阶级基础与革命性质,就把《共产党宣言》的内容与先行于它的社会主义理论的内容,很清楚地区别出来。马克思与恩格斯,在这本著作里,证明了资本主义在自己发展的过程内,要产生矛盾的力,而这种矛盾的斗争,不可避免地要把资本主义推到灭亡的路程。社会革命,像先行于它的一切社会革命一样,将成为资产阶级社会之自然发展的结果。为资本主义所发展的生产力,在自己的继续发展中,将渐渐地与资本主义社会制度发生冲突。

定期的产业恐慌与反对资产阶级之无产阶级革命的暴动,是这理论之直接的例证。

在反对资产阶级的诸阶级当中,只有无产阶级,才是最彻底的革命阶级。所以,当与资产阶级斗争之际,无产阶级居于领导的地位,引导其他一切被资本压迫的阶级,去和资产阶级斗争。

只有用暴力的方法,才能推翻资本主义的构成,才能保证无产阶级的胜利。在资产的阶级的社会里,生产力成长的同一过程,一方面创造了不可克服的矛盾,另一方面产生了无产阶级,并且在数量上使他增加,使他联合起来与革命化。资产阶级,"首先创造了自己的挖墓人"。"他的败北与无产阶级的胜利,同样是不可避免的"。

无产阶级的政治支配——后来,马克思把它用极确切的概念去表示,称为无产阶级专政——只是转向社会主义的过渡期。无产阶级,利用自己的政治支配,是为的:"从资产阶级方面渐渐夺回所有的资本,把生产手段集中到国家的手里,即是集中到有组织的无产阶级支配的手里,并且,尽可能地去增加生产力的总量"。无产阶级,取消了为社会分裂为阶级的基础之生产手段的私有,同时也要消灭阶级的本身。因为,"政权,在其本义上说来,是一个阶级使另外一个阶级服从为目的的一种有组织的暴力。所以,无产阶级也就要消灭一切阶级的支配"。

协会,代替着赋有阶级与阶级斗争的资产阶级社会的地位。"在协会中,每个人之自由发展,是一切人之自由发展的条件"。新的共产主义的社会,组织起来,而代替了资本主义的社会。在共产主义的社会里,没有阶级与没有某一阶级对于另一阶级的压迫之存在。

想实现这点,唯有用全世界无产阶级武装起来的方法才是有可能的。所以,在《共产党宣言》的末尾上,曾说了"全世界无产阶级联合起来啊"的一句名言。这句名言,从那时起,已经成为全世界无产阶级合作的口号。

在《共产党宣言》里,对于整个资本主义社会,不仅给予了深刻的分析,而且还指示了推翻它应走的路程。在此文献里,关于劳动阶级解放的现实,只能用全世界无产阶级共同努力的方法之无产阶级的意识,得到了充分的发展。在这里,给予了唯物史观及社会革命的基础。在其他许多的著作(这些著作是:马克思经济学批判(1857—1859 年),哲学之贫困(1847 年),恩格斯反杜林(1877—1878 年),家族,私有财产及国家之起源(1848 年),费尔巴哈与德意志,古典哲学之终结(1886 年)中,马克思与恩格斯继续发展了科学社会主义的基本理论。

基于资本主义社会之全面的研究,马克思在他的《资本论》中给予了关于资本主义社会运动法则的学说。《资本论》第一卷,是在 1867 年出版的。

马克思,当自己分析资本主义的生产方法之际,是从资本主义经济是商品经济的前提出发,即是从劳动生产物,不为生产者本身消费而生产,反之为交换其他生产品而生产的经济出发。各资本主义企业家之间的联系,是经过交换而被实现的。这是社会分工与生产手段及生产物的特有等之不可避免的结果。在社会分工的状况之下,各种企业,生产着各种各样的商品。而且,商品的所有者,为了得到他必需的商品,就必须将他自己的商品运到市场上。于是,资本主义经济的一切部门,都是互相密切地依存着。

马克思,在自己的分析工作中,指出了大生产与小生产之间的差异。马克思,从大生产比小生产的生产性大的前提出发,于是,他以许多先进的资本主义国家为例证,指示出小生产渐渐要被大生产排挤的结论。在发达了的资本主义国家,在产业方面演着重要角色的,是大生产;小生产,只能在少许的部门内被维持着。这少许的工业部门,由于自己之生产的条件,是比较容易存在的。工业往大企业之集中的过程,是资本主义的主要特征之一。

所谓生产之无政府性,即生产之完全无调剂性、协和性与自然性等,也是资本主义生产方法之特征。生产的无政府性,表现在每一个资本家的为得着利润,而很少顾虑到社会的需要去生产商品的一点上。因之,在许多的部门中,时时发生生产过剩的尖锐情况,即是在市场上,没有找到自己销路的商品剩余的形成。企业相继关门,劳动者被抛置于街头。在产业恐慌期,只有最大的企业,才可以被维持着;至于小企业,大部分是灭亡的。因此,生产的无政府状态,也引到了生产之大量的集中,它并以资本主义企业的减少,而去增大集中的程度、失业与贫困。

资本主义的动力,是利润的追求。资本家能得到利润,只好用尽力榨取劳动阶级的方法。资本家,企图榨取劳动力能可以赠与的最高限度。所以,在工资的形态上,只能给为维持劳动力的必要报酬。只有工人之生动的劳动,才能生产新的价值。这种新的价值,包含着工人阶级自身之生活费的价值,机器与材料之被消费部分的价值以及为资本家所占有的剩余价值等。同时,资本家,企图减少自己商品的生产费;于是,在企业中,采用了新改良的技术与新的机器。但是,在资本主义下之技术的发展,并不能改良劳动阶级的状况,反之,它确招致了失业增加并由此而引起了工资的减低、劳动时间延长以及劳动后备军的形成。此外,机器的使用,可以让资本家在大的规模上,去雇佣价格更便宜的妇女的与儿童的劳动力,并且,由此还可以减低成年工人的工资。

在这样的情况之下,工人变成了机器的附属品。这就因为他只有两只空手的缘故。他在工作时所运用的生产手段,是他主人的私有财产。工人,在自己的主人面前,变成了没有保障的,必须把自己的劳动力按着资本家所给的价格而出卖。这种情况的结果,是资本家对于劳动阶级之疯狂般的榨取。这种榨取,之所以变为可能,是因为资本主义的生产方法,根基于生产手段的私有。如果,资本家不占有财产,则榨取的泉源与基础,已早被消灭了。

因此,若不取消生产手段的私有,则劳动阶级之解放,是不可期的。只有用公有生产手段及公有生产物的方法,才能达到劳动阶级的解放。资本主义的一切矛盾,必然产生资本家与 2 人之间的斗争。在这斗争的过程中,劳动阶级的意识被形成了;产生了劳动阶级的政党;国际工人之团结,也显露出来。

资产阶级社会的经济发展,必然地把它引到灭止。无产阶级革命与无产阶级专政,对于基于生产手段的社会化与劳动之有计划地组织的新生产方法,算定了根基。

七、马克思派与普鲁东派的斗争

社会发展法则之正确的认识,社会主义革命任务的理解,把与空想的、不彻底的小资产阶级的普鲁东主义不同的马克思主义区别出来。关于劳动运动的基本问题之两个潮流的异见,在日内瓦开第一次的国际大会席上,已经被暴露出来。初次的冲突,是关于组织的问题。大会的主要任务,是规约之最后的决定。在讨论规约之际,普鲁东主义者占多数的法国代表与瑞士代表,曾主张:允许加入国际构成的,只是肉体劳动的代表。马克思派的英国代表,则坚决地反对这种意见,认为这样的限制,只是削弱了国际,抛掉了许多不是肉体劳动的国际活动者之有价值的与有益的援助。激辩的结果,英国代表团的观点,以大多数而被通过。这点,确是马克思主义对于普鲁东主义之初次的与伟大的胜利。但是,同时各国劳动运动之速度的差异,也被暴露出来。这差异的出发点,是各国经济发展之各种不同的水准。英国代表团,是代表无产阶级的观点;法国工人,则是拥护行会手工业工人的利益。

法国劳动运动的落后,特别被表现在国际互助问题的一点上。为普鲁东主义者所领导的法国代表团,建议以生产的团体,去代替罢工;认为只有这种团体,才能把劳动阶级从苦痛的经济状况之下解放出来。

关于缩短劳动时间的问题,瑞士代表团,则主张普鲁东的观点。普鲁东主义者,于这个问题,则反对总评会的报告书。因为后者,主张马克思主义的观点,要求 8 小时工作与要求取消夜间做工之立法的规定。他们,主张十小时工作。但是,这一次的胜利,确属于马克思主义者。

关于妇女被引诱从事生产的问题,普鲁东主义者,显露出反动的与小资产阶级的观点。他们宣称:必须保持"妇女在家里烹饪的神圣";妇女不应当参加生产,因为她的使命,是操理家内的事情。据他们的意见,就是幼童与将成年之人,也不应当参加生产。马克思,指摘了这种观点的反动性,同时解说:参与生产,可以使妇女脱离社会与家庭的压迫,使她成为战士,把她从狭隘的家庭利益的限界中解放出来。主张马克思观点的总评议会,主持引诱妇女与儿童从事于生产,但同时,却非难了,在资本主义的条件下,实现这种引诱的方法。保持阶级性的马克思主义观点,关于这个问题,已获得了对于小资产阶级的普鲁东的意识形态的胜利。

从被大会所讨论的问题之中最有意义的问题之一,是劳动组合的问题。为马克思所编成了的,关于劳动组合的报告书,指示出:劳动组合,保持工人的日常利益;同时也是劳动阶级反对资本主义构造的基础本身的组织中心。劳动组合,应当保持整个社会的及政治的运动;它是整个劳动运动的前卫战士与代表。

关于波兰问题,大会力主与野蛮地统制波兰民众的专制者,作坚决的斗争。大会声明了:只有用在"民主主义的与社会的基础上"恢复波兰的方法,才能达到推翻专制的目的。

八、国际对于罢工,政治斗争及战争诸问题的态度

关于常备军的问题,曾通过了以一般民众的武装,去替代它的议决案。

日内瓦大会,讨论了在劳动阶级面前的最紧要问题。这些问题的正确解决,援助了国际权威及其普遍性的将来的成长。国际,从自己活动的第一步起,就是劳动阶级之战斗的组织。但是,在大会工作中之最重要的工作,是一切问题,几乎都被大会倾向于马克思主义而加以解决。在主要原则的问题上,马克思主义的意识对于普鲁东意识的首次胜利,指示了国际将来发展的正确路线,规定了从小资产阶级党派的学说,转到广泛的劳动运动之第一国际思想之将来演进的过程。

日内瓦大会,受到了各国工人之热烈的欢迎。英国的劳动组合,曾向国际要求,"完全承认把世界工人结为一个友爱团体的希望"。他们,尽力介绍劳动组合加入国际,工人知道在资产阶级内部置下了恐怖的国际,是支持劳动运动的。所以,工人以最大的确信宣布罢工。

在 1866—1868 年,由于漫延了全欧的深刻经济恐慌,罢工的运动,亦是很广泛地被扩大了。罢工,是为反对劳动时间延长与工资减低斗争之最有效的手段之一。

于是,不仅为普鲁东主义者所倡导的拒绝罢工运动的拥护,甚至于国际对于这个问题的不彻底性,亦同样是国际对于劳动大众之势力的失坠。

国际,当参与罢工斗争之际,贯彻了两个目的:第一,不让国外的工人入境;第二,对于罢工者予以直接的物质援助。总评议会,积极拥护 1867 年在巴黎举行罢工的青铜工人。国际,经过劳动组合的媒介,为罢工者获得了无限的信用。并且,在各国的国际支部,对于巴黎的罢工者也极力实行了物质的援助。由于在国际指导之下的各国工人协力一致行动的结果,企业家惊恐国际的干涉,不得已向工人表示让步。于是,青铜工人的罢工,是胜利了。

当时,工人与资产阶级的斗争,采取着怎样的尖锐形态,这点,从日内瓦建筑工人的暴动方面就可以窥视出来。罢工的发生,完全是基于经济的要求。在诸要求之中最重要的一个,是工资提高百分之二十与从十二小时的劳动时间减到十小时工作的要求。主人,曾拒绝实行这种要求。当时,日内瓦国际委员会,为了拥护罢工者与向他们表示物质援助起见,举行了很严重的示威运动。为了一切方面都表示赞助起见,有利于罢工者的集会被开成了。其他职业的工人,也起而援助建筑工人。结果,是主人失败了。工作时间减少一小时。但是,在少许的部门里,是减少了两小时。工资提高了百分之十。

各国的支部数目与新加入国际的劳动组合,随着劳动运动的成长而被增加了。国际的势力强化了。1867 年,在伦敦举行了第二次的国际大会。在这普鲁东主义者(法兰西与瑞士的代表)占大多数的大会席上,关于原则上的战术问题与纲领问题,在马克思主义与普鲁东主义中间发生了激烈的冲突。

在许多高的决议(关于合作社、信用与国民银行等决议)中,反映出普鲁东主义者的势力。关于劳动阶级便用储蓄金库的问题,为实行无产阶级借贷与生产团体的组织之“国民信用制度”的创立,被介绍于工会。关于劳动运动之前途问题,曾采用了无产阶级,创造“正义支配”的新社会之普鲁东的原则。被大会所通过的,关于国家问题的议决案,为了消灭大公司之垄断起见,曾倡导了一切运输及交通手段,转移到国家手里的命题。因此,在这个决议案中,提出了将来与资产阶级斗争之全史的最主要问题,即是提出了生产手段公有的问题。

关于与劳动阶级及政治斗争相关联的国家任务的问题,曾通过了下面的决议案。这个决议案,指示出"劳动阶级之社会的解放,是与他们之政治的解放不可分离的政治自由的树立,是第一的,而且是无条件的必要方策"。在这个议决案里,为马克思在《共产党宣言》里所倡导的原则,反驳了普鲁东主义者之劳动阶级政治斗争的否定,并且,还获得了完全的胜利。马克思在《共产党宣言》里所倡导的原则,是"没有政治斗争,劳动阶级是不能被解放的"。

在洛桑大会所讨论的另一个重要问题,是无产阶级对于战争之态度的问题。

关于这个问题被通过的议决案,曾如此地指示着:"战争,不仅掠夺了劳动阶级之生存的手段,而且还使他们流血。所以,战争,是以千斤重担放置于劳动阶级的肩头。"议决案表示了无产阶级对于战争之原则的态度,是认为工人不能停止向消灭资本主义构造及树立社会主义构造两方面的活动。在布卢佘耳,1868年所召集的国际第三次大会,又重新提出了关于战争的问题。至于召集这次大会之原因,是完结不久的普奥战争与已经开始作准备的普法战争。议决案,表示反对战争,向工人宣言:在战争时,停止一切的工作与对于"挑战者及宣战者"予以反击。

国际关于战争问题的见解,在普法战时实际上被表示出来。数年以来所准备的战争,引起了各国劳动阶级的愤恨。在战争的前几日,德意志的国际会员,在给巴黎当国际同志的回答信中曾这样地写着:"为友爱情绪所激励的我们,向你们握手,并且,以没有一点虚伪的与诚挚的态度向你们声明:在我们的心目中,没有任何一点的国民敌视,我们只是从属于暴力去反抗自己的意志,参与土匪式的队伍;后者,给我们国家之和平的扩野带来了贫困与破产。"

于是,当反对政府的斗争之际,国际倡导了劳动阶级的合作。

从有严格原则意义的许多问题之中,必须指出在洛桑大会所讨论的,关于集团所有的问题。在洛桑会议席上,坚决主张土地与劳动工具归集团所有的人们,是马克思主战派的德国的与英国的代表。反对这种意见的人们,是普鲁东主义者——法、意两国的代表。后者,却主张私有财产。但是,在布卢佘耳的大会上,关于这个问题,胜利则完全属于马克思派。被提出到大会的议决案的草案,主张一切矿山,铁道,运河,电信,以及其他的交通机关,完全归社会所有。

在普鲁东主义者与马克思派之间的异见,亦被表现于罢工的问题之中。当马克思派,是扩大罢工运动的坚决拥护者,并且用尽方法去维持罢工运动之际,普鲁东主义者,则认为罢工是非正规的经济斗争手段。后来的事件,完全证实了马克思及其信徒关于这个问题之立场的正确。

大会通过了承认罢工,是无产阶级之阶级斗争的必要工具的议决案。但是,这个斗争方法的实用,只能在这个问题——将被举行的罢工,是暂时的吗,抑是合法的吗?——的解决之后。关于这个问题,为普鲁东主义者所赞成的那样的议决,在某种程度上反映了他们把罢工看作"有害的斗争手段"的意见。

特别值得记忆的,是 1867 年之马克思《资本论》的问世。

布卢佘耳的国际大会,曾注意过这件事体。根据德意志代表团的建议,《资本论》,被介绍于各国的工人。大会,在被通过的决议案中,嘉奖了马克思,并且,指出马克思,是把资本做科学的分析与研究之最初的经济学者。

布卢佘耳的大会,使普鲁东主义者遭受了终局的败北,暴露了他们的小资产阶级的与机会主义的空想。但是,国际,在自己的阵营中还未能达到独一无二的统一思想,还未能完成清算与铲除敌视马克思主义的集团及潮流的工作。在普鲁东主义以后,在敌视马克思主义的集团及潮流之中最有势力的,是巴枯宁主义。

九、国际时代的阶级斗争

许多严重的罢工,漫延了法兰西、比利时与其他的国家。鹿儿矿区的坑夫罢工,引起了罢工者与政府军队之间的流血冲突。在黑温之绢工的大罢工,其结果是妇女向国际的入盟。在瑞士,建筑工人、印刷工人与绢工的大罢工,亦引起了同样的结果。

随着罢工运动的成长,资产阶级的抑压一同被加强了。罢工,在许多的国家中,被武装军队压溃了。工人同盟,被解散了;国际的同情者,被迫逐了;支部,移到地下去工作。但是,这样的镇压,确遭受了相反的结果。例如,在比利时,压迫虽带有残忍的性质,但参与国际支部的人数,犹在六万以上。在奥大利,虽然国际不能合法的存在,但参加的人数,确有万人之多。就是在从前很少被卷于世界劳动运动的漩涡的荷兰与其他的国家,也曾发生同样的情形。此时,西班牙的劳动联合会,加入了国际。在瑞士的日内瓦,革命者曾创立了俄国的支部;这个支部,委派马克思为出席总评议会的自己代表。合众国的内战(1861—1865 年),对于劳动运动曾予以很大的影响。内战的第一个成果,是为八小时工作而举行的示威运动。示威运动,以七里为一步的莫托车的速度,从大西洋穿到太平洋,从新英吉利迈到加利佛耳尼亚(马克思)。在内战以后,劳动组合运动,是发展了;在劳动组合中间,向国际绵密联结的树立的希望被加强了。于是,在 1866 年,在巴落齐美耳(北美合众国的一州)创立了国民劳动者同盟,是以拥护劳动阶级的利益为自己的目的。在被通过的议决案中,它宣言"同情于国际,对于欧洲工人为政治不平等的斗争表示援助"。国民劳动者同盟的第四次大会,规定了派遣代表出席国际的巴节儿大会。

在奥大利,比利时与北美合众国也派遣代表出席的巴节儿大会席上(1869 年),提出了组织的问题。关于这个问题,通过了许多的议决案。这些决议,一方面扩大了总评议会的权力,另一方面更正确地形成了国际之组织的构成。根据这些决议,总评议会有允许愿意参加国际的新支部之参加国际或拒绝它参加的权利。总评议会,在开定期大会以前有封锁任何一个支部的权利。在一国内的支部中间要发生冲突的时候,总评议会,在下次大会前要解决这种纷争。

在大会上被讨论的另一个问题,即是关于土地的所有问题。大会通过了,宣布"社会有取消私有土地与把它转到公有"的权利的议决案。由于这种议决案的采用,国际,与各种各样的资产阶级的民主主义,以及与主张土地私有的普鲁东主义者坚决地分手了。

十、巴枯宁与巴枯宁主义

巴枯宁主义者,在巴节儿大会上,是初露头面。在国际时代的无政府主义潮流的思想指导者与理论家,是俄国的革命者巴枯宁(1814—1876 年)。

在巴节儿大会上,马克思主义与巴枯宁主义之第一次冲突的发生,是关于继承权的问题。巴枯宁主义者,要求彻底地取消继承权,宣称继承权,是导引了私有财产的发展,是社会不平等的基础。所以,巴枯宁主义者,断定了不取消继承权,劳动阶级是不能得到解放。反对巴枯宁主义者的马克思主义者,在大会力证:所谓继承权,不能被视为资本主义社会的基础,因为它是特定生产关系的结果;只有在改造这特定的生产关系之中,才能窥见取消资本主义的榨取与消灭整个资本主义社会的道路。

继此,在这两个学说中间又很迅速地现出来剩了一条鸿沟的许多异见。属于这类异见的,有关对于国家,政治斗争,政治组织与联邦主义等等的态度问题。

巴枯宁关于构架学说的基本原则,是否定了无产阶级专政,是在革命后立刻取消国家与消灭经常"必然否定自由"的政治组织。巴枯宁,把1871年的公社,视为国家的否定。并且,认为巴黎公社的错误,是为了巴黎组织革命专政所实行的一切。依巴枯宁的意见,新社会,是应当基于自由的结合而被组织;并且,它还在自由劳动公社的形态中被建设起来。所以,巴枯宁,不仅否定了创造无产阶级国家的必然性,而且,还否定了从资本主义到社会主义的过渡期的必然性一般。巴枯宁,以自己的口号去倡导社会革命。于是,认为这革命的结果,应当是向无国家社会的即刻转移。

巴枯宁,由于否定无产阶级夺取政权;因之,他否定了无产阶级之一切的政治斗争与否定了创造无产阶级独立政党的必然性。只有以破坏现代国家为目的的行动,是应当被保持的;而且,也唯有这种行动,才能支持无产阶级的利益。因而,诞生了"基于全世界联邦的国家之废墟,去破坏国家与建立全世界自由生产组合的必然性"的结论。

用恩格斯的话去表现,成为巴枯宁特征的,是:"他认为主要的与应当被取消的罪恶,不是资本,不是资产阶级于无产阶级之间的,由于社会的发展而产生了国家的阶级诸矛盾"。

关于组织的问题,巴枯宁主义者,提出了各支部的极端联邦主义及自治原则,去反对总评议会之权力的集中与强化。

巴枯宁关于国家的见解,受到了马克思主义者的严格批判。马克思主义者,认为无产阶级应当夺取政权,在从资本主义到社会主义的过渡期中,应当树立自己的专政;在过渡期以后,国家随同阶级的消灭,也就自行永眠了。无产阶级夺取政权,是最初的、必要的方策。马克思批判了巴枯宁希望社会革命所应当走的道路。据巴枯宁的意见,这个道路,是经过暴动的。巴枯宁说:"每个暴动,无论是如何地失败,但总是有益处的"。分散的暴动,最后溶合为一个统一的、国民的、引起破坏一切的暴动。巴枯宁,认为对于这个暴动最有力量的基本社会阶级,是被他称为"贫困的无产阶级"的农民与下等工人大众,并且,据他的意见,将来社会革命的力量与精神,是属于这"贫困的无产阶级"。信任"自由,平等,正义与新的制度应当从无政府"中被产生出来的巴枯宁,声明"我们欢迎无政府"。

马克思,认为社会革命的基本动力,是有规律的,带有发展了的阶级意识的产业无产阶级,而不是落后的下层劳动大众与农民。马克思断定了,不是骚动与阴谋,可以引到社会革命与胜利,反之,而是有组织的与农民基本份子同盟的劳动阶级之广泛的运动,才能达到社会革命及其胜利。

马克思曾向工人说过:"诸君! 为要变化自身,使自己变成对于政治支配的一个有才能的人……应当实行十五年的,二十年的与五十年的内战与国际战争"。

由这点就可明白为什么马克思与其他的国际分子,认为巴枯宁及其信徒是劳动运动的毛贼了。诞生于俄国的巴枯宁,他是农人与工人的浮浪阶层之情绪的代表者,这并不是偶然的事情。巴枯宁的纲领,是为资本主义的发展使破产了的农民大众的情绪与落后工人及流氓无产阶级的情绪之反映。巴枯宁,不能理解与评价在革命运动中之产业无产阶级的作用,这也不是偶然的事体。

巴枯宁之叛乱的意识形态,是与马克思主义无关的,而且还是敌对的。所以,当被巴枯宁所领导的社会民主同盟,向总评议会要求把它作为一个国际工人团体的一个特殊支部,而加入劳动的国际之时,总评议会,却拒绝了它的要求。马克思理解了在帝国主义内部之第二组织之存在,必要趋向组织的破灭;所以,唯有规定规约,从属国际,这个组织才能融合为一个国际工人的团体。因之,社会民主同盟,决定倾向于欺骗。如,虽已宣布解散自己的组织,但却非合法地继续存在;已加入了国际的社会民主同盟的会员,在国际中成为一个秘密的组织,企图在内部去执行破坏国际的活动。

在欧洲当时所发生的一切事件,迫使总评议会不能注意于巴枯宁同盟及其破坏国际的工作。

十一、第一国际的终结

国际,为了反对普法战争,曾发表了一个特别的宣言。在这宣言里,诘责了战争罪魁的普、法政府,说明了:战争,是罪恶;战争的结果,是在各交战国中之压制的加强。总评议会,号召普、法两国的劳动阶级之阶级合作与团结,去对抗资产阶级的爱国主义的排外政策。虽然,在巴黎公社成立的数日以前马克思曾向巴黎工人说明:"当敌人已要来叩巴黎大门之际,想推翻新政府的一切企图,已变成了愚笨的行动与失望";但是,1871 年 3 月 18 日的革命,终还被国际所支持。马克思之所以这样的主张,不是他愿意维护资产阶级的政府,而是估量到法兰西无产阶级的组织,在这时还不能履行这种任务。虽然如此,但当这种事件发生了时候,总评议会与国际,还是欢迎这无产阶级夺取政权的第一次勇敢企图的暴动。巴黎公社的崩溃,虽表示了欧洲反动的胜利,但对于国际之将来的活动又不能不遗留下深刻的痕迹。实际上,以前在国际内部所存在的异见,在公社败北以后却显露出空前未有的尖锐化。在伦敦 1871 年 9 月 7 日被召集的大会席上,主要的问题,即是关于国际内部之异见的与迫切的分裂的问题。因此,大会首先提出了组织之秩序的问题。大会,为了剪除巴枯宁主义者之破坏组织的工作,通过了反对他们的议决案。这个议决案,是禁止在国际内部之其他一切组织的存在。

在关于政治斗争问题的议决案中,指出了政党对无产阶级的意义。这样的政党,专能与风狂般的反动实行斗争。为要得到胜利,经济的斗争,必须与政治的斗争结合起来。

不满意于这些决议的巴枯宁主义者,召集了不同意于总评议会见解的与主张巴枯宁观点的支部大会。无政府主义者的联合,在自己组成以后,实行了反总评议会的坚决斗争,用尽了方法去削弱总评议会的威权与意义。

在 1872 年美国代表出席的格哥的国际大会上,这些异见被表现得最为明显。大会一开始,便分裂为多数派与少数派。40人的多数派,是马克思主义的拥护者;25人的少数派,是巴枯宁主义者。决定的冲突,是被预知的。关于这点,两方面早已理解了。在大会前,马克思曾说过:"现在的问题,是关于国际存亡的问题。在我脱离它以前,我至少要防备腐化的份子侵蚀它。"如同后来事件所证明了的一样,问题,实在就是关于国际本身存在的问题。

在大会上首先被提出来的问题,是关于总评议会权力加强的问题。这个问题的提起,是由于巴枯宁主义者反对总评议会之强化了的煽动。

在关于这个问题之被通过了的议决案中,总评议会,对于各支部及全联合的权利是扩大了。总评议会,决定移到纽约。因为会议,在巴黎公社的亡命者的影响之下是非常可怕的。所谓公社的亡命者,即是要在伦敦找到自己避难所的巴枯宁主义者。恩格斯,在其给左洛哥的信中曾这样地说:"现在,还可以用任何一个名词去作为国际名称的唯一国家",只是美国;并且,幸运的本能,促使党的最高指导部移到那里。关于扩大总评议会权利的议决及其移往纽约的决定,引起了巴枯宁主义者之极端的愤怒。他们在反对被通过的议决案的旗帜之下宣布退席。但是,在他们退席以后,大会还是继续了自己的工作。从他们退席之后被通过的议决案中最重要的一个,就是把巴枯宁及其信徒开除国际的议决。

格哥大会,是第一国际最后一次的统一的大会。

第一国际的活动,是在资产阶级国家成立的完成时代;是在劳动阶级中间缺乏广泛的国民大众组织的时代。彼时,缺乏无产阶级的政党,缺乏大众的经济组织。按其自己的构成上说来,各种各样的、派别性的、微弱的与分散的组织,以混淆的理论见解在国际内部演了惨酷的斗争。所有这些,就是第一国际瓦解的原因。第一国际,还未能解决国际统一的问题,而且,只把它提到日程之上。在菲拉节利菲牙(北美)1876年所召集的第一国际大会,决定了第一国际的解散。但是,这点在事实上还很少能够是继格哥大会所发生的事体之形式上的确证。

在国际内部,关于国际解散被通过的檄文中曾说过:"我们解散国际的组织,是由于从欧洲现代政治状况所发生的诸原因。但是,此外,我们却看见组织的原则,是如何地被承认,是如何地为整个文明世界的先进劳动阶级所拥护。为了强在自己国民的组织,若能稍假我们同志——欧洲工人——以时日,无疑义地,他们一定会很快地破除那把他与全世界的其他部分工人相隔离的篱垣。"

国际的意义,是很伟大的。虽然,它存在的期间是比较短促,但它确能组织了国际的劳动运动,普遍地传播了社会主义的思想,指出了劳动运动之发展的基本任务,在劳动阶级面前,又提出了组织社会主义政党的任务。属于国际的最大功绩,是它在马克思的指导之下,与影响于劳动阶级的小资产阶级的思想,与行会的偏向及派别主义等所实行的那种斗争。列宁说:"第一国际,为了劳动阶级向资本作革命进攻的准备,奠定了他们国际组织的基础,即奠定了国际无产阶级为社会主义而斗争的基础。"

第三节　巴黎公社

一、第二帝国的没落与临时政府

帝制法兰西的完全败北,终结了普法战争。1870 年 9 月 2 日,拿破仑第三所带领的八万法军,已投降于敌人了。

继此,又发生了 9 月 3 日与 4 日的巴黎政变。这政变的结果,是拿破仑的让位与资产阶级共和国的形成。

9 月 4 日政变的发生,完全是出于自然的。它,最初是带有防卫与保护国家的性质。"现在唯一的任务,是驱逐普鲁斯人"。9 月 4 日在巴黎的市政厅里,曾由资产阶级的民主主义者宣布了以哥木别特与热利为首领的临时政府。于是,法兰西被宣布为共和国家。

"巴黎的居民,未曾推翻了帝制,而只是促进它没落"——热利这样地说。

新政府,对于一切都保持着旧观。帝政的官员,仍然继续自己的工作;整个市政的与行政的装置,还是神圣不可侵犯的。政府,不顾工人要求让布朗葵主义者及节列流主义者参加政府组织的呼吁,而只允许了左派反对派的一个代表参加。后者,感觉到对于政府的政策没有任何的左右能力,于是不久也就自请隐退了。政府,宣布自己为"国民防卫的政府"。最初信任这点的,不仅是广泛的大众,而且,还有革命的领袖。布朗葵对于这点曾这样地说过:"在敌人面前,是不应当再有党派与异见的。由 9 月 4 日的伟大运动所产生的政府,是共和思想与国民防卫的体观。敌人,只有一个普鲁斯。"法国的爱国思想,是导源于 18 世纪的大革命。公社的社会主义者与布朗葵主义者二者之精神,也是从属于爱国的思想。例如坚决的革命者与社会主义的拥护者,为自己的报纸未曾找到较更适当的名称,而称谓资产阶级态声①的《祖国的危险》(列宁)。

普鲁斯的军队,仍往前进。9 月 18 日包围了巴黎。在被包围城中的工人与小资产阶级的势力,与日俱长。并且,最重要的,是为防卫之工人大众的武装。

政府,看透了事态的恶化,于是做无耻的背叛之准备。政府,对于普鲁斯松弛了武装的反抗;继又声明:"我们不能放弃我们领土的一时与丢掉要塞上的一块石头";但同时,又派热利向俾斯麦求和。"口头上是国民防卫的政府;但事实上是背叛国民的政府"。临时政府活动的基本原则,是恐惧革命势力的膨胀,是愿意叛逆者与走狗完结了革命运动。临时政府,是故意地败北。普鲁斯军队,渐渐紧密地盘踞了被包围的巴黎。1 月 24 日,在巴黎的要塞上已遍插了德意志的旗帜。政府,虽然往战线上派去了由工人与手工业者组成的与没有训练的国民军;但是,其目的,也不过是在消灭它而已。"如果,在战期中若剩了两万军队的时候,巴黎就要投降的"——临时政府的将官特罗秀,曾那样地说。

所有以上诸点,招致了在公开暴动以前所发生的,对于政府的强烈的不满。暴动,是在"公社"的与"战争到底"的口号之下发生的。监督委员会,积极参加了这种运动。它,是在巴黎受包围时期被巴黎附近二十区的居民所形成的,是管理居住及供给的委员会。为中央委员会所统一了的监督委员会,从构成说来,是小资产阶级的组织。

国民军,在诸事件中尽了较伟大的作用。从 9 月 4 日的政变以来,他已经不是特权者的军队。现在参加国民军的,有工人,手工业者与贫民。国民军每日所领到的薪饷,只是一法郎又二分之一。有 30 万以上数目的国民兵,自然是

①　此处疑有印刷错误。——编者注

代表了很大的势力。在巴黎被包围的时期,国民军的中央委员会被选举出来了。而且,这委员会,是以国民军之联合为其领袖的。中央委员会,是巴黎工人武装力量的中心,在以后演变的诸事中,很动摇地去做革命运动的指导者。

另一革命的中心,是民众的团体。在这个团体中,对于防卫,政治等问题实行了激烈的论战。推翻临时政府,也在被议论之列。在这里,也审议了工资问题及为居住困难,食粮缺乏而斗争的问题。"革命团体",倡导世界统一共和国的思想,要求设立公社。这样的要求,在诸团体中常被扩大着。由于有团体的煽动,革命的情绪就逐日高涨。于是,临时政府,开始封闭一切的民众团体与加紧对于革命者的迫害。在 1871 年 1 月 28 日,临时政府,决定放弃巴黎,为了国民会议的选举。决定与普鲁斯订立预备的和约。

二、国民会议的选举

为了确定和平条件,在与普鲁斯停战以前的最短期间政府是必须要召集国民会议的。临时政府,之所以要求无利益的与无廉耻的和平,是因为顾虑了农民的情绪。国民会议的选举,是在"拥护和平"或"拥护战争"的口号之下被进行的。不顾一切去要求和平的法国农民,对于愿意防卫国家与要求荣誉的和平条件之巴黎工人予以很大的不利。于是,为资产阶级及无政府主义者所倡导者和平口号,被农民所拥护。况且,在国民会议中,无政府主义者又占了大多数。召集国民会议的地点,被确定为离革命巴黎遥远的波儿德。在出席于波儿德会议的 750 员中,有 450 员议员是公然的无政府主义者。"田含者"反对会议的法令之一,是委任特耳为新政府的领袖与不顾苛刻的条件,而与普鲁斯订立和约。根据这个和约,法国得把产煤铁最富的劳兰两州割让于普鲁斯,并且还有五亿金元的赔款。

国民会议,通过了反对巴黎国民军与劳动阶级的许多法令。

如取消国民军每日之一法郎又二分之一的薪俸,取消住房之半价与汇票限为两星期的期间等规定,都属于这类的法条。

凡尔赛,由于国民会议后来也移到那里的关系,变成了一切反革命势力的中心。反动,准备进击革命的巴黎,这是自明的事情。因此,必须要准备防卫的力量。于是,国民军的中央委员会,成了准备这种力量的中心。

特耳的凡尔赛政府,决定开始进击巴黎。3月17日,他下令于列昆特大将,解除国民军的武装。"在法兰西的每次革命之后,劳动阶级总是武装起来的。因此,在国豢养之下的资产阶级看来,第一道命令,就是工人武装的解除"(恩格斯)。

三、1871年3月18日的政变

政府的败北与其从巴黎之可耻的逃跑,完结了3月18日所开始的攻击。政府的军队,背叛了政府,并且还与暴动的巴黎及国民军团结起来。此刻,巴黎当前的任务,就是组织自己的政府。但是,国民军的中央委员会——要求政权的唯一组织——曾是不彻底的。

国民军之3月18日的胜利,制定了中央委员会之将来动摇的界限。中央委员会,在给市民的布告中曾如次的宣称着:"诸君! 巴黎民众,已毁坏了系在它身上的枷锁。信任自己力量的,冷静的与沉着的市民,要不惊慌地等待着那毫无廉耻的愚狂,进击我们神圣共和国的一刹那。"中央委员会握到政权这件事,在大众中间创造了更确信的情绪,提高大众的革命热情。工人与小资产阶级,首先获得了国家的政权。公社的一员阿奴,曾这样写着:"由于情势所迫而加入市参议会的新人物,曾为市民大众所完全不知道的。在市参事会中工作的人名之所以不为任何人所知道的原因,是在于他们只有一个名字——市民——的缘故。"国民军的中央委员会,缺乏坚决性,而且还以向巴黎市民宣扬保持写信与伟大的精神去回答热利的恶意煽动。它未曾踏进内战的路线。"中央委员会,应当消灭自己的敌人;但是,它确用道德的方法去感化他们。它忽视了在内乱中之纯军事行动的意义,未曾想到只有对于凡尔赛政府之坚决的进击,才能保证在巴黎的胜利;它迟缓了,而且给予了凡尔赛政府召集军队与流血五月周的准备时间"——列宁曾那样地议论了巴黎的无产阶级。中央委员会,对于受惊慌而逃跑的人们,不施以断然的攻击,反之而立脚于防卫的立场,开始准备公社的选举。选举日期,被规定为3月22日。委员会,愿意使选举合乎法律。于是,强请只承认凡尔赛政府的区长(由巴黎的二十个区域所选出的首领)参加此次选举。这种政策的结果,是反革命者之公然的出现。反革命者,向市民发了许多的檄文;3月21日,在"打倒中央委员

会"与"拥护国民会议"的口号之下组织了示威运动。在瓦拓穆空场所举行的
"维持秩序的朋友们"的第二次反革命的示威运动,是一直到引起国民军与示
威者发生冲突才被解散。最后,在 3 月 23 日,在诸区长的领导下组织了公开
的暴动。欺哄了国民军的少数分子,占有了两个区域,所以这个暴动是胜利
了。这个暴动,虽为时不久就被解散;但是,这区长并未受到中央委员会特别
反对的制裁。于是他们仍能继续反革命的工作。

热利,3 月 19 日发表了一个檄文。在这檄文中这样写着:"在诬为叛逆罪
的要挟之下的一切文官及武官,除了移在凡尔赛政府的命令以外,其余任何命
令概不准执行。"

这样一来,发生了资产阶级逃离巴黎与高级官吏怠工的情势。食粮的运
输杜绝了;电信的工作停止了。巴黎成了与其他地方断绝消息的地方。饥饿
与失业,达到了惊人的程度。中央委员会,对于改良工人的状况,采取了许多
的方策。从这些方策之中最重要的,就是废止质当物之卖却,是买受商品的支
付期,延长一月与禁止房屋所有者拒绝无租房的宿住。同时,又颁布政治犯的
大赦,宣布出版自由与戒严的废止。

四、公社的组织与构成

3 月 26 日,开始了公社的选举。被选举出来的议员,有 85 人之多。参加
这次选举的,其比例数不到有选举权的 50%,就是说,从有选举权的 485569 人
之中,才有 229169 人是参加选举的。被选为公社的人员,按其社会构成说来,
有 32.5% 为工人,15.7% 为使用人及低级官吏,38.5% 为自由职业工人,4.9%
为小企业家,其余的 8.4% 则为他种的职业工人等。依他们的见解说来,这公
社的构成,又是极其复杂的。参与公社的,除普鲁东主义者与布朗葵主义者以
外,还有国际主义者(国际的法国支部分子)与激烈的民主主义者(小资产阶
级的民主共和主义者)。后者,认为自己是法兰西大革命之思想的继承者,企
图在完全相异的时代,存另一的社会条件之下去实现 1793 年的理想。在这
里,社会主义者是占了少数。

公社,按着自己的社会构成来说,是劳动阶级与小资产阶级的革命同盟。
在选举以后的第三天,即 3 月 28 日,中央委员会,又把政权转给被选出来的公

社。关于这点，公社曾向市民作如下的宣告："公社，已被创立。诸君，自己要决定自己的命运。为诸君所创立的，为诸君所拥护的强力的政府，将要恢复那为逃亡的政府所给予都市的荒废。濒于危殆的工业，已中断了的劳动与麻痹的商业等，将都要得到新的与强而有力的刺激。"

3月29日，公社从二十人中选出来中央执行委员会，继而选出了九个委员会：军事，财政，劳动，交换，保安（民兵），食粮，外务，公共国民教育与司法等委员会。许多委员会的首领，都是劳动者（管理交通的长官，是雕刻工人特奕斯；劳动委员会的首领，是细金工匠法兰克利；会计部的领袖，是装订书籍工人瓦尔林及其他等）。

缺乏一定的行动纲领与没有统一指导的巴黎公社，是以其复杂的构成与各种各样的政治见解去作为庞大的无产阶级运动的首脑部。巴黎公社对于资产阶级斗争的胜利，若在巩固的与统一的无产阶级政党指导运动的条件之下是可能的。这样的政党，应当是"战斗的与革命的。它为推动无产阶级夺取政权的斗争，应当是有充分勇敢的政党；为在复杂的条件下去透视革命的前提，它应当是有充分经验的政党；但是，为了对付横在其目的地路程上的一切暗礁，它又应当是极软性的政党"（斯大林）。

五、公社的活动

新政权——劳动阶级与小资产阶级的专政——在困难的条件之下开始了自己的活动。马克思，在1871年4月12日写给库格曼的信中说过："我以为法国革命之当前的政策，不是像以往一样把官僚的国家机关从某一部分人的手里转到另一部分人的手里，反之而是要把它击碎；这点，也就是大陆上国家的真实国民革命之先决条件。"

列宁对于资产阶级的国家，曾有过如下的议论："打碎这个机关，即击破了它，这是'人民'——大多数的人民，工人与多数农民——的真实利益；这也是贫农与无产阶级自由同盟的'先决条件'。倘若没有这种同盟，民主主义，是不能巩固的；社会主义的改造，是不可期的。"

旧的国家机构，根据它的阶级本质说来，对于新兴革命的政权是深刻敌视的，这是很明的事情。由于这样事实所发生的结果，是取消常备军以民众普通的武装以及为民众所选出来的官吏去代替它的命令,是 4 月 2 日关于官吏薪俸所发表的命令。根据这个命令,每个官吏薪俸的最高限度,被规定为 600 法郎,即熟练工人所得的数目(每月约合 200 卢布)。从公社的人员到下层的一切的社会服务官吏,支付着工人之工资的银额。由于任高级职务而发生的一切特权,已为这个命令取消了。官吏的被选与撤换以及人民对于他们工作的监督被规定了。

一切服务人员之没有例外的完全选任制与在任何时间都可以撤换她的制度,以及他们的薪俸等于"普通工人的工资额"等——以上种种,就是简"明"的民主主义的方策,它使工人的利益与大多数农民的利益完全结合起来,同时,它也是由资本主义过渡到社会主义的桥梁。(列宁)

国家脱离教令,以及教会财产的国有化,是公社甚前之重要的方策。因此,普遍的学制改革被宣布了。宗教式的教育,被废止了;不议费的与义务的教育被施行了。公社的国家机构与资产阶级政权机构之最重要的区别是:公社是立法机关,同时又是执行机关。公社否定了资产阶级政权之分割的原则;它已经不是资产阶级的议会,而是统一的工作团体。

公社,直接与广泛的穷苦群众结合起来;也唯这样,它才能执行自己的任务。关于这点,公社之一员阿奴,曾说过如次的话:"现在,没有那么多的警察与法庭。……除掉在市区,各省与国会里有岗警以外:在大街上与郊外,简直就没有任何的武装势力;但巴黎确享受了从来任何时期所未能享过的那样的绝对安稳。在这里就没有一个犯人。"

公社之小资产阶级的构成,社会主义与工人运动所立脚的水准,被反映于经济的领域之中。公社的经济政策,是缺乏坚决性的。公社,实行了有利于穷人,工人及有利于小资产阶级的许多方策。例如,劳动、交换两委员会的首领法兰克利,颁发了许多保护劳动的命令。这样的第一个命令,是在制面包厂内禁止夜间的工作。这点,曾是面包工人之好久以前的要求,次之,委员会,又把与失业斗争的问题提到议程之上。为了这点,委员会在它的管辖区设立了许多的市区劳动交易所,实行了许多计算失业工人的方策。为了与失业的斗争,裁缝的工厂与组合,公共的修缮与建设劳动等被组织起来。

公社,也援助了组合与协合的劳动。关于禁止罚金的命令,曾也是很重要的。这在命令中,如下地写着:"罚金,实际上是工资之被掩饰了的低落;它对于制定它的人们是有利益的。这样的惩罚,无论在本质上或在形式上都是不道德的……公社,禁止私人企业或公营企业去制定罚金和和劳动者及夫役的薪金。"

公社的不彻底性,表现在恐慌破坏所有权的一点上。逃走企业主所抛下的工厂,转移到劳动者的团体。公社,不直接没收这些企业,而是,以在将来归还所有者时,得给劳动者团体相当赔偿的方法,把这些企业转渡给劳动者的团体。在这种精神上所表现出来的,就是 4 月 25 日的布告。后者,宣布惩收资产阶级所抛弃的与遗留下的房屋及空地。

由于食粮问题的深刻尖锐化,公社采用了从各省减轻食粮运入税的许多方策,实行必需品购买的方法。公社,同时也加强了对于食粮生产物之投机的竞争,因此,规定了食品的定价。5 月 6 日的布告,是被劳动阶级所欢迎。它规定了凡质当 20 法郎以下的物品,都要退还原主。

在社会保障的领域内,公社又宣布了一道命令。这道命令,曾规定了如下的一个事实,即公社同保养当罪孽的专制阴谋者败北之际,被牺牲了的一切公民的儿童。因此,对于国民军之参加内战被牺牲而遗留下的爱妻,以及其子在成年以前,给予一定的抚恤金。

公社,宣布了国家脱离宗教,施行了非宗教的教育,把僧侣及修道士驱出校园。公社,规定了无学费可以在一切学校中读书,毁灭了教会;并且,又把许多的教堂改为民住居所与俱乐部。

但是,在财政方面,暴露出公社之小资产阶级的限制及其不彻底性。如果,公社从法兰西银行得到 200 万法郎的数目认为不大的时候,为什么还有300 万准备金的法兰西银行几乎没有被染指。况且,在此时公社尚缺乏军需费、食粮费以及其他必需的费用等。在这个问题中,就表示出公社恐惧破坏现存的资本主义关系,这点也就是它的不彻底性。公社,占有了银行,比在其手中质押着一万人还有较大的意义。"倘公社占据了银行,则法兰西的资产阶级对于凡尔赛政府,一定会有一种表示要求它与公社订立和约"(恩格斯)。

公社,为了减轻劳动者的负担,曾把国家支出费用缩减到最低的限额。取消了常备军与警察,而设置了代替它们的国民军与民众的武装。"公社,取消了两项庞大的经费——军队与官吏的经费——实现了一切资产阶级革命的口号——廉洁政府"(马克思)。

六、公社与凡尔赛的斗争

当革命的巴黎,与反动斗争而团结起来的时候,省区还是漠不关心的。在大的中心省区(里温、马尔谢里、图卢节、拿尔布等省区),虽然也相继举行了数次的骚动了,但是,这些骚动,终归于失败而被解散。这诸省区中的任何一区,对于巴黎未曾有重要的援助。

巴黎公社与其他省区以及与农民基本大众的孤立,是它最大的缺点。公社,曾企图与这些群众缔结同盟。"巴黎公社,如同大家所知道的一样,向这种同盟要打开了一条大道。但是,它确因内外秩序的关系,未曾达到这个目的"(列宁)。公社,曾想用几个檄文,去说明斗争的意义,凡尔赛政府的本质与其背叛,以及说明公社对于农民的任务。"巴黎,愿将土地还诸农民。土地的一切收获,属于耕种它的人"——受巴黎公社委托的巴枯宁主义者列渥,在其所写的檄文中曾那样地说过。巴黎对于引诱农民及各省区倾向于自己的一切缺乏的活动,是于特耳有利的。特耳往各省区派出自己的代言人,对于公社散布了谣言与中伤,在自己的檄文中,曾如次地说道:"军官与兵士们,祖国正期待着你们的努力。只有一群傻汉们,才欢迎在我们遭难的祖国废墟上夸张地劫夺与杀掠"。中伤成功了。特耳,从农村里获得了很庞大的后备军。但是,除农民之外,特耳商得俾斯麦的同意又把普鲁斯捕虏的法国兵士充补了自己的军队。在这短促期间,特耳的军队确增加了 13 万。于是,公社,是停立于较好的武装与极有组织的敌人面前。

较好的武装与有秩序的组织,在公社的国民军方面当然是谈不到的。虽然,国民军的数目,有 20 万以上,加之其中又有许多将终身献给公社的忠实战士;但是,军队的状况,还未能立于较高的程度。在军队中,未有富于经验的军事组织者与指挥者;在被组织起来的武装势力中,缺乏一切的计划。军队,大部分是自发发展起来的。他们的给养,是恶劣的。没有统一的指导。

4月2日,凡尔赛政府开始进攻巴黎。这次的攻击,由于国民军之骁勇而遭受了失败。为胜利所激起来的国民军,于次日开始攻击凡尔赛。但是,这次攻击,不拘公社分子参战的伟大热情如何,确受到了败北的结果。在数次的战争中,公社的分子有的被击毙,有的受伤,因而失却了极大的数目。被捕掳的份子,都为凡尔赛政府所杀戮。继这次斗争又发生了许多的惨败。在 1871 年4月里,马克思向李卜克聂和特这样地说过:"如果,在表面上看来,巴黎工人忍受败北,这是他们的罪过。但是,在事实上,这种罪过的起因,是由于太正直的关系。中央委员会与公社,给了不幸的退化物特耳以集中敌对势力的时间,人因为他们很愚蠢地不愿意开始内乱,仿佛特耳不能把内乱作自己解除巴黎武装的企图;以为国民会议,可以解决与普鲁斯战争或和平的问题;因而也就不必与民主国积极宣战。中央委员会与公社,为的是不愿意他人责诬自己为武力夺取政权的缘故;于是,失掉极为宝贵的一刹那——当反动在巴黎败北之际,应当积极地向凡尔赛进攻;反之,却做些公社选举的勾当、公社的组织等等;这也就荒废了好多的时间。你在报纸上所见到的,关于巴黎事件之任何一短片,简直都不要置信。所以那些,都是散布流言与造谣。资产阶级报纸的卑鄙龌龊,永远是不会表现出这种事件的光辉。"为胜利所鼓舞了的凡尔赛政府,在四月初,开始向直接临近巴黎的,在战略上占重要的一个要塞义西大举进攻。5 月 8 日,他们占据了这个要塞。公社的状态,更陷于一层的危机。由于失败,指挥国民军的指挥官克流聂耳被撤职拿办。后来,又委任罗斯谢利去代替克流聂耳的职责。但是,他于 5 月 9 日因为义西要塞的失败,终以退职以匿其身。后来又委任节烈克流资去充当指挥官,他虽然是公社素著名望的人,惜亦于事无补了。时机既过,实行非常的方策,是必要的;但是,公社未准备这样的方策。公社,对于潜踪于巴黎的叛徒者及侦探,不实行严厉的镇压,对于在机关内部占据指导地位的有害爪牙,不实行清算;反之,它确限于檄文的颁发与舌战。当公社排斥恐怖主义之际,曾如此声明:"我们是共和主义者,民主主义者与社会主义者。这就是因为我们并没有利用那些小狗们(指凡尔赛人)所利用的那种手段"。当凡尔赛人的惨忍到达了最后的限度之际,公社又受发展了的事件影响,于是对于恐怖者不得已改变了自己的见解。5 月 5 日,公社颁布了质押人的命令;在这命令中,公社曾宣言:"现在,对于我们的怜悯与博爱,已不存在了;抛弃了对于我们引起内战的宽宥——我们现在应当这样说。这样的人,简直不是人类,这只是在血泊中的与恨恨地扑往死人尸身上的老虎。"

由于事态的恶化,公社以 34 票对 28 票而组织了公安委员会。它的任务,是对于反革命者取断然的手段。由于这点,在公社内部曾发生很大的异见。公社的一部分人员,反对把自己的大权,让渡给握有专政全权的委员会。这种异见之结果,是 22 个公社人员(国际主义者)退出公社与在 5 月 16 日在报上发表了宣言。他们在宣言中曾声明了,他们停止参加公社的会议,往各地区干实际的工作。

委员会,尽力地执行了自己的任务。他对于逃脱者实行了决绝的斗争。间谍悉数被捕;宣传反对公社言论的报纸,都被查封;对于质押者实行厮杀。但是,这些方策,对于公社的是无补的。各方面受敌人进迫的公社,已定了自己灭止的命运。5 月 15 日,公社发表了最后的檄文;这个檄文,如此的宣言:"巴黎,已和死神缔造了条约,……堡垒破坏了,还有墙壁;墙壁破坏了,还有栅栏;栅栏失了,还有房屋。巴黎,想顺次地把后者破坏。甚至于在必要的场合下,巴黎宁肯把房屋破坏,而不肯将它归还胜利者。伟大的都市! 现在不是发宣言的时候了,而是行动的时候。现在,应有高尚的充分的同情。现在,手枪和炸弹,是我们的武器! 法兰西的城市,暴动起来啊!"

七、"五月周"与公社的灭亡

5 月 21 日晚间,凡尔赛军队,通过辛克陆大门而进入巴黎。巷战开始了。多多的栅栏,布满了巴黎的城市。公社派,勇敢与大胆地应战着。凡尔赛军队,有几处遭过了拼命的抵抗。在米舍利与俄国革命者得来特利伟矣指挥之下的妇女队,在布兰空场上曾支持了好久的时间。不拘巴黎二人之勇敢与牺牲的精神如何,但是,一切的败北,终是相继而来。5 月 23 日,在激战后,凡尔赛士兵曾占据了孟马耳特拉的高丘。城市各处,火光相继起来。凡尔赛派进击了。24 日清晨,公社放弃了市政厅。同日晚上,在公社派手里的地方,只是第十三区的一部及撒那河右岸的一部。5 月 26 日,阿特河城郊失陷了。5 月27 与 28 日,公社派的最后的队伍被消灭了。公社的领袖们:节烈克派资、利克、多木不罗夫斯基与其他领袖等，战死了；公社派之劳动者组成的军队瓦解了。"在公社的废墟下，葬埋了未曾被人知道的数千英勇者"。

在"五月周"里，为矬人特瓦所实行的流血镇压，呈现了极惨忍的状况。在一周间被毙的人的数目，已达二万。"公社派的一个历史家，曾有过这样地记载：'在各处——军事会议厅、职工会议厅、法庭外、棚栏附近、壕沟里、桥底下、屋里、水道里、墓穴里与穴窟中——都有被击毙的人'。每个官吏，下级士官与兵士，都有以自己威力去判断以及杀戮巴黎男女权。"

而且，事实上，巴黎确是被尸身覆盖了的。在巴黎墓地上，曾埋葬了一万七千多人。大多数的公社死亡分子，被葬埋于城壁附近的拿吞兹墓地。格利利夫大将，指挥着杀戮劳动阶级。到后来，才有了法院的裁判。大众的被捕，继续了两月之久。法庭，在许多的场合下，下了死刑的裁判，就是妇女与儿童，也不是在被赦之列。

女公社员之一米舍利，在法庭上曾吐出了如下的口供："因为受自由所鼓动了的每个人的心脏，很明显地他是希望一个枪弹，那么，我也就要求自己的那个枪弹。如果，你若把我留在人间，那么，我也还要复仇的……我的话说完了。倘若你不是个卑怯者，你就打死我罢。"另一个公社分子鞋匠特林肯，向法庭作了下面的声述："我的同伴，派我到公社去的。我不曾偷生怕死，我也曾在栅栏那里。现在，我怨恨为什么没有打死我。我是个叛逆者，这点我并不否认"。

参加公社的人与其战士，包含着不同的国际代表者。当时献身的革命者与战士，有俄国的、匈牙利的与波兰的亡命者；他们参加了公社的阵营。匈牙利的亡命者佛兰克利，曾是负担重大责任的劳动与交换委员会的指导一员。波兰的亡命者多木不罗夫斯基，曾被委任为受包围严重时期的指挥。俄国民粹派的亡命者拉夫罗夫，曾向公社供献了自己的方案。并且，革命者撒仁与女革命家得米特利也瓦，曾在栅栏里作战，在栅栏里同男一同拒敌的，还有妇女与儿童。

在流血的"五月周"与其相继的数月里，资产阶级证实了他们对于暴动的与失败的无产阶级，未曾施以宽恕。"在曾发生过最后的屠杀的'利舍资'墓地上的公社墙壁，现在仍然默默不语地耸立着；但是，无产阶级倘若再决定去

拥护自己权利的时候,那么,它就是曾经热烈地包围统治阶级的证明者。"(恩格斯)

野兽化了的资产阶级之流血的镇压,引起了特耳之悻悻的狂叫:"现在,永久地消灭了社会主义。"特耳,是错误了。国际的无产阶级,从公社得到了许多的教训;而且,在俄国十月革命过程中,俄国的无产阶级,在多数党的指导之下,永久推翻了资产阶级的政权,证明之巴黎公社的教训,对于他是不无裨益的。

八、马克思论公社的经验

国际,对于3月18日暴动的准备,没有实际直接的参加。虽然如此,但3月18日的暴动于巴黎公社的一切活动,都不是与国际活动相脱离的。国际,在公社组成以前的数年过程中,曾想组织劳动运动与把劳动运动提到相当的高度。在这种意义上,国际,是准备了公社组织成为可能的根基。马克思,把巴黎公社评价为有世界史意义的事实。劳动阶级的勇敢与其对于革命之坚固不拔的信仰,使马克思大悦不已。马克思,对于公社分子的勇敢,曾这样论述过:"巴黎人的弹力性,他的历史的创造性与其牺牲的精神,该是如何伟大啊!在被甚于敌人攻击的内部变乱所招致的六个月的饥困与破产以后,他们仍然在普鲁斯的刺刀下去实行举动,仿佛未有普法战争,仿佛敌人未曾即击巴黎的大门。有史以来,就未曾见到这样的英勇。"

马克思,歌颂了劳动阶级之英勇以后,立刻就分析了巴黎公社之丰富的经验。他从这经验中,导出了劳动运动的教训。马克思所注意的基本要点,就是:公社,是劳动阶级的政府,公社,也就是劳动阶级与资本家斗争的关键。由此产生了下面的结论,即劳动阶级,若不夺取政权与树立自己的"政治形态",则他们之解放,是不可期的。

马克思,关于公社这样说过:"公社的秘密,就在于下面的一点上,即它在本质上,是劳动阶级的政府,是生产阶级与占有阶级中间之斗争的结果,是好久以前已经被预想的政治形态;只有在这政治形态之中,劳动的经济解放,才被完成。""公社,愿意取消把多数人的劳动变成为少数人的财产的那种阶级的私有财产。它愿意征收榨取的财产。""国家机构的破坏,这也就是大路上真实国民革命的先决条件"。"法兰西革命之最近的高涨,将不是像以往一样把官僚的军事机关从一部分人手里转到另一部分人手中的企图,而是破坏这种机关的企图。这也正是我们英勇的法兰西的诸同志之企图。"

公社,曾以取消旧有的军队与警察,规定官吏与法官之选任以及撤换原则等方法,采用了国家脱离教会与没收教会财产的方法,去实行旧的国家装置之破坏。马克思根据巴黎公社的经验,作出一个结论,即无产阶级所支配的政治形态的巴黎公社,"不应当是议会的机关,而应当是同时包括执行权力与立法权的一个工作集团"。官吏的负责任,以及其撤换与被选任,应当是公社的特征。"公社,是最小村落的政治形态"。"国民的统一,不应破坏公社的组织;反之,应当组织公社"(马克思)。公社,在这种意义上是国民政府;但是,在这个字的整个意义上来说,"它同时又是国际的,……公社,把全世界的工人与法兰西联合起来"。

马克思指出了公社的功绩之后,随着就分析了它的错误。属于诸错误中的一个,就是对于敌人采取了宽大的态度,不彻底,"缺乏深远的考虑"与不愿意揭起内战的一幕;"以为可恶的流产物特耳不能以开始内战,作为解除巴黎武装的企图"。马克思说:"中央委员会,曾犯了最大的错误,即当凡尔赛没有充分地防备之际,应当向它积极进攻,倘如此,这次就能消除了特耳与地主之阴谋的叛乱"。马克思,认为"中央委员会早就应当放弃自己的大权,将他让给公社"。暴动,是愈敏速坚决愈佳;但当此时,却不向敌人做军事上的攻击,反而去做不正确的选举。马克思说:巴黎工人,将来应当常常崇拜他的公社为新世界的微弱前导者。新世界的殉难者,永远悬挂在劳动阶级的心头。历史,已经把殉难者的刽子手,拘钉于可耻的杆头。就是将来僧侣的任何祈祷,也不能咒倒这可耻的杆头。

九、列宁论公社

列宁认为巴黎公社的经验,有很大的意义。他与马克思同样,不仅像研究家似的去研究这个经验,而且还如革命家=实践家一样,把从这个经验中所得的结论,适用于劳动阶级斗争之新的具体条件之上。特别是列宁,把这种经验很灿烂地适用于俄国工人反对资产阶级的斗争。

列宁根据巴黎公社的研究所得的结论如何？

这个基本结论,就是关于无产阶级专政的问题。列宁,证明了在一国内之资产阶级的被推翻,尚不能表示出共产主义制度的确立。为推翻资产阶级的社会,得有一个沈长的过渡;在这过渡期中,劳动阶级用革命的方法,渐渐才能把资本主义社会改造为新的,共产主义的社会。只有无产阶级专政,才能完成这个伟业。

列宁说:"向前发展,即是向共产主义的发展,只有经过无产阶级专政,才是可能的。因为肃清榨取者=资本家的反抗,除此方法以外,任何人就不能再想出其他的方法。"

根据列宁的意见,巴黎公社,就是过渡期国家的新形态。

列宁说:"我们现在是立脚于巴黎公社的肩背上。为了阐明这点起见,必须指示出那种把苏联政权与公社联系起来的共同点。"据列宁的意见,这共同点就是:无产阶级以暴力夺取政权是以全民的武装去代替常备军与警察以及分从特权阶级的官吏转为由劳动阶级选出来的公务员;而这公务员,按着工人的要求常被撤换。所有上列诸点,都是过渡期的无产阶级国家之必需的特征。苏维埃,按列宁的话说来,是"再创造为巴黎公社所树立过的那种国家模型"。"苏维埃政权,是无产阶级专政之发展的,全世界=历史的第二步骤或第二阶段;巴黎公社,就是第一阶段"。

列宁从巴黎公社经验中所得到的另一个结论,是关于劳动阶级斗争的直接方法本身的问题。

公社,证明了消灭资产阶级政权,只有用武装斗争的方法才是可能的。列宁说:"如同马克思已证明过了的一样,在巴黎公社的经验之后,无产阶级不能去单纯地占有国家机构;他必须要破坏它与打碎它"。

第二十五章　第二国际时代

　　本章包括从 19 世纪 70 年代末叶起,至 1914 年帝国主义大战开始以前的阶级斗争史的时期。将历史过程划分为第一国际与第二国际两个时代,这不仅因为当时有过劳动阶级之两个相异的国际组织,而且还因为当时存在过两个不同的经济阶段。第一国际,生长于工业资本主义的基础之上;而第二国际,则是资本主义发展到新——帝国主义——阶段之产儿。先行于第二国际创立的时期,是急烈革命的骚动时代(巴黎公社);其后的时代——第二国际时代——是比较"和平"性质的发展时期。19 世纪 50 年代至 70 年代的劳动运动,益形深化;反之,在 70 年代以后,直到世界大战为前的劳动运动,把庞大的劳动群众,拉进和资本主义搏斗的旋涡之中,因此它便益形扩大,改良主义与修正主义之小资产阶级学说的发生及其在社会主义者间的传播,劳动贵族与党的官僚对于这类学说的支持,机会主义思潮和革命马克思主义的斗争以及第二国际之可耻的破产等,这便是读者应当注意之点。

　　当研究本章的题目时,应当阐明下列各问题:

　　(一)资本主义最后阶段的帝国主义之诸特征何在? 并且,帝国主义怎样反映于劳动运动之上?

　　(二)机会主义与修正主义的社会根据为何?

　　(三)此种学说与革命马克思主义的斗争,在德、英、法、美、俄等国是如何进行的? 并且,机会主义与马克思主义在第二国际内所占的地位如何?

　　(四)为什么机会主义,曾一时破坏了革命的马克思主义? 并且,第二国际随着帝国主义大战,是怎样崩溃的?

　　(五)第二国际活动的积极方面何在?

　　(六)它在劳动运动史中的消极方面如何?

第一节　帝国主义时代的欧洲与美国

一、资本主义最后阶段的帝国主义

欧洲与美国,在 19 世纪最后的 25 年间踏进了资本主义发展的新阶段。"国民"经济的生产力,开始急激地生长。煤与铁的产额,以及钢与铁的生产,大量增加起来。技术渐趋完善;复有新机器的发明:如电气锤、蒸汽管、内燃机之类,机器的制造,已在开始增加。铁道网密布起来,尤其在北美,更为显著。此外,还增加了商船的吨数。产业重心,从一部门转到另一部门,即纤维工业,让位于重工业。

随着技术的急剧进步与工业的成长,发生了生产与资本的集中过程。小企业不堪与大企业竞争,而开始灭亡。按着最新技术建设起来,并雇佣数千工人的大企业,变为工业生活上的领导者。

股份公司——新时代之产儿——积集了无限的资本。工业、商业、交易所,甚至于农业,无论在何时,也没有像在帝国主义时代能够支配着那么多的资本。银行的任务变化了。支配着空前未有过的,那么多的资本的银行,用买股票与信用的方法,开始占有工业。如果说,从前银行不注意于产业方面的企业,现在呢,在许多的场合中银行团却成为工厂,铁路与矿山的直接主人。银行资本与工业的结合,形成了金融资本。

独占的结合,即在生产过程中所产生的托辣斯、辛笛加与企业联合等,代替了已往分散的企业。自由竞争与无政府状态,却由此一集团与彼一集团的竞争所代替。

19 世纪后半期的许多资产阶级经济学者,认为是"自然法则"的自由竞争,于 19 世纪 60 年代初期便让位于独占。70 年代以前的独占,是稀罕的,并且这是将来组织的萌芽。经过 1873 年的经济恐慌以后,加特耳已成经常的现象。在 80 年代至 90 年代时期,加特耳化尚未能巩固;独占只在 19 世纪末叶的产业昂扬与 1900 年至 1903 年的恐慌以后,才获得了发展中划一新纪元的与压倒一切的意义。于是,独占的结合,在 1900 年前后变为经济生活的基础。

独占的结合活动,自不能局限于"国民"国家的范围以内。过剩的资本,因为利润的低落,而开始要求新的投资地。为了榨取落后的民族,它们被输出到殖民地去。所以,关于在亚非二洲占领殖民地的问题,已成为资产阶级国家政策之主要的目标之一。

工业资本,在2、3世纪间已变为独占的资本。资本主义的新阶段,就称为帝国主义。

说明独占资本主义特征的人是列宁。他在自己的著作中指示出:帝国主义是资本主义的最高阶段;在这个阶段上,独占与金融资本的支配,已经形成,资本的输出,已取得压倒的意义;国际托辣斯,已经开始分割世界,与最大的资本主义国家,把地球上的所有领土已分割净尽。

列宁分析了资本主义的新动向之后,即刻在其发展中指出它的矛盾。一方面只要独占——按列宁的意见——是资本主义向较高级制度的过渡,那么,必要发生更较完善的经济形态;他方面,同时在金融资本的基础上造成了少数金融家层(金融寡头政治)的支配。后者企图借助富强的'国民'国家,去榨取弱小民族,并造成了技术进步的窒碍。曾经活跃一时的企业家阶层,变为寄生者。此外,有九个资本主义国家,变为落后民族之单纯的高利贷者。资本主义的最后阶段,已成寄生的与垂死的资本主义。独占资本,为了保持高的价格起见,以人工的方法去缩减生产,极力减少生产价格,并不愿意输入技术上的新发明。于是,资本主义发展的新阶段,因其最后要让位于社会主义,同时也就是它的最后阶段。

帝国主义时代,是资产阶级的自由普遍发展了的时代。帝国主义国家,僭称民主主义的称号,民主主义的意义,是在民有;但是,在金融资本支配着的社会之下,它已变成统治阶级的民主主义。金融资本,通过资产阶级的民主主义,在国家内部实行自己的专政。这对于金融资本家阶层,是最有利的一件事情,金融资本,因其操纵政权,所以能无限度地支配着一切。它准备了无数的军队预备作战,借助于买股票的方法去把持交易所,并实行自己所需要的政策。

帝国主义时代的社会,陷入之矛盾的渊薮,并分裂为两大阶级,资产阶级与无产阶级。前者异常急速地去积累自己的财富;而后者确是严重地感受着饥饿的威胁。国民收入中之劳动者阶级的所得,是经营地往下低落。虽然,

"资本主义在其帝国主义的阶段上是仅仅的接近于生产的全面社会化"（列宁）；但是，占有仍旧是私人的，而且也只能是这样。阶级的矛盾，达到尖锐化的极端。资产阶级与无产阶级之间的鸿沟，是日渐扩大。资本主义的崩溃期到了。从此崩溃中走脱的途径，只能是腐朽制度的消灭，与根据社会主义原则能独立建设计划经济的无产阶级之夺取政权。因此，帝国主义时代，是社会革命的前夜。

二、农业的资本主义化

在帝国主义时代，随着工业都市之发达与产业上进步之生长，加强之农业资本主义化的过程。在大经营中，普遍地适用着机器（汽犁、播种机以及肥料的撒布机）；并现出农业向劳动生产性形态的推移，即现出农业技术向合理化的推移。结果，这几点很显然地是提高了农业的收获。尤其德国的农业发达，更能表彰出农业收获的提高。在德国，自 1883 年至 1887 年，以及自 1908 年至 1912 年这几年以来，有些五谷与马铃薯的收获，却提高了 50%，乃至 75%。德国农业的大经营中使用的汽犁的总数目，在 1882 年为 836 只，而在 1917 年就为 2995 只；并在同年又有 19634 架乃至 301325 架收获机。

此外，在农业中资本主义发展的普鲁士（为旧世界特征的）的道路（列宁用语），其进步的速度与美国式的道路比较起来，是略逊一筹。美国资本主义农业的基础，不是欧洲曾实行的，那种地主的经营，而是中世纪与封建时代所未见过的富农的经营。美国，排挤并驱逐土著的居民，以远超欧洲的速度去发展自己的农业。因此，欧洲的农业，亦有提高劳动生产性的趋势。

三、世界的分割与世界市场斗争的尖锐化

资本侵入了世界经济的一切。因隔，它不只限于国民市场的范围以内，还尽量去寻求自己销路的市场。因此，发生了农业国家的资本主义化。资本剥夺了落后国家之经济上的独立，奴役了亚非二洲的民族，同时并贪得无厌地去利用获得剩余价值的一切可能性。殖民地的市场，一方面购买欧洲的商品，另一方面提供廉价的土著劳动力。后者，遭受着适用于欧洲各地的剥削劳动者的那种方法的榨取。此外，这些市场，还供给欧洲工业以廉价的原料。

英国是走上扩大殖民地道路的第一个国家。在 19 世纪 80 年代的初期，当时还是在加强殖民地占有的开始时期，英国殖民地的面积，已经超过了本国领土的数倍。继英国而起的，有法、俄、德、意、日诸国。这几个国家，都想把自由土地的一部分弄到自己的手里，并确定其榨取权。

德国实行掠夺殖民地政策，较欧洲的任何国家都要落后。当强力的德国资本，向国外寻求市场时，已经是世界分割净尽的时候了。此种情势，在国际政治方面招致了许多的冲突，为民族工业所激起的德国资本家，变为更带有侵略性的与执拗性的资本家。

殖民地的斗争开始了。全世界的强国，都逐渐参与了这个斗争。互相角逐的国家，在此种斗争中结成了种种的集团，即相互缔结了比较长期的协约与同盟。

德奥同盟，缔结于 1878 年。意大利希望占领法国已经插足的突尼斯，于 1882 年，亦加入这个同盟。结果，产生了德国在其中居于指导地位的三国同盟。

后来，又产生了一个以美国为首脑的九个强国的联盟。这个联盟缔结的进行，采取着英国向法，俄接近的方式。本来，法俄已于 1892 年缔结同盟。法国与包藏帝国主义野心向远东及荷斯发展的俄国之间的同盟，是在法国金融资本家允许贷给俄帝国主义者以巨款的基础之上。订立的俄国得到了这项贷款的帮助，便建筑了西伯利亚铁路，并附设往闵特瓦与塔什干去的路线。新的政治同盟，即所谓"三国协商"（英、法、俄联盟），是在美德间竞争的条件之下结成的。并且，世界各强国的这两个同盟，亦深深地感觉到自己与敌人竞争的严重化。英外长在 1909 年说过："英国不能和大陆任何一个可以以自己的政策去威胁它的国家相妥协"。

经济斗争，关联到英德两国的资产阶级之政治斗争。德国的商品，在世界市场上排挤了英国的商品。英国的工业家，无论在国内市场，或国外市场，都要与正在生气勃勃的德国竞争相角逐。此种情势，以及殖民地的斗争，逼着英帝国主义者，采取了与其他资产阶级——它的利益在某种程度上遭受德国经济生长的威胁——的国家缔结同盟的路线。

法英两国同盟，是在 1900 年订立的。而"三国协商"，是在波斯与阿富汗两地的英俄纷争（1907 年）受临时协约结束以后的事情。"三国协商"（英、法、俄）与三国同盟（德、奥、意），是 20 世纪初叶国际政治的主要因素。最初，各国的利害关系，尚未十分决裂。所以，一切的单方协约，尚可订立，例如意俄协约，及德俄协约。当法国议会主义的右翼资产阶级政党党员溥克耳当权的时期，"三国协约"便臻于彻底团结的境地，并愈趋巩固。法国在扩张俄国陆军，及建设战略上的铁路线的两个条件之下，贷给俄国十五兆法郎。1912 年英外长戈列义，曾邀请俄外长撒作诺夫参与英国对德备战的计划。1914 年以前，"协约国"因为与"三国同盟"立于反对地位，结局变为更坚固的结合。

在欧美与日本的资产阶级的殖民地内，从 90 年代末叶其曾屡次地发生过战争：如中日战争（1894—1895 年），西美战争（1985 年）与美布战争（1899—1902 年）等是。因此，在中国曾发生反抗欧人压迫的"义和团"运动。日本与英国，从这几次战争中该得到了广大的领地。美布战争发生的原因，是美人想占领两个南斯拉夫共和国的领土，即广藏五金及金刚石的富郎叶瓦与特郎瓦两国的领土。住在这两个共和国内的居民，主要的是从事畜牧业的少数布尔人（荷兰的殖民）；他们给美帝国主义者以急烈的反击。美人为了镇压这种反抗，曾向南非洲开去 20 万以上的军队。帝国主义者，在中国采取共同的行动，以庞大的军力去镇压义和团运动。"义和团"运动，是中国民族主义者反抗欧洲的暴方者在中国作贪婪经营的一个企图。结果，欧洲各国的军队，攻进北京，逼迫中国政府支付巨额的赔额。

这累次的战争，急烈地改变了国际的情势。国际间冲突的次数，随时增加。每个冲突的解决，仅隐藏着新的战争。特别是 1905—1906 年乃至 1911 年的马罗阔事件，其危机的程度更为迫切。德国资产阶级，当时对于马罗阔企业及铁矿的开采曾垂涎三尺，所以要求在法国整个保护之下的马罗阔领土一部分行动自由。

1912 年至 1913 年，两个帝国主义集团——三国协约与三国同盟——在双方金融资本互争霸权的巴尔干半岛上冲突起来。人所共知的巴尔干战争，即斯拉夫民族（包加利、戈列阔夫、西儿坡夫与柴儿诺果儿切夫等族）与土耳其的战争，以及后来各族之间的战争，转变为世界的大战，为什么民族之间的战争，会转为世界大战呢？这是因为在战争民族的背后，隐匿着帝国主义国家的缘故。巴尔干的冲突,就是 1914 年大战的序幕。

四、军国主义与海军主义的增大

冲突的经常威胁,促使各国去增大自己的军备。俄、德、法三国的军事预
算,在大战前 16 年间增加了 2 倍以上;就是奥国的军事预算,也增加了 2 倍。
资产阶级政府,通过议会实施新的军事预算。陆军的数目增加起来。1913 年
以前,德国有战斗力的陆军人数,几乎达到 80 万。法国资产阶级,公布取消二
年军事现役制,实行三年军服务的法规(1913 年)。此种改革,平时就使法国
军队数目增加了 15 万。

随着技术的进步而与陆军主义平行发展的,就是海军增加得惊人。美国
海军,在世界上居第一位。它的海军数目,为了维持资产阶级的领土,在 19 世
纪后半期经常地保持着等于二大强国海军舰队的比例数。德国在 20 世纪初,
开始和美国竞争。德国海军力的增大,引起了美国造舰的加强。造舰狂热在
19 世纪末 20 世纪初,弥漫于欧洲的全境。

军事捐税增加了。这种捐税的重担,落在无产阶级与农民的肩上。1913
年每人应纳的军事捐,在美国为 33 马克,在法国为 29 马克,在俄国为 8 马克,
在德国为 21 马克。

五、地主与资本家利害的一致

在帝国主义时代,利害上少有冲突的阶层,开始谐和。如果,起先支持封
建制度的地主,在自己利害方面是与资本家不一致的,那么,现在呢? 他随着
农业资本主义化的程度,在政治行动的某一部分上也与资本家合作了。仅有
结成保守党的少数大地主,对于资本主义的发展尚抱着敌视的态度。虽然如
此,但是,整个的地主阶层,不论其部分的利益与资本家是矛盾的,却只见变为
资产阶级的一个支派。

马克思在十八日政变记中说过:"大土地所有者,纵然持着封建的态度与
血统的傲慢,但在新社会发展的影响之下,是要彻底资产阶级化的。"两个阶
级——一个是地主阶级;用列宁的术语说,他是过渡的阶级——利害的支配,
是在农业生产性成长的根基上结成的。地主同工业家一样,也开始关心世界

市场及其价格的高低(俄国地主,在国外去销售自己的商品)。因此,在资产阶级社会中从剩余价值形成的货币地租,于新的条件之下代替了已往的劳役地租。此外,关于地主和资本家妥协,更使我们注意的事体,就是地主与金融资本家共同反对劳动阶级的斗争。所有这些事实,便彻底巩固了资产阶级和地主之间的联系。因此,帝国主义时代的德意志国家,变为封建地主与资产阶级政治同盟的机构。在美国也是这样。俄国的国家机构,同样是建筑在与资产阶级的行动常一致的地主身上。

在第二国际时代,国家的社会本质之变革,是工业家,地主与金融家之利害一致的结果。现在,一个统一的利害的支配——与全体劳动阶级的利害,立于反对地位的,并促使所有者团结起来的利害的支配——很清楚地表彰出来。在帝国主义时代,社会分裂为两个阵营;中间阶层(农民与知识分子)不能保持他的独立性。他们丧失了自己经济上的独立;同时对于金融资本开始尽着奴仆的役务。小资产阶级,虽然曾反对过德国社会主义者柏恩思坦的主张,但是,现在却资产阶级化了。因此,帝国主义时代的阶级矛盾,更是尖锐化了。政权不惜采用暴力的方法更加狰狞地残暴起来。国家的机构,为了以更妥善的方法去实行金融资本、工业资本与地主等之经济上的独裁,于是便逐渐地日趋于完善了。在19世纪末20世纪初,无论是社会主义者,或是非社会主义者,都承认执行权力之莫大的增长。国家政权之暴力的与独裁的本质,其紧张程度已达极点,同时也就愈近于自己的灭亡与崩溃。以暴力去破坏资产阶级国家机构的,就是在资产阶级社会内部长成起来的无产阶级。

六、德意志经济的急剧成长

无论欧洲的任何一个国家,都不曾像德国循着资本主义的发展道路那样骎骎前进的。德国根据普法战争所签订的条约,获得了五亿法郎,及富藏铁矿的劳兰二洲的赔偿。尤其是这次战争,更加促进了德国的统一进程。后者的完成,一方面是基于普鲁士各王国之间互订条约,另一方面是基于二十一国政府,以及三个自治洲之间的条约的缔结。阻碍工业发展的主要桎梏——国家政权的分散——由互订条约给剔除了。德国踏上了经济急切昂扬的阶段。德意志的首相俾斯麦,在战后的德国经济上实行了两大改革:一是以法国的赔款实行金本位制；二是改组帝国银行。1869 年所颁布的，而且目前尚流行于全德的北德意志联盟的工场法，使工业生活从行会制度的羁绊中解放出来。

俾斯麦的资产阶级的改革，抑制资本主义发展的封建残余之消除，以及拥有煤铁的广大资源——凡此诸端，都促进了德意志资本之急进的成长。

德意志国民的收入，在 1895 年为 11 亿卢布。前者到 1914 年大战前，却增加了 1 倍。并且，此时它曾超过英国在战前的 20 亿的国民收入。德意志向国外移民，在战前 25 年间不仅停滞；而且它还变为一个向国内移民的国家。它的国民从 1882 年的 4500 万，增到 1914 年的 6600 万。德意志的所有生产部门，其产额几乎都与美国各产额部门的产额相伯仲。而且，有几个产业部门（如铣铁之类）的产额，却超过了美国的该部门的产额。

随着资本主义经济发展所发生的生产力往生产手段的生产部门的重新分配，招致了金融工业，特备是重工业的空前成长。"人类发觉了对于麦粉的嗜好远不及对于铁的嗜好大"——一个帝国主义的研究者坡夫罗维持说。德国工业，往市场投入了多量的生产物。如果 1860 年，德国在钢铁生产方面，在各强国间居于第四位；那么，在 1870 年便居于第三位，而在 20 世纪初，只略逊于美国而居于第二位。电气工业与化学工业，也是以同样的速度而向前发展。德国的化学工厂，独占阿林染料的制造。其他国家不论，即美国的纺织工业，也依赖于德国制造的阿林染料。

国家其电气化过程，特别地加速起来。在德国利用电气的地方，在 1891 年为 35 处，在 1913 年为 1750 处。在工业方面的机械化，主要的是使用电力。

在运输方面，亦有显著的进步。从普法战后，到 1912 年以前，铁道网增加了 2 倍以上。德国从普法战后，到 1913 年以来，它的轮船数目，便从一百四十七激增到二千零九十八只；此外，轮船的吨数，则从 82000 吨，增到 438000 吨。铁道运输货物的吨数，1913 年为 50 亿。

由于工业的成长，对外贸易也增加起来。德国的贸易，在战前 25 年比已往增加了 2 倍；美、英二国的，比已往增加了 1 倍；而法国的还未增加 1 倍。

七、德国最后参与资产阶级诸国的竞争

德国经济的活动范围，在经济的这种急剧发展的情形之下，即刻感到狭隘

的束缚。国内市场,已经销售不了自己制成的生产品。大规模地扩张生产主为的生产,也超过了国家内部的需要,此外,在德国工业方面,发生了关于原料缺乏的严重问题。铁矿中的铣铁,在最近的将来即有被采掘枯竭的恐慌。并且,煤油一项,亦只能仰给于国外。所以,德国资产阶级,虽在 19 世纪 80 年代末未感到国内立场的狭隘,但到 90 年代,就受到市场狭隘的束缚而采取掠夺殖民地的政策。但是,当时世界领土的大部分,已被其他国家所分割;于是,新兴的德国资本,便处于不利的地位。如果 1914 年以前,英国有殖民地为 3350 万平方里,法国的为 1060 万平方里。而德国呢,只有 290 万平方里的殖民地。

德国资产阶级,尽力去发展自己的侵略性质。以往俾斯麦拒绝由于私人提议而占有非洲的土地,与使其受德意志帝国的统制时代已经过去。1907 年,德国设立了殖民部。德国对于在非洲已得的少许利益,都要作执拗的斗争。它为了马罗阔和特朗斯瓦利确实和法国及英国行过顽强的抗争。1898 年,德国占据了中国一个最主要地带的胶州湾。“到东方去”,主要的是到近东去,成了德国资本的口号。土耳其的奴隶化经济,蕴蓄着莫大的宝藏。于是,现在成为德国资本家最主要的目标,便是从君士坦丁到巴格达铁路的建设。按着这个计划,是把近东划为德意志的殖民地。

德国资本与英国资本的搏斗白热化了,最后才由帝国主义大战解决了。

八、德意志帝国是资产阶级与富农同盟的政治制度

德国是在德意志周围的小的,并在政治上独立的几个国家单位结合而成的联邦国家。基于帝国宪法,德意志帝国的首领,是叫作德国皇帝的普鲁士王。外交、联邦议院、帝国会议的召集及其解散、军队的指挥,以及随意与外国订立政治条约等权,都属于皇帝。在皇帝面前负有军事负责的全德的唯一首相,便是帝国宰相。从 1867 年至 1890 年以来,北德意志联盟与后来德意志帝国的宰相,是以“铁血”出名的俾斯麦首相。德国战胜法国,及其统一等,几乎都是俾斯麦的功绩。俾斯麦的独裁,是建立在他出身于普遍发展了的富农阶层之上。俾斯麦对于资产阶级则处以妥协政策。因为,他深知道:国家为了在欧洲与殖民地的舞台上实行角逐,在某种程度上需要生力军的资产阶级。

集中中央政府权力的联邦议院,是由参加这个联盟的诸联邦的代表组织

起来的。联邦议院有发布实行法律的必要命令、解散国会与宣战等权。国会是由普选选举出来。国会通过的立法草案，只有经过皇帝与联邦议院的同意，才能成为法律。代议院为各联邦国家的立法机关。

德意志帝国的首脑，是普鲁士。它占帝国领土的55％；并且，其他联邦国家的预算合起来为123300万马克的数目，而它的预算，已达到374500万马克。所以，它实际变为全德的运命、支配者。普鲁士的政权，是握在反动气味的大地主手里。大地主，在政治上的势力很大。已往颁布的三级选举法，让给前者以政治的优越。普鲁士的代议院，是在保守党即富农的手里。后者与中央政府占有总议席的四分之三。富农把自己的权力扩张到普鲁士以外的境界。他们多数是供职于宫庭、军队与法庭里。

其他的金融与工业资产阶级，与富农分握政权。但是，在二者之间确有若干利害上的冲突。如资产阶级热望占领殖民地，而地主对于这种举动则表示漠漠勿关的态度。因为，地主认为扩大德国农业经济范围，会使农业生产品的价格低落。虽然如此，但是，最后大地主必要与帝国主义者妥协的。地主与资产阶级，共同地，合谋地去做增加军备的工作。地主，工业的与金融的贵族等，为了在世界市场上与竞争者斗争，所以团结起来。这种团结，主要的是由他们反对劳动阶级的战线促成的。

富农秉政的德意志国家，是金融，工业，与地主等寡头政治的政权。结果，在资本主义高度的发展之下，专制制度还支配着德国。

九、英国的议会君主制

18世纪（1832年、1867年、1884年、1885年）英国在选举上实行的若干政策，虽然曾扩大选举人的范围，但是，却未曾变更英国的议会制度。19世纪末在议会中有两党——保守党与自由党——为政权而搏斗着，这好似在该世纪初叶的托黑与文格两党的互斗一样。在1877年的议会改革以后，至该世纪的末叶以前，政权曾四次地落于自由党的手里，并又移到保守党的集团中四次。英国政权，在20世纪初期，是握在保守党的手里。但在1905年，自由党复掌政权，并继续到1914年。

在议会中无论是代表地主利益的保守党占在支配地位也好，或是代表企业家利益的自由党占着支配地位也好,总之,英国的对外政策,是没有什么变更的。

开英帝国主义政策新纪元的,是 19 世纪 70 年代在议会中处于首位的保守党人计自拉利。他很活跃地购买开凿苏彝士运河的股票,并把从印度到阿富汗的关门,以及从苏彝士到印度的道路中间的苏阔啦半岛合并于英国的领地之中。急进主义者柴木柏林(后来变为保守党)孜孜地续行英国的掠夺政策。他当接任殖民地部长时(从 1895 年起),曾向政府提出扩张英帝国疆土,与把所有的殖民地合并为一个体系的商业领域的工作计划书。柴木柏林制定大英帝国主义的原则及其政策,同时,这也就是暴露议会的阶级本质。"我们的(就是议会的)主要任务,是发展与维持大的农业经济,工业,与商业等企业……整个机关,都要注重商业问题。外交与殖民两部的工作,主要地是讨论开拓新市场与维持旧市场的问题。陆海军两部的任务,是维持已得的市场与保护对外的商业关系。教育部,必须以现代商业竞争上所必要的商业知识去教育青年……"

英国的议会照其宪法来说,是最高的权力机关,即国家的立法机关。内阁是议会的执行机关。实际上,议会的主权,不过是掩饰内阁独裁的一个幕纱。政府(在英国称为内阁)是由在下院站优越地位的多数议会政党党员组成的。在法律上,凡大臣都由国王委任,并当接任时向国王请训;但是实际上,国王所委任的大臣,是由内阁首相制定的。于是,议会与内阁,实行着掌握政权的政党的政策。首相依据推荐他的政党,施行使其政党不致失去组织上统一的政策。他有党的特殊代理人。后者,当为某种事件需要投赞成票时,使议会的代表要受他的指示;其间倘有投反对票的,则受他的骗逐。首相有时以解散议会去威吓议员。

资产阶级法学认为是表示民意机关的议会,实际上已成资产阶级与地主的统制工具。此外,以往曾是贵族机关,与在 19 世纪又从国王手里夺出来的政权=下院,变为维护金融资本的利益与渐趋资产阶级化的机关。劳苦群众,从议会制度方面并得不到什么。据一个资产阶级的历史学者谢尼巴富斯的最聪明的指示,在英国施行着这一类的勾当:"即好像实行普选;好似实施义务的国民教育;在爱尔兰信仰好像是自由的;地方行政人员,好像是选举出来的;

十、法国第三共和国

法国从普法战争后,根据到现在尚有效力的 1875 年公布的宪法,它是个共和国家。在此时期,它的政治生活,是第三共和国的时期。共和国的元首,是由国民会议,即上下两院议员选举出来的。大总统任期为七年。立法大权,属于上下两院。上议院的四分之一议员,是由元老院出身者充之,其余四分之三,则由各洲的特别选举团体选举出来专制政权的拥护者,曾数度作废除共和国的试验,在法国当作反动势力看的,与依据僧侣指导的尊僧派,曾活跃一时。共和国的领袖葛木别达,以洪亮的声音做了如下的报告:"我们的真正敌人,是尊僧派"。结局,共和派的资产阶级,既克服了专制主义者,后击败了尊僧派。

保守派(属于这派的,是专制主义者与共和主义者的一部分)与急进派(参与这派的,有进步的资产阶级与带着社会主义思想的知识分子)的斗争,有时异常白热化。此类斗争在 18 世纪 90 年代,曾揭起一个军事的案件,即诬捏德列矣福丝军官为德国的侦探,并永远放逐他到福特半岛之上。对于一个本来无罪的军官之判决,根据假造的证据一时成为军界最不名誉的事情。引起了尖锐化,而且经过长期斗争的德列矣福丝事件,于 1906 年才由急进派胜利与德列矣福丝的回复自由来解决了。

法国的资产阶级=民主共和政府,常表现自己的懦弱,与无坚决意志去实施有益于大资本利益的某种金融上或政治上的改革。第三共和国时代,是金融资本操纵政权的时代。大银行与交易所的势力,非常之大,可以推翻要想现实上征累进税的任何一个政府。

要想真正理解法国第三共和国时代的社会的与政治的关系,克列曼斯的言论颇为重要。根据社会主义者姚列斯的话,克列曼斯内阁时代,是"社会保守主义"的时期。克列曼斯在 1900 年左右,与右派政敌、尊僧派,以及与专制主义者实行过决绝的斗争。在德列邑矣福斯事件中,急进主义者的胜利,多半是克列曼斯的功绩。俄国 1905 年的革命,使法国劳动阶级的气氛革命化了,因此他就改变了政治方针。他后来一切活动,都采取向劳动阶级挑战的方针。

当军队射击劳动者时,克列曼斯则认为这种举动在原则上是合法的。无论法国的政府,或是议会的机关,都站在拥护金融资本的立场;因此,促成了社会主义政党的左派,在1905—1906年在议会中的骚动。

十一、北美合众国

美国在英国资本家与德国资本家斗争的时代,亦开始急激地向前发展。美国与英德相并立,一跃而为世界上一个先进的资本主义国家。

石煤的丰富储藏量(占世界的三分之二),森林的密布,煤油与铁矿的蕴藏,便成为美国工业之坚固的基础。美国的铣铁生产额,在世界大战的前夕几乎等于世界产额的一半。在目前美国的铁路尚等于全世界的二分之一。美国的煤油业亦发达起来。虽然将到20世纪的时期,俄国煤油业之急速的成长,曾排挤了美国的煤油,但是在1910年左右,俄国煤油业的危机,却使美国做了煤油业的霸主。

美国从农业国转变为工业的国家,而且结局还从西欧的经济羁绊中解脱出来。

股份公司在1914年前夕,成了资本主义企业的基本形态。全世界工业品的70%,是由股份公司工厂制造的。托辣斯的资本,在1908年达3500元。托辣斯独占了:钢铁的生产,石油的提炼与贩卖,钢的精炼,机关车的制造,电信,铁路,电气等工业,自动车的制造,制法以及其他等等。

美国在19世纪90年代末,采用了积极的帝国主义政策。门罗爵士说,"美人的美国"这句话中含有新的意义。原先,美国只是反对欧人干涉它的行动;现在呢,美帝国主义者却开始操纵欧洲大陆的政治与经济,并以种种条件去号令南美洲的共和国。1898年的西美战争,其爆发的原因,是在占领沽碑诸岛。美国占领了非律宾诸岛之后,因此也就巩固了它在太平洋上的地位。非律宾诸岛,是美国出入中国的根据地。美国的资本,对于中国早已垂涎三尺。大总统罗斯福(1901—1909年),很简明地制定了美帝国主义的纲领:"太平洋上的领导权,应当属于美国"。他说我们只有在战争中,才能得到在困苦生活斗争中所必要的男性性质。

为了维持这种领导权,一方面必须要在美国的大西洋诸港间,另一方面在东亚的海岸间,以及在南美的西境中间发现最短的航路。美帝国主义,为了连接两大洋,提出来开凿运河的问题。巴拿马运河开凿许久,才开始通航。新运河在运输上凌越其他很有名的一条运河(美国从欧洲到亚洲的苏彝士运河)。美国为发达工业而凿开的新运河,与旧航路比较起来却缩短了数千里的路程。从那时起,太平洋上的贸易,便逐渐移到美国的手里。

第二节　德国的劳动运动

一、帝国主义时代的德国劳动运动的性质

马克思当普法战争时说过这样的话:"此次战争,使劳动运动的中心,从法国移到德国"。本来,自巴黎公社崩溃以后,德国的劳动运动在西欧便独居首位。因此,它成为强力的国际政治的因素,并决定了第二国际的意识形态及其策略。运动的不断向前发展,是随同国内生产力的增长进行的。

在帝国主义时代,劳动贵族的状况,虽然不断地改善;而整个的无产阶级从国民收入中的所得,却是逐年低落。虽说以货币表现的名目工资,是不断地增高;生活程度的提高,则日趋急激。在 1914 年大战以前的 12 年当中,实质工资,在普鲁斯落了 11%;在民韩落了 3.5%。这点,不能影响于劳动运动的状况。在此诸原因的影响之下,即在规定德国工业繁荣的政治经济情势的影响之下,德国社会民主党与欧洲其他国家的社会民主党同样,亦必要成长起来。一方面,阶级矛盾尖锐化的加强,另一方面,都市的与农村的小资产阶级对于社会民主党的同情,便促进了党的选举的成功。在国会的选举中,有许多同情于被压者的小工业家,店主,小商人,以及土地所有者等,投拥护社会民主党的票。1912 年的国会选举,社会民主党得了 450 万票——占选举总票数的 34.8%,并当选了 110 位代议员。

德国社会民主党,有悠久的历史,全德的劳动者同盟(拉撒里派)与社会民主工党(爱节阿和派＝马克思主义者),在 1875 年的哥德大会中团结起来。直到那时以前相反目的两派,已结合为德国社会民主工党的一个体系。它在第一次国会中已出头露面,并占有很强大的势力。因而,无论是政府的镇压,或是反社会主义者的严刑峻法,都不能消灭它。此种法律,认为一切的社会主

义组织,都是非法的;并给警察禁止社会主义书籍出版与社会主义者集会等权。严刑峻法在此 12 年期间,使党移到地下室里去工作与遭受它的严格驱逐。虽然如此,但是劳苦群众中的社会主义运动,仍是向前迈进。

德国社会民主党,以首尾一贯的正统马克思主义的精神实行过长期的斗争。在第二国际时代,它被视为其他政党的模范;并在国际的社会主义大会中获得了领导权。其他国家的社会民主党(俄国的也包含在内),从德国领略了运动的理论与实践。使党进入地下室里工作的严酷法律,逼着它放弃革命的行动,寻觅合法的斗争方法,与移向议会的活动。在 19 世纪 60 年代,即拉撒里主义者在劳动运动中占有优势的时代,党对于普选与议会的活动任务,做了过分的估价,并十分信任它为社会主义斗争的合法方法。90 年代中叶,对于议会的沉醉越发加强。改良主义的策略,代替了革命的策略,改良主义成长起来,并逐渐侵透了党的组织。社会民主党的代议士,于议会中有过这样的发明:"党应当遵守社会主义者的教条,因为当在其本义上说来是改良的党;所以,至于它的暴力的革命行动,那是无意义的"。后来,到社会民主主义者在左右翼的旗帜遮盖之下,尚未变为像现在人们所称道的"社会帝国主义者"时,改良主义已渐次开始排击革命的马克思主义。

改良主义在社会主义政党中出现的原因,是有很深远的与复杂的意义。它首先起源于 19 世纪末叶的劳动运动,在"和平"时代发展的劳动运动,借列宁的话说,虽是广泛,但在本质上却不能不是低能的;这样实质上的低能,是在议会中成长起来的改良主义的特征。改良主义发生的基础,是德国工业的进步;因为后者增加了得着高额工资的熟练劳动者的数目。关于这点,我们必须特别指示出来的,就是明明改良熟练工人状况的超额利润的作用。关心国民工业的劳动贵族,对于革命的口号表示冷淡的态度。于是,劳动运动的特质如下:基尔特主义、经济主义与反政治主义等。

此外,改良主义的发生原因,还有下列数点:党的官僚机关,给予党的影响很大;官僚主义的意识形态,侵蚀了党的内部;受过高等教育的学者,未能摆脱小资产阶级意识形态的影响;中小资产阶级的一部分,向社会民主党的接近。这几点,一方面促进党的选举成功,他方面巩固了改良主义的策略。因选举斗争的成功,在社会民主党中发生了一种空想,即往社会主义去的道路,是民主主义、自由的利用、议会以及普选等。

二、修正主义在爱尔福特纲领中之萌芽

党从马克思主义的游离,不是突如其来的事情。1875 年哥德大会所通过的纲领,已带着二重的性质。拉撒里往纲领中摄入了许多与马克思主义的基本论纲不相同的理论与实践。他们讨论过工资铁则,以及在国家信用的基础上实行生产组合等问题;认定除无产阶级外,其他的阶级都是反动的;并说劳动者要求劳动的全盘生产物。马克思给予歌德纲领以严酷的批判。虽然如此,但哥德纲领还正式存续到 1891 年。

新纲领(爱尔福特纲领)是在党合法化以后的第二次爱尔福特大会(1891年)中被通过的。这个纲领,消除了拉撒里主义的糟粕。纲领的起草者,是当时正统派的马克思主义者考次基。爱尔福特纲领,成为当时诸纲领的模范。这是说,当其他国家(俄国也在内)的社会民主党起草纲领时,都以它作为起草的根据。

恩格斯在给考次基的信中,指责出纲领关于国家问题的机会主义的性质。实质上,社会革命,只有在无产阶级专政的树立的条件之下才是可能的。关于这点,爱尔福特纲领便一字不提。考次基在纲领的注解中,这样说着:"与武力及流血相结合的这种革命,是没有什么必然性的"。因此,这里已经种下了考次基将来叛变的种子,爱尔福特纲领,未曾提出共和制的要求,只说社会民主主义者,恐惧严酷法令的复活。宣称宗教应当为"个人的私事"的爱尔福特纲领之最享盛名的一条,已是有向修正主义移动的趋势。

三、修正主义及其理论基础

因此,德国社会民主党,从 19 世纪 90 年代起就急激开始从革命的党,转生到社会改良的党。最初述作马克思主义理论修正的人,是德国最有名的一个政论家,兼当时马克思主义的理论家的柏恩思坦。他在 1897 年,就创下了修正主义的伟业。他的所有作品,都修正与非难马克思关于资本主义社会的推动力,发展着的阶级矛盾,走向社会主义之路的革命,以及从资本主义社会往社会主义过渡形态的无产阶级专政等学说。马克思断定:在资本主义制度

之下,必发生生产的集中;而且陷于极端贫困的无产阶级的状况,是日趋恶化的。反之,柏恩思坦却主张:资本主义制度之下的生产集中的情形,不能像科学的社会主义者所预言的那般的迅速;并且,劳动阶级的状况,是会逐渐改良的,柏恩思坦认为国际运动的基本使命,是政治的与社会的改良。柏恩思坦主张:资本主义社会,"和平"地转变到社会主义,即"部分的实现社会主义"。他对于无产阶级专政表示惊愕。所以,他尽力提倡阶级矛盾之调和与使其迟钝化的理论。在提到国家民主主义化的时候,他说在民主主义之下,无论多数人,或少数人,都应当尊崇法律。据他的意见,民主主义是表示阶级支配的一般的消灭。因此,修正主义的学说,对于无产阶级专政的问题便一字不提。柏恩思坦的修正,不仅漫延于马克思的经济学说之内,而且还侵入辩证法唯物论的体导之中。柏恩思坦,否定了阶级斗争,与马克思主义的革命方法论,即唯物辩证法。

最初,柏恩思坦与其徒党,在党内并未得到多大的成功。阿诺维尔的大会(1899 年)与后来德利资金的大会(1903 年),驳斥了柏恩思坦修正马克思主义的基本理论的要求。但是,他却未有被开除党籍。

四、社会民主党与修正主义作动摇的斗争

在德国社会民主斗争的过程中,随同修正主义的发生,又产生了许多的新的派别。新派与旧派(青年反对派)不同,它有自己的见解。修正主义者变为右派。其中除柏恩思坦外,还当指出来的,是经济学者达维德与劳动组合的运动者列根。

与右派并立的,是中央派。中央派之思想上的领导者是考次基。他虽然曾是左派理论的拥护者,但支持正统派的立场,却为时不久;其后他便行止于中央派,即倍倍尔党,与最有名的活动家阿次等集团之间。从那时起,考次基就很狡猾地进出于左右两派之间。

中央派接受阶级斗争,因为认为无产阶级的解放,只能是他自身的事业。中央派规定了:劳动阶级之基本的历史任务,是夺取政权;借助后者,才能使生产手段社会化。中央派虽然宣言社会民主党,不要受"拥护现存国家及现存制度的资产阶级政党的欺骗";但是,当好像改良劳动阶级的社会状况时,便

不拒绝与资产阶级政党妥协的政策。

中央派，主张使"反对者疲惫的试炼的战略"。他们向劳苦群众说："为的免去与军队发生冲突，你们应当不要受煽动的唆使，而走向街头"。中央派与剥削阶级的斗争，归到议会中的斗争。中央派的知道口号，是"议会主义"。它极力使无产阶级的活动，到议会中去斗争。荷兰左派的社会民主党员班古聂耳，认定这种策略为"呆板的期待"。

考次基站在中央派的立场，攻击党的左右两派。为反对柏恩思坦他著了一本理论的作品(《反柏恩思坦论》)；在此书中，他力驳修正主义，与拥护革命的马克思主义。在图书中，也可以说在他最后的作品中，对于机会主义做了本质上的让步；特别是关于无产阶级专政这个问题，却未曾论及。考次基说："无产阶级专政这个问题的解决，我们可以泰然地待诸将来。并且，在这个问题当中，没有什么可以值得我们考虑的"。但是，这个问题，却是革命运动中一个最重要的问题；因而柏恩思坦也就与无产阶级专政的理论相搏击。

"正统派的马克思主义者"考次基及其他诸人，在与柏恩思坦的论战中，比较在爱尔福特纲领中更能表现出他们的明确姿态。因此，正统派的马克思主义，在社会民主党面前变成逐渐让渡自己阵地与前进的改良主义的"无伤害的马克思主义"。为小资产阶级潮流的柏恩思坦主义，在社会民主党内生长起来，并战胜了中央派。

后来不久，考次基承认自己与柏恩思坦的论战，是历史上的误会，并且就正式与改良主义的领袖合作了。这样承认，一方面表白出第二国际活动家的目前立场，一方面暴露了考次基的以往理论，在形式上是马克思主义的，在本质上是很少与无产阶级革命理论有相同之点的机会主义。

五、左翼社会民主主义者反对中央派的斗争

在德国自 20 世纪初叶以来，随着世界市场场上的竞争的尖锐化，资本阶级对于劳动阶级进击的强化，以及生活程度与捐税的提高，在无产阶级的广泛阶层间显出极端的愤怒。此种愤怒使劳动阶级走上革命行动的道路。1905年的俄国革命，给予劳动运动之发展以莫大的影响，俄国革命，振起了西欧劳动阶级的革命精神，并教导他们新的组织方法与斗争方法。劳动军中的左倾，

给社会民主党的打击很大,因之,左派便从其中分化出来。凡信仰革命马克思主义遗产的社会民主党,都参与了左派的团体。在左派中工作的人,为政论家兼经法学者的李卜克内西、政论家兼历史家的梅尔林、妇女运动者柴特根与李卜克内西之子加尔·李卜克内西。左派不仅和修正主义者角逐,并且还与中央派斗争。

当党的指导潮流(中央派),仍以宣传"疲惫反对者的试炼策略"为劳动运动中的新趋向时,左派已准备转向公开的斗争,即转向"破坏的战略"。党不要消极地期待着"自上而下"的煽动式的革命,应当采取攻击的步骤——左派说。左派尤其不能和放弃大众暴动的中央派相妥协。中央派的领袖,恐唯无产阶级之自然性的行动。据他们的意见,这种无组织的群众,可以扰乱与破坏党的指导者所指定的计划。在他们的眼帘中,以为群众的行动,只是"布朗葵主义",即野蛮式的俄国的斗争方法,向有文化的德国之非法的输入。反之,左派暴露之中央派的政策,并尽力宣传大众应当作政治斗争的思想。班古聂耳痛斥中央派说:"这些正统的拥护者们,视社会革命为一种不是由我们主动的一种有计划的行动,而是从天上掉下来的,仿佛像地震一样的,能消灭资本主义的一种冲突"。左派在主张党的议会活动之外,还视群众的运动,为与资产阶级作斗争比较可靠的一种方法。极力拥护这种主张的人,是李卜克内西。虽然如此,但左派确未能常彻底支持革命的马克思主义。例如,它并没有倡议以武装斗争的方式去夺取政权的问题。

六、社会爱国派的发生及其对于无产阶级利害的背叛

本来,第一次世界帝国主义大战以前的 23 年期间,那时在德国社会民主党的修正主义团体中间,已制定了在军事攻击德国时所适用的"社会爱国主义"的纲领,自法俄同盟以来,党的右派代表者佛利马耳曾有过这样的声明:"当我们国家要受敌人侵袭的时际,那在德国只有一个党,并且,我们社会民主主义者对于应尽的义务,决不后人。"其后,修正主义的集团,日益拥护帝国主义与殖民地的政策。柏恩思坦所未说的,罗叶耳、克利叶耳等,都替他传讲出来。本来,克利叶耳因为拥护帝国主义政策,曾被开除党籍;虽是如此,但这并不能防止他还僭称自己为社会主义者,与宣传社会上帝国主义的思想。

"为什么社会民主党,应当支持国家的帝国主义政策呢？这是因为劳动阶级对于以原料及市场去保障德国工业,以及对于向殖民地的资本输出等利害关系,不逊于企业家的缘故。所以,劳动阶级不能不指出德国的海军主义与陆军主义"——这是罗叶耳自问自答地说。

社会民主党的中央派,比他们——罗叶耳等——略好一点。在这里他们曲解马克思与恩格斯对于战争问题所发表的见解,把战争分为防御的与攻击的两种。中央派的代表者,认为"国际主义"的真正思想就在这方面表现出来,于是赞成带有保护祖国性质的战争。就是倍倍尔,也拥护防御的战争。他说与俄国一旦开战,我们虽年纪已老也要荷起枪支,去反对那"国际的宪兵"。他说这话的时节,正是俄国 1905 年革命的时期。俄国革命,显出农民与无产阶级有美的革命力量。考次基对于倍倍尔的主张多少有点不同意。于是,他不赞成当敌人攻击时,去拥护祖国的理论。而中央派的理论家,却不同意考次基的这种见解。

结果,德国的代表,在石土格国际社会主义的大会中竟反对法国人,为防止战争不惜利用一切手段(甚至于采用暴动的手段)的议案。德国社会民主党的一大部分,在此次大会中便公然背弃《共产党宣言》中所说的"工人无祖国"的条款。于是,德国社会民主党,替社会爱国主义辩护,准备背叛无产阶级。后来,1914 年 8 月 4 日,国会中的 110 位社会民主党议员(李卜克内西,因受党的纪律限制,不得已而参加这次会议),投了军事预算的赞成票,并嘉许德国政府参加帝国主义大战。

七、德国的劳动组合运动

德国的劳动组合运动,当时大半是在社会民主党的直接领导之下向前推进的。19 世纪 90 年代,社会民主主义者曾这样说过:"组合,是党由其中吸收党员的贮水池"。倍倍尔认为组合是社会主义的学校。1913 年的时节,所谓主张解决斗争的"自由的"组合,在所有的组合中占在领导的地位。天主教、基督教与独立的劳动组合,约占有有组织的劳动工人的半数。所以,德国劳动组合运动的散漫,使工人的经济斗争愈感困难。

虽然如此,但是劳动组合的组织,仍是一刻也不停地向前发展。从"自由的"组合中,产生出组织方面的模范制度。德国的劳动组合优于美国的地方,是在前者比较更能巩固的团结。1913 年在德国的一个"自由的"组合中,就有五万四千名组合员;同时在英国的一个组合中个,总有 3500 组合员。此外,德国的劳动组合,是早已根据中央集权主义,与循着生产的原则组织起来的。在罢工与失业期间支给补助金的准备制度,使劳动组合的组织与劳苦群众很紧密地团结起来。罢工支出费的数目,是逐年增加;它在劳动组合的预算中占第一位。但是,对于罢工支出费数目增大的速度,却不及其他需要所支出费用的增加速度。这点就表示着:劳动组合,渐渐放弃阶级斗争,转移到采取互助的方法。因此,也就放弃罢工的方法。德国的劳动组合运动,因受了劳动贵族潮流的熏染,在自己的活动当中只限于经济方面的工作。

德国的劳动组合运动,在 20 世纪初企图脱离党的指导,特地指出自己与社会民主党的异见;最后脱离党的管辖独立起来。结果,这种情形,便削弱了自身与社会民主党,因而也就分散了无产阶级的势力。

劳动组合的官僚,像社会民主党一样,在帝国主义大战开始的时期与资产阶级缔结国内合约,并出卖了劳动阶级的利益。

第三节　英国的劳动运动

一、旧劳动组合与新劳动组合

英国在 18 世纪 50 年代至 60 年代之间,独占了世界市场。它在世界市场上的独占地位,与国内的一般经济的昂扬有联带关系。自由贸易的制定,交通手段的革命机器的彻底胜利,金子的流入,以及把国家工业中心联结起来的铁路等——这些都是英国工业繁荣的基本原因。英国,它的工业发展,先于欧洲其他的任何一个国家,所以,它变为世界的"工厂",为时甚久。英国资本的利润,以风驰电掣般的速度向上增加。

但是,英国从 19 世纪 70 年代起,便逐渐丧失自己的独占地位。因为在此时期,它的强而有力的竞争者(德、法、美三国)出现了。虽然,英国的多数工业部门,仍是向前发展;但按其发展速度说来,却不及德国。德国的竞争,在 19 世纪 80 年代已引起了英国资产阶级的惊愕。在英国为追究它的 1885 年的商业之显著凋敝的原因,曾组织了一个特别议会委员会。它在自己的报告中,指出德人的勇敢与执拗性,及其对于市场苛求的努力。英国为消灭德国的竞争,于 80 年代曾制定了一种法律。按着这个法律,德国输入英国的商品,应当印上特别的记号("德国制")。这种特别记号,变为德国的广告。带着这种特别记号的商品,称为必要品。煤炭的采掘、铁的熔炼与棉花的加工等(英国国民经济的三个主要的生产部门),亦开始显著地衰退。因此,它的工业上的独占,趋于没落。德国的石煤产额,在 1887 年为 7600 万吨,即几乎等于英国该项产额之半数;但到 1912 年已赶上了英国的产额(在此时期德国煤的产额为 22600 万吨;英国的为 26400 万吨)。

按着发展的速度说来,无论德国,或是法国,都超过了英国。

19 世纪 70 年代,英国的铣铁产额占世界的 50%,1887 年,德国的铣铁产额尚于英国的二分之一(英国的产额为 800 万吨;德国为 400 万吨);但到 1912 年,德国铣铁产额,要超过英、法二国合起来的 1500 万吨的数目。从 1870 年到 1893 年以来,各国铣铁产增加的数字如下:英国增加了 50%;美国增加了 996%;德国增加了 609%。此外,英国的纺织工业,与其他国家的该门工业较量起来更显出衰退的状况。从 1887 年到 1912 年以来,德国的纺织工业增加了 461%;而英国的才增加了 61.5%。英国在制铁工业方面,还居于美、德、法三国的次位。在机器制造业,电气业与化学工业等方面,又受德美二国的排挤而居于第三位。至于英国对外贸易方面的独占地位,动摇得更为显著。从 1887 年到 1912 年以来,对外贸易一项,英国增到 103%;德国增到 223%。加之,英国在南美又受美国的打击,从前英国机关车与铁轨往阿根廷的输出比构成阿根廷输入的四分之一;现在呢,却退而让美国生产品输出。英国参加世界贸易的比率,从 1886 年到 1911 年以来,却从 19.8% 减到 16.6%。

所以,英国独占地位的丧失,可以由德、美二国的工业发达给予一种说明,当英国的竞争者,正在高级的技术上去创设巨大的企业时候,而它的企业,在技术上仍是落后,只迟缓地、疲惫地去实行必要的与改良的设备。英国当其他国家在冶金方面正发生技术革命的时候,它还是在陈腐的技术设备之下发展该部门的工业。

英国工业独占丧失的原因,除上述的以外,尚有下列数种:即英国国内市场收容力的狭小、矿业资源的枯竭与石油的缺乏。英国这种衰退的情势,是帝国主义时代发展不均衡的列宁法则之明确的图解。

英国在世界市场上,虽然失掉了独占地位,并在重工业方面又退落到第三位,但是,它仍为世界的五大强国之一。英国这种富强的基础,便是它有可以输出资本的广袤的殖民地。英国的殖民地,逐年扩大。它于 1914 年,占领居住39350 万人民的 3550 万平方里的殖民地。英国资本的输出,达到空前未有的数目。当时(1921 年),英国商品的输出,与往昔比较起来,虽是减低,但是,往殖民地及落后国的资本输出,却有 319200 万英镑,即等于法、德二国资本输出之合。

在英国经济独占的时期,它的劳动运动,便是纯粹的,或陈腐的劳动组合。这种运动,早已迈上了专着眼于经济斗争,而排斥政治斗争的道路。英国劳动组合的基本活动,归着于工人日常生活之必要的满足,即互济的组织。劳动阶级领袖对于经济的信息,是与当时资产阶级的意见相一致的。根据此种信念,在资本家与劳动阶级的利害之间应有某种相互的谅解。对于阶级斗争之任务所以会发生这样见解的原因,是因为劳动阶级分裂为熟练的阶层与非熟练的劳苦群众的缘故。至于劳动阶级内部分裂的原因,首先是资产阶级收买无产阶级的一部分的结果。英国的资本家,以从独占地位所得的超额利润去分给劳动阶级的某一阶层。恩格斯于 1883 年关于英国说过这样的话:"自巴黎公社崩溃以来,在这里除在资本主义关系的条件之下,尾随着资产阶级与自由主义去追求渺小的利益的劳动运动之外,也就再看不见其他的劳动运动。"恩格斯在 1889 年终给考次基的信中说:"你不是问我,英国劳动阶级是否也关心殖民政策吗? 现在我来答复你:他们不仅关心这种政策,并且还关心政策的一般呢! 在英国,没有劳动阶级的政党,只有保守党与自由主义的前进派;劳动阶级与他们共享英国殖民地的与世界市场的独占"。被收买的劳动阶级,借列宁的话说,变成了"资本主义的警犬"。这种阶级的分化,是很激烈的。列宁在大战爆发的前夜说:"目前稍得较高工资的这种劳动贵族,闭锁于狭隘的自私的行会组合,背叛了无产阶级,与拥护自由资产阶级的政策。现在,在任何一个国家的劳动阶级中,也不曾像在英国能有那么多的自由主义者。"劳动贵族之世俗的与行会的精神,使他愚蠢地去欢迎似"空想的"社会主义。

劳动组合,按其意识形态来说,更是保守化。它与劳苦群众孤立,只把一部分的劳动贵族,拉在自己的阵营以内。因此,产生了一种为其他组合之模范的,机械建筑工人的组合。这种组合的目的,是在保护经过学徒阶级的工人。

劳动组合,为的不准非熟练工人参加,用尽了一切手段。他们规定了多量的入会金,详审入会的候补者的声请书,并拒绝青年人加入。劳动组合运动的一员,向自己的同志说:"要厉行规约;不许青年人加入;因为他们加入,是恶劣的胚胎;成功的秘诀,就在不允许他们加入。"劳动组合,恐怕竞争,为保持行会制度的排他性,曾长期拒绝妇女劳动者参加;虽然这类劳动者,是占了英国无产阶级的四分之一。劳动组合,在实践上施行劳资协调的原则;并完全拒绝阶级斗争。所谓劳资协调的意义,就在企业者与组合之间订立了一种团体协约,规定了所谓从价的工资。根据这种制度,在主人的事业,趋向恶化,并停滞的状况之下,工人的工资应当随之减低。遇到这种状态,工人必要安静,不许妄动。在繁荣期,企业主自动提高劳动者的工资。劳动组合,很少采用罢工的手段;遇有企业主与劳动者一旦发生争执,则由仲裁机关去解决。所以,劳动组合,不是阶级的组织,而是互济的团体。

英国的劳动运动,自80年代起发生了变化。英国在世界市场上之独占地位的丧失,招致失业增加、工资减低与贫困的深化。最有名的新组合运动开始了。这时期的英国工业,正处于停滞的状态。产业恐慌,使失业者的数目增加,并有利于社会主义思想的宣传。失业者们在伦敦阿义德公园举行的大会,惊动了资产阶级。社会主义者,在没有受过教育的与当时尚未有组织的工人中开始了广泛的宣传。

新劳动组合与旧劳动组合不同,它把已经被摒除于劳动组合以外的非熟练工人(瓦斯工人、造船所工人、水火夫以及下级的铁路职员等)组织起来。新组合运动的首领,是柏恩斯与曼斯。由新组织的工人团体所举行的胜利罢工,唤醒了劳苦群众,并破坏了旧组合的堤防。新的见解,代替了已往组织上的闭锁性。组合之广泛民主主义化的见解,是新组合的根基。非熟练的劳动者,得来了新的斗争方法,与对于劳动运动之任务的新理解。"英国工人之狭隘的,世俗的组合主义与自由主义二者的经济基础,业已崩溃。社会主义,从新使英国工人抬起头来;并训导了劳苦群众。社会主义与使接近社会主义思想的知识阶层的失望的机会主义不同,它是在群众中长起来的。"

在 19 世纪末 20 世纪初,发生了最有名的特发瓦勒事件,亦称裁判事件。此事件之起因,是与特发瓦勒河流域的铁路工人暴动事件有关。此项事件,曾上诉数次。结局,是铁路局方面胜利;而铁路职员的组合方面,却赔偿了 20 万卢布的损失费。特发瓦勒事件,得了一个缺乏政治斗争,去实行经济斗争是不充分的结论。此次事件,唤醒了劳苦群众;因为它向劳动阶级指出:与资产阶级勾结的政策,威胁劳动阶级。

从 1906 年以来,罢工的次数次第增加。从 1906 年到 1911 年这个时期,可以称为罢工期。在此期间曾发生了多次的,无产阶级与资产阶级的最大的搏斗,当时最大的几次罢工,就是:1911 年的铁路罢工与 1912 年的矿山罢工。这次矿山罢工,不仅在英国是最大的一次罢工,而且在欧洲也可称为历来仅有的一次。罢工的斗争,使劳动阶级信任斗争的胜利,只能得之于广泛的生产的基础之上,而不能求之于已往的行会之中。于是,此种斗争,便觉悟的劳动阶级,从狭隘的行会结合移到生产的统一之中。

与此同时,诞生了基尔特社会主义的潮流。它的创立者为几位文艺家与劳动运动的领袖基尔特社会主义者。社会主义者与基尔特主义者这种结合的任务,是把遵循生产原则的组合组织起来。所谓生产原则,其目的在把有参加基尔特的生产者所生产的物品,转移到生产者自身的手里。

二、独立劳动党

劳动群众政党的创立,在英国方面进行是很迟缓的。最大的障碍,是灌输到工人头脑中的行会思想。所以,在 1884 年,才产生了社会民主主义的联盟。它的创立者为马克思的女儿列维林格。联盟的首脑人物,是知识阶层:盖音德门、巴克斯、马利斯与柏林斯等。该党党员并不多;它的最盛期间,也没有超过 1500 人。

恩格斯以激烈的与反对的态度去痛斥社会民主主义联盟。他认为它的领导者,是野心家、派别主义者与"民主主义的流涎者"。他最嘱意的组织,就是脱离社会民生联盟并已组成"社会主义同盟"的团体。社会主义同盟,反对许多联盟采取政治的机会主义的倾向;以加强大众工作为任务;并否定加入议会的理论。恩格斯特别强调这点,是有抓住大众的希图。社会主义同盟,虽有数百同志,但仍是一个派别主义的集团。社会民主主义联盟,是英国唯一的接受马克思主义的组织。它坚决反对劳动组合的领袖;认为它的指导者,是极愚蠢的与无知的机会主义者。联盟的领袖,忽视劳动阶级中的组织工作,并否定为8小时工作斗争的益处,并认定这种斗争,是不值得注意的。所以,他们唱高调说,资本主义已停顿于它最后的喘息之中。联盟的纲领,认为实现社会主义,没有无产阶级革命与专政是可能的。这恰如恩格斯所说的一样:"联盟很狡猾地把马克思的发展的理论还原到化石的正统化。对于这种化石的正统化,劳动阶级从自己的感情出发是不会达到,只有立刻把它吞下去"。

在同一年中(1884年)又有许多同情社会主义的分子,创立了以研究和宣传社会主义思想为目的的费边社。费边社否定马克思的劳动价值论与阶级斗争。他们的目的,是在"讨论"社会主义的问题、经济问题,以及小册子的出版。恩格斯在1893年说:"费边社,是代表一团有理解社会革命必然性的健全头脑的野心家。他们不同意这种伟大的工作,是属于污脏的无产阶级;而且只在头脑中系念社会主义革命。对于革命的惊骇,是他们之原则的基础。于是,他们的策略,不是与反对者和自由主义者作坚决的斗争,而是使他们接近社会主义的理论;结局,费边社是以社会去浸润自由主义的组织"。

列宁说:"机会主义与自由主义劳动者之政策的最完善的表现,勿疑义的,我们可以探源于费边社"。文笔家的集团,对于劳动阶级之组织的工作,不会进什么显著的任务。费边社反对革命;宣传"英国独有的社会主义";他们以为用和平的方法——工厂法,企业家负责任,劳动保护法,卫生的方策,劳动者居住方面的建筑及其子弟的教育、公园、澡堂、水道建设,以及铁路与出版的国有化等——可以实现社会主义。而且,资产阶级也可以参加社会主义的斗争。费边社在其纲领中说:"费边社要在一切的居民层中去征求它的社员;这是因为不仅受现在制度剥削的人,就是从它得到利益的人,也都窥见它的罪恶,并乐于消灭它的。"

英国最初的劳动政党,就是1893年组织的独立劳动党。它与社会主义联盟不同,曾与劳动组合保持紧密的联系。在自己的纲领中,提出小资产阶级与办社会主义的任务。独立劳动党,想变为英国无产阶级的独立的政党。于是它与资产阶级的政党对立起来。一般说来,它的后来活动,是反对社会主义与敌视革命的。列宁说:"独立劳动党,脱离了社会主义,依存于自由主义"。独立劳动党的领袖,即现任英国政府的大臣,他们向政府与资产阶级曾表向过自己的赤胆忠心与对现政府的服从;避回自己与自己党徒有马克思主义思想的嫌疑;并把宗教与世俗道德,变作自己党的旗帜。成为它的几许功绩,就是它于议会中所组织的独立的政治代表团。在那时以前,英国劳动阶级的组织,是尾随着自由主义者和资产阶级的团体。独立劳动党的机会主义政策,虽然给党造下了几许选举的功绩,但尚不能称为英国无产阶级的劳动党。该党党员,在1912年达到四万人。

三、议会的劳动党

劳动组合,时常召集大会,以便审议劳动运动的主要问题。在某一次的大会中,提出了创立自己的劳动党的问题。因为已往劳动组合为了保护自己的利益,曾求助于资产阶级的政党:自由党与保守党,普利穆大会(1899年),为了选举议员决定召集劳动组织会议。这个会议,于翌年开幕。当时出席会议的,除了劳动组合以外,还有独立劳动党与费边社的代表。结果,又组织了一个新党的委员会,即所谓劳动代表委员会(1906年)。英国的劳动党,与欧洲的其他劳动党是显然有别的,因为前者是由合作社主义者与社会主义的集团混杂起来的劳动组合中产生出来的特殊政治机关。

劳动代表委员会,专从事于改良议会的活动。

劳动组合与社会主义组织之结合的成绩,即刻表彰出来。在1906年的第一次选举中,劳动党员当选议员者,有29人之多。在该党创立时,总有375934人;但到1913年,这个数目便增加到188万人,并且议会中党的代表人数,增到42人。

劳动党仍旧保持它固有的,机会主义与自由资产阶级的特质。它与社会主义联盟,费边社,以及独立劳动党同样,也是出卖美国无产阶级的利益。

第四节　法国的劳动运动

一、法国的经济发展

在金融资本时代的法国经济之发展,与其他先进的资本主义国家比较起来,却是不均衡的。19世纪的最后十年,是法国经济落后的时期;它变成了批评家或历史家们,论说法国经济停滞的理由。反之,第一次世界大战前几年,便是法国繁荣的时期。自法国于1902年开掘戴不利的炭田时候起,它的制铁工业,就开始兴盛起来。法国的制铁工业,与一般冶金工业的惊人进步,使法国位列世界第一等强国。法国在铁路的发展方面,凌驾了德意志。金属工业与纺织工业等部门,在"一战"前30年左右,其速度只落后于德、美二国,尚超过英国。

抑制法国工业发展的原因,是原料与燃料的缺乏。法国在国内只能得到消费煤总量的百分之五十;其余不足的部分,只好仰给于外国。但是,外国的煤炭,对于法国特别提高价格。在1885年至1905年这个期间,法国每购一吨煤炭要比德国多花36%;比英国多花45%。此种情势,使法国处于不利的地位。这种国难地位,因为法国缺乏相当数量的精炼铁,又加倍地恶化起来。因为法国每年所消费的铁,约有三分之一求供于外国。本来,法国有很丰富的铁矿;可惜,该种铁质,含有磷的成分,所以在本质上说来,不适于使用。

法国的经济昂扬,是从科学的方法能够借助于托马斯的方法,将磷从铁中提出来的时期开始,帝国主义的历史家怕夫罗继刺说:"托马斯的发明,在冶金工业的发展中引起了莫大的变革。这种发明,尤其对于法国的经济运命给予一种有力的影响……法国的工业部门,因为最近十五年来使用托马斯炼铁的方法,彻底地发生了一种变化。结果,法国突然变为世界第一等冶金工业的国家"。但是,法国与德国比较起来,还是落后。1912年,法国每人平均只能生产11吨的铁与九吨的钢;但是,当时德国每人平均却生产32吨的铁与22吨的钢。

法国以"白煤"去补充黑煤的不足。法国因为处于山地与独得湿润的气候,所以除掉瑞士外,它持有欧洲第一等的水力。在世界大战的前夜,它是欧洲使用水力的巨擘。

虽然,法国有很丰富的铁矿与白煤,但是,它的发达,与它的敌人德国比较起来,却是迟缓一些。阻碍它发展的是:因为法国人口增加的迟缓与维持殖民地费用浩繁,所以使法国不能在国内去做资本建设的工作;因而发生了国内市场之不繁荣的情况。

再,法国的资本,不仅流入殖民地,并且还流到本国领地以外的地域。在19世纪法资本向外流出的原因,是因为缺乏煤铁的国家,不能收容多量资本的缘故。法国资本的输出速度,是非常惊人的;它的资本,侵入到世界的一切的角隅。一位经济学家很惊恐地预言着:快到了法国流到国外的资本,超过留在国内数目的时期。法国的金融大王,对于这位经济学家的预言仍是很注意。于是,法国在战前成了国际的银行家。它每年要以贷款的形式,借给外国两亿以上的法郎,所以它变为金利生活的国家。法国金融资本之高利贷的性质,是它帝国主义的特征。

当时法国经济之本质上的特征,用一位历史家的话说,是"农业压倒工业,手工业与小企业压倒大企业"。

农民,即小所有者,占全民的55%。农民土地的所有,是极度分散的。10公亩以下的小经营,占485万公亩的面积;中等经营,比这个数字略少一点;但是,大经营,才占着少于75万公亩的面积,农业耕作中最普及的方法,是庭园耕作与蔬菜栽培的两种方法。以生产品供给国内市场的小农民的所有,由极端的保守主义特征出来。

二、在社会主义集团中,结合中,以及派别主义的机会主义

在巴黎公社破灭以后,劳动运动经过长久时间才恢复起来。法国的劳动运动,是很散漫的,派别主义与互相敌对的集团,以及各种的倾向等,这便是法国第三共和国时代的特征。这种分散性,被法国工业的微弱发展与小农经营站在压倒地位等情势支持下去。受小工业拘束的无产阶级的一大部分,尚未脱去小资产阶级的心理。

在这种情势之下,便发生了一种劳动组合的运动;它只吸收一小部的工人,并分裂为稳健的与革命的两种组合。革命的组合,对于推行罢工运动,没有准备,只以轻率的态度,去宣布罢工。劳动组合,被视为社会主义的政党。

法国无产阶级势力之最初的结合的试验,是1876年的事情。当时,在巴黎曾召集了劳动者的国民大会。这个大会之特征,就是对于"政治"与知识分子发生不信任的观念。1879年的马克谢利大会,主张组织法国社会主义劳动党。马克思主义者哥德,于马克谢利大会的一年后,在马=恩两氏参加的场合

之下,做成了新党的纲领。并且,从第一次会议(将纲领提到议程上的议会)起,各种在原则上背离马克思主义诸潮流的斗争,已经开始。这个会议出席的代表,分为两派:社会主义派与单纯拥护劳动组合运动派。后来又开一次会议——新台勒——把已组成政党的马克思主义者与改良主义者判别出来。第一个劳动政党的领袖,是哥德主义者;第二个政党的领袖,是布鲁斯与马伦等(这个政党又称布鲁斯主义者或可能派)。

哥德主义的政党,是重视政治斗争,与拥护历史唯物论观点的政党。布鲁斯主义者,是只关心选举成功的机会主义集团。他们认为社会主义,是以改良的方法,去缓慢地夺取行政的手段。在这点上说来,他们是德国改良主义的血缘者。

与此类派别相对立的,还有下列各派:即一是布朗葵集团,它的领袖为过去公社社员瓦扬;二是姚列斯所指导的独立的联盟;三是阿勒列马尼斯特主义者。后者,是从布鲁斯主义者脱离出来,并于1890年组成的。

上述诸集团,彼此之间发生过尖锐的斗争,妨碍了劳动运动的发展。当米利郎在全世界的社会主义者中,他是第一个充任卢梭的资产阶级政府的大臣时,这种事件,就引起了在社会主义诸党间的严烈论争,赞成米利郎这种行为的社会主义者,组织了一个法国社会主义的政党(姚列斯);反对社会主义者参加资产阶级政府的,即所谓“内阁主义”的反对者,也组织了一个社会主义的政党(哥德与瓦扬)。

这两个政党,在1905年又结合起来。这种团结,是站在哥德主义(马克思主义)立场上诞生的。虽然如此,但是,改良主义,尚隐藏于劳动政党之中。

三、工团主义者

法国劳动运动的主要特征之一,就是:在法国,党与组合运动之间,没有像在英国劳动党产生于劳动组合,或像在德国社会民主党使劳动组合运动属于自己的支配之间那一种的统一。

劳动组合的其正发达,是使它合法化的工团法律颁布以后的事情。里温大会,认为工团的任务,不仅在改善劳动阶级的状况,而且还应当顾虑达到社会主义的问题;所以,它提出在工团主义者的名义之下,去促成工团主义者的国民团结的问题。

革命思潮的工团主义,是站在承认阶级斗争的立场。但是,它却认为这种在议会以外,纯经济的斗争,是由参加工团的无产阶级去实行的。工团主义常与政党对立。显为国家,议会主义,与中央集权主义的敌人的工团主义者,做反军国主义的宣传。工团主义者,认为社会革命的主要方法,是"普遍的罢工"。在自己日常生活的斗争中它也使用了强盗式的与怠工的方法——"直接行动的策略"。

工团主义者,有自己的中央机关,即国民的工团主义者,按着职业组织起来的总劳动的联盟(1895年)。工团主义,得到了,劳苦群众的拥护;至于它得到拥护的原因,我们应当求之20世纪初期阶级斗争的尖锐化,法国社会主义运动各党的与劳动组合的机构之保守主义,与社会主义的领袖之叛逆。

为小资产阶级革命的意识形态之工团主义,又必须与革命,运动的工团主义判别出来。革命工团主义的学说,又称为无政府的工团主义。无政府的工团主义,在新的历史条件之下,又使普鲁东主义,特别是巴枯宁主义的传统复活起来。据无政府的工团主义的理论家说来,劳动阶级之真正统一的团结,只有在他们生产之利害关系上才是可能的。工团主义者,应当是将来社会的中坚。改造社会机构,除了生产的工团主义者是不可能的。由此,我们可以知道,无政府的工团主义者,没有理解无产阶级革命的性质。

第五节　北美合众国的劳动运动

一、60年代至80年代的劳动运动

美国在几十年的期间,是走上了由农业国特变为工业国的道路。经济发展与资本集中的速度,比德国更为积极。于最短期间,工业的都市从国内与国外吸收进来多数的人口。美国的人口,在1850年为2300万人,在1890年增到6300万人;在1927年又增到11800万人。国富1850年为7亿元,40年后增到65亿元,但又经过30年,却增到350亿元。大工业的劳动者数目,在1914年前已经超过800万人。反之,农业劳动者,在帝国主义时期却显出有减少的趋势。

60年代的内战,废除了主人鞭笞奴隶的条件,此后,他们在新的条件之下形成了受主人雇佣的预备军。这种新的条件,不能不促进劳动运动之成长。虽然,在美国对于劳动力的需要是积极的,工资已高于欧洲其他任何国家的;但是本质上,工资却退落到那种超过欧洲其他国家的劳动生产性以后。

在美国,革命运动的基础,和在英国一样,是劳动组合运动。法、德二国的1848年革命,以及后几年所发生的事件,把许多的革命者驱逐到美国去。在美国,德国人参加劳动组合运动,希图对于运动予以政治的影响。在美国第一国际创立以后,他们就很积极地创立了最初的马克思主义团体——德国劳动者总会。

70年代,是由1873三年经济恐慌招致来的大罢工的时期。其中最大的一次罢工,是1877年因为减少贫西立瓦铁路工人工资的10%引起的罢工。

这时期的美国劳动运动,是受革命思想渗透着的。美国的支配阶级,显出异常的惊慌。当暴动者向驱逐在支加哥格马儿公园的工人之警察队伍中投炸弹时,统治阶级,则抱着复仇的心理,把劳动阶级中之比较优秀的领袖,都推上了断头台。

许多的美国的比较大的劳动组合,60年代间已经产生;并且,1873年的"遭难期",复促使劳动阶级懦弱地结合起来。由站在真正的阶级利害关系的立场去指导的无产阶级罢工,是自然发生的。

二、美国的劳动联合会

农民与农业劳动者的减少,增加了产业无产阶级。从欧洲各国移民的流入,次第地使劳动大众走上劳动组合运动之统一的道路。在1881年的大会,成立了美国的劳动联合会。到现在为止,这种组织,还是美国劳动组合之最大的全国统一的组成。

劳动组合的指导者郭木蒲耳斯——典型的组合的官僚与妥协主义者——从自己活动的第一步起,就实行"独立的劳动组合运动"的政策。劳动联合会,认为目前的任务,是提高工资,缩短劳动时间与劳动条件的改良。为达到改善劳动条件的目的,劳动联合会曾向银行与工厂主交涉,希望订立契约。

劳动联合会,最初约有 20 万会员。1900 年,劳动组合的人数,超过 50 万;过四年其数目又 3 倍于前;而到世界大战的前夜,参加人数已达到 200 万。劳动联合会的首脑部,为执行委员会;其组织六百分为五部:建筑业、五金工业、矿山业、铁路与"联合的组合"等部。这种按生产方面成立的几个劳动组合,乍看好按产业差别创立的;其实,它常是职业差异的支柱。

劳动组的大众,不得参与劳动联合会的指导。指导权,只是劳动联合会的官僚之私有物。组合的领袖,如现在一样,收得很厚的给养金,有自己的住宅、汽车;所以,劳动组合的群众,赐予他们一个绰号,叫"肥胖的赤子"。

受这种机关指导的美国劳动联合会,反对阶级斗争,并有计划地宣传与资产阶级团体合作的思想。它敌视劳动阶级的公开行动,借助警察去破坏罢工。近几年来,劳动联合会又设立了使劳动者关心资本主义经济的"劳动者银行"。

在对外政策方面,它表现为美国帝国主义的协助者。美国劳动联合会,努力"树立劳动领域内的门罗主义"。它参加与资产阶级妥协的阿穆斯坦的劳动联合的国际组织;过一年后又退出来,认为这种机会主义的团体,还是纯革命的组织。美国劳动联合会,与黑人团紧密地结合起来,因此,它在现在仍是共产党与苏联的敌人。

美国劳动联合会在历史上留下的唯一的积极的成果,就是在 1888 年落邑大会所规定的"五一"劳动者的示威运动。第二国际把"五一"示威运动,从一国的扩大到国际的示威运动。

三、世界产业劳动者

与仅许可熟练劳动者参加的美国劳动联合会相对立的,便是在 1905 年产生的"世界产业劳动的"的革命组织。"世界产业劳动者",把熟练的与非熟练的劳动的组织起来。这个团体,是应尖锐化了的阶级矛盾(与美国工业化的速度有关的)产生的。这种组织的主要分子,是海员、搬运夫与农业劳动者。它是站在无政府的工国主义的立场。根据世界产业劳动者组织的意见,为了资本主义制度自己消灭,劳动者只要组织自己的经济势力与破坏资本主义的工厂就够了。

"世界劳动者",采取积极的行动,实行战斗争的宣传。它与政府之累次的冲突,是由政府之镇压引起来的。

"世界劳动者",已处于非合法的状态;他的组合员,时被迫逐;一部分领袖,被判处死刑;又一部分领袖则受放逐的处分。

四、社会主义的政党

关于创立独立劳动政党的问题,当1867年开全美劳动者大会时才提出讨论。但是,大会的希望,终是等于具文。其后不久,美国的国际支部,又创立了纽约社会主义政党。它成立不久,就瓦解了。在第一国际内部,1874年又次第组织了美国的社会民主党。但到1877年,从此党与其他的组织中又产了一个社会主义的劳动党。它从活动第一步起,就采取积极参加罢工的策略;这也就是它的初期工作。当时它的势力是很大的。但是,在1873年的"严重恐慌"过去后,党随同"好况"的来临便陷于瓦解的境遇。内部的斗争,以及与无政府主义的斗争,加速了它的瓦解过程。社会主义的劳动党,是典型的机会主义的政党;因为它的领袖,是以书袋子观点去观察运动的知识分子与大学生。他们解释马克思主义,为劳动以民主主义投票的方法去获得政权的学说。

在社会主义劳动党中之经常的冲突,产生重新组织新党的可能性。经过数次分裂与团结之后,在1901年才成立了社会主义的政党。与通过20世纪25年间的,懦弱的社会主义的政党不同,它却有很好的成绩。党员的数目,增加起来;他们在选举场中所得的票数,1914年有100万。虽然如此,但是,社会主义政党,还未能抓住有革命气氛的劳苦群众。它的领袖人物(记者、律师、大学生),不理解群众的运动,认为党的基本目的,只是增加选举自己的票数。

为了表明美国劳动运动的全貌起见,必须指出下列各点:美国的劳动运动,是散漫的、机会主义的与狭隘利益优于政治利益的一种运动;社会主义政党间,因为渐小的利益,而发生互斗;最后,它还缺乏马克思主义的革命思想(仅在无产阶级乍出现与资本斗争的峰占上的初期,曾使劳苦群众运动活跃起来的马克思主义的革命思想)。劳动运动处于这种低级水准的原因,主要的是于超额利润的作用;因为美国的资产阶级,不惜牺牲利润的一部分,去收买一部分劳动者。

美国的无产阶级运动走上革命的道路,那是共产党组织起来以后的事情。

责任编辑:李媛媛　李琳娜

图书在版编目(CIP)数据

李达全集.第十四卷/汪信砚 主编. —北京:人民出版社,2016.12

ISBN 978－7－01－016777－0

Ⅰ.①李… Ⅱ.①汪… Ⅲ.①李达(1890—1966)－全集 Ⅳ.①C52

中国版本图书馆 CIP 数据核字(2016)第 235459 号

李达全集

LIDA QUANJI

第十四卷

汪信砚　主编

人民出版社 出版发行

(100706　北京市东城区隆福寺街 99 号)

北京新华印刷有限公司印刷　新华书店经销

2016 年 12 月第 1 版　2016 年 12 月北京第 1 次印刷

开本:710 毫米×1000 毫米 1/16　印张:32.75

字数:520 千字

ISBN 978－7－01－016777－0　定价:169.00 元

邮购地址 100706　北京市东城区隆福寺街 99 号

人民东方图书销售中心　电话 (010)65250042　65289539